『十三五』国家重点出版物出版规划项目

中国中药资源大典

重庆卷

5

黄璐琦 / 总主编
钟国跃　瞿显友　刘正宇 / 主　编

北京科学技术出版社

图书在版编目（CIP）数据

中国中药资源大典．重庆卷．5 / 钟国跃，瞿显友，刘正宇主编．—北京：北京科学技术出版社，2020.10

ISBN 978-7-5714-1061-2

Ⅰ．①中… Ⅱ．①钟… ②瞿… ③刘… Ⅲ．①中药资源—资源调查—重庆 Ⅳ．① R281.4

中国版本图书馆 CIP 数据核字 (2020) 第 137424 号

策划编辑： 李兆弟　侍　伟
责任编辑： 侍　伟　王治华
责任校对： 贾　荣
图文制作： 樊润琴
责任印制： 李　茗
出 版 人： 曾庆宇
出版发行： 北京科学技术出版社
社　　址： 北京西直门南大街16号
邮政编码： 100035
电　　话： 0086-10-66135495（总编室）　0086-10-66113227（发行部）
网　　址： www.bkydw.cn
印　　刷： 北京捷迅佳彩印刷有限公司
开　　本： 889mm × 1194mm　1/16
字　　数： 1067千字
印　　张： 48.25
版　　次： 2020年10月第1版
印　　次： 2020年10月第1次印刷

ISBN 978-7-5714-1061-2

定　　价：790.00元

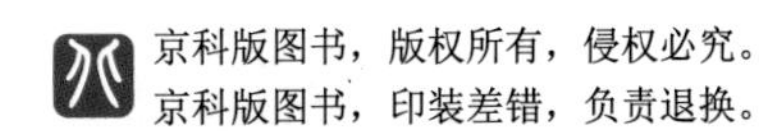

目录 Contents

被子植物

凤仙花科 Balsaminaceae 凤仙花属 *Impatiens*

凤仙花 *Impatiens balsamina* L.

| 药 材 名 | 急性子（药用部位：种子。别名：金凤花子、凤仙子）、凤仙透骨草（药用部位：茎。别名：透骨草、凤仙梗、凤仙花梗）、凤仙花（药用部位：花。别名：金凤仙、灯盏花、好女儿花）、凤仙根（药用部位：根。别名：金凤花根）。

| 形态特征 | 一年生草本，高 60 ~ 100cm。茎粗壮，肉质，直立，不分枝或有分枝，无毛或幼时被疏柔毛，基部直径可达 8mm，具多数纤维状根，下部节常膨大。叶互生；叶柄长 1 ~ 3cm，两侧有数个腺体；叶片披针形、狭椭圆形或倒披针形，长 4 ~ 12cm，宽 1.5 ~ 3cm，先端长渐尖，基部渐狭，边缘有锐锯齿，侧脉 5 ~ 9 对。花梗短，单生或数枚簇生叶腋，密生短柔毛；花大，通常粉红色或杂色，单瓣或重瓣；萼片 2，宽卵形，被疏短柔毛；旗瓣圆，先端凹，有小尖头，

凤仙花

背面中肋有龙骨突；翼瓣宽大，有短柄，2裂，基部裂片近圆形，上部裂片宽斧形，先端2浅裂；唇瓣舟形，被疏短柔毛，基部突然延长成细而内弯的距；花药钝。蒴果宽纺锤形，长10～20mm，两端尖，密被柔毛；种子多数，圆球形，直径1.5～3mm，黑褐色。花期7～10月。

｜生境分布｜ 栽培于庭院。重庆各地均有分布。

｜资源情况｜ 野生资源稀少，栽培资源丰富。药材主要来源于栽培，外销内用。

｜采收加工｜ 急性子：夏、秋季果实即将成熟时采收，晒干，除去果皮及杂质。

凤仙透骨草：夏、秋季植株生长茂盛时割取地上部分，除去叶及花、果，洗净，晒干。

凤仙花：夏、秋季采摘，晒干。

凤仙根：秋季采挖，洗净，鲜用或晒干。

｜药材性状｜ 急性子：本品呈椭圆形、扁圆形或卵圆形，长2～3mm，宽1.5～2.5mm。表面棕褐色或灰褐色，粗糙，有稀疏的白色或浅黄棕色小点，种脐位于狭端，稍凸出。质坚实，种皮薄，子叶灰白色，半透明，油质。无臭，味淡、微苦。

凤仙透骨草：本品茎长柱形，有少数分枝，长30～60cm，直径3～8mm，下端直径可达2cm。表面黄棕色至红棕色，干瘪皱缩，具明显的纵沟，节部膨大，叶痕深棕色。体轻，质脆，易折断，断面中空或有白色、膜质髓部。气微，味微酸。

以色红棕、不带叶者为佳。

凤仙花：本品多皱缩成团，花瓣粉红色、红色、紫红色或白色，单瓣或重瓣，干燥后显棕色。完整者展开后，萼片 2，卵形或卵状披针形；唇瓣深舟状，被柔毛，基部急尖成长 1 ~ 1.5 内弯的距；旗瓣圆形，先端微凹，背面中肋具凸起；翼瓣 2 裂，下部裂片小，上部裂片近圆形，先端 2 浅裂；雄蕊 5；子房纺锤形，密被柔毛。体轻。气芳香，味微酸。

| 功能主治 | 急性子：微苦、辛，温；有小毒。归肺、肝经。破血，软坚，消积。用于癥瘕痞块，经闭，噎膈。

凤仙透骨草：辛、苦，平；有小毒。归肝、肾经。祛风湿，活血，解毒。用于风湿痹痛，跌打肿痛，闭经，痛经，痈肿，丹毒，鹅掌风，蛇虫咬伤。

凤仙花：甘、苦，温。归肝、胆、脾经。祛风活血，消肿止痛。用于风湿痹痛，腰胁疼痛，妇女经闭腹痛，产后瘀血未尽，跌打损伤，痈疽，疔疮，鹅掌风，灰指甲。

凤仙根：苦、辛，平。活血止痛，利湿消肿。用于跌打肿痛，风湿骨痛，带下，水肿。

| 用法用量 | 急性子：内服煎汤，3 ~ 4.5g。外用适量，研末或熬膏贴。孕妇忌服。

凤仙透骨草：内服煎汤，3 ~ 9g；或鲜品捣汁。外用适量，鲜品捣敷；或煎汤熏洗。

孕妇忌服。

凤仙花：内服煎汤，1.5 ~ 3g，鲜品可用至 3 ~ 9g；或研末；或浸酒。外用适量，鲜品捣烂涂；或煎汤洗。孕妇忌服。

凤仙根：内服煎汤，6 ~ 15g；或研末，3 ~ 6g；或浸酒。外用适量，捣敷。孕妇忌服。

| 附　　注 | 本种喜阳光，怕湿，耐热不耐寒。喜向阳的地势和疏松、肥沃的土壤，在较贫瘠的土壤中也可生长。

凤仙花科 Balsaminaceae 凤仙花属 *Impatiens*

细柄凤仙花 *Impatiens leptocaulon* Hook. f.

| 药材名 | 白冷草（药用部位：根、根茎。别名：痨伤药、冷水七、冷水丹）。

| 形态特征 | 一年生草本，高 30 ~ 50cm。茎纤弱，直立，不分枝或分枝，节和上部被褐色柔毛。叶互生，卵形或卵状披针形，长 5 ~ 10cm，宽 2 ~ 3cm，先端尖或渐尖，基部狭楔形，有几个腺体，边缘有小圆齿或小锯齿，无毛，叶脉 5 ~ 8 对；叶柄长 0.5 ~ 1.5cm。总花梗细，有花 1 或 2；花梗短，中上部有披针形苞片；花红紫色；侧生萼片 2，半卵形，长凸尖，不等侧，一边透明，有细齿；旗瓣圆形，中肋龙骨状，先端有小喙；翼瓣无柄，基部裂片小，圆形，上部裂片倒卵状矩圆形，背面有钝小耳；唇瓣舟形，下延长成内弯的长距；花药钝。蒴果条形。

细柄凤仙花

｜生境分布｜ 生于海拔 1200 ～ 2000m 山坡草丛中、阴湿处或林下沟边。分布于重庆南川、綦江、江津、武隆、奉节、酉阳等地。

｜资源情况｜ 野生资源一般，亦有零星栽培。药材主要来源于野生和栽培，外销内用。

｜采收加工｜ 夏、秋季采挖根及根茎，洗净，鲜用或切段晒干。

｜药材性状｜ 本品根茎呈疙瘩形，常连接成结节状，上部残留长短不等的茎痕，下部簇生多数圆柱形细根，弯曲，长 5 ～ 10cm，直径 2 ～ 4mm。表面灰棕色或灰褐色，皱缩，具细纵纹。质稍松泡，海绵样，易折断，断面棕红色，有亮晶小点。气微，味微咸，嚼之无渣而稍刺喉。

｜功能主治｜ 辛、苦，微温。理气，活血，止痛。用于风湿性关节炎，跌打肿痛。

｜用法用量｜ 内服煎汤，9 ～ 15g；或浸酒。外用适量，捣敷。

凤仙花科 Balsaminaceae 凤仙花属 *Impatiens*

块节凤仙花 *Impatiens pinfanensis* J. D. Hooker

| 药 材 名 | 串铃（药用部位：茎基部膨大的节。别名：万年炬、小羊芋）。

| 形态特征 | 一年生草本，高 20 ~ 40cm。茎细弱，直立，茎上疏被白色微绒毛，基部匍匐，匍匐茎节膨大，形成球状块茎，上着生不定根。单叶互生，卵形、长卵形或披针形，长 3 ~ 6cm，宽 1.5 ~ 2.5cm，先端渐尖，基部楔形，边缘具粗锯齿，齿尖被小刚毛；侧脉 4 ~ 5 对，叶面沿叶脉疏被极小肉刺；下部叶柄长，上部叶柄极短，长 0.3 ~ 2cm。总花梗腋生，长 4 ~ 5cm，仅 1 花，中上部具狭长披针形小苞片 1；花红色，中等大，长约 3cm；侧生萼片 2，椭圆形，长约 0.5cm，先端具喙；旗瓣圆形或倒卵形，背面中肋有龙骨突，先端具小尖头；翼瓣 2 裂，上裂片斧形，先端圆，下裂片圆形，先端钝；唇瓣漏斗状，基部下延为弯曲的细距；花药尖。蒴果线形，具条纹；种子近

块节凤仙花

球形，直径约 0.3cm，褐色，光滑。花期 6 ~ 8 月，果期 7 ~ 10 月。

| 生境分布 | 生于海拔 900 ~ 2000m 的林下、沟边等潮湿环境。分布于重庆南川等地。

| 资源情况 | 野生资源稀少。药材来源于野生。

| 采收加工 | 秋季采收，取下基部茎节的膨大部分，洗净，鲜用或晒干。

| 功能主治 | 辛，温。祛风除湿，活血止痛。用于风寒感冒，乳蛾，风湿骨痛，经闭，骨折。

| 用法用量 | 内服煎汤，9 ~ 15g。外用适量，捣敷；或煎汤熏洗。

凤仙花科 Balsaminaceae 凤仙花属 *Impatiens*

翼萼凤仙花 *Impatiens pterosepala* Hook. f.

| 药 材 名 | 翼萼凤仙花（药用部位：全草。别名：冷水丹、水牛膝、金牛膝）。

| 形态特征 | 一年生草本，高 30 ~ 60cm。茎纤细，直立，有分枝。叶互生，卵形或矩圆状卵形，长 3 ~ 10cm，宽 2.5 ~ 4cm，先端渐尖，基部楔形，具球形腺体 2，边缘有圆齿，侧脉 5 ~ 7 对；叶柄长 1.5 ~ 2cm。总花梗腋生，长约 4cm，中上部有 1 披针形苞片，仅 1 朵花；花淡紫色或紫红色；侧生萼片 2，长卵形，先端渐尖，有时一侧有细齿，背面中肋有狭翅；旗瓣圆形，先端微凹，基部心形，背面中肋全缘或有波状狭翅，翅的先端有短喙；翼瓣近无柄，2 裂，基部裂片矩圆形，上部裂片较大，宽斧形，背面有小耳；唇瓣狭漏斗状，基部延成细长内弯的距；花药尖。蒴果条形。

翼萼凤仙花

| 生境分布 | 生于海拔 1500 ~ 1700m 的山坡灌丛中或林下阴湿处、沟边。分布于重庆城口、巫山、巫溪等地。

| 资源情况 | 野生资源稀少。药材主要来源于野生。

| 采收加工 | 夏、秋季采收，洗净，鲜用或晒干。

| 功能主治 | 清热解毒，消炎，止血。用于跌打损伤。

| 用法用量 | 内服煎汤，适量。

凤仙花科 Balsaminaceae 凤仙花属 *Impatiens*

黄金凤 *Impatiens siculifer* Hook. f.

| 药 材 名 | 黄金凤（药用部位：全草。别名：岩胡椒、纽子七）。

| 形态特征 | 一年生草本，高 30 ~ 60cm。茎细弱，不分枝或有少数分枝。叶互生，通常密集于茎或分枝的上部，卵状披针形或椭圆状披针形，长 5 ~ 13cm，宽 2.5 ~ 5cm，先端急尖或渐尖，基部楔形，边缘有粗圆齿，齿间被小刚毛，侧脉 5 ~ 11 对；下部叶的叶柄长 1.5 ~ 3cm，上部叶近无柄。总花梗生于上部叶腋，花 5 ~ 8 排成总状花序；花梗纤细，基部有 1 披针形苞片宿存；花黄色；侧生萼片 2，窄矩圆形，先端凸尖；旗瓣近圆形，背面中肋增厚成狭翅；翼瓣无柄，2 裂，基部裂片近三角形，上部裂片条形；唇瓣狭漏斗状，先端有喙状短尖，基部延长成内弯或下弯的长距；花药钝。蒴果棒状。

黄金凤

| **生境分布** | 生于海拔 800 ~ 2500m 山坡草地、草丛、水沟边、山谷潮湿地或密林中。分布于重庆彭水、涪陵、武隆、南川、大足、江津等地。

| **资源情况** | 野生资源一般。药材主要来源于野生。

| **采收加工** | 夏、秋季采收，洗净，鲜用或晒干。

| **功能主治** | 祛风除湿，活血消肿，清热解毒。用于风湿骨痛，风湿麻木，跌打损伤，烫火伤。

| **用法用量** | 内服煎汤，9 ~ 15g。外用适量，捣敷；或煎汤熏洗。

凤仙花科 Balsaminaceae 凤仙花属 *Impatiens*

窄萼凤仙花 *Impatiens stenosepala* Pritz. ex Diels

| 药材名 | 冷水七（药用部位：全草）。

| 形态特征 | 一年生草本，高 20 ~ 70cm，直立，茎和枝上有紫色或红褐色斑点。叶互生，常密集于茎上部，矩圆形或矩圆状披针形，长 6 ~ 15cm，宽 2.5 ~ 5.5cm，先端尾状渐尖，基部楔形，边缘有圆锯齿，基部有少数缘毛状腺体；侧脉 7 ~ 9 对；叶柄长 2.5 ~ 4.5cm。总花梗腋生，有花 1 ~ 2；花梗纤细，基部有 1 条形苞片；花大，紫红色；侧生萼片 4，外面的 2 个条状披针形，内面的 2 个条形；旗瓣宽肾形，先端微凹，背面中肋有龙骨突，中上部有小喙；翼瓣无柄，2 裂，基部裂片椭圆形，上部裂片矩圆状斧形，背面有近圆形的耳；唇瓣囊状，基部圆形，有内弯的短距；花药钝。蒴果条形。

窄萼凤仙花

| 生境分布 | 生于海拔 800 ~ 1800m 的山坡林下、山沟水旁或草丛中。分布于重庆黔江、秀山、城口、巫溪、奉节等地。

| 资源情况 | 野生资源一般。药材主要来源于野生。

| 采收加工 | 夏、秋季采收，洗净，鲜用或晒干。

| 功能主治 | 清热解毒，消炎，止血。用于跌打损伤，外伤出血。

| 用法用量 | 外用适量，捣敷。

冬青科 Aquifoliaceae 冬青属 *Ilex*

香冬青 *Ilex suaveolens* (Lévl.) Loes.

| 药 材 名 | 香冬青（药用部位：根皮、叶）。

| 形态特征 | 常绿乔木，高达 15m。当年生小枝褐色，具棱角，秃净，二年生枝近圆柱形，皮孔椭圆形，隆起。叶片革质，卵形或椭圆形，长 5 ~ 6.5cm，宽 2 ~ 2.5cm，先端渐尖，具三角状的尖头，基部宽楔形，下延，叶缘疏生小圆齿，略内卷，干后叶面橄榄绿色，叶背褐色，两面无毛；主脉在两面隆起，侧脉 8 ~ 10 对，在两面略隆起，网状脉在叶两面或多或少明显；叶柄长 1.5 ~ 2cm，具翅。花未见。具 3 果的聚伞状果序单生叶腋，果序梗长（1 ~ ）1.5 ~ 2cm，具棱，无毛，果梗长 5 ~ 8mm，无毛；成熟果实红色，长球形，长约 9mm，直径约 6mm，宿存花萼直径约 2mm，5 裂，裂片阔三角形，无缘毛，宿存柱头乳头状；分核 4，长圆形，长约 8mm，背部

香冬青

宽 3mm，内果皮石质。

| 生境分布 | 生于海拔 900 ~ 2000m 的常绿阔叶林中。分布于重庆奉节、秀山、南川等地。

| 资源情况 | 野生资源稀少。药材主要来源于野生。

| 采收加工 | 夏、秋季采收根皮，洗净，晒干。夏、秋季采收叶，拣去细枝，晒干。

| 功能主治 | 根皮，祛风止痛。叶，清热解毒，滋阴壮阳。

| 用法用量 | 内服煎汤，适量。

冬青科 Aquifoliaceae 冬青属 *Ilex*

冬青 *Ilex chinensis* Sims

| 药 材 名 | 四季青（药用部位：叶。别名：冬青叶、四季青叶、一口血）、冬青子（药用部位：果实。别名：冬青实、冻青树子）、冬青皮（药用部位：树皮、根皮。别名：冬青木皮）。

| 形态特征 | 常绿乔木，高达 13m。树皮灰黑色，当年生小枝浅灰色，圆柱形，具细棱。叶片薄革质至革质，椭圆形或披针形，稀卵形，长 5 ~ 11cm，先端渐尖，基部楔形，具圆齿，无毛，侧脉 6 ~ 9 对；叶柄长 0.8 ~ 1cm。雄花为复聚伞花序，单生叶腋；花序梗长 0.7 ~ 1.4cm，二级轴长 2 ~ 5mm；花梗长 2mm，无毛；花淡紫色或紫红色，4 ~ 5 基数；花萼裂片宽三角形；花瓣卵形；雄蕊短于花瓣；退化子房圆锥状。雌花序为 1 ~ 2 回聚伞花序，具花 3 ~ 7；花序梗长 0.3 ~ 1cm，花梗长 0.6 ~ 1cm；花被同雄花；退化雄蕊长为花瓣的

冬青

1/2。果实长球形，长 1 ~ 1.2cm，直径 6 ~ 8mm，成熟时红色；分核 4 ~ 5，窄披针形，长 0.9 ~ 1.1cm，背面平滑，凹形，内果皮厚革质。花期 4 ~ 6 月，果期 7 ~ 12 月。

| 生境分布 | 生于海拔 400 ~ 1400m 的山地林中。分布于重庆黔江、彭水、江津、奉节、丰都、巫溪、酉阳、涪陵、武隆、垫江、巫山、石柱、梁平、巴南、城口、秀山、南川、璧山、北碚等地。

| 资源情况 | 野生资源丰富。药材主要来源于野生。

| 采收加工 | 四季青：秋、冬季采收，晒干。

冬青子：冬季果实成熟时采摘，晒干。

冬青皮：全年均可采收，晒干或鲜用。

| 药材性状 | 四季青：本品呈椭圆形或狭长椭圆形，长 5 ~ 11cm，宽 2 ~ 4cm，先端急尖或渐尖，基部楔形，边缘具疏浅锯齿。上表面棕褐色或灰绿色，有光泽；下表面色较浅；叶柄长 0.5 ~ 1cm。革质。气微清香，味苦、涩。

| 功能主治 | 四季青：苦、涩，凉。归肺、大肠、膀胱经。清热解毒，消肿祛瘀。用于肺热咳嗽，咽喉肿痛，痢疾，胁痛，热淋。外用于烫火伤，皮肤溃疡。

冬青子：甘、苦，凉。归肝、肾经。补肝肾，祛风湿，止血敛疮。用于须发早白，风湿痹痛，消化性溃疡出血，痔疮，溃疡不敛。

冬青皮：甘、苦，凉。凉血解毒，止血止带。用于烫火伤，月经过多，带下。

| 用法用量 | 四季青：内服煎汤，15 ~ 60g。外用适量，鲜品捣敷；或煎汤洗、涂。

冬青子：内服煎汤，4.5 ~ 9g；或浸酒。

冬青皮：内服煎汤，15 ~ 30g。外用适量，捣敷。

| 附　　注 | 本种属暖温带树种，耐寒性强，宜选择湿润肥沃、排水良好的砂壤土栽种，耐修剪。

冬青科 Aquifoliaceae 冬青属 *Ilex*

珊瑚冬青 *Ilex corallina* Franch.

珊瑚冬青

|药材名|

红果冬青（药用部位：叶、根。别名：野白蜡叶）。

|形态特征|

常绿灌木或乔木，高 3 ~ 10m。小枝圆柱形，细瘦，具纵棱，无毛或被微柔毛；叶片革质，卵形、卵状椭圆形或卵状披针形，长 4 ~ 10（~ 13）cm，先端短渐尖或稍尾尖，基部圆或钝，边缘波状，具圆齿状锯齿，无毛，或上面沿中脉疏被微柔毛；侧脉 7 ~ 10 对，与网脉在两面明显；叶柄长 0.4 ~ 1cm，无毛或被微柔毛。花序簇生二年生枝叶腋，几无花序梗；花 4 基数，黄绿色。雄花序分枝为具花 1 ~ 3 的聚伞花序，花序梗长 1mm；花梗长 2mm；花萼裂片具缘毛；花瓣长圆形；雄蕊与花瓣等长；退化子房近球形。雌花单花簇生；花梗长 1 ~ 2mm；花萼裂片圆形，花瓣卵形，离生；退化雄蕊长为花瓣的 2/3，子房卵圆形。果实近球形，直径 3 ~ 4mm，成熟时紫红色，宿存柱头薄盘状；分核 4，椭圆状三棱形，背面具不明显掌状纵棱及浅沟，侧面具皱纹。花期 4 ~ 5 月，果期 9 ~ 10 月。

| 生境分布 | 生于海拔 400 ~ 2700m 的山坡、路旁、常绿阔叶林中或灌丛中。分布于重庆巫溪、奉节、开州、丰都、涪陵、石柱、武隆、黔江、彭水、酉阳、秀山、南川、合川、大足、潼南、荣昌等地。

| 资源情况 | 野生资源丰富，亦有零星栽培。药材主要来源于野生，外销内用。

| 采收加工 | 全年均可采收，叶鲜用或晒干；根洗净泥土，晒干。

| 药材性状 | 本品叶呈卵形、卵状椭圆形或卵状披针形，长 5 ~ 13cm，宽 1.5 ~ 5cm，边缘具钝锯齿，齿端刺状，黄绿色，上表面有光泽。革质。气微，味苦。

| 功能主治 | 甘，凉。活血镇痛，清热解毒。用于劳伤疼痛，烫火伤。

| 用法用量 | 内服煎汤，9 ~ 15g；或浸酒。外用适量，鲜叶捣敷；或研末调搽。

| 附　　注 | 本种喜温暖、阳光充足的环境；耐寒性强，不耐干旱，萌芽力强，耐修剪；生长适温为 3 ~ 30℃，栽培土壤以肥沃、排水良好的酸性土为宜。

冬青科 Aquifoliaceae 冬青属 *Ilex*

构骨 *Ilex cornuta* Lindl. et Paxt.

| 药 材 名 | 构骨叶（药用部位：叶。别名：功劳叶、猫儿刺、构骨刺）、构骨子（药用部位：果实。别名：功劳子、构骨果）、苦丁茶（药用部位：嫩叶。别名：毛叶黄牛木、黄浆果、土茶）。

| 形态特征 | 常绿灌木或小乔木，高 1 ~ 3m。幼枝具纵脊及沟，沟内被微柔毛或变无毛。叶二型，四角状长圆形或卵形，全缘，长 4 ~ 9cm，先端具尖硬刺，反曲，基部圆或平截，具 1 ~ 3 对刺齿，无毛，侧脉 5 ~ 6 对；叶柄长 4 ~ 8mm，被微柔毛。花序簇生叶腋，花淡黄绿色。雄花花梗长 5 ~ 6mm，无毛；花萼直径 2.5mm，裂片疏被微柔毛；花瓣长圆状卵形，长 3 ~ 4mm；雄蕊与花瓣几等长；退化子房近球形。雌花花梗长 8 ~ 9mm，花萼与花瓣同雄花；退化雄蕊长为花瓣 4/5。果实球形，成熟时红色，宿存柱头盘状；分核 4，倒卵形或椭圆形，背部密被皱纹、纹孔及纵沟，内果皮骨质。花期 4 ~ 5 月，果期 10 ~ 12 月。

构骨

| 生境分布 | 生于海拔 250 ~ 2400m 的山坡、丘陵灌丛中、疏林或路边，或栽培于公园、庭园等。重庆各地均有分布。

| 资源情况 | 野生资源丰富，亦有零星栽培。药材来源于野生和栽培。

| 采收加工 | 枸骨叶：8 ~ 10 月采收，拣去细枝，晒干。

枸骨子：冬季采摘成熟果实，拣去果柄、杂质，晒干。

苦丁茶：清明前后摘取成材树木嫩叶，头轮多采，次轮少采，长梢多采，短梢少采，采后放在竹筛上通风，晾干或晒干。

| 药材性状 | 枸骨叶：本品呈类长方形或长椭圆状方形，偶有长卵圆形，长 3 ~ 8cm，宽 1 ~ 3cm，先端有较大的硬刺齿 3，先端 1 枚常反曲，基部平截或宽楔形，两侧有时各有刺齿 1 ~ 3，边缘稍反卷；长卵圆形叶常无刺齿。上表面黄绿色或绿褐色，有光泽，下表面灰黄色或灰绿色。叶脉羽状，叶柄较短。革质，硬而厚。气微，味微苦。以叶大、色绿者为佳。

枸骨子：本品呈圆球形或类球形，直径 7 ~ 8mm。表面浅棕色至暗红色，微有光泽，外果皮多干缩而形成深浅不等的凹陷；先端具宿存柱基，基部有果柄痕及残存花萼，偶有细果柄。外果皮质脆，易碎，内有分果核 4，分果核呈球体的四等分状，黄棕色至暗棕色，极坚硬，有隆起的脊纹，内有种子 1。气微，味微涩。以果大、饱满、色红、无杂质者为佳。

苦丁茶：本品呈类长方形或长椭圆状方形，偶有长卵圆形，长 1.5 ~ 6cm，宽 1 ~ 3cm。先端有较大的硬刺齿 3，中央刺齿常反曲，基部平截或宽楔形，两侧有时各有刺齿 1 ~ 3，边缘稍反卷；长卵圆形叶常无刺齿。上表面黄绿色或绿褐色，有光泽，下表面灰黄色或灰绿色。叶脉羽状，叶柄较短。革质，硬而厚。气微，味微苦。以叶大、色绿者为佳。

| 功能主治 | 枸骨叶：苦，凉。归肝、肾经。清虚热，益肝肾，祛风湿。用于阴虚劳热，咳嗽咯血，头晕目眩，腰膝酸软，风湿痹痛，白癜风。

枸骨子：苦、涩，微温。归肝、肾、脾经。补肝肾，强筋活络，固涩下焦。用于体虚低热，筋骨疼痛，崩漏，带下，泄泻。

苦丁茶：甘、苦，寒。归肝、肺、胃经。散风热，清头目，除烦渴。用于风热头痛，齿痛，耳鸣，耳中流脓，口疮目赤，眩晕，热病烦渴。

| 用法用量 | 枸骨叶：内服煎汤，9 ~ 15g。外用适量，捣汁；或熬膏涂敷。

枸骨子：内服煎汤，6 ~ 10g；或泡酒。

苦丁茶：内服煎汤，3 ~ 9g。

冬青科 Aquifoliaceae 冬青属 *Ilex*

榕叶冬青 *Ilex ficoidea* Hemsl.

榕叶冬青

| 药 材 名 |

上山虎（药用部位：根）。

| 形态特征 |

常绿乔木，高 8 ~ 12m。幼枝具纵棱沟，无毛。叶片革质，长圆状椭圆形、卵状或稀倒卵状椭圆形，长 4.5 ~ 10cm，先端尾尖，基部楔形或近圆形，具细齿状锯齿，无毛，侧脉 8 ~ 10 对；叶柄长 0.6 ~ 1cm，无毛。聚伞花序或单花簇生当年生枝叶腋；花白色或浅黄绿色，4 基数。雄花聚伞花序，具花 1 ~ 3，花序梗长 2mm；花梗长 1 ~ 3mm；花萼裂片三角形；花瓣卵状长圆形，基部合生；雄蕊长于花瓣；退化子房圆锥状卵圆形，先端微 4 裂。雌花单花簇生，花梗长 2 ~ 3mm；花萼被微柔毛，裂片常龙骨状；花瓣卵形，离生；子房卵圆形，柱头盘状。果实球形，直径 5 ~ 7mm，成熟时红色，具小瘤，宿存柱头薄盘状或脐状；分核 4，卵形或近圆形，长 3 ~ 4mm，背部具浅纵槽及掌状条纹，侧面具皱纹及洼点，内果皮石质。花期 4 ~ 5 月，果期 8 ~ 11 月。

| 生境分布 |

生于海拔 750 ~ 1650m 的山坡、路旁或常绿阔叶林、杂木林、疏林或林缘。分布于重庆奉节、石柱、南川、北碚等地。

资源情况 野生资源一般。药材主要来源于野生。

采收加工 全年均可采收，洗净，切片，晒干。

功能主治 苦、甘，凉。清热解毒，活血止痛。用于肝炎，跌打肿痛。

用法用量 内服煎汤，9 ~ 15g。

冬青科 Aquifoliaceae 冬青属 *Ilex*

扣树 *Ilex kaushue* S. Y. Hu

扣树

药材名

苦丁茶（药用部位：嫩叶。别名：大叶茶、苦丁茶冬青）。

形态特征

常绿乔木，高 8m。小枝粗壮，近圆柱形，褐色，具纵棱及沟槽，被微柔毛；顶芽大，圆锥形，急尖，被短柔毛，芽鳞边缘具细齿。叶生于一年生至二年生枝上，叶片革质，长圆形至长圆状椭圆形，长 10 ~ 18cm，宽 4.5 ~ 7.5cm，先端急尖或短渐尖，基部钝或楔形，边缘具重锯齿或粗锯齿，叶面亮绿色，背面淡绿色；主脉在叶面凹陷，疏被微柔毛，在背面隆起，呈龙骨状，侧脉 14 ~ 15 对，两面显著，在叶缘附近网结，细脉网状，两面密而明显；叶柄长 2 ~ 2.2cm，上面具浅沟槽，被柔毛，背面近圆形，多皱纹；托叶早落。聚伞状圆锥花序或假总状花序生于当年生枝叶腋内，芽时密集成头状，基部具阔卵形或近圆形苞片，具缘毛。雄花为聚伞状圆锥花序，每聚伞花序具花 3 ~ 4（~ 7），总花梗长 1 ~ 2mm，花梗长 1.5 ~ 3mm，疏被小的微柔毛；小苞片卵状披针形，具小缘毛；花萼盘状，4 深裂，裂片阔卵状三角形，长约 1.5mm，基部宽约 2mm，膜质；花瓣 4，卵状长圆形，长约 3.5mm；雄蕊 4，短于花瓣，花药椭圆形；不育子房卵球形。雌花未见。果序假总状，腋生，轴粗壮，长 4 ~ 6（~ 9）mm，果梗粗，长（4 ~）8mm，被短柔毛或变无毛；果实球形，直径 9 ~ 12mm，成熟时红色，外果皮干时脆；宿存花萼伸展，直径 4 ~ 5mm，裂片三角形，疏具缘毛，宿存柱头脐状；分核 4，长圆形，长约 7.5mm，背部宽 4 ~ 5mm，具网状条纹及沟，侧面多皱纹及洼点，内果皮石质。花期 5 ~ 6 月，果期 9 ~ 10 月。

| 生境分布 | 生于海拔 700 ~ 1200m 的密林中。分布于重庆合川等地。

| 资源情况 | 野生资源稀少。药材主要来源于野生。

| 采收加工 | 清明前后摘取嫩叶，采后放在竹筛上通风，晾干或晒干。

| 药材性状 | 本品呈长圆状椭圆形，长 10 ~ 18cm，宽 4 ~ 7.5cm，边缘有锯齿，主脉于上表面凹下，于下表面凸起，侧脉每边 14 ~ 15，叶柄直径 2 ~ 2.2mm。表面橄榄绿色或淡棕色。叶片厚硬、革质。气微，味苦、微甘。

| 功能主治 | 甘、苦，寒。归肝、肺、肾经。疏风清热，明目生津。用于风热头痛，齿痛，目赤，口疮，热病烦渴，泄泻，痢疾。

| 用法用量 | 内服煎汤，3 ~ 9g；或入丸剂。外用适量，煎汤熏洗；或涂搽。脾胃虚寒者慎服。

| 附　　注 | 本种属偏阴树种，喜生长在湿润肥沃的环境，幼树耐阴，大树喜光，较耐旱，在砂壤土或黏质土中都能生长。

冬青科 Aquifoliaceae 冬青属 *Ilex*

大果冬青 *Ilex macrocarpa* Oliv.

| 药 材 名 | 大果冬青（药用部位：根、枝、叶）。

| 形态特征 | 落叶乔木，高 5 ~ 10（~ 17）m。小枝栗褐色或灰褐色，具长枝和短枝，长枝皮孔圆形，明显，无毛。叶片纸质至坚纸质，卵形、卵状椭圆形，稀长圆状椭圆形，长 4 ~ 13（~ 15）cm，宽（3 ~）4 ~ 6cm，先端渐尖，基部圆或钝，具浅锯齿，无毛或幼时疏被微柔毛，侧脉 8 ~ 10 对；叶柄长 1 ~ 1.2cm，疏被微柔毛。雄花单花或为具花 2 ~ 5 的聚伞花序，单生或簇生叶腋；花序梗长 2 ~ 3mm，花梗长 3 ~ 7mm，均无毛；花 5 ~ 6 基数，白色；花萼裂片卵状三角形；花瓣基部稍合生；雄蕊与花瓣近等长；退化子房垫状。雌花单生叶腋或鳞片腋内；花梗长 0.6 ~ 1.8cm；花 7 ~ 9 基数；花萼直径 5mm；花瓣基部稍合生；退化雄蕊长为花瓣的 2/3；

大果冬青

花柱明显，柱头柱状。果实球形，直径 1 ~ 1.4cm，成熟时黑色；分核 7 ~ 9，长圆形，背部具 3 棱 2 沟，侧面具网状棱沟，内果皮石质。花期 4 ~ 5 月，果期 10 ~ 11 月。

| 生境分布 | 生于海拔 400 ~ 1600m 的山地林中。分布于重庆巫山、巫溪、奉节、秀山、石柱、南川、璧山、大足、永川、荣昌、北碚、潼南、铜梁、涪陵、武隆、黔江等地。

| 资源情况 | 野生资源较丰富，亦有零星栽培。药材来源于野生和栽培，外销内用。

| 采收加工 | 全年均可采收，枝、叶鲜用或晒干；根洗净泥土，晒干。

| 功能主治 | 清热解毒，清肝明目，消肿止痒，润肺消炎，止咳祛瘀。用于遗精，月经不调，崩漏，肺热咳嗽，咯血，咽喉肿痛，烫火伤，目生云翳。

| 用法用量 | 内服煎汤，适量。外用适量，捣敷。

冬青科 Aquifoliaceae 冬青属 *Ilex*

河滩冬青 *Ilex metabaptista* Loes. ex Diels

| 药 材 名 | 河滩冬青根（药用部位：根）、河滩冬青叶（药用部位：叶）。

| 形态特征 | 常绿灌木或小乔木，高达 4m。当年生幼枝栗褐色，具纵棱槽，被长柔毛，二年生、三年生枝灰色，圆柱形，具纵条纹及不明显的圆形皮孔。叶片近革质，披针形或倒披针形，长 3 ~ 6（~ 8）cm，先端急尖或钝，基部窄楔形，近全缘，近先端常具 1 ~ 2 细齿，幼时两面被柔毛，后无毛，侧脉 6 ~ 8 对；叶柄长 3 ~ 8mm，被柔毛。花序簇生二年生枝叶腋，被柔毛。雄花序分枝具 3 花，花序梗长 3 ~ 6mm；花梗长 1.5 ~ 2.5mm；花 5 ~ 6 基数，白色；花萼被毛；花瓣卵状长圆形；雄蕊短于花瓣；退化子房垫状。雌花单花，稀为具 2 ~ 3 花的聚伞花序；花梗长 4 ~ 5（~ 7）mm，密被柔毛；花萼杯状，被柔毛；花瓣长圆形，基部合生；花柱明显，柱头头状，

河滩冬青

被柔毛。果实卵状椭圆形，长 5 ~ 6mm，成熟时红色；分核 5 ~ 8，椭圆形，具纵棱及沟，内果皮革质。花期 5 ~ 6 月，果期 7 ~ 10 月。

| 生境分布 | 生于海拔 450 ~ 1040m 的山地林中、溪旁、路边。分布于重庆彭水、酉阳、奉节等地。

| 资源情况 | 野生资源稀少。药材主要来源于野生。

| 采收加工 | 河滩冬青根：全年均可采挖，切块，晒干。
河滩冬青叶：全年均可采收，鲜用或晒干。

| 功能主治 | 河滩冬青根：祛风除湿，消肿。用于风湿痛，跌打肿痛。
河滩冬青叶：止血。

冬青科 Aquifoliaceae 冬青属 *Ilex*

小果冬青 *Ilex micrococca* Maxim.

小果冬青

| 药 材 名 |

小果冬青（药用部位：根、叶）。

| 形态特征 |

落叶乔木，高达 20m。小枝粗壮，无毛，具白色、圆形或长圆形、常并生的气孔。叶片膜质或纸质，卵形、卵状椭圆形或卵状长圆形，长 7 ~ 13cm，先端长渐尖，基部圆或宽楔形，近全缘或具芒状锯齿，无毛，侧脉 5 ~ 8 对；叶柄长 1.5 ~ 3.2cm，无毛。2 ~ 3 回聚伞花序三歧分枝，单生叶腋，无毛，花序梗长 0.9 ~ 1.2cm，二级分枝长 2 ~ 3mm；花梗长 2 ~ 3mm，无毛；花白色。雄花 5 或 6 基数；花萼 5 ~ 6 浅裂；花瓣长圆形，基部合生；雄蕊与花瓣近等长；不育子房近球形，具喙。雌花 6 ~ 8 基数；花萼 6 深裂，外面无毛；花瓣长 1mm；退化雄蕊长为花瓣的 1/2；柱头盘状。果实球形，直径 3mm，成熟时红色，宿存柱头厚盘状凸起；分核 6 ~ 8，椭圆形，背面粗糙，具纵向单沟，侧面平滑，内果皮革质。花期 5 ~ 6 月，果期 9 ~ 10 月。

| 生境分布 |

生于海拔 500 ~ 1300m 的山地常绿阔叶林

内。分布于重庆南川、奉节、武隆、江津、綦江、北碚等地。

｜资源情况｜ 野生资源一般，亦有零星栽培。药材主要来源于野生，外销内用。

｜采收加工｜ 全年均可采收，鲜用或晒干。

｜功能主治｜ 清热解毒，消炎，消肿止痛。用于烫火伤。

｜用法用量｜ 外用适量，捣敷。

｜附　　注｜ 本种为喜光树种，在排水良好的向阳山坡、山脊、台地中长势较好。

冬青科 Aquifoliaceae 冬青属 *Ilex*

南川冬青 *Ilex nanchuanensis* Z. M. Tan

| 药 材 名 | 南川冬青根（药用部位：根）。

| 形态特征 | 常绿灌木，高 1 ~ 2m。幼枝绿褐色，具纵棱槽，被微柔毛或无毛，皮孔明显。叶片革质，卵状长圆形，长 3.5 ~ 5.5cm，宽 1.2 ~ 2cm，先端长渐尖，基部楔形，边缘具细圆齿状锯齿，叶面深绿色，背面淡绿色，两面均无毛；主脉在叶面微下陷，在背面隆起，侧脉 5 ~ 8 对，在两面均稍凸起，网状脉明显；叶柄长 5 ~ 8mm，无毛或被微柔毛，托叶微小。花不详。果实单生当年生枝条的叶腋内，果梗长 6 ~ 10mm，无毛或被微柔毛，具钻形小苞片；果实球形，直径 4 ~ 5mm，成熟后红色，基部具 4 ~ 5 裂的宿存花萼，花萼裂片三角形，无毛，边缘具缘毛，先端具盘状宿存柱头；分核 4，椭圆形，长约 2mm，背部宽约 1mm，且具有 1 纵槽，侧面光滑。果期 10 ~ 11 月。

南川冬青

| **生境分布** | 生于海拔 600 ~ 800m 的山地林中。分布于重庆南川等地。

| **资源情况** | 野生资源稀少。药材主要来源于野生。

| **采收加工** | 全年均可采挖，晒干。

| **功能主治** | 祛风止痛，活血消肿。

| **用法用量** | 内服煎汤，适量。

冬青科 Aquifoliaceae 冬青属 *Ilex*

具柄冬青 *Ilex pedunculosa* Miq.

具柄冬青

| 药 材 名 |

一口红（药用部位：叶、嫩枝。别名：一口血、长梗冬青）。

| 形态特征 |

常绿灌木或乔木，高 2 ~ 10（ ~ 15）m。幼枝近圆柱形，具纵棱角，淡褐色或栗色，无毛或节上被微柔毛。叶薄革质，卵形、长圆状椭圆形或椭圆形，长 4 ~ 9cm，先端渐尖，基部钝或圆，全缘或近先端疏生不明显锯齿，两面无毛，侧脉 8 ~ 9 对；叶柄长 1.5 ~ 2.5cm。雄花 1 ~ 2 回聚伞花序，二歧分枝，单生当年生枝叶腋，具花 3 ~ 9，花序梗长 2.5cm，二级轴长 3mm；花梗长 2 ~ 4mm；花 4 ~ 5 基数，白色或黄白色；花萼直径 1.5mm；花瓣卵形，长 1.5 ~ 1.8mm，基部合生；雄蕊短于花瓣。雌花单生叶腋，稀聚伞花序，花梗长 1 ~ 1.5cm；花萼直径 3mm；花瓣卵形；柱头乳头状。果序柄长 2.5 ~ 4.5cm；果实球形，直径 7 ~ 8mm，成熟时红色；果柄长 1.5 ~ 2cm；分核 4 ~ 6，椭圆形，平滑，背部沿中线具条纹，内果皮革质。花期 6 月，果期 7 ~ 11 月。

| 生境分布 | 生于海拔 1200 ~ 2000m 的山地阔叶林中、灌丛中或林缘。分布于重庆城口、巫溪、巫山、奉节、石柱、南川、武隆、开州等地。

| 资源情况 | 野生资源较丰富，亦有零星栽培。药材主要来源于野生，外销内用。

| 采收加工 | 全年均可采收，摘取叶片及嫩枝，晒干。

| 药材性状 | 本品叶片呈卵形或长圆状椭圆形，长 4 ~ 9cm，宽 2 ~ 4.5cm，先端渐尖，基部渐窄，边缘疏具细锯齿，中脉在背面凸起，稀有毛茸；上表面棕色至棕褐色，下表面色较浅；薄革质，易碎。叶柄纤细，长 1 ~ 2cm，上面具纵凹槽。嫩枝近圆柱形，具纵棱线，淡褐色。气微，味微苦、涩。

| 功能主治 | 苦、涩，凉。归肺、肝、大肠经。祛风除湿，散瘀止血。用于风湿痹痛，外伤出血，跌打损伤，皮肤皲裂。

| 用法用量 | 内服煎汤，4.5 ~ 9g。外用适量，研末撒敷。

冬青科 Aquifoliaceae 冬青属 *Ilex*

铁冬青 *Ilex rotunda* Thunb.

| 药 材 名 | 救必应（药用部位：树皮、根皮。别名：白木香、羊不吃、土千年健）。

| 形态特征 | 常绿灌木或乔木，高可达 20m，胸径达 1m。树皮灰色至灰黑色。小枝圆柱形，挺直，较老枝具纵裂缝，叶痕倒卵形或三角形，稍隆起，皮孔不明显，当年生幼枝具纵棱，无毛，稀被微柔毛。叶片薄革质或纸质，卵形、倒卵形或椭圆形，长 4 ~ 9cm，宽 1.8 ~ 4cm，先端短渐尖，基部楔形或钝，全缘，叶面绿色，背面淡绿色，两面无毛；主脉在叶面凹陷，背面隆起，侧脉 6 ~ 9 对；叶柄长 7 ~ 12mm。花单性，雌雄异株，排列为具梗的伞形花序。雄花序梗长 2 ~ 8mm，花柄长 2 ~ 4mm；花萼长约 1mm；花瓣 4 ~ 5，绿白色，卵状矩圆形，长约 2.5mm；雄蕊 4 ~ 5。雌花较小，花柄较粗壮，长 3 ~ 5mm；子房上位。果实近球形或稀椭圆形，直径 4 ~ 6mm，成熟时红色，

铁冬青

先端有宿存柱头。花期5～6月，果期9～10月。

| 生境分布 | 生于海拔400～1100m的山坡常绿阔叶林中或林缘。分布于重庆秀山。

| 资源情况 | 野生资源较少。药材主要来源于野生。

| 采收加工 | 夏、秋季剥取，晒干。

| 药材性状 | 本品呈卷筒状、半卷筒状或略卷曲的板状，长短不一，厚1～15mm。外表面灰白色至浅褐色，较粗糙，有皱纹；内表面黄绿色、黄棕色或黑褐色，有细纵纹。质硬而脆，断面略平坦。气微香，味苦、微涩。

| 功能主治 | 苦，寒。归肺、胃、大肠、肝经。清热解毒，利湿止痛。用于暑湿发热，咽喉肿痛，湿热泻痢，脘腹胀痛，风湿痹痛，湿疹，疮疖，跌打损伤。

| 用法用量 | 内服煎汤，9～30g。外用适量，煎浓汤涂敷患处。

| 附　　注 | 本种喜温暖湿润的气候，喜光照，稍耐寒，对土壤要求不严，在上层深厚而肥沃的砂壤土中栽培为宜。

冬青科 Aquifoliaceae 冬青属 *Ilex*

四川冬青 *Ilex szechwanensis* Loes.

四川冬青

|药材名|

四川冬青（药用部位：根）。

|形态特征|

灌木或小乔木，高 1 ~ 10m。幼枝近四棱形，具纵棱及沟槽，被微柔毛或仅沟槽内被微柔毛。叶片革质，卵状椭圆形、卵状长圆形或椭圆形，稀近披针形，长 3 ~ 8cm，宽 2 ~ 4cm，先端渐尖或尖，基部楔形，具锯齿，下面具腺点，上面沿中脉密被柔毛，侧脉 6 ~ 7 对；叶柄长 4 ~ 6mm，被柔毛。花白色，4 ~ 7 基数。雄花 1 ~ 7 组成聚伞花序，单生当年生枝基部鳞片或叶腋内，稀簇生，花序梗长 4 ~ 8mm；花梗长 2 ~ 3mm；花萼裂片啮蚀状；花瓣 4 ~ 5，卵形，基部稍合生；雄蕊短于花瓣，退化子房具短喙。雌花单生叶腋，花梗长 0.8 ~ 1cm；花萼 4 浅裂，啮蚀状；花瓣直立，卵形；退化雄蕊长为花瓣的 1/5；柱头厚盘状。果实球形或扁球形，长 6mm，直径 7 ~ 8mm，成熟时黑色；分核 4，长圆形或近球形，长 4.5 ~ 5mm，背部平滑，无沟，内果皮革质。花期 5 ~ 6 月，果期 8 ~ 10 月。

| 生境分布 | 生于海拔 450 ~ 2000m 的常绿阔叶林、杂木林、灌丛中或溪边、路旁。分布于重庆永川、丰都、璧山、云阳、合川、荣昌、城口、巫山、黔江、石柱、涪陵、南川、江津、铜梁、大足、北碚等地。

| 资源情况 | 野生资源丰富。药材主要来源于野生，外销内用。

| 采收加工 | 全年均可采收，晒干。

| 功能主治 | 祛风除湿，散寒解表。

| 用法用量 | 内服煎汤，适量。

冬青科 Aquifoliaceae 冬青属 *Ilex*

三花冬青 *Ilex triflora* Bl.

三花冬青

| 药材名 |

小冬青（药用部位：根）。

| 形态特征 |

常绿灌木或乔木，高 2 ~ 10m。幼枝近四棱形，稀近圆形，具纵棱及沟，密被短柔毛，具稍凸起的半圆形叶痕，无皮孔。叶互生，叶柄长 3 ~ 5mm；叶片近革质，椭圆形、长圆形或卵状椭圆形，长 2.5 ~ 10cm，宽 1.5 ~ 4cm，先端急尖或短渐尖，基部圆形或钝，边缘具浅锯齿，两面被微柔毛或无毛，下面具腺点。聚伞花序簇生叶腋内；花 4 基数；雄花序每分枝有花 1 ~ 3，花梗长 2 ~ 3mm，被微柔毛，花萼盘状，直径约 3mm，裂片卵圆形，被微柔毛，花冠直径约 5mm，花瓣宽卵形，基部联合，雄蕊略长于花冠；雌花序每分枝含花 1 ~ 3，花梗长 6 ~ 14mm，花萼同雄花，花冠近直立，花瓣宽卵形或近圆形，基部联合，子房卵球形，直径约 1.5mm，柱头厚盘状。果实球形，直径 6 ~ 7mm，宿存萼平展，成熟后黑色；分核 4，卵状椭圆形，长约 6mm，背部具 3 条纹，无沟，内果皮革质。花期 4 ~ 7 月，果期 8 ~ 11 月。

| 生境分布 | 生于海拔 200 ~ 1000m 的山地阔叶林或灌丛中。分布于重庆黔江、忠县、南川、合川、铜梁、璧山、永川、荣昌、北碚、巴南、江津等地。

| 资源情况 | 野生资源较丰富，亦有零星栽培。药材主要来源于野生。

| 采收加工 | 全年均可采收，洗净，切片，晒干。

| 功能主治 | 苦，寒。清热解毒。用于疮疡肿毒。

| 用法用量 | 内服煎汤，9 ~ 15g。外用适量，鲜品捣敷。

卫矛科 Celastraceae 南蛇藤属 *Celastrus*

苦皮藤 *Celastrus angulatus* Maxim.

| 药 材 名 | 南蛇藤根（药用部位：根。别名：吊竿麻、马断肠、老虎麻）。

| 形态特征 | 藤状灌木。小枝常具 4 ~ 6 纵棱，皮孔密生，圆形至椭圆形，白色，腋芽卵圆形，长 2 ~ 4mm。叶大，近革质，长方状阔椭圆形、阔卵形、圆形，长 7 ~ 17cm，宽 5 ~ 13cm，先端圆阔，中央具尖头；侧脉 5 ~ 7 对，在叶面明显凸起，两面光滑或稀叶背的主、侧脉上被短柔毛；叶柄长 1.5 ~ 3cm；托叶丝状，早落。聚伞圆锥花序顶生，下部分枝长于上部分枝，略呈塔锥形，长 10 ~ 20cm，花序轴及小花轴光滑或被锈色短毛；小花梗较短，关节在顶部；花萼镊合状排列，三角形至卵形，长约 1.2mm，近全缘；花瓣长方形，长约 2mm，宽约 1.2mm，边缘不整齐；花盘肉质，浅盘状或盘状，5 浅裂；雄蕊着生于花盘之下，长约 3mm，在雌花中退

苦皮藤

化雄蕊长约 1mm；雌蕊长 3 ~ 4mm，子房球形，柱头反曲，在雄花中退化雌蕊长约 1.2mm。蒴果近球形，直径 8 ~ 10mm；种子椭圆形，长 3.5 ~ 5.5mm，直径 1.5 ~ 3mm。花期 5 ~ 6 月。

| 生境分布 | 生于海拔 700 ~ 1600m 的山地丛林或山坡灌丛中。重庆各地均有分布。

| 资源情况 | 野生资源丰富。药材主要来源于野生，外销内用。

| 采收加工 | 全年均可采收，洗净，剥去根皮，晒干。

| 药材性状 | 本品呈圆柱形，细长而弯曲，有少数须根。外表面棕褐色，具不规则的纵皱纹。主根坚韧，不易折断，断面黄白色，纤维性；须根较细，亦呈圆柱形，质较脆。气香，味微苦。

| 功能主治 | 辛、苦，平；有小毒。归肝、脾经。祛风除湿，活血通经，消肿解毒。用于风湿痹痛，跌打肿痛，经闭，腰痛，肠风下血，痈疽肿毒，烫火伤，毒蛇咬伤。

| 用法用量 | 内服煎汤，15 ~ 30g；或泡酒。外用适量，煎汤洗；研末调敷或捣敷。孕妇慎服。

卫矛科 Celastraceae 南蛇藤属 *Celastrus*

大芽南蛇藤 *Celastrus gemmatus* Loes.

| 药 材 名 | 霜红藤（药用部位：根、茎、叶。别名：山货榔、哥兰叶、米汤叶）。

| 形态特征 | 攀缘灌木，长 3 ~ 7m。小枝具多数皮孔，皮孔阔椭圆形至近圆形，棕灰白色，凸起；冬芽大，长卵形至长圆锥形。叶长方形、卵状椭圆形或椭圆形，先端渐尖，基部圆阔，近叶柄处变窄，边缘具浅锯齿；侧脉 5 ~ 7 对，小脉成较密网状，两面均凸起；叶面光滑但手触有粗糙感，叶背光滑或稀于脉上被棕色短柔毛。聚伞花序顶生及腋生，侧生花序短而少花；萼片卵圆形，边缘啮蚀状；花瓣长方倒卵形；雄蕊约与花冠等长，花药先端有时具小凸尖，花丝有时具乳突状毛，在雌花中退化；花盘浅杯状，裂片近三角形，在雌花中裂片常较钝；雌蕊瓶状，子房球形，花柱长 1.5mm，雄花中的退化雌蕊长 1 ~ 2mm。蒴果球形，小果梗具明显凸起皮孔；种子阔椭圆形至

大芽南蛇藤

长方状椭圆形，两端钝，红棕色，有光泽。花期 4 ～ 9 月，果期 8 ～ 10 月。

| 生境分布 | 生于海拔 550 ～ 2200m 的山坡密林、灌丛或路旁。分布于重庆丰都、石柱、南川、垫江、北碚等地。

| 资源情况 | 野生资源稀少。药材主要来源于野生。

| 采收加工 | 春、秋季采收，切段，晒干。

| 功能主治 | 苦、辛，平。归肝、胃经。祛风除湿，活血止痛，散瘀，解毒消肿。用于风湿痹痛，跌打损伤，月经不调，经闭，产后腹痛，胃痛，疝痛，疮痈肿痛，骨折，风疹，湿疹，带状疱疹，毒蛇咬伤等。

| 用法用量 | 内服煎汤，10 ～ 30g；或浸酒。外用适量，研末调涂；或磨汁涂；或鲜品捣敷。孕妇慎服。

卫矛科 Celastraceae 南蛇藤属 *Celastrus*

青江藤 *Celastrus hindsii* Benth.

青江藤

|药 材 名|

青江藤（药用部位：根）。

|形态特征|

常绿藤本。小枝紫色，皮孔较稀少。叶纸质或革质，干后常灰绿色，长方状窄椭圆形或卵状窄椭圆形至椭圆状倒披针形，长 7 ~ 14cm，宽 3 ~ 6cm，先端渐尖或急尖，基部楔形或圆形，边缘具疏锯齿；侧脉 5 ~ 7 对，侧脉间小脉密而平行成横格状，两面均凸起；叶柄长 6 ~ 10mm。聚伞圆锥花序顶生或腋生，长 5 ~ 14cm，腋生花序具花 1 ~ 3，稀成短小聚伞圆锥状；花淡绿色，小花梗长 4 ~ 5mm，关节在中部偏上；花萼裂片近半圆形，覆瓦状排列，长约 1mm；花瓣长方形，长约 2.5mm，边缘具细短缘毛；花盘杯状，厚膜质，浅裂，裂片三角形；雄蕊着生于花盘边缘，花丝锥形，花药卵圆形，在雌花中退化，花药卵状箭形；雌蕊瓶状，子房近球形，花柱长约 1mm；柱头不明显 3 裂，在雄花中退化。果实近球形或稍窄，长 7 ~ 9mm，直径 6.5 ~ 8.5mm，幼果先端具明显宿存花柱，长达 1.5mm，裂瓣略皱缩；种子 1，阔椭圆形至近球形，长 5 ~ 8mm，假种皮橙红色。花期 5 ~ 7 月，

果期 7 ~ 10 月。

| 生境分布 | 生于海拔 400 ~ 1400m 的山地林中或灌丛中。分布于重庆涪陵、綦江、南川、北碚、巫山、城口、奉节、石柱、黔江、酉阳等地。

| 资源情况 | 野生资源较丰富。药材主要来源于野生。

| 采收加工 | 秋后采收，切片，晒干。

| 功能主治 | 苦、辛，平。通经，利尿。用于经闭，小便不利等。

| 用法用量 | 内服煎汤，6 ~ 15g。孕妇慎服。

卫矛科 Celastraceae 南蛇藤属 *Celastrus*

粉背南蛇藤 *Celastrus hypoleucus* (Oliv.) Warb. ex Loes.

| 药 材 名 | 南蛇藤（药用部位：根、叶。别名：博根藤、落霜红、绵藤）。

| 形态特征 | 藤状灌木，高可达 5m。小枝具稀疏阔椭圆形或近圆形皮孔，当年生小枝上无皮孔；腋芽小，圆三角状，直径约 2mm。叶椭圆形或长方状椭圆形，长 6 ~ 9.5cm，先端短渐尖，基部钝楔形，边缘具锯齿，侧脉 5 ~ 7 对，叶面绿色，光滑，叶背粉灰色，主脉及侧脉被短毛或光滑无毛；叶柄长 12 ~ 20mm。聚伞圆锥花序顶生，长 7 ~ 10cm，多花，腋生者短小，具花 3 ~ 7，花序梗较短，小花梗长 3 ~ 8mm，花后明显伸长，关节在中部以上；花萼近三角形，先端钝；花瓣长方形或椭圆形，长约 4.3mm，花盘杯状，先端平截；雄蕊长约 4mm，雌花中退化雄蕊长约 1.5mm；雌蕊长约 3mm，子房椭圆形，柱头扁平，雄花中退化雌蕊长约 2mm。果

粉背南蛇藤

序顶生，长而下垂，腋生花多不结实；蒴果疏生，球状，有细长小果梗，长10 ~ 25mm，果瓣内侧有棕红色细点；种子平凸到稍新月状，长 4 ~ 5mm，直径 1.4 ~ 2mm，两端较尖，黑色至黑褐色。花期 6 ~ 8 月，果期 10 月。

| 生境分布 | 生于海拔 400 ~ 2500m 的丛林中。分布于重庆城口、巫山、酉阳、南川等地。

| 资源情况 | 野生资源一般。药材来源于野生。

| 采收加工 | 秋后采收根，切片，晒干。春、夏季采收叶，晒干。

| 功能主治 | 辛，平。化瘀消肿，止血生肌。用于跌打损伤，刀伤。

| 用法用量 | 根，外用适量，煎汤洗。叶，外用适量，鲜品捣敷。

卫矛科 Celastraceae 南蛇藤属 *Celastrus*

南蛇藤 *Celastrus orbiculatus* Thunb.

南蛇藤

|药材名|

南蛇藤（药用部位：藤茎、根）、南蛇藤叶（药用部位：叶）、南蛇藤果（药用部位：果实。别名：狗葛子、皮猢子、鸦雀食）。

|形态特征|

落叶攀缘灌木，高 3 ~ 8m。小枝光滑无毛，灰棕色或棕褐色，具稀而不明显的皮孔；腋芽小，卵形至卵圆形，长 1 ~ 3mm。叶通常阔倒卵形、近圆形或长方状椭圆形，长 5 ~ 13cm，宽 3 ~ 9cm，先端圆阔，具小尖头或短渐尖，基部阔楔形至近钝圆形，边缘具锯齿，两面光滑无毛或叶背脉上被稀疏短柔毛，侧脉 3 ~ 5 对；叶柄细，长 1 ~ 2cm。聚伞花序腋生，间有顶生，花序长 1 ~ 3cm，小花 1 ~ 3，偶仅 1 ~ 2，小花梗关节在中部以下或近基部。雄花萼片钝三角形；花瓣倒卵状椭圆形或长方形，长 3 ~ 4cm，宽 2 ~ 2.5mm；花盘浅杯状，裂片浅，先端圆钝；雄蕊长 2 ~ 3mm，退化雌蕊不发达。雌花花冠较雄花窄小，花盘稍深厚，肉质；退化雄蕊极短小；子房近球状，花柱长约 1.5mm，柱头 3 深裂，裂端再 2 浅裂。蒴果近球形，直径 8 ~ 10mm；种子椭圆形，稍扁，长 4 ~ 5mm，直径 2.5 ~ 3mm，赤褐色。花期 5 ~ 6 月，果期 7 ~ 10 月。

| 生境分布 | 生于海拔 1300 ~ 2200m 的山坡灌丛中。分布于重庆巫山、忠县、城口、綦江、云阳、彭水、丰都、巫溪、梁平、奉节、黔江、南川等地。

| 资源情况 | 野生资源丰富，亦有零星栽培。药材主要来源于野生，外销内用。

| 采收加工 | 南蛇藤：全年均可采收，除去枝叶，洗净，趁鲜切片，干燥。

南蛇藤叶：春季采收，晒干。

南蛇藤果：秋季果实成熟时采摘，除去杂质，晒干。

| 药材性状 | 南蛇藤：本品为椭圆形、类圆形或不规则的斜切片，直径 1 ~ 4cm。外表皮灰褐色或灰黄色，粗糙，具不规则纵皱纹及横长皮孔或裂纹，栓皮层呈片状，易剥落，剥落面呈橙黄色。质硬，切面皮部棕褐色，木部黄白色，射线颜色较深，呈放射状排列。气特异，味涩。

南蛇藤果：本品呈类球形，下侧具宿存的花萼及短果柄，果皮常开裂成 3 瓣，基部相连或已离散；果瓣卵形，长 0.6 ~ 1cm，宽 0.6 ~ 0.8cm，黄色，顶部有尖突起，内面有 1 纵隔，每 1 果实有种子 4 ~ 6，外被黑红色假种皮，集成球形；剥掉假种皮可见卵形至椭圆形种子，表面红棕色，光滑。气香似焦糖，味苦、微辛。以果皮鲜黄、无杂质者为佳。

| 功能主治 | 南蛇藤：苦、辛，温。归肝、脾、大肠经。活血祛瘀，祛风除湿。用于跌打损伤，筋骨疼痛，四肢麻木，经闭，瘫痪。

南蛇藤叶：苦、辛，平。祛风除湿，解毒消肿，活血止痛。用于风湿痹痛，疮疡疖肿，疱疹，湿疹，跌打损伤，蛇虫咬伤。

南蛇藤果：甘，平。调心脾，安神解郁。用于神经衰弱，忧郁失眠，健忘。

| 用法用量 | 南蛇藤：内服煎汤，9 ~ 15g；或浸酒。孕妇慎服。

南蛇藤叶：内服煎汤，10 ~ 25g。孕妇慎服。

南蛇藤果：内服煎汤，6 ~ 15g。孕妇慎服。

| 附　　注 | 本种喜阳耐阴，分布广，抗寒，耐旱，对土壤要求不严，栽植于背风向阳、湿润而排水好的肥沃砂壤土中最好，若栽于半阴处，也能生长。

卫矛科 Celastraceae 南蛇藤属 *Celastrus*

短梗南蛇藤 *Celastrus rosthornianus* Loes.

| 药 材 名 | 短柄南蛇藤根（药用部位：根、根皮。别名：大藤菜、白花藤、黄绳儿）、短柄南蛇藤茎叶（药用部位：茎叶）、短柄南蛇藤果（药用部位：果实）。

| 形态特征 | 藤状灌木，高可达 7m。小枝具较稀皮孔，腋芽圆锥形或卵形，长约 3mm。叶纸质，果期常稍革质，叶片长方状椭圆形、长方状窄椭圆形，稀倒卵状椭圆形，长 3.5 ~ 9cm，宽 1.5 ~ 4.5cm，先端急尖或短渐尖，基部楔形或阔楔形，边缘具疏浅锯齿，或基部近全缘，侧脉 4 ~ 6 对；叶柄长 5 ~ 8mm，稀稍长。花序顶生及腋生，顶生者为总状聚伞花序，长 2 ~ 4cm，腋生者短小，具 1 至数花，花序梗短；小花梗长 2 ~ 6mm，关节在中部或稍下；萼片长圆形，长约 1mm，边缘啮蚀状；花瓣近长方形，长 3 ~ 3.5mm，宽 1mm

短梗南蛇藤

或稍多；花盘浅裂，裂片先端近平截；雄蕊较花冠稍短，雌花中退化雄蕊长 1 ~ 1.5mm；雌蕊长 3 ~ 3.5mm，子房球形，柱头 3 裂，每裂再 2 深裂，近丝状。蒴果近球形，直径 5.5 ~ 8mm，小果梗长 4 ~ 8mm，近果实处较粗；种子阔椭圆形，长 3 ~ 4mm，直径 2 ~ 3mm。花期 4 ~ 5 月，果期 8 ~ 10 月。

| 生境分布 | 生于海拔 400 ~ 2300m 的山坡林缘或丛林中。分布于重庆巫溪、奉节、南川、江北、合川、永川、江津、开州、城口、彭水、石柱、长寿、涪陵、酉阳、垫江等地。

| 资源情况 | 野生资源丰富。药材主要来源于野生。

| 采收加工 | 短柄南蛇藤根：秋后采收，洗净，切片或剥皮，晒干。
短柄南蛇藤茎叶：春、秋季采收，切段，晒干。
短柄南蛇藤果：果实成熟后采收，晒干。

| 功能主治 | 短柄南蛇藤根：辛，平。祛风除湿，活血止血，解毒消肿。用于风湿痹痛，跌打损伤，疝气痛，疮疡肿毒，带状疱疹，湿疹，毒蛇咬伤等。
短柄南蛇藤茎叶：辛、苦，平；有小毒。祛风除湿，活血止血，解毒消肿。用于风湿痹痛，跌打损伤，脘腹疼痛，牙痛，疝气痛，月经不调，经闭，血崩，肌衄，疮肿，带状疱疹，湿疹等。
短柄南蛇藤果：辛、苦，平。宁心安神。用于失眠，多梦。

| 用法用量 | 短柄南蛇藤根：内服煎汤，9 ~ 15g。外用研末，调敷。孕妇慎服。
短柄南蛇藤茎叶：内服煎汤，6 ~ 15g。外用适量，研末调涂。孕妇慎服。
短柄南蛇藤果：内服煎汤，6 ~ 30g。孕妇慎服。

卫矛科 Celastraceae 卫矛属 *Euonymus*

刺果卫矛 *Euonymus acanthocarpus* Franch.

刺果卫矛

| 药 材 名 |

刺果卫矛（药用部位：藤茎、茎皮、根。别名：扣子花、岩风、小梅花树）。

| 形态特征 |

灌木，直立或藤状，高 2 ~ 3m。小枝密被黄色细疣突。叶革质，长方状椭圆形、长方状卵形或窄卵形，稀为阔披针形，长 7 ~ 12cm，宽 3 ~ 5.5cm，先端急尖或短渐尖，基部楔形、阔楔形或稍近圆形，边缘疏浅齿不明显；侧脉 5 ~ 8 对，在叶缘处结网，小脉网状，通常不显；叶柄长 1 ~ 2cm。聚伞花序较疏大，多为 2 ~ 3 回分枝；花序梗扁宽或四棱形，长（1.5 ~ ）2 ~ 6（ ~ 8）cm，第 1 回分枝较长，通常 1 ~ 2cm，第 2 回分枝稍短；小花梗长 4 ~ 6mm；花黄绿色，直径 6 ~ 8mm；萼片近圆形；花瓣近倒卵形，基部窄缩成短爪；花盘近圆形；雄蕊具明显花丝，花丝长 2 ~ 3mm，基部稍宽；子房有柱状花柱，柱头不膨大。蒴果成熟时棕褐色带红色，近球形，连刺直径 1 ~ 1.2cm，刺密集，针刺状，基部稍宽，长约 1.5mm；种子外被橙黄色假种皮。

| 生境分布 | 生于海拔 600 ~ 2500m 的阴湿丛林、山谷溪边或岩石上。分布于重庆丰都、巫溪、城口、奉节、石柱、涪陵、南川等地。

| 资源情况 | 野生资源一般。药材主要来源于野生。

| 采收加工 | 全年均可采收，洗净，切片，晒干。

| 功能主治 | 辛，温。归肝、脾经。祛风除湿，活血止痛，利水消肿，调经。用于风湿痹痛，劳伤，水肿，跌打损伤，骨折，月经不调，外伤出血等。

| 用法用量 | 内服煎汤，15 ~ 30g；或浸酒。外用适量，煎汤洗。

卫矛科 Celastraceae 卫矛属 *Euonymus*

卫矛 *Euonymus alatus* (Thunb.) Sieb.

| 药 材 名 | 鬼箭羽（药用部位：具翅状物的枝条、翅状附属物。别名：卫矛、鬼箭、神箭）。

| 形态特征 | 灌木，高 1 ~ 3m。小枝常具 2 ~ 4 列宽阔木栓翅；冬芽圆形，长 2mm 左右，芽鳞边缘具不整齐细坚齿。叶卵状椭圆形、窄长椭圆形，偶为倒卵形，长 2 ~ 8cm，宽 1 ~ 3cm，边缘具细锯齿，两面光滑无毛；叶柄长 1 ~ 3mm。聚伞花序具花 1 ~ 3；花序梗长约 1cm，小花梗长 5mm；花白绿色，直径约 8mm，4 基数；萼片半圆形；花瓣近圆形；雄蕊着生于花盘边缘处，花丝极短，开花后稍增长，花药宽阔长方形，2 室，顶裂。蒴果 1 ~ 4 深裂，裂瓣椭圆形，长 7 ~ 8mm；种子椭圆形或阔椭圆形，长 5 ~ 6mm，种皮褐色或浅棕色，假种皮橙红色，全包种子。花期 5 ~ 6 月，果期 7 ~ 10 月。

卫矛

| 生境分布 | 生于海拔 600 ~ 1400m 的山坡、沟边或林缘。分布于重庆黔江、城口、酉阳、奉节、石柱、万州、丰都、綦江、秀山、武隆、开州、巫溪、巫山、巴南等地。

| 资源情况 | 野生资源丰富，亦有零星栽培。药材主要来源于野生，外销内用。

| 采收加工 | 全年均可采收，割取枝条后，取嫩枝，晒干；或收集翅状物，晒干。

| 药材性状 | 本品茎枝呈圆柱形，有分枝，直径 0.3 ~ 1cm；外表面灰绿色或灰黄绿色，粗糙，有细纵棱及顺槽纹，四面生有灰褐色扁平的羽翅，形似箭羽。羽翅在茎上轮状排列，呈薄片状，宽 0.3 ~ 1cm，厚可达 0.2cm；表面灰棕色至黄棕色，略有光泽，具细密的纵直纹理；质松脆，易折断或脱落，断面金黄色或棕色（日久呈灰褐色）。枝条木质，常残留羽翅痕迹，坚硬，难折断，断面黄白色，纤维状。无臭，味淡、微苦、涩。

| 功能主治 | 苦、甘，寒。归肝、脾经。破血通经，解毒消肿，杀虫。用于妇女经闭，产后瘀血腹痛，跌打损伤，虫积腹痛。

| 用法用量 | 内服煎汤，4 ~ 9g；或浸酒；或入丸、散。外用适量，捣敷；或煎汤洗；或研末调敷。孕妇、气虚崩漏者禁服。

| 附　　注 | （1）药材市场中本种药材的常见伪品为大果榆，大果榆系榆科植物大果榆 *Ulmus macrocarpa* Hance 的干燥茎，具有祛痰、利尿、杀虫的功效。二者来源不同，大果榆茎亦为圆柱状，具不规则木栓翅，枝坚硬而韧。本种药材及大果榆可采用薄层色谱法进行定性鉴别，二者存在一特殊斑点，利用该斑点可以进行区分。

（2）本种喜光，也稍耐阴；对气候和土壤适应性强，能耐干旱、瘠薄和寒冷，在中性、酸性及石灰性土中均能生长；萌芽力强，耐修剪，对二氧化硫有较强抗性。

卫矛科 Celastraceae 卫矛属 *Euonymus*

百齿卫矛 *Euonymus centidens* Lévl.

| 药 材 名 | 百齿卫矛（药用部位：全株。别名：扶芳木、竹叶青、山杜仲）。

| 形态特征 | 灌木，高达 6m。小枝方棱状，常有窄翅棱。叶纸质或近革质，窄长椭圆形或近长倒卵形，长 3 ~ 10cm，宽 1.5 ~ 4cm，先端长渐尖，叶缘具密而深的尖锯齿，齿端常具黑色腺点，有时齿较浅而钝；近无柄或有短柄。聚伞花序具花 1 ~ 3，稀较多；花序梗四棱状，长达 1cm；小花梗常稍短；花 4 基数，直径约 6mm，淡黄色；萼片齿端常具黑色腺点；花瓣长圆形，长约 3mm，宽约 2mm；花盘近方形；雄蕊无花丝，花药顶裂；子房四棱状方锥形，无花柱，柱头细小，头状。蒴果 4 深裂，成熟裂瓣 1 ~ 4，每裂内常只有种子 1；种子长圆形，长约 5mm，直径约 4mm，假种皮黄红色，覆盖于种子向轴面的一半，末端窄缩成脊状。花期 6 月，果期 9 ~ 10 月。

百齿卫矛

| 生境分布 | 生于海拔 350 ~ 1850m 的山坡或密林中。分布于重庆永川、江津、彭水、綦江、石柱、南川、北碚等地。

| 资源情况 | 野生资源一般。药材主要来源于野生。

| 采收加工 | 全年均可采收，洗净，鲜用或切段晒干。

| 功能主治 | 甘、苦，微温。祛风散寒，除湿，强筋壮骨，理气平喘，活血解毒。用于风寒湿痹，风湿腿痛，肾虚腰痛，腰膝疼痛，胃脘胀痛，气喘，高血压，月经不调，跌打损伤，毒蛇咬伤等。

| 用法用量 | 内服煎汤，6 ~ 15g；或浸酒。外用适量，研末调敷；或鲜品捣敷。

卫矛科 Celastraceae 卫矛属 *Euonymus*

角翅卫矛 *Euonymus cornutus* Hemsl.

| 药材名 | 角翅卫矛（药用部位：枝条。别名：蜘蛛果）、角翅卫矛果（药用部位：果实）、角翅卫矛根（药用部位：根。别名：蜘蛛根）。

| 形态特征 | 灌木，高 1 ~ 2.5m。叶厚纸质或薄革质，披针形、窄披针形，偶近线形，长 6 ~ 11cm，宽 8 ~ 15mm，先端窄长渐尖，基部楔形或阔楔形，边缘有细密浅锯齿；侧脉 7 ~ 11 对，在叶缘处常稍作波状折曲，与小脉形成明显特殊脉网；叶柄长 3 ~ 6mm。聚伞花序常只 1 次分枝，具花 3，少为 2 次分枝，具花 5 ~ 7；花序梗细长，长 3 ~ 5cm；小花梗长 1 ~ 1.2cm，中央花小花梗稍细长；花紫红色或暗紫色带绿色，直径约 1cm，花 4 基数及 5 基数并存；萼片肾圆形；花瓣倒卵形或近圆形；花盘近圆形；雄蕊着生于花盘边缘，无花丝；子房无花柱，柱头小，盘状。蒴果具 4 翅或 5 翅，

角翅卫矛

近球形，连翅直径 2.5 ~ 3.5cm，翅长 5 ~ 10mm，向尖端渐窄，常微呈钩状；果序梗长 3.5 ~ 8cm；小果梗长 1 ~ 1.5cm；种子阔椭圆形，长约 6mm，包于橙色假种皮中。

| **生境分布** | 生于海拔 1200 ~ 2200m 的山地灌丛中。分布于重庆城口、奉节、丰都、南川、万州、城口、巫山等地。

| **资源情况** | 野生资源一般。药材主要来源于野生。

| **采收加工** | 角翅卫矛：春、秋季采收，切段，晒干。

角翅卫矛果：9 ~ 10 月采收，晒干。

角翅卫矛根：秋后采收，切片，晒干。

| **功能主治** | 角翅卫矛：苦，凉。祛风解毒。用于皮肤痒疮，漆疮等。

角翅卫矛果：苦，平。祛风除湿，化痰止咳。用于风寒湿痹，咳嗽痰多等。

角翅卫矛根：苦，平。舒筋活血。用于跌打损伤，劳伤腰痛等。

| **用法用量** | 角翅卫矛：外用适量，煎汤洗。

角翅卫矛果：内服煎汤，6 ~ 9g。

角翅卫矛根：内服煎汤，6 ~ 9g。

| **附　　注** | 本种主要分布于重庆东北部山地，是我国特有种。

卫矛科 Celastraceae 卫矛属 *Euonymus*

裂果卫矛 *Euonymus dielsianus* Loes. ex Diels

|药材名| 裂果卫矛（药用部位：茎皮、根。别名：革叶卫矛）。

|形态特征| 灌木或小乔木，高 1 ~ 7m。叶片革质，窄长椭圆形或长倒卵形，长 4 ~ 12cm，宽 2 ~ 4.5cm，先端渐尖或短长尖，近全缘，少有疏浅小锯齿，齿端常具小黑腺点；叶柄长达 1cm。聚伞花序，有花 1 ~ 7；花序梗长达 1.5cm；小花梗长 3 ~ 5mm；花 4 基数，直径约 5mm，黄绿色；萼片较阔圆形，边缘具锯齿，齿端具黑色腺点；花瓣长圆形，边缘稍呈浅齿状；花盘近方形；雄蕊花丝极短，着生于花盘角上，花药近顶裂；子房四棱形，无花柱，柱头细小，头状。蒴果 4 深裂，裂瓣卵状，长约 8mm，斜升，成熟后 1 ~ 3 裂，每裂有成熟种子 1；种子长圆形，长约 5mm，枣红色或黑褐色，假种皮橘红色，盔状，包围种子上半部。花期 6 ~ 7 月，果期 10 月

裂果卫矛

前后。

| **生境分布** | 生于海拔 360 ~ 1600m 的岩石上、山坡、溪边的疏林中或山谷中。分布于重庆巫溪、奉节、涪陵、石柱、武隆、秀山、南川、巫山等地。

| **资源情况** | 野生资源稀少。药材主要来源于野生。

| **采收加工** | 全年均可采收，根切片，茎剥皮，晒干。

| **功能主治** | 甘、微苦，微温。强筋壮骨，活血调经。用于肾虚腰膝酸痛，月经不调，跌打损伤。

| **用法用量** | 内服煎汤，10 ~ 30g；或浸酒。

| **附　　注** | 在 FOC 中，革叶卫矛 *Euonymus leclerei* Lévl. 被修订为本种。

卫矛科 Celastraceae 卫矛属 *Euonymus*

扶芳藤 *Euonymus fortunei* (Turcz.) Hand.-Mazz.

扶芳藤

|药 材 名|

扶芳藤（药用部位：茎、叶。别名：换骨筋、小藤仲、过墙风）。

|形态特征|

常绿藤本灌木，高 1 至数米；小枝方棱不明显。叶薄革质，椭圆形、长方状椭圆形或长倒卵形，宽窄变异较大，可窄至近披针形，长 3.5 ~ 8cm，宽 1.5 ~ 4cm，先端钝或急尖，基部楔形，边缘齿浅不明显，侧脉细微，小脉不明显；叶柄长 3 ~ 6mm。聚伞花序 3 ~ 4 回分枝；花序梗长 1.5 ~ 3cm，第 1 回分枝长 5 ~ 10mm，第 2 回分枝 5mm 以下，最终小聚伞花密集，有花 4 ~ 7，分枝中央有单花，小花梗长约 5mm；花白绿色，4 基数，直径约 6mm；花盘方形，直径约 2.5mm；花丝细长，长 2 ~ 3mm，花药圆心形；子房三角锥状，四棱形，粗壮，明显，花柱长约 1mm。蒴果粉红色，果皮光滑，近球形，直径 6 ~ 12mm；果序梗长 2 ~ 3.5cm；小果梗长 5 ~ 8mm；种子长方状椭圆形，棕褐色，假种皮鲜红色，全包种子。花期 6 月，果期 10 月。

| 生境分布 | 生于海拔 300 ~ 2000m 的林缘，攀缘于树上或墙壁上。分布于重庆长寿、丰都、南川、北碚、城口、奉节、开州、石柱、秀山、江津等地。

| 资源情况 | 野生资源一般。药材主要来源于野生。

| 采收加工 | 全年均可采收，除去杂质，切碎，晒干。

| 药材性状 | 本品茎枝呈圆柱形；表面灰绿色，多生细根，并具小瘤状突起；质脆，易折断，断面黄白色，中空。叶对生，椭圆形，长 2 ~ 8cm，宽 1 ~ 4cm，先端尖或短锐尖，基部宽楔形，边缘有细锯齿，质较厚或稍带革质，上面叶脉稍凸起。气微弱，味辛。

| 功能主治 | 苦、甘，微辛、微温。归肝、脾、肾经。舒筋活络，益肾壮腰，止血消瘀。用于肾虚腰膝酸痛，半身不遂，风湿痹痛，小儿惊风，咯血，吐血，血崩，月经不调，子宫脱垂，跌打骨折，创伤出血等。

| 用法用量 | 内服煎汤，15 ~ 30g；或浸酒；或入丸、散。外用适量，研粉调敷；或捣敷；或煎汤熏洗。孕妇忌服。

| 附　　注 | 本种喜阴凉湿润的气候。栽培宜选择雨量充沛、云雾多、土壤和空气湿度大的地区，土壤以腐殖质多而肥沃的砂壤土为宜。生产中采用扦插繁殖方式。

卫矛科 Celastraceae 卫矛属 *Euonymus*

西南卫矛 *Euonymus hamiltonianus* Wall.

西南卫矛

| 药 材 名 |

丝棉木（药用部位：根、根皮、茎皮、枝叶。别名：山黄杨、假杜仲）。

| 形态特征 |

小乔木，高 5 ~ 6m。枝条无栓翅，但小枝的棱上有时有 4 极窄木栓棱，与栓翅卫矛 ***Euonymus phellomanus*** Loes. 极相近，区别在于本种叶较大，卵状椭圆形、长方状椭圆形或椭圆状披针形，长 7 ~ 12cm，宽 7cm，叶柄也较粗长，长可达 5cm。本种叶形多变，以椭圆形、叶基宽圆者为最典型。蒴果，较大，直径 1 ~ 1.5cm。花期 5 ~ 6 月，果期 9 ~ 10 月。

| 生境分布 |

生于海拔 2000m 以下的山地林中。分布于重庆巫溪、黔江、南川、北碚、城口、丰都、涪陵、巫山等地。

| 资源情况 |

野生资源丰富。药材主要来源于野生。

| 采收加工 |

全年均可采收，洗净，鲜用；或切片；或剥

皮，晒干。

| **功能主治** | 甘、微苦，微温。祛风湿，强筋骨，活血解毒。用于风寒湿痹，腰痛，跌打损伤，血栓闭塞性脉管炎，痔疮，漆疮等。

| **用法用量** | 内服煎汤，15 ~ 30g；或浸酒。外用适量，煎汤洗；或鲜品捣敷。

| **附　　注** | 毛脉西南卫矛与本种的区别在于其叶背脉上有毛，叶片常为椭圆状阔披针形，但也有宽叶的，因毛被与叶形的变异均不甚稳定，只能视为变型。

卫矛科 Celastraceae 卫矛属 *Euonymus*

毛脉西南卫矛 *Euonymus hamiltonianus* Wall. ex Roxb. f. *lanceifolius* (Loes.) C. Y. Cheng

| 药 材 名 | 毛脉西南卫矛（药用部位：根、根皮、茎皮、枝叶）。

| 形态特征 | 本种与原变型西南卫矛的区别在于叶背脉上有毛，叶片常多椭圆状阔披针形，但也有宽叶的，因毛被与叶形的变异均不甚稳定，只能视为变型。

| 生境分布 | 生于海拔 350 ~ 2700m 的山地林中，或栽培于庭园。分布于重庆城口、巫溪、巫山、奉节、石柱、开州、南川、大足、北碚等地。

| 资源情况 | 野生和栽培资源均稀少。药材来源于野生和栽培。

| 采收加工 | 全年均可采收，洗净，剥皮，晒干。

毛脉西南卫矛

| **功能主治** | 微苦，平。祛风湿，强筋骨。

| **用法用量** | 内服煎汤，6 ~ 15g；或浸酒。

| **附　　注** | 在 FOC 中，本种被修订为西南卫矛 *Euonymus hamiltonianus* Wall.。

卫矛科 Celastraceae 卫矛属 *Euonymus*

冬青卫矛 *Euonymus japonicus* Thunb.

冬青卫矛

|药 材 名|

大叶黄杨根（药用部位：根。别名：调经草、正木、八木）、大叶黄杨（药用部位：茎皮、枝）、大叶黄杨叶（药用部位：叶）。

|形态特征|

灌木，高可达3m。小枝四棱形，具细微皱突。叶革质，有光泽，倒卵形或椭圆形，长3～5cm，宽2～3cm，先端圆阔或急尖，基部楔形，边缘具有浅细钝齿；叶柄长约1cm。聚伞花序具花5～12，花序梗长2～5cm，2～3回分枝，分枝及花序梗均扁壮，第3回分枝常与小花梗等长或较短；小花梗长3～5mm；花白绿色，直径5～7mm；花瓣近卵圆形，长、宽均约2mm，雄蕊花药长圆形，内向；花丝长2～4mm；子房每室胚珠2，着生于中轴顶部。蒴果近球形，直径约8mm，淡红色；种子每室1，顶生，椭圆形，长约6mm，直径约4mm，假种皮橘红色，全包种子。花期6～7月，果期9～10月。

|生境分布|

生于土壤湿润的向阳地或庭园，或栽培于庭园、公园、路边。重庆各地均有分布。

| 资源情况 | 野生和栽培资源均较丰富。药材来源于野生和栽培。

| 采收加工 | 大叶黄杨根：冬季采挖，洗净泥土，切片，晒干。

大叶黄杨：全年均可采收，切段，晒干。

大叶黄杨叶：春季采收，晒干。

| 药材性状 | 大叶黄杨：本品茎皮外表面呈灰褐色，较粗糙，有点状凸起的皮孔及纵向浅裂纹；内表面淡棕色，较光滑。断面略呈纤维性，有较密的银白色丝状物，拉至3mm即断。气微，味淡而涩。

| 功能主治 | 大叶黄杨根：辛、苦，温。归肝经。活血调经，祛风湿。用于月经不调，痛经，风湿痹痛。

大叶黄杨：苦、辛，微温。祛风湿，强筋骨，活血止血。用于风湿痹痛，腰膝酸软，跌打损伤，骨折，吐血。

大叶黄杨叶：解毒消肿。用于疮疡肿毒。

| 用法用量 | 大叶黄杨根：内服煎汤，15 ~ 30g。孕妇慎服。

大叶黄杨：内服煎汤，15 ~ 30g；或浸酒。

大叶黄杨叶：外用适量，鲜品捣敷。

| 附　　注 | 本种喜温和湿润气候，以排水良好、肥沃的壤土栽培为宜。

卫矛科 Celastraceae 卫矛属 *Euonymus*

革叶卫矛 *Euonymus leclerei* Lévl.

革叶卫矛

| 药 材 名 |

革叶卫矛（药用部位：枝、叶、果实）。

| 形态特征 |

灌木或小乔木，高 1 ~ 7m。叶厚革质，常有光泽，倒卵形、窄倒卵形或近椭圆形，长 4 ~ 20cm，宽 3 ~ 6cm，先端渐尖或短渐尖，基部楔形或阔楔形，边缘多具明显浅锯齿，齿端常尖锐；侧脉 5 ~ 9 对，在叶片两面均明显，小脉网亦明显；叶柄粗壮，长 8 ~ 12mm。聚伞花序常只 3 花；花序梗长（5 ~ ）10 ~ 20mm；小花梗长 8 ~ 12mm，中央小花梗与两侧花等长；花黄白色，较大，直径 1 ~ 2cm；萼片近圆形，常为深红色；花瓣近圆形；花盘肥厚，方形；雄蕊无花丝；子房深埋花盘中，无明显花柱，柱头盘状。蒴果 4 深裂，直径达 1.5cm，裂瓣长而横展，果序梗及小果梗较花时稍增长；种子椭圆形，长约 8mm，近黑色，假种皮盔状。

| 生境分布 |

生于山地林荫或沟边。分布于重庆丰都、酉阳、南川等地。

| **资源情况** | 野生资源一般。药材主要来源于野生，外销内用。

| **采收加工** | 全年均可采收枝、叶，切段，晒干。果实成熟时采摘果实，鲜用或晒干。

| **功能主治** | 散寒，定喘。用于寒喘。

| **用法用量** | 内服煎汤，适量。

| **附　　注** | 在 FOC 中，本种被修订为裂果卫矛 *Euonymus dielsianus* Loes. ex Diels。

卫矛科 Celastraceae 卫矛属 *Euonymus*

大果卫矛 *Euonymus myrianthus* Hemsl.

| 药 材 名 | 大果卫矛（药用部位：根、茎。别名：白鸡槿、青得方）。

| 形态特征 | 常绿灌木，高 1 ~ 6m。叶革质，倒卵形、窄倒卵形或窄椭圆形，有时窄至阔披针形，长 5 ~ 13cm，宽 3 ~ 4.5cm，先端渐尖，基部楔形，边缘常呈波状或具明显钝锯齿；侧脉 5 ~ 7 对，成明显网状；叶柄长 5 ~ 10mm。聚伞花序多聚生小枝上部，常数序着生于新枝先端，2 ~ 4 回分枝；花序梗长 2 ~ 4cm，分枝渐短，小花梗长约 7mm，均具 4 棱；苞片及小苞片卵状披针形，早落；花黄色，直径达 10mm；萼片近圆形；花瓣近倒卵形；花盘四角有圆形裂片；雄蕊着生于裂片中央小突起上，花丝极短或无；子房锥状，有短壮花柱。蒴果黄色，多呈倒卵形，长 1.5cm，直径约 1cm，果序梗及小果梗等较花时稍增长；种子近圆形，假种皮橘黄色。

大果卫矛

| 生境分布 | 生于海拔 600 ～ 2400m 的溪边、沟谷较阴湿处或山地林边。分布于重庆綦江、城口、开州、巫溪、巫山、奉节、石柱、南川等地。

| 资源情况 | 野生资源一般。药材主要来源于野生。

| 采收加工 | 秋后采收根，洗净，切片，晒干。夏、秋季采收茎，切段，晒干。

| 功能主治 | 甘、苦，平。益肾壮腰，化瘀利湿。用于肾虚腰痛，胎动不安，慢性肾炎，产后恶露不尽，跌打骨折，风湿痹痛，带下。

| 用法用量 | 内服煎汤，10g。外用适量，煎汤熏洗。

| 附　　注 | 本种内有丝，有些地区民间将其作杜仲用，应注意区分。

卫矛科 Celastraceae 卫矛属 *Euonymus*

栓翅卫矛 *Euonymus phellomanus* Loes.

栓翅卫矛

|药 材 名|

翅卫矛（药用部位：枝皮。别名：栓翅卫矛、鬼箭羽、八肋木）。

|形态特征|

灌木，高 3 ~ 4m。枝条硬直，常具 4 纵列木栓厚翅，在老枝上宽可达 5 ~ 6mm。叶长椭圆形或略呈椭圆状倒披针形，长 6 ~ 11cm，宽 2 ~ 4cm，先端窄长渐尖，边缘具细密锯齿；叶柄长 8 ~ 15mm。聚伞花序 2 ~ 3 回分枝，有花 7 ~ 15；花序梗长 10 ~ 15mm，第 1 回分枝长 2 ~ 3mm，第 2 回分枝极短或近无；小花梗长达 5mm；花白绿色，直径约 8mm，4 基数；雄蕊花丝长 2 ~ 3mm；花柱短，长 1 ~ 1.5mm，柱头圆钝不膨大。蒴果四棱形，倒圆心状，长 7 ~ 9mm，直径约 1cm，粉红色；种子椭圆形，长 5 ~ 6mm，直径 3 ~ 4mm，种脐、种皮棕色，假种皮橘红色，包被种子全部。花期 7 月，果期 9 ~ 10 月。

|生境分布|

生于海拔 2000m 以下的山谷林中。分布于重庆城口、巫溪、奉节、开州等地。

| 资源情况 | 野生资源稀少，亦有零星栽培，多栽培于庭园、道路等。药材主要来源于野生。

| 采收加工 | 7 ~ 8 月采枝，刮取外皮，洗净，切段，晒干。

| 功能主治 | 苦，微寒。活血调经，散瘀止痛。用于月经不调，产后瘀阻腹痛，跌打损伤，风湿痹痛。

| 用法用量 | 内服煎汤，6 ~ 10g；或浸酒；或入丸、散。孕妇禁服。

| 附　　注 | 本种对土壤要求不严，耐瘠薄土壤，较耐盐碱，在 pH 8.3 及含盐量在 0.03% 以下的土壤中均能正常生长。

卫矛科 Celastraceae 卫矛属 *Euonymus*

石枣子 *Euonymus sanguineus* Loes.

石枣子

|药 材 名|

石枣子（药用部位：全草或假鳞茎。别名：乱角莲、六棱椎、果上叶）。

|形态特征|

灌木，高达 8m。叶厚纸质至近革质，卵形、卵状椭圆形或长方状椭圆形，长 4 ~ 9cm，宽 2.5 ~ 4.5cm，先端短渐尖或渐尖，基部阔楔形或近圆形，常稍平截，叶缘具细密锯齿；叶柄长 5 ~ 10mm。聚伞花序具长梗，梗长 4 ~ 6cm，先端有 3 ~ 5 细长分枝，除中央枝单生花，其余常具 1 对 3 花小聚伞；小花梗长 8 ~ 10mm；花白绿色，4 基数，直径 6 ~ 7mm。蒴果扁球形，直径约 1cm，具 4 翅，略呈三角形，长 4 ~ 6mm，先端略窄而钝。

|生境分布|

生于海拔 350 ~ 2100m 的山地林缘或灌丛中。分布于重庆涪陵、奉节、城口、忠县、云阳、武隆、巫溪、石柱、黔江、南川等地。

|资源情况|

野生资源一般。药材主要来源于野生。

| 采收加工 |

全年均可采收，鲜用或切片晒干。

| 药材性状 |

本品根茎呈圆柱形，稍弯曲，长 10 ~ 35cm，直径 2 ~ 3mm，节明显，节间长 2 ~ 4cm；表面棕黄色或棕褐色，节上有残存气根。假鳞茎圆柱形，长 2 ~ 3cm，直径 2 ~ 74mm；表面棕黄色或棕褐色，具纵皱纹，有的假鳞茎先端残留叶片。质硬，易折断，断面浅棕色，纤维性。气微，味淡。

| 功能主治 |

甘、淡，凉。归肺、肝经。润肺止咳，散瘀止痛，清热利湿，祛风除湿，散寒，散结。用于肺痨咯血，肺热咳嗽，瘰疬痰核，脘腹疼痛，风湿痹痛，疮疡肿毒等。

| 用法用量 |

内服煎汤，15 ~ 30g。外用适量，鲜品捣敷。孕妇忌服。

| 附　　注 |

本种为中生性植物，具有较强的抗高温、抗干旱能力及抗虫害性。

卫矛科 Celastraceae 卫矛属 *Euonymus*

棘刺卫矛 *Euonymus echinatus* Wall. ex Roxb.

| 药 材 名 | 无柄卫矛（药用部位：根皮、茎皮）。

| 形态特征 | 灌木，直立或藤本状，高 2 ~ 7.5m。小枝常方形并有较明显的纵棱。叶在花期多为纸质，至果期稍增厚成半革质，椭圆形、窄椭圆形或长方状窄卵形，大小变异颇大，一般长为 4 ~ 7cm，可达 10cm，宽 2 ~ 4.5cm，先端渐尖或急尖，基部楔形、阔楔形或近圆形，叶缘有明显锯齿，侧脉明显，老叶常在叶面呈凹入状，小脉有时也呈凹入状；叶无柄或稀有短柄，柄长 2 ~ 5mm。聚伞花序 2 ~ 3 回分枝；花序梗和分枝一般全具 4 棱，小花梗呈圆柱形，先端稍膨大，并常具细瘤点；花 4 基数，黄绿色，直径约 5mm；花盘方形；雄蕊具细长花丝，长 2 ~ 3mm；子房具细长花柱。蒴果近球形，密被棕红色三角状短尖刺，连刺直径 1 ~ 1.2cm；果序梗具 4 棱，较

棘刺卫矛

粗壮；种子每室 1 ~ 2，假种皮红色。花期 5 ~ 6 月，果期 8 月以后。

| 生境分布 | 生于海拔 300 ~ 2000m 的山谷林中、路边、岩石坡地或河边。分布于重庆奉节、涪陵、石柱、南川、北碚、江津、巫山、开州等地。

| 资源情况 | 野生资源稀少。药材主要来源于野生。

| 采收加工 | 夏、秋季采收茎皮，秋后采根，鲜用或剥皮晒干。

| 功能主治 | 微苦，平。祛风除湿，散瘀续骨。用于风湿痹痛，跌打损伤，骨折。

| 用法用量 | 内服煎汤，10 ~ 30g；或浸酒。外用适量，研末调敷；或鲜品捣敷。

| 附　　注 | 在 FOC 中，无柄卫矛 *Euonymus subsessilis* Sprague 被定为本种。

卫矛科 Celastraceae 假卫矛属 *Microtropis*

三花假卫矛 *Microtropis triflora* Merr. et Freem.

| 药 材 名 | 三花假卫矛（药用部位：根皮）。

| 形态特征 | 灌木，高 2.5 ~ 5m。叶半革质，长方状披针形、窄椭圆形或阔倒披针形，长 5.5 ~ 10cm，宽 1 ~ 2.5cm，偶稍宽，先端窄长而稍尖，基部窄楔形或渐窄；侧脉 6 ~ 8 对，稍弧状；叶柄细长，长达 15mm。聚伞花序腋生或侧生，有时顶生，一般只有 3 花，偶有 5 花或 7 花，花序梗细长，长 6 ~ 12mm，中央小花无小花梗，两侧小花梗细长，长 2.5 ~ 6mm；花 5 基数；萼片极阔半圆形，宽约 1.5mm，边缘具棕褐色细齿状缘毛；花瓣倒卵状椭圆形，长约 3mm，盛开时外展；花盘杯状，稍肉质，裂片弧形；雄蕊长约 2mm；子房略呈瓶状，柱头明显。蒴果倒卵状椭圆形，长约 1.5cm；种子亦倒卵状椭圆形，红棕色。

三花假卫矛

| **生境分布** | 生于海拔 500 ~ 1700m 的林中或山坡林缘。分布于重庆石柱、南川、开州、武隆等地。

| **资源情况** | 野生资源稀少。药材主要来源于野生。

| **采收加工** | 秋后采挖根，剥皮，晒干。

| **功能主治** | 祛风除湿，通络止痛。

| **用法用量** | 内服煎汤，适量。外用适量，煎汤洗。

卫矛科 Celastraceae 核子木属 *Perrottetia*

核子木 *Perrottetia racemosa* (Oliv.) Loes.

| 药 材 名 | 核子木（药用部位：茎、叶）。

| 形态特征 | 灌木，高 1 ~ 4m。小枝圆，具微棱。叶互生，纸质，长椭圆形或窄卵形，长 5 ~ 15cm，宽 2.5 ~ 5.5cm，先端长渐尖，基部阔楔形或近圆形，边缘有细锯齿或有极细齿而近全缘；叶柄细长，长 6 ~ 20mm。花极小，白色，多数组成窄总状聚伞花序；花 5 基数，单性为主，雌雄异株；雄花直径约 3mm，花萼与花瓣紧密排列，均具缘毛，花瓣稍大，花盘平薄，雄蕊着生于花盘边缘，花丝细长，子房细小不育；雌花直径约 1mm，花萼与花瓣直立，花盘浅杯状，雄蕊退化，子房 2 室，每室 2 胚珠，花柱先端 2 裂。果序长穗状，长 4 ~ 7cm；浆果红色，近球形，直径约 3mm；种子每室 1 ~ 2，细小。

核子木

| 生境分布 | 生于海拔 700 ～ 1600m 的较阴湿的山中沟谷或溪边。分布于重庆丰都、城口、巫山、奉节、南川等地。

| 资源情况 | 野生资源稀少。药材主要来源于野生。

| 采收加工 | 5 ～ 7 月采收，切段，晒干。

| 功能主治 | 辛、苦，平。祛风除湿。用于风湿痹痛。

| 用法用量 | 内服煎汤，6 ～ 15g。

卫矛科 Celastraceae 雷公藤属 *Tripterygium*

昆明山海棠 *Tripterygium hypoglaucum* (Lévl.) Hutch.

| 药 材 名 | 火把花（药用部位：根。别名：断肠草、紫金皮、紫金藤）。

| 形态特征 | 藤本灌木，高 1 ~ 4m。小枝常具 4 ~ 5 棱，密被棕红色毡毛状毛，老枝无毛。叶薄革质，长方状卵形、阔椭圆形或窄卵形，大小变化较大，先端长渐尖、短渐尖，偶为急尖而钝，基部圆形、平截或微心形，边缘具极浅疏锯齿，稀具密齿；侧脉疏离，在近叶缘处结网，主脉常与侧脉近垂直，小脉网状；叶面绿色，偶被厚粉，叶背常被白粉呈灰白色，偶为绿色；叶柄常密被棕红色短毛。圆锥聚伞花序生于小枝上部，呈蝎尾状，多次分枝，有花 50 以上，侧生者较小，花序梗、分枝及小花梗均密被锈色毛；苞片及小苞片细小，被锈色毛；花绿色；萼片近卵圆形；花瓣长圆形或窄卵形；花盘微 4 裂，雄蕊着生于近边缘处，花丝细长，花药侧裂；子房具 3 棱，花柱圆

昆明山海棠

柱形，柱头膨大，椭圆形。翅果多为长方形或近圆形，果翅宽大，先端平截，内凹或近圆形，基部心形，果体长仅为总长的 1/2，宽仅占翅的 1/6 或 1/4，窄椭圆状线形，中脉明显，侧脉稍短，与中脉密接。

| 生境分布 | 生于海拔 1200 ~ 2300m 的山地林或灌木林中。分布于重庆丰都、石柱、武隆、南川、万州等地。

| 资源情况 | 野生资源一般。药材主要来源于野生。

| 采收加工 | 秋后采挖，洗净，切片，晒干。

| 药材性状 | 本品呈圆柱形，有分枝，略弯曲，粗细不等，直径 0.4 ~ 3（~ 5）cm。栓皮橙黄色至棕褐色，有细纵纹及横裂隙，易剥落。质坚韧，不易折断，断面皮部棕灰色或淡棕黄色，木部淡棕色或淡黄白色。气微，味涩、苦。

| 功能主治 | 苦、辛，微温；有大毒。归肝、脾、肾经。祛风除湿，活血止血，舒筋接骨，解毒杀虫。用于风湿痹痛，半身不遂，疝气痛，痛经，月经过多，产后腹痛，出血不止，急性病毒性肝炎，慢性肾炎，红斑狼疮，恶性肿瘤，跌打骨折，骨髓炎，骨结核，副睾结核，疮毒，银屑病，神经性皮炎等。

| 用法用量 | 内服煎汤，6 ~ 15g，先煎；或浸酒。外用适量，研末敷；或煎汤涂；或鲜品捣敷。孕妇禁服；小儿及育龄期妇女慎服。不宜过量服用或久服。

| 附　　注 | 在 FOC 中，本种被修订为雷公藤 *Tripterygium wilfordii* Hook. f.。

卫矛科 Celastraceae 雷公藤属 *Tripterygium*

雷公藤 *Tripterygium wilfordii* Hook. f.

| 药 材 名 | 雷公藤（药用部位：根、去皮根木部。别名：黄藤、黄腊藤、菜虫药）。

| 形态特征 | 藤本灌木，高 1 ~ 3m。小枝棕红色，具 4 ~ 5 细棱，被密毛及细密皮孔。叶椭圆形、倒卵状椭圆形、长方状椭圆形或卵形，长 4 ~ 7.5cm，宽 3 ~ 4cm，先端急尖或短渐尖，基部阔楔形或圆形，边缘有细锯齿；侧脉 4 ~ 7 对，达叶缘后稍上弯；叶柄长 5 ~ 8mm，密被锈色毛。圆锥聚伞花序较窄小，长 5 ~ 7cm，宽 3 ~ 4cm，通常有 3 ~ 5 分枝，花序、分枝及小花梗均被锈色毛，花序梗长 1 ~ 2cm，小花梗细，长达 4mm；花白色，直径 4 ~ 5mm；萼片先端急尖；花瓣长方状卵形，边缘微蚀；花盘略 5 裂；雄蕊插生于花盘外缘，花丝长达 3mm；子房具 3 棱，花柱柱状，柱头稍膨大，

雷公藤

3 裂。翅果长圆形，长 1 ~ 1.5cm，直径 1 ~ 1.2cm，中央果体较大，约占全长的 1/2 ~ 2/3，中央脉及两侧脉共 5，分离较疏，占翅宽的 2/3，小果梗细圆，长达 5mm；种子细柱形，长达 10mm。

| 生境分布 | 生于背阴多湿的山坡、山谷、溪边灌木林和次生杂木林中。分布于重庆石柱、南川等地。

| 资源情况 | 野生资源稀少。药材主要来源于野生。

| 采收加工 | 栽培品 3 ~ 4 年便可采收，秋季采挖根，抖净泥土，晒干或去皮晒干。

| 药材性状 | 本品根呈圆柱形，扭曲，常具茎残基，直径 0.5 ~ 3cm，商品常切成长短不一的段。表面土黄色至黄棕色，粗糙，具细密的纵向沟纹及环状或半环状的裂隙；栓皮层常脱落，脱落处显橙黄色。皮部易剥离，露出黄白色的木部。质坚硬，折断时有粉尘飞扬，断面纤维性；横切面木栓层橙黄色，显层状；韧皮部红棕色；木部黄白色，密布针眼状孔洞，射线较明显。气微、特异，味苦、微辛。

| 功能主治 | 苦，辛；有大毒。归心、肝经。祛风除湿，活血通络，消肿止痛，杀虫解毒。用于类风湿关节炎，风湿性关节炎，肾小球肾炎，肾病综合征，红斑狼疮，干燥综合征，湿疹，银屑病，麻风病，疥疮，顽癣等。

| 用法用量 | 内服煎汤，去皮根木部 15 ~ 25g，带皮根 10 ~ 12g，均需文火煎 1 ~ 2h；也可制成糖浆、浸膏片等。外用适量，研粉或捣烂；或制成酊剂、软膏涂擦。本品有大毒，内服宜慎。凡疮痒出血者慎用。

| 附　　注 | 本种喜较阴凉的山坡、丛林或溪边。栽培宜选择偏酸性、肥沃、土层深厚的砂壤土或黄壤土。

省沽油科 Staphyleaceae 野鸦椿属 *Euscaphis*

野鸦椿 *Euscaphis japonica* (Thunb.) Dippel

| 药 材 名 | 野鸦椿子（药用部位：种子、果实。别名：鸡眼睛、鸡肫子、鸡眼椒）、野鸦椿根（药用部位：根）、野鸦椿花（药用部位：花）、野鸦椿叶（药用部位：叶）、野鸦椿皮（药用部位：茎皮。别名：鸡眼睛皮）。

| 形态特征 | 落叶小乔木或灌木，高（2 ~ ）3 ~ 6（ ~ 8）m。树皮灰褐色，具纵条纹，小枝及芽红紫色，枝叶揉碎后发出恶臭气味。叶对生，奇数羽状复叶；叶轴淡绿色，小叶 5 ~ 9，稀 3 ~ 11，厚纸质，长卵形或椭圆形，稀为圆形，先端渐尖，基部钝圆，边缘具疏短锯齿，齿尖有腺体，两面除背面沿脉被白色小柔毛外均无毛；主脉在上面明显，在背面凸出，在两面可见；小托叶线形，基部较宽，先端尖，被微柔毛。圆锥花序顶生，花梗长达 21cm，花多，较密集，黄白色，

野鸦椿

直径 4 ~ 5mm，萼片与花瓣均为 5，椭圆形，萼片宿存。蓇葖果长 1 ~ 2cm，每朵花发育为蓇葖果 1 ~ 3，果皮软革质，紫红色，有纵脉纹；种子近圆形，直径约 5mm，假种皮肉质，黑色，有光泽。花期 5 ~ 6 月，果期 8 ~ 9 月。

| **生境分布** | 生于海拔 400 ~ 2300m 的山坡、谷地或丛林中。分布于重庆北碚、丰都、垫江、黔江、大足、彭水、潼南、长寿、酉阳、合川、万州、石柱、城口、铜梁、南川、璧山、涪陵、忠县、江津、云阳、武隆、开州、奉节、巫溪、南岸、永川、梁平、沙坪坝等地。

| 资源情况 | 野生资源丰富。药材主要来源于野生。

| 采收加工 | 野鸦椿子：秋季采收成熟果实或种子，晒干。

野鸦椿根：9 ~ 10 月采挖，洗净，切片或剥取根皮，鲜用或晒干。

野鸦椿花：5 ~ 6 月采收，晾干。

野鸦椿叶：全年均可采收，鲜用或晒干。

野鸦椿皮：全年均可采收，剥取茎皮，晒干。

| 药材性状 | 野鸦椿子：本品果实为蓇葖果，常 1 ~ 3 着生于同一果柄的先端，单个呈倒卵形、类圆形，稍扁，微弯曲，先端较宽大，下端较窄小，长 7 ~ 20mm，宽 5 ~ 8mm。果皮外表面呈红棕色，有凸起的分叉脉纹，内表面淡棕红色或棕黄色，具光泽，内有种子 1 ~ 2。种子扁球形，直径约 5mm，厚约 3mm，黑色，具光泽，一端边缘可见凹下的种脐；种皮外层质脆，内层坚硬，种仁白色，油质。气微，果皮味微涩，种子味淡而油腻。

野鸦椿花：本品呈黄白色，直径约 0.5cm。

野鸦椿叶：本品为奇数羽状复叶，完整者展平后呈卵形或卵状披针形，长 4 ~ 8cm，宽 2 ~ 4cm，基部圆形至阔楔形，边缘具细锯齿，厚纸质。

野鸦椿皮：本品具不规则皮孔形成的纵向沟纹，呈棕褐色；木部黄白色。质坚硬，易折断，断面有髓或中空。

｜功能主治｜ 野鸦椿子：辛、苦，温。归肝、胃、肾经。祛风散寒，行气止痛，消肿散结。用于胃痛，寒疝疼痛，泄泻，痢疾，脱肛，月经不调，子宫脱垂，睾丸肿痛等。

野鸦椿根：微苦，平。解表，清热，利湿。用于感冒头痛，痢疾，肠炎等。

野鸦椿花：甘，平；无毒。镇痛。用于头痛眩晕等。

野鸦椿叶：微辛、苦，微温。祛风止痒。用于妇女阴痒等。

野鸦椿皮：辛，温。行气，利湿，祛风，退翳。用于小儿疝气，风湿骨痛，水痘，目生翳障。

｜用法用量｜ 野鸦椿子：内服煎汤，9 ~ 15g；或浸酒。

野鸦椿根：内服煎汤，9 ~ 15g，鲜品 30 ~ 60g；或浸酒。外用适量，捣敷；或煎汤熏洗。

野鸦椿花：内服煎汤，15 ~ 25g。

野鸦椿叶：外用适量，煎汤洗。

野鸦椿皮：内服煎汤，9 ~ 15g。外用适量，煎汤洗。

｜附　　注｜ 本种喜温暖湿润的气候，喜阳光，种植宜选择土层深厚、质地疏松、排水良好的砂壤土。

省沽油科 Staphyleaceae 省沽油属 *Staphylea*

省沽油 *Staphylea bumalda* DC.

| 药 材 名 | 省沽油（药用部位：根、果实。别名：珍珠花、水条、双蝴蝶）。

| 形态特征 | 落叶灌木，高约 2m，稀达 5m。树皮紫红色或灰褐色，有纵棱。枝条开展，绿白色复叶对生，有长柄，叶柄长 2.5 ~ 3cm，具 3 小叶；小叶椭圆形、卵圆形或卵状披针形，长（3.5 ~ ）4.5 ~ 8cm，宽（2 ~ ）2.5 ~ 5cm，先端锐尖，具尖尾，尖尾长约 1cm，基部楔形或圆形，边缘有细锯齿，齿尖具尖头，上面无毛，背面青白色，主脉及侧脉被短毛；中间小叶柄长 5 ~ 10mm，两侧小叶柄长 1 ~ 2mm。圆锥花序顶生，直立，花白色；萼片长椭圆形，浅黄白色；花瓣 5，白色，倒卵状长圆形，较萼片稍大，长 5 ~ 7mm；雄蕊 5，与花瓣略等长。蒴果膀胱状，扁平，2 室，先端 2 裂；种子黄色，有光泽。花期 4 ~ 5 月，果期 8 ~ 9 月。

省沽油

| 生境分布 | 生于海拔 800 ~ 1600m 的路旁、山地或丛林中。分布于重庆奉节、南川、巫山、万州等地。

| 资源情况 | 野生资源一般。药材主要来源于野生。

| 采收加工 | 全年均可采挖根，洗净，切片，鲜用或晒干。秋季果实成熟时采摘果实，晒干。

| 功能主治 | 根，辛，平。活血化瘀。用于妇女产后恶露不净。果实，甘，平。润肺止咳，用于咳嗽。

| 用法用量 | 内服煎汤，9 ~ 15g。

省沽油科 Staphyleaceae 省沽油属 *Staphylea*

膀胱果 *Staphylea holocarpa* Hemsl.

| 药 材 名 | 膀胱果（药用部位：果实、根。别名：大果省沽油、胀果树根）。

| 形态特征 | 落叶灌木或小乔木，高 3 ~ 5（~ 10）m。幼枝平滑。叶具 3 小叶，小叶近革质，无毛，长圆状披针形至狭卵形，长 5 ~ 10cm，基部钝，先端凸渐尖，上面淡白色，边缘有硬细锯齿；侧脉 10，有网脉；侧生小叶近无柄，顶生小叶具长柄，小叶柄长 2 ~ 4cm。伞房花序广展，长 5cm，或更长，花白色或粉红色，在叶后开放。果实为 3 裂、梨形膨大的蒴果，长 4 ~ 5cm，宽 2.5 ~ 3cm，基部狭，顶部平截；种子近椭圆形，灰色，有光泽。

| 生境分布 | 生于海拔 1200 ~ 1700m 的路旁、山地或丛林中。分布于重庆彭水、酉阳、丰都、城口、巫山、南川等地。

膀胱果

| **资源情况** | 野生资源较少。药材主要来源于野生。

| **采收加工** | 果实成熟时采收果实，秋季采挖根，洗净，晒干。

| **功能主治** | 果实，甘，平。润肺止咳，祛痰，祛风除湿。用于干咳。根，辛，平。活血化瘀。用于妇女产后瘀血不尽等。

省沽油科 Staphyleaceae 瘿椒树属 *Tapiscia*

瘿椒树 *Tapiscia sinensis* Oliv.

瘿椒树

药材名

瘿椒树（药用部位：根、果实）。

形态特征

落叶乔木，高 8 ~ 15m。树皮灰黑色或灰白色，小枝无毛；芽卵形。奇数羽状复叶，长达 30cm；小叶 5 ~ 9，狭卵形或卵形，长 6 ~ 14cm，宽 3.5 ~ 6cm，基部心形或近心形，边缘具锯齿，两面无毛或仅背面脉腋被毛，上面绿色，背面带灰白色，密被近乳头状白粉点；侧生小叶柄短，顶生小叶柄长达 12cm。圆锥花序腋生，雄花与两性花异株，雄花花序长达 25cm，两性花花序长约 10cm，花小，长约 2mm，黄色，有香气；两性花花萼钟状，长约 1mm，5 浅裂；花瓣 5，狭倒卵形，比萼稍长；雄蕊 5，与花瓣互生，伸出花外；子房 1 室，有 1 胚珠，花柱长过雄蕊；雄花有退化雌蕊。果序长达 10cm，核果近球形或椭圆形，长仅达 7mm。

生境分布

生于山地林中。分布于重庆南川、石柱、武隆、奉节、万州等地。

| **资源情况** | 野生资源稀少。药材来源于野生。

| **功能主治** | 解表，清热，祛湿。

| **用法用量** | 内服煎汤，适量。

省沽油科 Staphyleaceae 山香圆属 *Turpinia*

锐尖山香圆 *Turpinia arguta* (Lindl.) Seem.

｜药材名｜ 山香圆叶（药用部位：叶）。

｜形态特征｜ 落叶灌木，高 1 ~ 3m。老枝灰褐色，幼枝具灰褐色斑点。单叶对生，厚纸质，椭圆形或长椭圆形，长 7 ~ 22cm，宽 2 ~ 6cm，先端渐尖，具尖尾，尖尾长 1.5 ~ 2mm，基部钝圆或宽楔形，边缘具疏锯齿，齿尖具硬腺体；侧脉 10 ~ 13 对，平行，至边缘网结，连同网脉在背面隆起，在上面可见，无毛；叶柄长 1.2 ~ 1.8cm；托叶生于叶柄内侧。顶生圆锥花序较叶短，长（4 ~ ）5 ~ 8（ ~ 17）cm，密集或较疏松，花长 8 ~ 10（ ~ 12）mm，白色，花梗中部具苞片 2；萼片 5，三角形，绿色，边缘具睫毛或无毛；花瓣白色，无毛；花丝长约 6mm，疏被短柔毛，子房及花柱均被柔毛。果实近球形，幼时绿色，转红色，干后黑色，直径（7 ~ ）10（ ~ 12）mm，表

锐尖山香圆

面粗糙，先端具小尖头，花盘宿存；有种子 2 ~ 3。

| 生境分布 | 生于山地杂木林中。分布于重庆城口、巫山、奉节等地。

| 资源情况 | 野生资源稀少。药材来源于野生。

| 采收加工 | 夏、秋季叶茂盛时采收，除去杂质，晒干。

| 药材性状 | 本品叶呈椭圆形或长圆形，长 7 ~ 22cm，宽 2 ~ 6cm。先端渐尖，基部楔形，叶缘具疏锯齿，基部锯齿渐浅或近全缘，锯齿先端具腺点。上表面绿褐色，具光泽，下表面淡黄绿色，较粗糙；主脉淡黄色至浅褐色，于下表面凸起，侧脉羽状。叶柄长 0.5 ~ 1cm。近革质而脆。气芳香，味苦。

| 功能主治 | 苦，寒。清热解毒。用于咽喉肿痛。

| 用法用量 | 内服煎汤，9 ~ 15g。

黄杨科 Buxaceae 黄杨属 *Buxus*

大花黄杨 *Buxus henryi* Mayr

| 药 材 名 | 大花黄杨（药用部位：根、茎皮）。

| 形态特征 | 灌木，高约 3m。枝圆柱形；小枝四棱形（多少相对两侧面边缘延伸成纵棱），无毛，稀末梢的 1 ~ 2 节小枝内方两侧面稍被微细毛，节间长 1.5 ~ 3cm。叶薄革质，披针形、长圆状披针形或卵状长圆形，长 4 ~ 7cm，宽 1.5 ~ 2.5（~ 3.5）cm，先端钝或微急尖，基部楔形或急尖，边缘下曲；中脉两面均凸出，侧脉不分明，或叶面侧脉分明；叶柄长 1 ~ 2mm。花序腋生，长 1 ~ 1.5cm，宽 7 ~ 10mm，花密集，基部苞片卵形，长 3 ~ 4mm，带灰棕色，上部苞片倒卵状长圆形，长约 6mm；雄花约 8，花梗长 2 ~ 4mm，无毛，萼片长圆形或倒卵状长圆形，长 4.5 ~ 5mm，干膜质，无毛，雄蕊连花药长 11mm，不育雌蕊具细瘦柱状柄，末端稍膨大，

大花黄杨

高 1 ~ 1.5mm；雌花外萼片长圆形，长约 6mm，内萼片卵形，长约 3mm，均干膜质，无毛，子房长 2 ~ 2.5mm，花柱狭长，扁平，长 6 ~ 8mm，先端向外弯曲，柱头线状倒心形，下延达花柱近基部，几覆盖花柱内侧的全面。蒴果近球形，长 6mm，宿存花柱基部直立，上部向外向下成弧形，果柄长 3mm，残留苞片多数。花期 4 月，果期 7 月。

| **生境分布** | 生于海拔 1300 ~ 2000m 的山坡林下。分布于重庆垫江、涪陵、石柱、黔江、秀山、南川、武隆、江津、奉节等地。

| **资源情况** | 野生资源一般。药材来源于野生。

| **采收加工** | 夏、秋季采集，切段，晒干或鲜用。

| **功能主治** | 祛风止痛。

| **用法用量** | 内服煎汤，适量；或浸酒。外用适量，鲜品捣敷。

黄杨科 Buxaceae 黄杨属 *Buxus*

黄杨 *Buxus sinica* (Rehd. et Wils.) Cheng

黄杨

药材名

黄杨木（药用部位：茎枝、叶。别名：山黄杨、千年矮、小黄杨）、黄杨叶（药用部位：叶。别名：黄杨脑）、黄杨根（药用部位：根）、山黄杨子（药用部位：果实）。

形态特征

灌木或小乔木。枝圆柱形，有纵棱，灰白色；小枝四棱形，全面被短柔毛或外方相对两侧面无毛。叶革质，阔椭圆形、阔倒卵形、卵状椭圆形或长圆形，先端圆或钝，常有小凹口，不尖锐，基部圆形或急尖或楔形，叶面光亮，中脉凸出，下半段常被微细毛，侧脉明显，叶背中脉平坦或稍凸出，中脉上常密被白色短线状钟乳体，全无侧脉，上面被毛。花序腋生，头状，花密集，花序轴被毛，苞片阔卵形，背部多少被毛；雄花约 10，无花梗，外萼片卵状椭圆形，内萼片近圆形，无毛，雄蕊连花药长 4mm，不育雌蕊有棒状柄，末端膨大；雌花萼片长 3mm，子房较花柱稍长，无毛，花柱粗扁，柱头倒心形，下延达花柱中部。蒴果近球形，宿存花柱长 2 ~ 3mm。花期 3 月，果期 5 ~ 6 月。

生境分布

生于海拔 1200 ~ 2600m 的山谷、溪边林下

或灌丛中。分布于重庆黔江、秀山、奉节、垫江、巫山、开州、巴南、巫溪、丰都、石柱、武隆、南川、大足、江津、铜梁等地。

|资源情况| 栽培资源较丰富。药材主要来源于栽培。

|采收加工| 黄杨木：全年均可采收，鲜用或晒干。

黄杨叶：全年均可采收，鲜用或晒干。

黄杨根：全年均可采挖，洗净，鲜用或切片晒干。

山黄杨子：5 ~ 7 月果实成熟时采收，鲜用或晒干。

|药材性状| 黄杨木：本品茎呈圆柱形，有纵棱，小枝四棱形，全面被短柔毛或外方相对两侧面无毛。叶片长 1 ~ 3cm，宽 0.8 ~ 2cm，阔椭圆形、阔倒卵形、卵状椭圆形或长圆形，先端圆或钝，常有小凹口，基部圆形或急尖或楔形；叶面光亮，中脉凸出，侧脉明显，叶背中脉平坦或稍凸出，中脉上常密被短线状钟乳体；革质；叶柄长 1 ~ 2mm，上面被毛。气微，味苦。

黄杨叶：本品完整或破碎，倒卵圆形，长 10 ~ 30mm，全缘，先端稍凹，基部狭楔形。表面深绿色，有光泽，背面主脉明显。革质。气微，味苦。

|功能主治| 黄杨木：苦，平。归心、肝、肾经。祛风除湿，理气，止痛。用于风湿痹痛，胸腹气胀，疝气疼痛，牙痛，跌打损伤等。

黄杨叶：苦，平。清热解毒，消肿散结。用于疮疖肿毒，风火牙痛，跌打损伤等。

黄杨根：苦、辛，平。归肝经。祛风止咳，清热除湿。用于风湿痹痛，伤风咳嗽，湿热黄疸等。

山黄杨子：苦，凉。清暑热，解疮毒。用于暑热，疮疖等。

|用法用量| 黄杨木：内服煎汤，9 ~ 15g；或浸酒。外用适量，鲜品捣敷。

黄杨叶：内服煎汤，9g；或浸酒。外用适量，鲜叶捣敷。

黄杨根：内服煎汤，9 ~ 15g，鲜品 15 ~ 30g。

山黄杨子：内服煎汤，3 ~ 9g。外用适量，捣敷。

|附　　注| 本种适宜种植在土质肥沃、土壤松软的地区，具有极强的抗逆能力，在弱酸性、弱碱性土壤中均能生长，对极热、极冷或者干旱环境也具有较强的耐受力。本种喜光、喜水，宜在阳光适宜且湿润的环境中生长。

黄杨科 Buxaceae 板凳果属 *Pachysandra*

板凳果 *Pachysandra axillaris* Franch.

| **药 材 名** | 金丝矮陀陀（药用部位：全株。别名：奶近药、山板凳、矮陀陀）。

| **形态特征** | 亚灌木。茎下部匍匐，生须状不定根；上部直立，上半部生叶，下半部裸出，仅有稀疏、脱落性小鳞片，高 30 ~ 50cm。枝上被极匀细的短柔毛。叶坚纸质，形状不一，先端急尖，边缘中部以上或大部分具粗齿牙，中脉在叶面平坦，叶背凸出，叶背有极细的乳突，密被匀细的短柔毛，无伏卧长毛；叶柄被同样的细毛。花序腋生，直立，未开放前往往下垂，花轴及苞片均密被短柔毛；花白色或蔷薇色；雄花 5 ~ 10，无花梗，几占花序轴的全部，雌花 1 ~ 3，生于花序轴基部；雄花苞片卵形，萼片椭圆形或长圆形，花药长椭圆形，授粉后向下弯曲，不育雌蕊短柱状，先端膨大，高约 0.5mm；雌花连柄长近 4mm，萼片覆瓦状排列，卵状披针形或长圆状披针形，

板凳果

长 2 ~ 3mm，无毛，花柱受粉后伸出花外甚长，上端旋卷。果实成熟时黄色或红色，球形，和宿存花柱均长 1cm。花期 2 ~ 5 月，果期 9 ~ 10 月。

| 生境分布 | 生于海拔 600 ~ 2500m 的岩脚、沟边、林下或灌丛中湿润处。分布于重庆万州、垫江、南川、合川、北碚、奉节等地。

| 资源情况 | 野生资源一般。药材主要来源于野生。

| 采收加工 | 全年均可采收，洗净，切段，鲜用、阴干或晒干。

| 药材性状 | 本品茎枝呈圆柱形，上被极匀细的短柔毛。叶多皱缩，纸质，形状不一，完整者卵形、椭圆状卵形，较阔，基部浅心形、截形，或为长圆形、卵状长圆形，较狭，基部圆形，一般长 5 ~ 8cm，宽 3 ~ 5cm，先端急尖，中脉在叶面平坦，叶背凸出，叶背有极细的乳突，密被匀细的短柔毛；叶柄长 2 ~ 4cm，具细短柔毛。气微，味苦、微辛。

| 功能主治 | 辛、苦，温；有小毒。祛风除湿，活血止痛。用于风湿痹痛，肢体麻木，劳伤腰痛，跌打损伤等。

| 用法用量 | 内服煎汤，3 ~ 9g；或浸酒。外用适量，捣烂酒炒敷。孕妇慎服。

| 附　　注 | 多毛板凳果、光叶板凳果为本种的地方习用品或混伪品。

黄杨科 Buxaceae 板凳果属 *Pachysandra*

顶花板凳果 *Pachysandra terminalis* Sieb. et Zucc.

| 药 材 名 | 雪山林（药用部位：全株。别名：黄秧连、长青草、石莲藤）。

| 形态特征 | 亚灌木。茎稍粗壮，被极细毛，下部根茎状，横卧，屈曲或斜上，布满长须状不定根，上部直立，高约 30cm，生叶。叶薄革质，在茎上每间隔 2 ~ 4cm 有 4 ~ 6 叶接近着生，似簇生状；叶片菱状倒卵形，上部边缘有齿牙，基部楔形，渐狭成长 1 ~ 3cm 的叶柄，叶面脉上被微毛。花序顶生直立，花序轴及苞片均无毛，花白色，雄花超过 15，几占花序轴的全部，无花梗，雌花 1 ~ 2，生于花序轴基部，有时最上部 1 ~ 2 叶的叶腋处又各生 1 雌花；雄花苞片及萼片均阔卵形，苞片较小，萼片长 2.5 ~ 3.5mm，花丝长约 7mm；雌花连柄长 4mm，苞片及萼片均卵形，覆瓦状排列，花柱受粉后伸出花外甚长，上端旋曲。果实卵形，长 5 ~ 6mm，花柱

顶花板凳果

宿存，粗而反曲，长 5 ~ 10mm。花期 4 ~ 5 月。

| 生境分布 | 生于海拔 200 ~ 2600m 的杂木林下或岩壁上。分布于重庆涪陵、石柱、武隆、南川、巫溪、城口、巫山等地。

| 资源情况 | 野生资源一般。药材来源于野生。

| 采收加工 | 全年均可采收，切段，鲜用或晒干。

| 药材性状 | 本品鲜品茎肉质，干品茎多纵皱，表面被极细毛，下部根茎状，长约 30cm，布满长须状不定根。叶薄革质，在茎上每间隔 2 ~ 4cm 有 4 ~ 6 叶接近着生，似簇生状，叶片菱状倒卵形，长 2.5 ~ 5cm，宽 1.5 ~ 3cm，上部边缘有齿牙，基部楔形，叶脉上有微毛。叶柄长 1 ~ 3cm。气微，味苦、微辛。

| 功能主治 | 苦、辛，凉。祛风湿，舒筋活血，镇静，通经止带。用于风湿热痹，小腿转筋，月经不调，带下，烦躁等。

| 用法用量 | 内服煎汤，9 ~ 15g；或研末，3 ~ 6g；或浸酒。外用适量，鲜品捣敷。

黄杨科 Buxaceae 野扇花属 *Sarcococca*

野扇花 *Sarcococca ruscifolia* Stapf

野扇花

|药 材 名|

清香桂（药用部位：根、果实。别名：胃友、野樱桃、野扇花）。

|形态特征|

灌木，高 1 ~ 4m。分枝较密，小枝被密或疏的短柔毛。叶阔椭圆状卵形、卵形、椭圆状披针形、披针形或狭披针形，先端急尖或渐尖，基部急尖、渐狭或圆；叶面亮绿色，叶背淡绿色；叶面中脉凸出，无毛，稀被微细毛，大多数中脉近基部有 1 对互生或对生的侧脉，多少成离基三出脉，叶背中脉稍平或凸出，无毛，全面平滑，侧脉不显。花序短总状，花序轴被微细毛；苞片披针形或卵状披针形；花白色，芳香；雄花 2 ~ 7，占花序轴上方的大部分，雌花 2 ~ 5，生于花序轴下部，通常下方雄花有长约 2mm 的花梗，具小苞片 2，小苞片卵形，长为萼片的 1/3 ~ 2/3，上方雄花近无梗，有的无小苞片；雄花萼片通常 4，亦有 3 或 5，内方的为阔椭圆形或阔卵形，先端圆，有小尖凸头，外方的为卵形，渐尖头，长约 3mm；雌花柄上有小苞多数，狭卵形，覆瓦状排列，萼片长 1.5 ~ 2mm。果实球形，成熟时猩红色至暗红色，宿存花柱 2 或 3，长 2mm。花果期

10 月至翌年 2 月。

| 生境分布 | 生于海拔 200 ~ 2600m 的溪谷、灌丛中。分布于重庆涪陵、丰都、酉阳、江津、忠县、武隆、奉节、石柱、黔江、彭水、秀山、南川、大足、铜梁等地。

| 资源情况 | 野生资源较丰富。药材来源于野生。

| 采收加工 | 全年均可采收根，鲜用或切片阴干。夏、秋季采收果实，洗净，晒干或鲜用。

| 药材性状 | 本品根呈圆柱形，微弯曲，有分枝及纤维状细根；外皮灰褐色，栓皮脱落处呈棕红色；质坚硬，不易折断，断面黄色，略呈放射状纹理。核果球形，直径 0.7 ~ 0.8cm。气微，味苦。

| 功能主治 | 辛、苦，平。归肝、胃经。根，行气活血，理气止痛，祛风活络。用于急、慢性胃炎，胃溃疡，风湿关节痛，胃脘疼痛，风寒湿痹，跌打损伤等。果实，安神，补血，养肝。用于头晕目眩，心悸，夜眠不安，视力减退等。

| 用法用量 | 内服煎汤，9 ~ 15g，鲜品 30 ~ 60g；或研末，每次 0.9 ~ 1.5g。

| 附　　注 | 研究表明，本种在越冬期具有相应的耐寒能力。在中性至偏碱性的土壤中地上部分生物量积累优于酸性土壤；在酸性条件下，虽然生物积累量较中性至碱性土要差，但仍可在强酸性环境中生长。本种可以改良土壤中大量元素的含量，对酸性土壤有提升其 pH 值的作用。

茶茱萸科 Icacinaceae 假柴龙树属 *Nothapodytes*

马比木 *Nothapodytes pittosporoides* (Oliv.) Sleum.

| 药 材 名 | 马比木（药用部位：根皮。别名：公黄珠子、追风伞）。

| 形态特征 | 矮灌木或很少为乔木，高 1.5 ~ 5（~ 10）m。茎褐色，枝条灰绿色，圆柱形，稀具棱，嫩枝被糙伏毛，后变无毛。叶片长圆形或倒披针形，长（7 ~）10 ~ 15（~ 24）cm，宽 2 ~ 4.5（~ 6）cm，先端长渐尖，基部楔形，薄革质；表面暗绿色，具光泽，背面淡绿色发亮，干时通常反曲，黑色；幼时被金黄色糙伏毛，背面较密，老时无毛；侧脉 6 ~ 8 对，弧曲上升，在远离边缘处网结，和中脉通常亮黄色，在背面十分凸起，常被长硬毛；叶柄长 1 ~ 3cm，上面具宽深槽，至少在槽里被糙伏毛。聚伞花序顶生，花序轴通常平扁，被长硬毛；花萼绿色，钟形，长约 2mm，膜质，5 裂齿，裂齿三角形，外面疏被糙伏毛，边缘具缘毛，果时略增大；花瓣黄色，条形，长

马比木

6.3 ~ 7.4mm，宽 1 ~ 2mm，先端反折，肉质，长 1mm，外面被糙伏毛，里面被长柔毛；花丝长 4 ~ 5mm，基部稍粗，花药卵形，长约 1mm；子房近球形，密被长硬毛，在开花时直径 1.1 ~ 1.4mm，花柱绿色，长 1.5 ~ 2mm，柱头头状；花盘肉质，具不整齐的裂片或深圆齿，里面疏被长硬毛，果时宿存。核果椭圆形至长圆状卵形，稍扁，幼果绿色，转黄色，成熟时为红色，长 1 ~ 2cm，直径 6 ~ 8mm，先端明显具鳞脐，通常在成熟时被细柔毛，内果皮薄，具皱纹；胚乳具臭味，长为种子的一半，子叶卵圆形，宽 3.5 ~ 4mm，胚根圆柱形，长 2mm。花期 4 ~ 6 月，果期 6 ~ 8 月。

| 生境分布 | 生于海拔 200 ~ 1500m 的山沟、山谷林或灌丛中。分布于重庆奉节、涪陵、黔江、彭水、秀山、南川、合川、璧山、江津、永川、綦江、北碚等地。

| 资源情况 | 野生资源较丰富。药材来源于野生。

| 采收加工 | 全年均可采挖根，洗净，剥取根皮，晒干。

| 功能主治 | 辛，温。归肝、肺经。祛风除湿，理气散寒。用于风寒湿痹，浮肿，疝气等。

| 用法用量 | 内服煎汤，9 ~ 15g。外用适量，煎汤熏洗。

鼠李科 Rhamnaceae 勾儿茶属 *Berchemia*

黄背勾儿茶 *Berchemia flavescens* (Wall.) Brongn.

| 药 材 名 | 牛儿藤（药用部位：根、茎。别名：大鸭公藤、石萝藤、石蔓藤）。

| 形态特征 | 藤状灌木，高 7 ~ 8m，全株无毛。腋芽大，卵形，淡黄色或黄褐色；小枝圆柱形，平展，黄色或变褐色，有时多少被粉。叶纸质，卵圆形、卵状椭圆形或矩圆形，先端钝或圆形，稀锐尖，具小凸尖，基部圆形或近心形，上面绿色，无毛，下面干时常变黄色；侧脉每边 12 ~ 18，于两面凸起；叶柄长 1.3 ~ 2.5cm，无毛；托叶早落。花芽卵球形，先端钝；花黄绿色，长约 1.5mm，无毛，通常 1 至数个簇生，在侧枝先端排成窄聚伞圆锥花序，稀聚伞总状花序，花梗长 2 ~ 3mm；萼片卵状三角形，稍钝；花瓣倒卵形，稍短于萼片；雄蕊与花瓣等长。核果近圆柱形，先端具小尖头，基部有盘状的宿存花盘，成熟时紫红色或紫黑色，有酸甜味；果梗长 3 ~ 5mm，

黄背勾儿茶

无毛。花期 6 ~ 8 月，果期翌年 5 ~ 7 月。

| 生境分布 | 生于海拔 1500 ~ 2500m 的山坡、灌丛或林下。分布于重庆酉阳、丰都、开州、城口、巫溪、奉节等地。

| 资源情况 | 野生资源一般。药材来源于野生。

| 采收加工 | 全年均可采收，根切片，茎切段，晒干。

| 功能主治 | 苦、辛，凉。清热，止痛，活血调经。用于胸腹胀痛，痢疾，带下，跌打损伤，筋骨痛，崩漏，月经不调等。

| 用法用量 | 内服煎汤，9 ~ 15g，治跌打损伤可用至 30g 以上。

鼠李科 Rhamnaceae 勾儿茶属 *Berchemia*

多花勾儿茶 *Berchemia floribunda* (Wall.) Brongn.

|药 材 名| 黄鳝藤（药用部位：茎、叶、根。别名：紫罗花、蛇藤、花眉跳架）。

|形态特征| 藤状或直立灌木。幼枝黄绿色，光滑无毛。叶纸质，上部叶较小，卵形或卵状椭圆形至卵状披针形，先端锐尖，下部叶较大，椭圆形至矩圆形，先端钝或圆形，稀短渐尖，基部圆形，稀心形；上面绿色，无毛，下面干时栗色，无毛，或仅沿脉基部被疏短柔毛，侧脉每边 9 ~ 12，两面稍凸起；叶柄无毛；托叶狭披针形，宿存。花多数，通常数个簇生，排成顶生宽聚伞圆锥花序，或下部兼腋生聚伞总状花序，花序轴无毛或被疏微毛；花芽卵球形，先端急狭成锐尖或渐尖；萼片三角形，先端尖；花瓣倒卵形，雄蕊与花瓣等长。核果圆柱状椭圆形，有时先端稍宽，基部有盘状的宿存花盘；果梗无毛。花期 7 ~ 10 月，果期翌年 4 ~ 7 月。

多花勾儿茶

| 生境分布 | 生于海拔 500 ~ 2600m 的山坡、沟谷、林缘、林下或灌丛中。分布于重庆丰都、涪陵、云阳、沙坪坝、城口、巫溪、开州、巫山、奉节、酉阳、石柱、南川等地。

| 资源情况 | 野生资源较丰富。药材来源于野生。

| 采收加工 | 夏、秋季采收茎、叶，鲜用或切段晒干。秋后采根，鲜用或切片晒干。

| 药材性状 | 本品茎呈圆柱形，黄绿色，略光滑，有黑色小斑。叶互生，多卷曲，展平后呈狭卵形至卵状椭圆形，长 3 ~ 8cm，宽 1 ~ 4cm，先端尖，基部圆形或近心形，全缘。气微，味淡、微涩。

| 功能主治 | 甘、涩，微温。归肝、胆经。祛风除湿，活血止痛。用于风湿痹痛，胃痛，痛经，产后腹痛，跌打损伤，骨关节结核，骨髓炎，小儿疳积，肝炎，肝硬化等。

| 用法用量 | 内服煎汤，15 ~ 30g，大剂量可用至 60 ~ 120g。外用适量，鲜品捣敷。

| 附　　注 | 研究表明，本种药材根的横切面呈偏心形，次生韧皮部纤维成群分布，有 2 种形态石细胞分别分布于根和茎中。本种药材根和茎显微特征明显，可作为本种药材鉴定的参考依据。槲皮素是区分本种根与茎的特征性成分。

鼠李科 Rhamnaceae 勾儿茶属 *Berchemia*

牯岭勾儿茶 *Berchemia kulingensis* Schneid.

| 药 材 名 | 紫青藤（药用部位：根、茎藤。别名：青藤、画眉杠、铁骨散）。

| 形态特征 | 藤状或攀缘灌木，高达 3m。小枝平展，黄色，无毛，后变淡褐色。叶纸质，卵状椭圆形或卵状矩圆形，先端钝圆或锐尖，具小尖头，基部圆形或近心形，两面无毛，上面绿色，下面干时常灰绿色；侧脉每边 7 ~ 9（~ 10），叶脉在两面稍凸起；叶柄长 6 ~ 10mm，无毛；托叶披针形，长约 3mm，基部合生。花绿色，无毛，通常 2 ~ 3 簇生，排成近无梗或具短总梗的疏散聚伞总状花序，或呈稀窄聚伞圆锥花序，花序长 3 ~ 5cm，无毛；花梗长 2 ~ 3mm，无毛；花芽圆球形，先端收缩成渐尖；萼片三角形，先端渐尖，边缘被疏缘毛；花瓣倒卵形，稍长。核果长圆柱形，长 7 ~ 9mm，直径 3.5 ~ 4mm，红色，成熟时黑紫色，基部宿存花盘盘状；果

牯岭勾儿茶

梗长 2 ~ 4mm，无毛。花期 6 ~ 7 月，果期翌年 4 ~ 6 月。

| 生境分布 | 生于海拔 300 ~ 2100m 的山谷灌丛、林缘或林中。分布于重庆城口、奉节、南川等地。

| 资源情况 | 野生资源较少。药材来源于野生。

| 采收加工 | 春、夏季采收茎藤，鲜用或切段晒干。秋后采根，鲜用或切片晒干。

| 药材性状 | 本品茎藤呈圆柱形，多分枝，黄褐色或棕褐色。表面光滑，具凸起的枝痕，基部呈类圆形或椭圆形隆起。质极坚硬，难折断，断面不平坦，呈刺状纤维性；中央有类白色小型的髓；木部占大部分，黄棕色，外周色较浅，黄白色；皮部较薄，易剥离，内表面光滑，具细纵纹。气无，味淡。

| 功能主治 | 微涩，温。祛风除湿，活血止痛，健脾消疳。用于风湿痹痛，产后腹痛，痛经，经闭，外伤肿痛，毒蛇咬伤，小儿疳积等。

| 用法用量 | 内服煎汤，15 ~ 30g，大剂量可用 30 ~ 90g。外用适量，捣敷。

鼠李科 Rhamnaceae 勾儿茶属 *Berchemia*

峨眉勾儿茶 *Berchemia omeiensis* Fang ex Y. L. Chen

| 药 材 名 | 峨眉勾儿茶（药用部位：根）。

| 形态特征 | 藤状或攀缘灌木。幼枝无毛，小枝黄褐色，平滑。叶革质或近革质，卵状椭圆形或卵状矩圆形，通常 2 ~ 5 簇生于缩短的侧枝上，先端短渐尖或锐尖，常具细尖头，基部心形或圆形，稍偏斜，上面深绿色，无毛，下面浅绿色，干后浅灰色或带浅红色，仅脉腋具髯毛；侧脉每边 7 ~ 13，叶脉在两面凸起；托叶宽卵状披针形，基部合生。花黄色或淡绿色，无毛，通常 2 ~ 6 簇生，排成具短总花梗的顶生宽聚伞圆锥花序，花序长达 16cm，分枝可达 8cm，无毛，花梗长 3mm；花芽卵球形，先端钝，长、宽近相等；萼片三角形；花瓣匙形。核果圆柱状椭圆形，长 1 ~ 1.3cm，直径约 4mm，基部有皿状宿存花盘，成熟时红色，后变紫黑色；果梗长

峨眉勾儿茶

3 ~ 4mm。花期 7 ~ 8 月，果期翌年 5 ~ 6 月。

| **生境分布** | 生于海拔 450 ~ 1700m 的山地林中。分布于城口、巫山、奉节、南川等地。

| **资源情况** | 野生资源稀少。药材来源于野生。

| **采收加工** | 全年均可采收，鲜用。

| **功能主治** | 活血散瘀，消肿。

| **用法用量** | 外用适量，鲜品捣敷。

鼠李科 Rhamnaceae 勾儿茶属 *Berchemia*

光枝勾儿茶 *Berchemia polyphylla* Wall. ex Laws. var. *leioclada* Hand.-Mazz.

| 药 材 名 | 光枝勾儿茶（药用部位：茎藤、根。别名：狗脚利、提云草、小桃花）。

| 形态特征 | 本种与原变种多叶勾儿茶的区别在于小枝及花序轴、果梗均无毛，叶柄仅上面被疏短柔毛。

| 生境分布 | 生于海拔 1500m 以下的山坡、沟边灌丛或林缘。分布于重庆黔江、垫江、潼南、长寿、江津、酉阳、涪陵、九龙坡、丰都、城口、忠县、北碚、巴南、合川、沙坪坝、巫溪、巫山、奉节、秀山、南川、开州等地。

| 资源情况 | 野生资源较丰富。药材来源于野生。

光枝勾儿茶

| 采收加工 | 夏末秋初孕蕾前割取嫩茎叶，除去杂质，切碎，鲜用或晒干。秋后采根，鲜用或切片晒干。

| 药材性状 | 本品茎呈圆柱形，直径可达 1.5cm；表面棕褐色至暗紫色，外被蜡质；质坚硬，难折断，断面不整齐，皮部薄，木部浅黄色，髓明显。叶互生，有短柄，叶片卵圆形，长 2 ~ 4cm，宽 1 ~ 2cm，先端渐尖或钝圆，顶处有芒尖，全缘；上表面灰绿色，下表面黄绿色，羽状侧脉 7 ~ 9 对；叶近革质。气微，味微苦、涩。

| 功能主治 | 苦、微涩，平。归心、肺经。消肿解毒，止血镇痛，祛风除湿。用于痈疽疔毒，咳嗽咯血，消化道出血，跌打损伤，烫伤，风湿骨痛，风火牙痛等。

| 用法用量 | 内服煎汤，15 ~ 30g，鲜品 30 ~ 60g。外用适量，捣敷。

| 附　　注 | （1）本种的叶较小，叶柄被毛，夏、秋季开花，当年结实，可与牯岭勾儿茶 *Berchemia kulingensis* Schneid. 和云南勾儿茶 *Berchemia yunnanensis* Franch. 相区别。

（2）本种喜温暖湿润的气候，对土壤要求不严，耐旱，忌积水，以排水良好、含腐殖质丰富的砂壤土栽培为宜。

鼠李科 Rhamnaceae 勾儿茶属 *Berchemia*

勾儿茶 *Berchemia sinica* Schneid.

| 药 材 名 | 勾儿茶（药用部位：根。别名：牛鸢子、铁包金）。

| 形态特征 | 藤状或攀缘灌木，高达 5m。幼枝无毛，老枝黄褐色，平滑无毛。叶纸质至厚纸质，互生或在短枝先端簇生，卵状椭圆形或卵状矩圆形，先端圆形或钝，常有小尖头，基部圆形或近心形，上面绿色，无毛，下面灰白色，仅脉腋被疏微毛，侧脉每边 8 ~ 10；叶柄纤细，带红色，无毛。花芽卵球形，先端短锐尖或钝；花黄色或淡绿色，单生或数个簇生，无或有短总花梗，在侧枝先端排成具短分枝的窄聚伞状圆锥花序，花序轴无毛，长达 10cm，分枝长达 5cm，有时为腋生的短总状花序。核果圆柱形，基部稍宽，有皿状的宿存花盘，成熟时紫红色或黑色；果梗长 3mm。花期 6 ~ 8 月，果期翌年 5 ~ 6 月。

勾儿茶

| **生境分布** | 生于海拔 1000 ~ 2500m 的山坡或沟谷灌丛中。分布于重庆南岸、彭水、万州、北碚、开州、梁平、城口、巫溪、奉节、南川等地。

| **资源情况** | 野生资源较丰富。药材来源于野生。

| **采收加工** | 全年均可采收，鲜用或晒干。

| **功能主治** | 微涩，平。清热解毒，祛风湿，活血通络，止咳化痰，健脾益气。用于风湿关节痛，腰痛，痛经，肺结核，瘰疬，小儿疳积，肝炎，胆道蛔虫病，毒蛇咬伤，跌打损伤等。

| **用法用量** | 内服煎汤，15 ~ 30g。外用适量，鲜品捣敷或贴敷患处。

| **附　　注** | 本种具顶生窄聚伞状圆锥花序，叶先端圆形或钝，叶柄细长，簇生短枝上，与本属其他的种容易区别。

鼠李科 Rhamnaceae 勾儿茶属 *Berchemia*

云南勾儿茶 *Berchemia yunnanensis* Franch.

| 药 材 名 | 女儿红根（药用部位：根。别名：鸭公青、鸭公头、消黄散）、女儿红叶（药用部位：叶。别名：鸭公头叶、鸭公叶）。

| 形态特征 | 藤状灌木，高 2.5 ~ 5m。小枝平展，淡黄绿色，老枝黄褐色，无毛。叶纸质，卵状椭圆形、矩圆状椭圆形或卵形，先端锐尖，稀钝，具小尖头，基部圆形，稀宽楔形，两面无毛，上面绿色，下面浅绿色，干时常变黄色；侧脉每边 8 ~ 12，两面凸起；叶柄无毛；托叶膜质，披针形。花黄色，无毛，通常数个簇生，近无总梗或有短总梗，排成聚伞总状花序或窄聚伞圆锥花序，花序常生于具叶的侧枝先端，无毛；花芽卵球形，先端钝或锐尖，长、宽相等；萼片三角形，先端锐尖或短渐尖；花瓣倒卵形，先端钝；雄蕊稍短于花瓣。核果圆柱形，先端钝而无小尖头，成熟时红色，后变黑色，有甜味，基部

云南勾儿茶

宿存的花盘皿状。花期 6 ~ 8 月，果期翌年 4 ~ 5 月。

| 生境分布 | 生于海拔 800 ~ 2790m 的山坡、溪流边灌丛或林中。分布于重庆丰都、奉节、巫山、石柱、开州、南川、万州、巫溪等地。

| 资源情况 | 野生资源一般。药材来源于野生。

| 采收加工 | 女儿红根：9 ~ 10 月采挖，洗净，切片，晒干。

女儿红叶：9 ~ 10 月采收，晒干。

| 功能主治 | 女儿红根：苦，凉。归大肠、肝经。清热利湿，活血解毒。用于热淋，黄疸，痢疾，带下，崩漏，跌打损伤，风湿疼痛，痈肿疮毒等。

女儿红叶：苦，凉。归肝经。止血，解毒。用于吐血，痈疽疔疮等。

| 用法用量 | 女儿红根：内服煎汤，15 ~ 60g；或炖肉。

女儿红叶：内服煎汤，6 ~ 15g。外用适量，捣敷。

鼠李科 Rhamnaceae 枳椇属 *Hovenia*

枳椇 *Hovenia acerba* Lindl.

枳椇

| 药 材 名 |

枳椇子（药用部位：种子、果实。别名：木蜜、树蜜、木饧）、枳椇叶（药用部位：叶）、枳椇木皮（药用部位：树皮）、枳椇根（药用部位：根）。

| 形态特征 |

高大乔木，高 10 ~ 25m。小枝褐色或黑紫色，被棕褐色短柔毛或无毛，有明显的白色皮孔。叶互生，厚纸质至纸质，宽卵形、椭圆状卵形或心形，先端长渐尖或短渐尖，基部截形或心形，稀近圆形或宽楔形，边缘常具整齐浅而钝的细锯齿，上部或近先端的叶有不明显的齿，稀近全缘，上面无毛，下面沿脉或脉腋常被短柔毛或无毛；叶柄无毛。二歧聚伞圆锥花序，顶生和腋生，被棕色短柔毛；花两性；萼片具网状脉或纵条纹，无毛；花瓣椭圆状匙形，具短爪；花盘被柔毛；花柱半裂，稀浅裂或深裂，无毛。浆果状核果近球形，无毛，成熟时黄褐色或棕褐色；果序轴明显膨大；种子暗褐色或黑紫色。花期 5 ~ 7 月，果期 8 ~ 10 月。

| 生境分布 |

生于海拔 250 ~ 1200m 的阳光充足的山坡、沟谷或路边。分布于重庆黔江、丰都、垫江、彭水、万州、綦江、南川、武隆、巫山、江津、云阳、城口、奉节、酉阳、铜梁等地。

|资源情况| 野生资源较丰富。药材来源于野生。

|采收加工| 枳椇子：果实成熟时连肉质花序轴一并摘下，晒干，取出种子。

枳椇叶：夏末采收，晒干。

枳椇木皮：春季剥取树皮，晒干。

枳椇根：秋后采收，洗净，切片，晒干。

|药材性状| 枳椇子：本品呈扁圆形，背面稍隆起，腹面较平坦，直径3～4.5mm，厚1.5～2mm。表面暗褐色或黑棕色，平滑有光泽，基部有稍凹的点状椭圆形种脐，先端有微凸起的合点，腹面有1纵棱线。种皮坚硬，胚乳类白色，子叶淡黄色，具油性。气微，味微涩。

|功能主治| 枳椇子：甘，平。归心、脾、肺经。解酒毒，止渴除烦，止呕，通利二便。用于醉酒烦渴，呕吐，二便不利等。

枳椇叶：苦，凉。归胃、肝经。清热解毒，除烦止渴。用于风热感冒，醉酒烦渴，呕吐，大便秘结等。

枳椇木皮：苦，温。归肝、脾、肾经。活血，舒筋，消食，疗痔。用于筋脉拘挛，食积，痔疮等。

枳椇根：甘、涩，温。归肝、肾经。祛风活络，止血，解酒。用于风湿筋骨痛，小儿惊风，劳伤咳嗽，咯血，醉酒等。

|用法用量| 枳椇子：内服煎汤，6～15g；或泡酒服。脾胃虚寒者禁用。

枳椇叶：内服煎汤，9～15g；或浸酒。

枳椇木皮：内服煎汤，9～15g。外用适量，煎汤洗。

枳椇根：内服煎汤，9～15g，鲜品120～240g；或炖肉服。

|附　　注| 本种喜阳光充足、温暖湿润的气候，不耐干燥，生长适温20～30℃，对土壤要求不严，在酸性、碱性土壤中均能生长，适应性较强。

鼠李科 Rhamnaceae 马甲子属 *Paliurus*

铜钱树 *Paliurus hemsleyanus* Rehd.

| **药材名** | 金钱木根（药用部位：根。别名：金钱木、麻介刺、马鞍秋）。

| **形态特征** | 乔木，稀灌木，高达 13m。小枝黑褐色或紫褐色，无毛。叶互生，纸质或厚纸质，宽椭圆形、卵状椭圆形或近圆形，先端长渐尖或渐尖，基部偏斜，宽楔形或近圆形，边缘具圆锯齿或钝细锯齿，两面无毛，基生三出脉；叶柄近无毛或仅上面被疏短柔毛；无托叶刺，但幼树叶柄基部有 2 斜向直立的针刺。聚伞花序或聚伞圆锥花序，顶生或兼有腋生，无毛；萼片三角形或宽卵形；花瓣匙形；雄蕊长于花瓣；花盘五边形，5 浅裂；花柱 3 深裂。核果草帽状，周围具革质宽翅，红褐色或紫红色，无毛；果梗长 1.2 ~ 1.5cm。花期 4 ~ 6 月，果期 7 ~ 9 月。

铜钱树

| 生境分布 | 生于海拔 1600m 以下的山地林中。分布于重庆开州、巫山、城口、巫溪、南川等地。

| 资源情况 | 野生资源一般。药材来源于野生和栽培。

| 采收加工 | 秋后采根，洗净，切片，晒干。

| 功能主治 | 甘，平。归肝、脾经。补气。用于劳伤乏力等。

| 用法用量 | 内服煎汤，10 ~ 15g。

| 附　　注 | （1）本种根横切面皮层较窄，木部宽广，导管大型；茎横切面木部细胞排列有序，髓部大；叶横切面维管束与下表皮间有分泌腔；粉末中淀粉粒脐点点状或裂隙状。而越南悬钩子根横切面皮层和韧皮部内均有石细胞群分布，导管大型；茎横切面韧皮部外侧为断续成环的韧皮纤维；叶中脉维管束呈“U”字形；粉末中石细胞成群，草酸钙簇晶棱角较尖锐。这可作为本种和越南悬钩子显微鉴别的主要依据。

（2）研究表明，人工破碎外壳的方法可以提高本种种子的发芽率，水肥适宜、管理精细的情况下本种年高生长量可达 55cm，翌年可用于造林。

鼠李科 Rhamnaceae 马甲子属 *Paliurus*

马甲子 *Paliurus ramosissimus* (Lour.) Poir.

药材名 马甲子根（药用部位：根。别名：竻子、雄虎刺、石刺木）、铁篱笆（药用部位：刺、花、叶。别名：企头簕、雄虎刺）、铁篱笆果（药用部位：果实）。

形态特征 灌木，高达6m。小枝褐色或深褐色，被短柔毛，稀近无毛。叶互生，纸质，宽卵形、卵状椭圆形或近圆形，先端钝或圆形，基部宽楔形、楔形或近圆形，稍偏斜，边缘具钝细锯齿或细锯齿，稀上部近全缘，上面沿脉被棕褐色短柔毛，幼叶下面密生棕褐色细柔毛，后渐脱落仅沿脉被短柔毛或无毛，基生三出脉；叶柄被毛，基部有2紫红色斜向直立的针刺。腋生聚伞花序，被黄色绒毛；萼片宽卵形；花瓣匙形，短于萼片；雄蕊与花瓣等长或略长于花瓣；花盘圆形，边缘5或10齿裂；子房3室，每室具胚珠1，花柱3深裂。核果杯状，

马甲子

被黄褐色或棕褐色绒毛，周围具木栓质3浅裂的窄翅；果梗被棕褐色绒毛；种子紫红色或红褐色，扁圆形。花期5 ~ 8月，果期9 ~ 10月。

| 生境分布 | 生于海拔2000m以下的平坝、丘陵或山地。分布于重庆大足、潼南、丰都、忠县、酉阳、合川、荣昌、万州、南川、铜梁、巫溪、石柱、江津、巴南等地。

| 资源情况 | 野生资源较丰富。药材来源于野生和栽培。

| 采收加工 | 马甲子根：全年均可采收，晒干。
铁篱笆：全年均可采收，鲜用或晒干。
铁篱笆果：果实成熟后采收，晒干。

| 功能主治 | 马甲子根：苦，平。归心、肺经。祛风散瘀，解毒消肿。用于风湿痹痛，跌打损伤，咽喉肿痛，痈疽等。
铁篱笆：苦，平。清热解毒。用于疔疮痈肿，无名肿毒，下肢溃疡，眼目赤痛等。
铁篱笆果：苦、甘，温。化瘀止血，活血止痛。用于瘀血所致的吐血，衄血，便血，痛经，经闭，心腹疼痛，痔疮肿痛。

| 用法用量 | 马甲子根：内服煎汤，15 ~ 30g。外用适量，捣敷。
铁篱笆：外用适量，鲜品捣敷。
铁篱笆果：内服煎汤，6 ~ 15g。

| 附　　注 | 本种喜温暖湿润气候，生长适温25 ~ 30℃，不耐寒，栽培宜选择疏松、排水良好的土壤。

鼠李科 Rhamnaceae 鼠李属 *Rhamnus*

长叶冻绿 *Rhamnus crenata* Sieb. et Zucc.

| **药材名** | 黎辣根（药用部位：根、根皮。别名：梨罗根、红点秤、一扫光）。

| **形态特征** | 落叶灌木或小乔木，高达 7m。幼枝带红色，被毛，后脱落，小枝被疏柔毛。叶纸质，倒卵状椭圆形、椭圆形或倒卵形，稀倒披针状椭圆形或长圆形，长 4 ~ 14cm，宽 2 ~ 5cm，先端渐尖、尾状长渐尖或骤缩成短尖，基部楔形或钝，边缘具圆齿状锯齿或细锯齿，上面无毛，下面被柔毛或沿脉多少被柔毛；叶柄被密柔毛。花密集成聚伞花序，腋生，总花梗被柔毛，花梗被短柔毛；萼片三角形，与萼管等长，外面被疏微毛；花瓣近圆形，先端 2 裂；雄蕊与花瓣等长而短于萼片；子房球形，无毛，花柱不分裂，柱头不明显。核果球形或倒卵状球形，绿色或红色，成熟时黑色或紫黑色，果梗无或被疏短毛；种子无沟。花期 5 ~ 8 月，果期 8 ~ 10 月。

长叶冻绿

| 生境分布 | 生于海拔 700 ~ 2000m 的山地林下或灌丛中。分布于重庆垫江、奉节、城口、丰都、酉阳、彭水、云阳、忠县、武隆、石柱、巫溪、巫山、秀山、黔江、万州、南川等地。

| 资源情况 | 野生资源一般。药材来源于野生。

| 采收加工 | 秋后采收，鲜用或切片晒干；或剥皮晒干。

| 功能主治 | 苦、辛，平；有毒。归肝经。清热解毒，杀虫利湿。用于疥疮，顽癣，疮疖，湿疹，荨麻疹，癞痢头，跌打损伤等。

| 用法用量 | 内服煎汤，3 ~ 5g；或浸酒。煎汤熏洗；或捣敷；或研末调敷；或磨醋擦患处。本品有毒，内服慎用。

| 附　　注 | 本种喜温暖湿润的气候，对土壤要求不严，以排水良好、肥沃疏松的砂壤土栽培为好。稍耐旱，忌积水。

鼠李科 Rhamnaceae 鼠李属 *Rhamnus*

刺鼠李 *Rhamnus dumetorum* Schneid.

| 药 材 名 | 刺鼠李（药用部位：全株）。

| 形态特征 | 灌木，高 3 ~ 5m。小枝浅灰色或灰褐色，树皮粗糙，无光泽，对生或近对生，枝端和分叉处有细针刺，当年生枝被细柔毛或近无毛。叶纸质，对生或近对生，或在短枝上簇生，椭圆形，稀倒卵形、倒披针状椭圆形或矩圆形，先端锐尖或渐尖，稀近圆形，基部楔形，边缘具不明显的波状齿或细圆齿，上面绿色，被疏短柔毛，下面色稍淡，沿脉被疏短毛，或脉腋被簇毛，稀无毛；侧脉每边 4 ~ 6，上面稍下陷，下面凸起，脉腋常有浅窝孔；叶柄被短微毛；托叶披针形，短于叶柄或几与叶柄等长。花单性，雌雄异株，4 基数，有花瓣；雄花数个；雌花簇生短枝先端，被微毛，花柱 2 浅裂或半裂。核果球形，基部有宿存的萼筒，具 1 或 2 分核，被疏短毛；种子黑

刺鼠李

色或紫黑色，背面基部有短沟，上部有沟缝。花期 4 ~ 5 月，果期 6 ~ 10 月。

| **生境分布** | 生于海拔 600 ~ 2360m 的山坡灌丛或林下。分布于重庆城口、云阳、合川、巫溪、奉节、酉阳、石柱、南川等地。

| **资源情况** | 野生资源一般。药材来源于野生。

| **采收加工** | 夏、秋季采收，鲜用或晒干。

| **功能主治** | 消食顺气，清热止咳，活血祛瘀。

| **用法用量** | 内服煎汤，适量。

鼠李科 Rhamnaceae 鼠李属 *Rhamnus*

贵州鼠李 *Rhamnus esquirolii* Lévl.

| 药材名 | 贵州鼠李（药用部位：根）。

| 形态特征 | 灌木，稀小乔木。小枝无刺，褐色，具不明显瘤状皮孔，被短柔毛。叶纸质，大小异形，在同侧交替互生，小叶矩圆形或披针状椭圆形；大叶长椭圆形、倒披针状椭圆形或狭矩圆形，先端渐尖至长渐尖或尾状渐尖，稀短急尖，基部圆形或楔形，边缘平或多少背卷，具细锯齿或不明显的细齿，上面深绿色，无毛，下面浅绿色，被灰色短柔毛，或至少沿脉被短柔毛；侧脉每边 6 ~ 8，在近边缘处联结成环状，上面下陷，下面凸起，干时呈灰绿色；叶柄被密或疏短柔毛；托叶钻状，宿存。花单性，雌雄异株，通常腋生，聚伞总状花序，常有钻状小苞片，花序轴、花梗和花均被短柔毛；花 5 基数，萼片三角形，先端尖；花瓣小，早落；雄花有退化雌蕊；雌花有极小的

贵州鼠李

退化雄蕊，子房球形，花柱 3 浅裂或半裂。核果倒卵状球形，基部有宿存的萼筒，具分核 3，紫红色，成熟时变黑色；种子 2 ~ 3，倒卵状矩圆形，背面有上窄下宽的纵沟。花期 5 ~ 7 月，果期 8 ~ 11 月。

| **生境分布** | 生于海拔 200 ~ 1800m 的山谷密林下或林缘灌丛中。分布于重庆綦江、垫江、大足、彭水、秀山、万州、丰都、云阳、酉阳、武隆、梁平等地。

| **资源情况** | 野生资源较丰富。药材来源于野生。

| **采收加工** | 全年均可采收，洗净，切片，晒干。

| **功能主治** | 清热，消炎，活血祛瘀。

| **用法用量** | 内服煎汤，适量。

鼠李科 Rhamnaceae 鼠李属 *Rhamnus*

亮叶鼠李 *Rhamnus hemsleyana* Schneid.

| **药 材 名** | 亮叶鼠李（药用部位：根）。

| **形态特征** | 常绿乔木，稀灌木，无刺。幼枝从老叶叶腋发出，无毛。叶革质，长椭圆形，稀长矩圆形或倒披针状长椭圆形，先端渐尖至长渐尖，稀钝圆，基部楔形或圆形，边缘具锯齿，上面亮绿色，无毛，下面浅绿色，仅脉腋被髯毛，侧脉每边 9 ~ 15；叶柄粗短，上面具小沟，常被疏短柔毛；托叶线形，早落。花杂性，簇生叶腋，无毛，4 基数；萼片三角形，具 3 脉，中肋和小喙不明显；无花瓣；雄蕊短于萼片；两性花的子房球形，花柱 4 半裂；雄花具退化雌蕊，子房球形，不发育，无胚珠，花柱短，不分裂；花盘稍厚，盘状，边缘离生。核果球形，绿色，成熟时红色，后变黑色，具分核 4，各有 1 种子；种子倒锥形，紫黑色，腹面具棱，背面具与种子等长的纵沟。花期

亮叶鼠李

4 ~ 5 月，果期 6 ~ 10 月。

| **生境分布** | 生于海拔 700 ~ 2300m 的山谷林缘或林下。分布于重庆巫溪、忠县、云阳、城口、巫山、奉节、南川等地。

| **资源情况** | 野生资源一般。药材来源于野生。

| **采收加工** | 全年均可采收，洗净，切段，晒干。

| **功能主治** | 清热，消炎，活血祛瘀。

| **用法用量** | 内服煎汤，适量。

鼠李科 Rhamnaceae 鼠李属 *Rhamnus*

异叶鼠李 *Rhamnus heterophylla* Oliv.

异叶鼠李

|药材名|

黄茶根（药用部位：根、枝叶。别名：女儿茶、岩果紫、黄茶根）。

|形态特征|

矮小灌木，高 2m。枝无刺，幼枝和小枝细长，密被短柔毛。叶纸质，大小异形，在同侧交替互生，小叶近圆形或卵圆形，先端圆形或钝；大叶矩圆形、卵状椭圆形或卵状矩圆形，先端锐尖或短渐尖，常具小尖头，基部楔形或圆形，边缘具细锯齿或细圆齿，干时多少背卷，上面浅绿色，两面无毛或仅下面脉腋被簇毛，稀沿脉被疏短柔毛；侧脉每边 2 ~ 4，上面不明显，下面稍凸起；叶柄被短柔毛；托叶钻形或线状披针形，短于叶柄，宿存。花单性，雌雄异株，单生或 2 ~ 3 簇生侧枝叶腋内，5 基数，花梗微被疏柔毛；萼片外面被疏柔毛，内面具 3 脉；雄花的花瓣匙形，先端微凹，具退化雌蕊，子房不发育，花柱 3 半裂；雌花花瓣小，2 浅裂，早落，有极小的退化雄蕊，子房球形，花柱短，3 半裂。核果球形，基部有宿存的萼筒，成熟时黑色，具分核 3；种子背面具长为种子 4/5、上窄下宽的纵沟。花期 5 ~ 8 月，果期 9 ~ 12 月。

| 生境分布 | 生于海拔 250 ~ 1450m 的山坡灌丛或林缘。分布于重庆垫江、长寿、忠县、云阳、涪陵、秀山、綦江、武隆、北碚、合川、大足、巫溪、巫山、梁平、南川、江津等地。

| 资源情况 | 野生资源较丰富。药材来源于野生。

| 采收加工 | 秋、冬季采根，鲜用或切片晒干。4 ~ 5 月采收嫩枝叶，鲜用或切段晒干。

| 功能主治 | 涩、苦，凉。清热利湿，凉血止血。用于暑热烦渴，痢疾，吐血，咯血，痔疮出血，血崩，带下，月经不调，疮毒等。

| 用法用量 | 内服煎汤，10 ~ 30g，鲜品 30 ~ 60g。外用捣敷。

鼠李科 Rhamnaceae 鼠李属 *Rhamnus*

薄叶鼠李 *Rhamnus leptophylla* Schneid.

| 药材名 | 绛梨木子（药用部位：果实。别名：打枪子、叫梨子、鹿角刺果）、绛梨木叶（药用部位：叶。别名：鹿解刺叶）、绛梨木根（药用部位：根。别名：嚼连根、孟子根、黑龙须）。

| 形态特征 | 灌木或稀为小乔木，高达 5m。小枝对生或近对生，褐色或黄褐色，稀紫红色，平滑无毛，有光泽；芽小，具鳞片数个，无毛。叶纸质，对生或近对生，或在短枝上簇生，倒卵形至倒卵状椭圆形，稀椭圆形或矩圆形，先端短凸尖或锐尖，稀近圆形，基部楔形，边缘具圆齿或钝锯齿，上面深绿色，无毛或沿中脉被疏毛，下面浅绿色，仅脉腋被簇毛；侧脉每边 3 ~ 5，具不明显的网脉，上面下陷，下面凸起；叶柄上面有小沟，无毛或被疏短毛；托叶线形，早落。花单性，雌雄异株，4 基数，有花瓣，花梗无毛；雄花簇生短枝端；雌

薄叶鼠李

花簇生短枝端或长枝下部叶腋，退化雄蕊极小，花柱 2 半裂。核果球形，基部有宿存的萼筒，成熟时黑色；种子宽倒卵圆形，背面具长为种子 2/3 ~ 3/4 的纵沟。花期 3 ~ 5 月，果期 5 ~ 10 月。

| 生境分布 | 生于海拔 600 ~ 1800m 的山坡、山谷、路旁灌丛中或林缘。分布于重庆万州、城口、南川、潼南、彭水、长寿、丰都、綦江、酉阳、黔江、永川、涪陵、秀山、巫溪、武隆、北碚、开州、石柱等地。

| 资源情况 | 野生资源较丰富。药材来源于野生。

| 采收加工 | 绛梨木子：8 ~ 9 月果实成熟时采收，鲜用或晒干。

绛梨木叶：春、夏季采收，鲜用或晒干。

绛梨木根：秋、冬季采收，洗净，切片，晒干。

| 功能主治 | 绛梨木子：苦、涩，平。归心、脾、肾经。消食化滞，利水通便。用于食积腹胀，水肿，腹水，便秘等。

绛梨木叶：涩、微苦，平。归脾、胃经。消食通便，清热解毒。用于食积腹胀，小儿疳积，便秘，疮毒，跌打损伤等。

绛梨木根：苦、涩，平。归脾、胃、肾经。清热止咳，行气化滞，利水，散瘀。用于肺热咳嗽，食积，便秘，脘腹胀痛，水肿，痛经，跌打损伤等。

| 用法用量 | 绛梨木子：内服煎汤，5 ~ 15g；或研末；或泡酒。体弱、脾虚无积者勿用，孕妇、产妇忌服。

绛梨木叶：内服煎汤，3 ~ 9g。外用适量，捣敷。

绛梨木根：内服煎汤，9 ~ 15g。体弱、脾虚无积者勿用，孕妇、产妇忌服。

鼠李科 Rhamnaceae 鼠李属 *Rhamnus*

小冻绿树 *Rhamnus rosthornii* Pritz.

小冻绿树

| 药 材 名 |

小冻绿树（药用部位：根、果实。别名：布木刺）。

| 形态特征 |

灌木或小乔木，高达 3m。小枝互生和近对生，不呈帚状，先端具钝刺，幼枝绿色，被短柔毛，老枝灰褐色或黑褐色，无毛，树皮粗糙，有纵裂纹。叶革质或薄革质，互生或在短枝上簇生，匙形、菱状椭圆形或倒卵状椭圆形，稀倒卵圆形，先端截形或圆形，稀锐尖，基部楔形，稀近圆形，边缘具圆齿或钝锯齿，干时常背卷，上面暗绿色，无毛或沿中脉被短柔毛，下面淡绿色，仅脉腋被簇毛，稀沿脉被疏柔毛；侧脉每边 2 ~ 4，上面不明显，下面凸起；叶柄被短柔毛；托叶线状披针形，被微毛，约与叶柄等长或稍长于叶柄，宿存。花单性，雌雄异株，4 基数，有花瓣；雌花数个簇生短枝端或当年生枝下部叶腋，退化的雄蕊极小，花柱 2 浅裂或半裂。核果球形，成熟时黑色，具分核 2，基部有宿存的萼筒；种子倒卵圆形，红褐色，有光泽，背面有纵沟。花期 4 ~ 5 月，果期 6 ~ 9 月。

生境分布 生于海拔 1300m 以下的山坡阴处、灌丛或沟边林中。分布于重庆酉阳、忠县、巫溪、万州、丰都、南川、江津等地。

资源情况 野生资源一般。药材来源于野生。

采收加工 全年均可采挖根，洗净，切片，晒干。夏、秋季果实成熟时采摘果实，鲜用或晒干。

功能主治 根，利水行气，消积通便。用于大叶性肺炎，劳伤等。果实，用于食积腹胀，痢疾等。

用法用量 内服煎汤，适量。

鼠李科 Rhamnaceae 鼠李属 *Rhamnus*

冻绿 *Rhamnus utilis* Decne.

冻绿

药材名

冻绿叶（药用部位：叶。别名：黑午茶）、冻绿刺（药用部位：茎、叶、根皮。别名：鸭屎树、野苦楝子、洞皮树）。

形态特征

灌木或小乔木，高达 4m。幼枝无毛，小枝褐色或紫红色，稍平滑，对生或近对生，枝端常具针刺；腋芽小，长 2 ~ 3mm，有数个鳞片，鳞片边缘有白色缘毛。叶纸质，对生或近对生，或在短枝上簇生，椭圆形、矩圆形或倒卵状椭圆形，长 4 ~ 15cm，宽 2 ~ 6.5cm，先端凸尖或锐尖，基部楔形，稀圆形，边缘具细锯齿或圆齿状锯齿，上面无毛或仅中脉被疏柔毛，下面干后常变黄色，沿脉或脉腋被金黄色柔毛，侧脉每边通常 5 ~ 6，两面均凸起，具明显的网脉；叶柄长 0.5 ~ 1.5cm，上面具小沟，被疏微毛或无毛；托叶披针形，常被疏毛，宿存。花单性，雌雄异株，4 基数，具花瓣；花梗长 5 ~ 7mm，无毛；雄花数个簇生叶腋，或 10 ~ 30 或更多聚生小枝下部，有退化的雌蕊；雌花 2 ~ 6 簇生叶腋或小枝下部，退化雄蕊小，花柱较长，2 浅裂或半裂。核果圆球形或近球形，成熟时黑色，具分核 2，基部有宿存的萼筒；

果梗长 5 ~ 12mm，无毛；种子背侧基部有短沟。花期 4 ~ 6 月，果期 5 ~ 8 月。

| 生境分布 |

生于海拔 350 ~ 1500m 的山地、丘陵、山坡草丛、灌丛或疏林中。分布于重庆丰都、黔江、城口、巫溪、万州、彭水、秀山、南川、石柱、酉阳、长寿、云阳、武隆、奉节、开州、巫山等地。

| 资源情况 |

野生资源较丰富。药材来源于野生和栽培。

| 采收加工 |

冻绿叶：夏末采收，鲜用或晒干。
冻绿刺：夏、秋季采收，晒干。

| 功能主治 |

冻绿叶：苦，凉。止痛，消食。用于跌打损伤，消化不良等。
冻绿刺：苦、涩，凉。归肺、脾、胃、大肠经。杀虫消食，下气祛痰。用于绦虫，食积，瘰疬，哮喘等。

| 用法用量 |

冻绿叶：内服捣烂，冲酒，15 ~ 30g；或泡茶。
冻绿刺：内服煎汤，9 ~ 15g。

鼠李科 Rhamnaceae 鼠李属 *Rhamnus*

毛冻绿 *Rhamnus utilis* Decne. var. *hypochrysa* (Schneid.) Rehd.

毛冻绿

| 药 材 名 |

毛冻绿（药用部位：果实）。

| 形态特征 |

本种与原变种冻绿的区别在于当年生枝、叶柄和花梗均被白色短柔毛，叶较小，两面特别是下面有金黄色柔毛。

| 生境分布 |

生于山坡灌丛或林下。分布于重庆巫溪、南川、江津、开州等地。

| 资源情况 |

野生资源较少。药材来源于野生。

| 采收加工 |

果实成熟时采收，除去果柄，鲜用或微火烘干。

| 功能主治 |

消食健胃。

| 用法用量 |

内服煎汤，6 ~ 12g；或研末；或熬膏。

鼠李科 Rhamnaceae 雀梅藤属 *Sageretia*

钩刺雀梅藤 *Sageretia hamosa* (Wall.) Brongn.

| 药 材 名 | 钩刺雀梅藤（药用部位：根、果实）。

| 形态特征 | 常绿藤状灌木。小枝常具钩状下弯的粗刺，灰褐色或暗褐色，无毛或仅基部被短柔毛。叶革质，互生或近对生，矩圆形或长椭圆形，稀卵状椭圆形，先端尾状渐尖、渐尖或短渐尖，基部圆形或近圆形，边缘具细锯齿，上面有光泽，无毛，下面仅脉腋被髯毛，或初时被疏柔毛，后脱落；侧脉每边 7 ~ 10，上面下陷，下面凸起；叶柄无毛。花无梗，无毛，通常簇生，疏散排列成顶生或腋生穗状花序或穗状圆锥花序；花序轴被棕色或灰白色绒毛或密短柔毛；苞片小，卵形，被疏短柔毛；子房 2 室，每室具胚珠 1，花柱短，柱头头状。核果近球形，近无梗，成熟时深红色或紫黑色，有分核 2，常被白粉；种子 2，扁平，棕色，两端凹入，不对称，长约

钩刺雀梅藤

6mm。花期 7 ~ 8 月，果期 8 ~ 10 月。

| 生境分布 | 生于海拔 600 ~ 1600m 的山坡灌丛或林中。分布于重庆涪陵、城口、石柱、黔江、酉阳、南川、巫溪、开州等地。

| 资源情况 | 野生资源稀少。药材来源于野生。

| 采收加工 | 全年均可采挖根，洗净，晒干。秋季果实成熟时采摘果实，鲜用或晒干。

| 功能主治 | 根，清热止咳，降气化痰。用于风湿痹痛，跌打损伤。果实，用于疮疾。

| 用法用量 | 根，内服煎汤，适量。果实，外用适量，鲜品捣敷。

鼠李科 Rhamnaceae 雀梅藤属 *Sagereta*

梗花雀梅藤 *Sageretia henryi* Drumm. et Sprague

| 药材名 | 梗花雀梅藤（药用部位：果实。别名：红藤、皱锦藤、柄花雀梅藤）。

| 形态特征 | 藤状灌木，稀小乔木，高达 2.5m，无刺或具刺。小枝红褐色，无毛，老枝灰黑色。叶互生或近对生，纸质，矩圆形、长椭圆形或卵状椭圆形，先端尾状渐尖，稀锐尖或钝圆，基部圆形或宽楔形，边缘具细锯齿，两面无毛，上面干时栗色，稍下陷，下面凸起，侧脉每边 5 ~ 6（~ 7）；叶柄无毛或被微柔毛；托叶钻形。花具长 1 ~ 3mm 的梗，白色或黄白色，无毛，单生或数个簇生，排成疏散的总状花序或稀圆锥花序，腋生或顶生；花序轴无毛；萼片卵状三角形，先端尖；花瓣白色，匙形，先端微凹，稍短于雄蕊。核果椭圆形或倒卵状球形，成熟时紫红色，具分核 2 ~ 3；果梗长 1 ~ 4mm；种子 2，扁平，两端凹入。花期 7 ~ 11 月，果期翌年 3 ~ 6 月。

梗花雀梅藤

| **生境分布** | 生于海拔 600 ~ 1800m 的山地灌丛或密林中。分布于重庆涪陵、忠县、长寿、开州、巫溪、城口、巫山、奉节、南川、武隆等地。

| **资源情况** | 野生资源一般。药材来源于野生。

| **采收加工** | 果实成熟后采收，晒干。

| **功能主治** | 苦，寒。归肝、胃经。清热，降火。用于胃热口苦，牙龈肿痛，口舌生疮等。

| **用法用量** | 内服煎汤，10 ~ 15g。

| **附　　注** | 本种以具明显的花梗（长 1 ~ 3mm）、排成总状花序或圆锥花序，与本属的其他种有明显的区别。

鼠李科 Rhamnaceae 雀梅藤属 *Sagereti*a

皱叶雀梅藤 *Sageretia rugosa* Hance

| 药 材 名 | 皱叶雀梅藤（药用部位：根）。

| 形态特征 | 藤状或直立灌木，高达 4m。幼枝和小枝被锈色绒毛或密短柔毛，侧枝有时缩短成钩状。叶纸质或厚纸质，互生或近对生，卵状矩圆形或卵形，稀倒卵状矩圆形，长 3 ~ 8（~ 11）cm，宽 2 ~ 5cm，先端锐尖或短渐尖，稀圆形，基部近圆形，稀近心形，边缘具细锯齿，幼叶上面常被白色绒毛，后渐脱落，下面被锈色或灰白色不脱落的绒毛，稀渐脱落；侧脉每边 6 ~ 8，有明显的网脉，侧脉和网脉上面明显下陷，干时常皱褶，下面凸起；叶柄长 3 ~ 8mm，上面具沟，被密短柔毛。花无梗，有芳香，具披针形小苞片 2，通常排成顶生或腋生穗状花序或穗状圆锥花序；花序轴被密短柔毛或绒毛；花萼外面被柔毛，萼片三角形，先端尖，内面中肋先

皱叶雀梅藤

端具小喙；花瓣匙形，先端2浅裂，内卷，短于萼片；雄蕊与花瓣等长或稍长；子房藏于花盘内，2室，每室有胚珠1，花柱短，柱头头状，不分裂。核果圆球形，成熟时红色或紫红色，具分核2；种子2，扁平，两端凹入，稍不对称。花期7 ~ 12月，果期翌年3 ~ 4月。

| 生境分布 | 生于海拔500 ~ 1600m的山地灌丛或林中，或在山坡、平地散生。分布于重庆酉阳、南川、秀山、彭水、长寿、涪陵等地。

| 资源情况 | 野生资源一般。药材来源于野生。

| 采收加工 | 全年均可采收，洗净，切片，晒干。

| 功能主治 | 润肺止咳，降气化痰，舒筋活络。用于风湿痹痛等。

| 用法用量 | 内服煎汤，适量。

鼠李科 Rhamnaceae 枣属 *Ziziphus*

枣 *Ziziphus jujuba* Mill.

| 药 材 名 | 大枣（药用部位：果实。别名：枣子、红枣、大甜枣）、枣树皮（药用部位：树皮）、枣树根（药用部位：根）。

| 形态特征 | 落叶小乔木，稀灌木，高超过 10m。树皮褐色或灰褐色；有长枝，短枝和无芽小枝（即新枝）比长枝光滑，紫红色或灰褐色，呈“之”字形曲折，具托叶刺 2，长刺可达 3cm，粗直，短刺下弯，长 4 ~ 6mm；短枝短粗，矩状，自老枝发出；当年生小枝绿色，下垂，单生或 2 ~ 7 簇生短枝上。叶纸质，卵形、卵状椭圆形或卵状矩圆形，长 3 ~ 7cm，宽 1.5 ~ 4cm，先端钝或圆形，稀锐尖，具小尖头，基部稍不对称，近圆形，边缘具圆齿状锯齿，上面深绿色，无毛，下面浅绿色，无毛或仅沿脉多少被疏微毛，基生三出脉；叶柄长 1 ~ 6mm，或在长枝上的可达 1cm，无毛或有疏微毛；托叶刺纤细，后期常脱落。花黄绿色，两性，5 基数，无毛，具短总

枣

花梗，单生或 2 ~ 8 密集成聚伞花序腋生；花梗长 2 ~ 3mm；萼片卵状三角形；花瓣倒卵圆形，基部有爪，与雄蕊等长；花盘厚，肉质，圆形，5 裂；子房下部藏于花盘内，与花盘合生，2 室，每室有胚珠 1，花柱 2 半裂。核果矩圆形或长卵圆形，长 2 ~ 3.5cm，直径 1.5 ~ 2cm，成熟时红色，后变红紫色，中果皮肉质，厚，味甜，核先端锐尖，基部锐尖或钝，2 室，具种子 1 或 2，果梗长 2 ~ 5mm；种子扁椭圆形，长约 1cm，宽 8mm。花期 5 ~ 7 月，果期 8 ~ 9 月。

| 生境分布 | 生于海拔 1700m 以下的山区、丘陵或平原。重庆各地均有分布。

| 资源情况 | 栽培资源较丰富。药材来源于栽培。

| 采收加工 | 大枣：秋季果实成熟时采收，一般随采随晒。选干燥的地块搭架铺上席箔，将果实分级，分别摊在席箔上晾晒，含水量下降到 15% 以下时可并箔，然后每隔几日揭开通风，含水量下降到 10% 时即可贮藏。

枣树皮：全年均可采收，春季最佳，从主干上将老皮刮下，晒干。

枣树根：全年均可采收，一般 10 ~ 12 月采挖，鲜用或切片晒干。

| 药材性状 | 大枣：本品呈椭圆形或球形，长 2 ~ 3.5cm，直径 1.5 ~ 2cm。表面暗红色，略带光泽，有不规则皱纹；基部凹陷，有短果梗；外果皮薄，中果皮棕黄色或淡褐色，肉质，柔软，富糖性而油润。果核纺锤形，两端锐尖，质坚硬。气微香，味甘。

枣树皮：本品呈不规则板片状，长短、宽窄不一，厚 0.3 ~ 1cm。外表面灰褐色，粗糙，有明显不规则纵、横裂纹或纵裂槽纹；内表面呈灰黄色或棕黄色。质硬而脆，易折断，断面不平坦，略呈层片状，有数条亮黄色线纹。气微香，味苦、涩。

| 功能主治 | 大枣：甘，温。归脾、胃经。补脾胃，益气血，安心神，调营卫，和药性。用于脾胃虚弱，气血不足，食少便溏，倦怠乏力，心悸失眠，妇人脏躁，营卫不和等。

枣树皮：涩，温。止泻，祛痰，镇咳，止血。用于泄泻，痢疾，咳嗽，崩漏，外伤出血，烫火伤等。

枣树根：甘，温。调经止血，祛风健脾。用于月经不调，不孕，崩漏，胃痛，痹痛，脾虚泄泻，风疹，丹毒等。

| 用法用量 | 大枣：内服煎汤，9 ~ 15g。

枣树皮：内服煎汤，6 ~ 9g；研末，1.5 ~ 3g。外用煎汤洗；或研末撒。

枣树根：内服煎汤，10 ~ 30g。外用适量，煎汤洗。

鼠李科 Rhamnaceae 枣属 *Ziziphus*

无刺枣 *Ziziphus jujuba* Mill. var. *inermis* (Bunge) Rehd.

无刺枣

|药材名|

无刺枣（药用部位：果实、果核、叶、树皮、根）。

|形态特征|

本种与原变种枣的区别在于长枝无皮刺，幼枝无托叶刺；花期 5 ~ 7 月，果期 8 ~ 10 月。

|生境分布|

生于海拔 2000m 以下的林缘或屋侧。分布于重庆长寿、九龙坡、涪陵、彭水、酉阳、大足、铜梁、南川、合川、江津、永川、万州、武隆等地。

|资源情况|

野生资源稀少。药材来源于野生。

|采收加工|

秋季果实成熟时采收果实，一般随采随晒。加工枣肉食品时收集果核。4 ~ 7 月采收叶，鲜用或晒干。全年均可采收树皮，春季最佳，从主干上将老皮刮下，晒干。全年均可采挖根，一般 10 ~ 12 月采挖，鲜用或切片晒干。

| 药材性状 | 本品果实呈椭圆形或球形，长 2 ~ 3.5cm，直径 1.5 ~ 2cm；表面暗红色，略带光泽，有不规则皱纹，基部凹陷，有短果梗；外果皮薄，中果皮棕黄色或淡褐色，肉质，柔软，富糖性而油润；果核纺锤形，两端锐尖，质坚硬；气微香，味甘。树皮呈不规则板片状，长短、宽窄不一，厚 0.3 ~ 1cm；外表面灰褐色，粗糙，有明显不规则纵、横裂纹或纵裂槽纹，内表面呈灰黄色或棕黄色；质硬而脆，易折断，断面不平坦，略呈层片状，有数条亮黄色线纹；气微香，味苦、涩。

| 功能主治 | 果实，补脾胃，益气血，安心神，调营卫，和药性。用于脾胃虚弱，气血不足，食少倦怠乏力，心悸失眠，妇人脏躁，营卫不和。果核，解毒，敛疮。用于臁疮，牙疳。叶，清热解毒。用于小儿发热，疮疖，烂脚，烫火伤。树皮，涩肠止泻，镇咳，止血。用于泄泻，痢疾，咳嗽，崩漏，外伤出血，烫火伤。根，调经止血，祛风止痛，补脾止泻。用于月经不调，不孕，崩漏，吐血，胃痛，痹痛，脾虚泄泻，风疹，丹毒。

| 用法用量 | 果实，内服煎汤，9 ~ 15g。果核，外用适量，烧后研末敷。叶，内服煎汤，3 ~ 10g。外用适量，煎汤洗。树皮，内服煎汤，6 ~ 9g；或研末，1.5 ~ 3g。外用，煎汤洗；或研末撒。根，内服煎汤，10 ~ 30g。外用适量，煎汤洗。

鼠李科 Rhamnaceae 枣属 *Ziziphus*

酸枣 *Ziziphus jujuba* Mill. var. *spinosa* (Bunge) Hu ex H. F. Chow

| 药 材 名 | 酸枣仁（药用部位：种子。别名：山枣仁、枣仁、酸枣核）、酸枣肉（药用部位：果肉）、酸枣根（药用部位：根）、酸枣树皮（药用部位：树皮）、酸枣根皮（药用部位：根皮）。

| 形态特征 | 落叶灌木或小乔木，高 1 ~ 3m。老枝褐色，幼枝绿色；枝上有 2 种刺，一为针形刺，长约 2cm，一为反曲刺，长约 5mm。叶互生；叶柄极短；托叶细长，针状；叶片椭圆形至卵状披针形，长 2.5 ~ 5cm，宽 1.2 ~ 3cm，先端短尖而钝，基部偏斜，边缘有细锯齿，主脉 3。花 2 ~ 3 簇生叶腋，小型，黄绿色；花梗极短，萼片 5，卵状三角形；花瓣 5，小型，与萼片互生；雄蕊 5，与花瓣对生，比花瓣稍长；花盘 10 浅裂；子房椭圆形，2 室，埋于花盘中，花柱短，柱头 2 裂。核果近球形，直径 1 ~ 1.4cm，先端钝，成熟时暗红色，有酸味。花期 4 ~ 5 月，果期 9 ~ 10 月。

酸枣

| 生境分布 | 生于海拔 1700m 以下的阳坡或干燥瘠土处，或栽培于房前屋后。分布于重庆忠县、黔江、巴南、涪陵、南川、綦江、江津等地。

| 资源情况 | 野生和栽培资源均稀少。药材来源于野生和栽培。

| 采收加工 | 酸枣仁：秋季果实成熟时采收，将果实浸泡一晚，搓去果肉，捞出，用石碾碾碎果核，取出种子，晒干。

酸枣肉：秋后果实成熟时采收，除去果核，晒干。

酸枣根：全年均可采挖，洗净，鲜用或切片晒干。

酸枣树皮：全年均可采剥，洗净，晒干。

酸枣根皮：全年均可采剥，洗净，晒干。

| 药材性状 | 酸枣仁：本品呈扁圆形或扁椭圆形，长 5 ~ 9mm，宽 5 ~ 7mm，厚约 3mm。表面紫红色或紫褐色，平滑有光泽，有的具纵裂纹。一面较平坦，中间有 1 隆起的纵线纹；另一面稍凸起。一端凹陷，可见线形种脐；另一端有细小凸起的合点。种皮较脆，胚乳白色，子叶 2，浅黄色，富油性。气微，味淡。以粒大、饱满、有光泽、外皮色红棕、种仁色黄白者为佳。

| 功能主治 | 酸枣仁：甘，平。宁心安神，养肝，敛汗。用于虚烦不眠，惊悸怔忡，体虚自汗、盗汗等。

酸枣肉：酸、甘，平。止血止泻。用于出血，腹泻等。

酸枣根：涩，温。安神。用于失眠，神经衰弱等。

酸枣树皮：涩，平。敛疮生肌，解毒止血。用于烫火伤，外伤出血，崩漏等。

酸枣根皮：涩，温。止血，涩精，收湿敛疮。用于便血，崩漏，滑精，烫火伤等。

| 用法用量 | 酸枣仁：内服煎汤，6 ~ 15g；或研末，每次 3 ~ 5g；或入丸、散。恶防己。实邪郁火及滑泄证者慎服；肝、胆、脾三经有实热者勿用。肝旺烦躁、肝强不眠者禁用。

酸枣肉：内服煎汤，9 ~ 15g；或入丸、散。

酸枣根：内服煎汤，15 ~ 30g。

酸枣树皮：内服煎汤，15 ~ 30g。外用适量，研末，撒布或调涂；或浸酒搽；或煎汤喷涂；或熬膏涂。

酸枣根皮：内服煎汤，15 ~ 30g。外用适量，捣敷；或熬膏涂。

| 附　　注 | 本种喜温暖干燥气候，耐旱、耐寒、耐碱，适于在向阳干燥的山坡、丘陵、山谷、平原及路旁的砂石土壤栽培，不宜在低洼水涝地种植。

葡萄科 Vitaceae 蛇葡萄属 *Ampelopsis*

蓝果蛇葡萄 *Ampelopsis bodinieri* (Lévl. et Vant.) Rehd.

| **药 材 名** | 上山龙（药用部位：根皮。别名：大接骨丹、过山龙）。

| **形态特征** | 木质藤本。小枝圆柱形，有纵棱纹，无毛。卷须二叉分枝，相隔2节间断与叶对生。叶片卵圆形或卵状椭圆形，不分裂或上部微3浅裂，长7～12.5cm，宽5～12cm；基出脉5，中脉有侧脉4～6对，网脉两面均不明显凸出；叶柄长2～6cm，无毛。花序为复二歧聚伞花序，疏散，花序梗长2.5～6cm，无毛；花梗长2.5～3mm，无毛；花蕾椭圆形，高2.5～3mm；花萼浅碟形，萼齿不明显，边缘呈波状，外面无毛；花瓣5，长椭圆形，高2～2.5mm；花盘明显，5浅裂；子房圆锥形，花柱明显，基部略粗，柱头不明显扩大。果实近圆球形，直径0.6～0.8cm，有种子3～4；种子倒卵状椭圆形，先端圆钝，基部有短喙，急尖，表面光滑，背腹微侧扁，种脐在种子背面下部

蓝果蛇葡萄

向上呈带状渐狭，腹部中棱脊凸出，两侧洼穴呈沟状，上部略宽，向上达种子中部以上。花期 4 ~ 6 月，果期 7 ~ 8 月。

| **生境分布** | 生于海拔 300 ~ 1600m 的山谷林中或山坡灌丛阴处。分布于重庆巫溪、巫山、奉节、酉阳、黔江、石柱、南川、城口、开州等地。

| **资源情况** | 野生资源一般。药材主要来源于野生。

| **采收加工** | 全年均可采挖根，除去泥土，刮去粗皮，剥取皮部，鲜用或阴干。

| **功能主治** | 酸、涩、微辛，平。祛风除湿，散瘀止血。用于风湿痹痛，血瘀崩漏，跌打损伤等。

| **用法用量** | 内服煎汤，10 ~ 15g。外用适量，捣敷。

| **附　　注** | 本种有一变种灰毛蛇葡萄，与本种的区别在于其叶片下面被灰色短柔毛。

葡萄科 Vitaceae 蛇葡萄属 *Ampelopsis*

羽叶蛇葡萄 *Ampelopsis chaffanjoni* (Lévl. et Vant.) Rehd.

| 药 材 名 | 羽叶蛇葡萄（药用部位：茎藤。别名：鱼藤、羽叶牛果藤）。

| 形态特征 | 木质藤本。小枝圆柱形，有纵棱纹，无毛。卷须二叉分枝，相隔 2 节间断与叶对生。叶为一回羽状复叶，通常有小叶 2 ~ 3 对，小叶长椭圆形或卵状椭圆形，长 7 ~ 15cm，宽 3 ~ 7cm，先端急尖或渐尖，基部圆形或阔楔形，边缘有 5 ~ 11 尖锐细锯齿，上面绿色或深绿色，下面浅绿色或带粉绿色，两面均无毛；侧脉 5 ~ 7 对，网脉两面微凸出；叶柄长 2 ~ 4.5cm，顶生小叶柄长 2.5 ~ 4.5cm，侧生小叶柄长 0 ~ 1.8cm，无毛。花序为伞房状多歧聚伞花序，顶生或与叶对生；花序梗长 3 ~ 5cm，无毛；花梗长 1.5 ~ 2mm，无毛；花蕾卵圆形，高 1.5 ~ 2mm，先端圆形；花萼碟形，萼片阔三角形，无毛；花瓣 5，卵状椭圆形，高 1.2 ~ 1.7mm，无毛；雄蕊 5，花

羽叶蛇葡萄

药卵状椭圆形，长甚于宽；花盘发达，波状浅裂；子房下部与花盘合生，花柱钻形，柱头不明显扩大。果实近球形，直径 0.8 ~ 1cm，有种子 2 ~ 3；种子倒卵形，先端圆形，基部喙短尖，种脐在种子背面中部呈椭圆形，两侧有凸出的钝肋纹，背部棱脊凸出，腹部中棱脊凸出，两侧洼穴呈沟状，向上略扩大达种子上部，周围有钝肋纹凸出。花期 5 ~ 7 月，果期 7 ~ 9 月。

| 生境分布 | 生于海拔 850 ~ 1320m 的山坡疏林或沟谷灌丛中。分布于重庆巫山、奉节、石柱、忠县、云阳、南川、丰都、武隆等地。

| 资源情况 | 野生资源稀少。药材主要来源于野生。

| 采收加工 | 全年均可采收，除去泥土，鲜用或阴干。

| 功能主治 | 祛风除湿。用于气窜作痛，劳伤，风湿疼痛。

| 用法用量 | 内服煎汤，适量。

葡萄科 Vitaceae 蛇葡萄属 *Ampelopsis*

三裂蛇葡萄 *Ampelopsis delavayana* Planch.

| 药 材 名 | 金刚散（药用部位：根、茎藤。别名：大母猪藤、大接骨丹、飞蜈蚣藤）。

| 形态特征 | 木质藤本。小枝圆柱形，有纵棱纹，疏生短柔毛，以后脱落。卷须二叉至三叉分枝，相隔2节间断与叶对生。叶为3小叶，中央小叶披针形或椭圆状披针形，先端渐尖，基部近圆形，侧生小叶卵状椭圆形或卵状披针形，基部不对称，近截形，边缘有粗锯齿，齿端通常尖细，上面绿色，嫩时被稀疏柔毛，以后脱落几无毛，下面浅绿色，网脉两面均不明显；中央小叶有柄或无柄，侧生小叶无柄，被稀疏柔毛。多歧聚伞花序与叶对生，花序梗被短柔毛；花梗伏生短柔毛；花蕾卵形，先端圆形；花萼碟形，边缘呈波状浅裂，无毛；花瓣5，卵状椭圆形，外面无毛；雄蕊5，花药卵圆形，长、宽近相等，花盘明显，5浅裂；子房下部与花盘合生，花柱明显，柱头不明显扩大。

三裂蛇葡萄

果实近球形；种子倒卵圆形，先端近圆形，基部有短喙，种脐在种子背面中部向上渐狭成卵状椭圆形，先端种脊凸出，腹部中棱脊凸出，两侧洼穴呈沟状楔形，上部宽。花期 6 ~ 8 月，果期 9 ~ 11 月。

| 生境分布 | 生于海拔 360 ~ 1960m 的山谷林中、山坡灌丛或林中。分布于重庆黔江、北碚、长寿、万州、綦江、忠县、垫江、大足、秀山、南岸、潼南、江津、涪陵、酉阳、合川、巫山、石柱、永川、云阳、铜梁、璧山、巫溪、城口、九龙坡、丰都、武隆、开州、梁平、巴南、荣昌、沙坪坝等地。

| 资源情况 | 野生资源丰富。药材来源于野生，亦有少量栽培。

| 采收加工 | 秋季采挖根，夏、秋季采收茎藤，洗净，分别切片，晒干或烘干。

| 药材性状 | 本品根呈圆柱形，略弯曲，长 13 ~ 30cm，直径 0.5 ~ 1.5cm；表面暗褐色，有纵皱纹；质硬而脆，易折断，断面皮部较厚，红褐色，粉性，木部色较淡，纤维性，皮部与木部易脱离；气微，味涩。茎藤呈圆柱形；表面红褐色，具纵皱纹，可见互生的三出复叶，两侧小叶基部不对称，有的残存与叶对生的茎卷须；气微，味涩。以条粗、皮厚者为佳。

| 功能主治 | 辛、淡、涩，平。清热利湿，活血通络，止血生肌，解毒消肿。用于淋证，白浊，疝气偏坠，风湿痹痛，跌打瘀肿，创伤出血，烫火伤，疮痈。

| 用法用量 | 内服煎汤，10 ~ 15g；或浸酒。外用适量，鲜品捣敷；或干粉调敷。

| 附　　注 | 本种喜温暖湿润的气候，植株在气温 25 ~ 30℃时生长较快，当气温低于 10℃时生长停滞，适宜在深厚、肥沃的夹砂土中栽培。

葡萄科 Vitaceae 蛇葡萄属 *Ampelopsis*

毛三裂蛇葡萄 *Ampelopsis delavayana* Planch. var. *setulosa* (Diels et Gilg) C. L. Li

| **药 材 名** | 毛三裂叶蛇葡萄（药用部位：根皮）。

| **形态特征** | 本种与原变种三裂蛇葡萄的区别在于小枝、叶柄和花序密被锈色短柔毛。花期 6 ~ 7 月，果期 9 ~ 11 月。

| **生境分布** | 生于海拔 650 ~ 1440m 的山坡地边或林中。分布于重庆垫江、綦江、云阳、南川、长寿、忠县、丰都、九龙坡、酉阳、黔江、石柱、武隆、北碚等地。

| **资源情况** | 野生资源较丰富。药材主要来源于野生。

| **采收加工** | 秋季采挖根，洗净，剥取根皮，晒干。

毛三裂蛇葡萄

| 功能主治 | 辛，平。消肿止痛，舒筋活血，止血。用于外伤出血，骨折，跌打损伤，风湿关节痛。

| 用法用量 | 内服煎汤，10 ~ 15g；或浸酒。外用适量，鲜品捣敷；或研粉调敷。

葡萄科 Vitaceae 蛇葡萄属 *Ampelopsis*

显齿蛇葡萄 *Ampelopsis grossedentata* (Hand.-Mazz.) W. T. Wang

显齿蛇葡萄

| 药 材 名 |

甜茶藤（药用部位：茎、叶、根。别名：田婆茶、红五爪金龙、乌蔹）。

| 形态特征 |

木质藤本。小枝圆柱形，有显著纵棱纹，无毛。卷须二叉分枝，相隔 2 节间断与叶对生。叶为一至二回羽状复叶，二回羽状复叶者基部 1 对为 3 小叶，小叶卵圆形、卵状椭圆形或长椭圆形，先端急尖或渐尖，基部阔楔形或近圆形，边缘每侧有 2 ~ 5 锯齿，上面绿色，下面浅绿色，两面均无毛；侧脉 3 ~ 5 对，网脉微凸出，最后一级网脉不明显；叶柄无毛；托叶早落。花序为伞房状多歧聚伞花序，与叶对生；花序梗无毛；花梗无毛；花蕾卵圆形，先端圆形，无毛；花萼碟形，边缘波状浅裂，无毛；花瓣 5，卵状椭圆形，无毛；雄蕊 5，花药卵圆形，长略甚于宽，花盘发达，波状浅裂；子房下部与花盘合生，花柱钻形，柱头不明显扩大。果实近球形；种子倒卵圆形，先端圆形，基部有短喙，种脐在种子背面中部呈椭圆形，上部棱脊凸出，表面有钝肋纹凸起，腹部中棱脊凸出，两侧洼穴呈倒卵形，从基部向上达种子近中部。花期 5 ~ 8 月，果期 8 ~ 12 月。

| 生境分布 | 生于海拔 200 ~ 1500m 的沟谷林中或山坡灌丛。分布于重庆涪陵、南川、酉阳、开州、武隆等地。

| 资源情况 | 野生资源稀少。药材主要来源于野生，亦有少量栽培。

| 采收加工 | 夏、秋季采收，洗净，鲜用或切片晒干。

| 药材性状 | 本品茎略呈圆柱形，直径 0.5 ~ 3mm；表面黄绿色至黄棕色，具纵棱；质脆，易折断，断面略显纤维性。叶多皱缩卷曲，表面暗灰绿色，被淡黄白色颗粒状物；完整者展开后呈长椭圆形、狭菱形、菱状卵形或披针形，长 2 ~ 5cm，宽 1 ~ 2cm，边缘有锯齿，基部楔形。气清香，味微甘、苦。

| 功能主治 | 甘、淡，凉。清热解毒，利湿消肿。用于感冒发热，咽喉肿痛，黄疸性肝炎，目赤肿痛，痈肿疮疖等。

| 用法用量 | 内服煎汤，15 ~ 30g，鲜品加倍。外用适量，煎汤洗。

葡萄科 Vitaceae 蛇葡萄属 *Ampelopsis*

异叶蛇葡萄 *Ampelopsis heterophylla* (Thunb.) Sieb. & Zucc.

| 药 材 名 | 紫葛（药用部位：根皮。别名：见肿消、外红消、山葫芦蔓子）。

| 形态特征 | 木质藤本。小枝圆柱形，有纵棱纹，被疏柔毛。卷须二叉至三叉分枝。单叶心形或卵形，3 ~ 5 中裂，兼有不裂，长 3.5 ~ 14cm，先端急尖，基部心形，有急尖锯齿，脉上被疏柔毛；基出脉 5，侧脉 4 ~ 5 对；叶柄长 1 ~ 7cm。花序梗长 1 ~ 2.5cm，被疏柔毛；花梗长 1 ~ 3mm，疏生短柔毛；花萼碟形，边缘具波状浅齿；花瓣卵状椭圆形；花盘明显，边缘浅裂；子房下部与花盘合生，花柱明显，基部稍粗。果实近球形，直径 5 ~ 8mm，有种子 2 ~ 4；种子腹面两侧洼穴从基部向上达种子先端。花期 4 ~ 6 月，果期 7 ~ 10 月。

| 生境分布 | 生于海拔 520 ~ 1200m 的山野坡地、沟谷灌丛间。分布于重庆石柱、

异叶蛇葡萄

酉阳、云阳、涪陵、城口、丰都、武隆、巴南等地。

| 资源情况 | 野生资源一般。药材主要来源于野生，亦有少量栽培。

| 采收加工 | 秋季采挖根，洗净泥土，剥取根皮，晒干。

| 功能主治 | 甘、微苦，寒。清热补虚，散瘀通络，解毒。用于产后心烦口渴，中风半身不遂，跌打损伤，痈肿恶疮等。

| 用法用量 | 内服煎汤，15 ~ 30g。外用适量，捣敷。

| 附　　注 | 在 FOC 中，本种的拉丁学名被修订为 *Ampelopsis glandulosa* var. *heterophylla* (Thunberg) Momiyama。

葡萄科 Vitaceae 蛇葡萄属 *Ampelopsis*

锈毛蛇葡萄 *Ampelopsis heterophylla* (Thunb.) Sieb. et Zucc. var. *vestita* Rehd.

| **药材名** | 锈毛蛇葡萄（药用部位：茎、叶、根、根皮）。

| **形态特征** | 本种与原变种异叶蛇葡萄的区别在于小枝、叶柄、叶下面和花轴被锈色长柔毛，花梗、花萼和花瓣被锈色短柔毛。花期 6 ~ 8 月，果期 9 月至翌年 1 月。

| **生境分布** | 生于海拔 520 ~ 1200m 的山谷林中、山地灌丛阴处。分布于重庆奉节、城口、涪陵、巫山、南川等地。

| **资源情况** | 野生资源稀少。药材主要来源于野生。

| **采收加工** | 夏、秋季采收茎、叶，洗净，鲜用或晒干。秋季采挖根，洗净泥土，切片；或剥取根皮，切片，晒干；鲜用随时可采。

锈毛蛇葡萄

| 药材性状 | 本品根呈圆柱形，略弯曲，长 10 ~ 300cm，直径 0.5 ~ 3cm。表面红棕色至暗褐色，粗糙，有纵皱纹和横裂纹，常深度横裂而露出木部，外层栓皮易脱落露出红棕色。质硬而脆，易折断，断面具明显放射状纹理，皮部呈纤维性，易与木部剥离，浅红棕色至红褐色，具较多纤维束；木部约占断面的 1/3 ~ 1/2，浅黄色至黄棕色，导管孔洞较密，射线色较浅。气微，味涩。

| 功能主治 | 清热解毒，消肿祛湿，散瘀止血。用于肾炎水肿，小便不利，风湿痹痛，跌打瘀肿，内伤出血，疮毒，瘰疬，恶性肿瘤，肺痈吐脓，肺痨咯血。

| 用法用量 | 内服煎汤，15 ~ 30g，鲜品倍量；或浸酒。外用适量，捣敷；或煎汤洗；或研末撒。

| 附　　注 | 在 FOC 中，本种被修订为蛇葡萄 *Ampelopsis glandulosa* (Wallich) Momiyama。

葡萄科 Vitaceae 蛇葡萄属 *Ampelopsis*

大叶蛇葡萄 *Ampelopsis megalophylla* Diels et Gilg

| 药 材 名 | 藤茶（药用部位：枝、叶。别名：霉茶叶）。

| 形态特征 | 木质藤本。小枝圆柱形，无毛。卷须三叉分枝，相隔 2 节间断与叶对生。叶为二回羽状复叶，基部 1 对小叶常为 3 小叶，稀为羽状复叶，小叶长椭圆形或卵状椭圆形，先端渐尖，基部微心形、圆形或近截形，边缘每侧有 3 ~ 15 粗锯齿，上面绿色，下面粉绿色，两面均无毛；侧脉 4 ~ 7 对，网脉微凸出；叶柄长 3 ~ 8cm，无毛，顶生小叶柄长 1 ~ 3cm，侧生小叶柄长 1cm 左右，无毛。花序为伞房状多歧聚伞花序或复二歧聚伞花序，顶生或与叶对生；花序梗长 3.5 ~ 6cm，无毛；花梗长 2 ~ 3mm，先端较粗，无毛；花蕾近球形，高 1 ~ 1.5mm，先端圆形；花萼碟形，边缘呈波状浅裂或裂片呈三角形，无毛；花瓣 5，椭圆形，高 0.7 ~ 1.2mm，无毛；雄蕊 5，花药椭圆

大叶蛇葡萄

形，长略甚于宽；花盘发达，波状浅裂；子房下部与花盘合生，花柱钻形，柱头不明显扩大。果实微呈倒卵圆形，直径 0.6 ~ 1cm，有种子 1 ~ 4；种子倒卵形，先端圆形，基部喙尖锐，种脐在种子背面中部呈椭圆形，上部种脊凸出，腹部中棱脊凸出，两侧洼穴呈沟状，从种子基部向上达种子上部 1/3 处。花期 6 ~ 8 月，果期 7 ~ 10 月。

| 生境分布 | 生于海拔 1000 ~ 2000m 的山谷或山坡林中。分布于重庆酉阳、南川、万州、石柱、武隆、城口、巫山、奉节等地。

| 资源情况 | 野生资源稀少。药材主要来源于野生。

| 采收加工 | 夏季采摘嫩枝叶，置沸水中稍烫，及时捞起，沥干水分，摊放通风处吹干，至表面有星点白霜时，即可烘干收藏。

| 药材性状 | 本品茎枝呈圆柱形，长短不一，多分枝，直径 2 ~ 10mm；表面褐色，具纵棱，皮孔呈小疙瘩状凸起，有的可见与叶对生的卷须；质坚硬，难折断，断面不平坦，浅褐色。羽状复叶互生，叶片卷缩易碎，多已脱落，灰绿色或灰褐色。无臭，味微涩。

| 功能主治 | 苦、微涩，凉。清热利湿，平肝降压，活血通络。用于痢疾，泄泻，小便淋痛，高血压，头昏目胀，跌打损伤。

| 用法用量 | 内服煎汤，15 ~ 30g；或泡茶。

| 附　　注 | 本种有一变种柔毛大叶蛇葡萄，与本种的区别在于其叶柄、花序轴和花梗均被短柔毛，花期 5 ~ 7 月。

葡萄科 Vitaceae 乌蔹莓属 *Cayratia*

乌蔹莓 *Cayratia japonica* (Thunb.) Gagnep.

| 药 材 名 | 乌蔹莓（药用部位：全草。别名：拔、茏葛、龙尾）。

| 形态特征 | 木质藤本。小枝圆柱形，有纵棱纹，无毛或微被疏柔毛。卷须分枝。叶为鸟足状 5 小叶，上面绿色，无毛，下面浅绿色，无毛或微被毛；网脉不明显；侧生小叶无柄或有短柄，无毛或微被毛；托叶早落。花序腋生，复二歧聚伞花序；花序梗无毛或微被毛；花梗几无毛；花蕾卵圆形，先端圆形；花萼碟形，全缘或边缘波状浅裂，外面被乳突状毛或几无毛；花瓣 4，三角状卵圆形，外面被乳突状毛；雄蕊 4，花药卵圆形，长、宽近相等；花盘发达，4 浅裂；子房下部与花盘合生，花柱短，柱头微扩大。果实近球形；种子三角状倒卵形，先端微凹，基部有短喙，种脐在种子背面近中部呈带状椭圆形，

乌蔹莓

上部种脊凸出，表面有凸出肋纹，腹部中棱脊凸出，两侧洼穴呈半月形，从近基部向上达种子近先端。花期 3 ～ 8 月，果期 8 ～ 11 月。

｜生境分布｜ 生于海拔 250 ～ 1500m 的山谷林中、山坡灌丛或路边草丛。重庆各地均有分布。

｜资源情况｜ 野生资源丰富。药材主要来源于野生，亦有少量栽培。

｜采收加工｜ 夏、秋季采收，除去杂质，洗净，干燥。

｜药材性状｜ 本品茎呈圆柱形，扭曲，有纵棱，多分枝，带紫红色。卷须二歧分叉，与叶对生。叶皱缩，完整者展平后为鸟足状复叶，小叶 5，椭圆形、椭圆状卵形至狭卵形，边缘具疏锯齿，两面中脉有绒毛或近无毛，中间小叶较大，有长柄，侧生小叶较小；叶柄长可达 4cm 以上。浆果卵圆形，成熟时黑色。气微，味苦、微酸、涩。

｜功能主治｜ 苦、酸，寒。归心、肝、胃经。清热利湿，解毒消肿。用于热毒痈肿，疔疮，丹毒，咽喉肿痛，蛇虫咬伤，烫火伤，风湿痹痛，黄疸，泻痢，白浊。

｜用法用量｜ 内服煎汤，15 ～ 30g。外用适量，捣敷。

｜附　　注｜ 本种喜温暖湿润的气候，生长适温为 25 ～ 30℃，喜半阴环境；对土壤要求不严，庭园、篱旁、林缘等均可栽种。

葡萄科 Vitaceae 乌蔹莓属 *Cayratia*

尖叶乌蔹莓 *Cayratia japonica* (Thunb.) Gagnep. var. *pseudotrifolia* (W. T. Wang) C. L. Li

| 药 材 名 | 母猪藤（药用部位：茎、叶。别名：过路边、蜈蚣藤）、母猪藤根（药用部位：根）。

| 形态特征 | 本种与原变种乌蔹莓的区别在于叶多为 3 小叶。花期 5 ~ 8 月，果期 9 ~ 10 月。

| 生境分布 | 生于海拔 300 ~ 1500m 的山地、沟谷林下。分布于重庆垫江、长寿、城口、丰都、巫溪、忠县、北碚、奉节、石柱、巫山、南川、开州等地。

| 资源情况 | 野生资源较丰富。药材主要来源于野生。

| 采收加工 | 母猪藤：夏、秋季采收，切段，鲜用或晒干。
母猪藤根：夏、秋季采挖，洗净，切片，鲜用或晒干。

尖叶乌蔹莓

| **功能主治** | 母猪藤：舒筋活血。用于骨折。

母猪藤根：辛，凉；有毒。归肺、脾经。清热解毒。用于肺痈，疮疖等。

| **用法用量** | 母猪藤：外用适量，捣敷。

母猪藤根：内服煎汤，3 ~ 5g。外用适量，捣敷。本品内服时禁酒。

葡萄科 Vitaceae 乌蔹莓属 *Cayratia*

华中乌蔹莓 *Cayratia oligocarpa* (Lévl. & Vant.) Gagnep.

华中乌蔹莓

| 药材名 |

大母猪藤（药用部位：根、叶。别名：野葡萄、绿叶扁担藤、稀果野葡萄）。

| 形态特征 |

草质藤本。小枝被褐色节状长柔毛。卷须二叉分枝。叶为鸟足状复叶，具 5 小叶，中央小叶长椭圆状披针形，长 4.5 ~ 10cm，先端尾状渐尖，基部楔形，侧生小叶卵状椭圆形或宽卵形，长 5 ~ 7cm，先端急尖或渐尖，基部楔形或近圆，上面被疏柔毛或近无毛，下面浅绿褐色，密被节状毛；叶柄长 2.5 ~ 7cm，中央小叶柄长 1.5 ~ 3cm，侧生小叶有短柄，密被褐色节状长柔毛；托叶褐色。复二歧聚伞花序腋生，花序梗长 1 ~ 4.5cm，被褐色节状长柔毛；花萼浅碟形，萼齿不明显，外面被褐色节状毛；花瓣宽卵形，外被节状毛；花盘发达，4 浅裂。果实近球形，直径 0.8 ~ 1cm，有种子 2 ~ 4；种子倒卵状长椭圆形，腹面两侧洼穴从下部达种子近先端。花期 5 ~ 7 月，果期 8 ~ 9 月。

| 生境分布 |

生于海拔 250 ~ 1500m 的山谷或山坡林中。分布于重庆丰都、涪陵、城口、云阳、奉节、南川、北碚等地。

| 资源情况 | 野生资源较丰富。药材主要来源于野生。

| 采收加工 | 秋季采挖根，洗净，切片，干燥。夏、秋季采叶，鲜用或晒干。

| 功能主治 | 微苦，平。归心经。祛风除湿，通经络，清热解毒。用于牙痛，风湿关节痛，无名肿毒。

| 用法用量 | 内服煎汤，15 ~ 30g，鲜品加倍；或浸酒、炖肉服。外用适量，捣敷。

葡萄科 Vitaceae 地锦属 *Parthenocissus*

花叶地锦 *Parthenocissus henryana* (Hemsl.) Diels & Gilg

| 药 材 名 | 顺地红（药用部位：根。别名：猪蹄甲子）。

| 形态特征 | 木质藤本。小枝呈显著四棱形，无毛。卷须总状 4 ~ 7 分枝，相隔 2 节间断与叶对生，卷须先端嫩时膨大成块状，后遇附着物扩大成吸盘状。叶为掌状，具 5 小叶，小叶倒卵形、倒卵状长圆形或宽倒卵状披针形，长 3 ~ 10cm，宽 1.5 ~ 5cm，最宽处在上部，先端急尖、渐尖或圆钝，基部楔形，边缘上半部有 2 ~ 5 锯齿，上面绿色，下面浅绿色，两面均无毛或嫩时微被稀疏短柔毛；侧脉 3 ~ 6（~ 7）对，网脉上面不明显，下面微凸出；叶柄长 2.5 ~ 8cm，小叶柄长 0.3 ~ 1.5cm，无毛。圆锥状多歧聚伞花序主轴明显，假顶生，花序内常有退化较小的单叶；花序梗长 1.5 ~ 9cm，无毛；花梗长 0.5 ~ 1.5mm，无毛；花蕾椭圆形或近球形，高 1 ~ 2.2mm，先端圆

花叶地锦

形；花萼碟形，全缘，无毛；花瓣 5，长椭圆形，高 0.8 ~ 2mm，无毛；雄蕊 5，花丝长 0.7 ~ 0.9mm，花药长椭圆形，长 0.9 ~ 1.1mm；花盘不明显；子房卵状椭圆形，花柱基部略比子房先端小或界限极不明显，柱头不显著或微扩大。果实近球形，直径 0.8 ~ 1cm，有种子 1 ~ 3；种子倒卵形，先端圆形，基部有短喙，种脐在种子背面中部呈椭圆形，腹部中棱脊凸出，两侧洼穴呈沟状，从种子基部向上达种子先端。花期 5 ~ 7 月，果期 8 ~ 10 月。

| 生境分布 | 生于海拔 250 ~ 1500m 的沟谷岩石上或山坡林中。分布于重庆南川、綦江、巴南、武隆等地。

| 资源情况 | 野生资源稀少。药材主要来源于野生。

| 采收加工 | 秋、冬季采挖，除去细根，洗净，切片，鲜用或晒干。

| 功能主治 | 破血散瘀，消肿解毒。用于痛经，闭经，跌打损伤，风湿骨痛，疮毒。

| 用法用量 | 内服煎汤，9 ~ 15g。外用适量，捣敷。

| 附　　注 | 本种喜阴湿环境，喜光，也较耐阴、耐寒，能忍受 −10℃的低温，喜酸性土，也能适应中性土和微碱性土。

葡萄科 Vitaceae 地锦属 *Parthenocissus*

五叶地锦 *Parthenocissus quinquefolia* (L.) Planch.

| 药材名 | 五叶地锦（药用部位：茎皮）。

| 形态特征 | 木质藤本。小枝圆柱形，无毛。卷须总状 5 ~ 9 分枝，相隔 2 节间断与叶对生，卷须先端嫩时尖细卷曲，后遇附着物扩大成吸盘。叶为掌状，具 5 小叶，小叶倒卵圆形、倒卵状椭圆形或外侧小叶椭圆形，长 5.5 ~ 15cm，宽 3 ~ 9cm，最宽处在上部或外侧小叶最宽处在近中部，先端短尾尖，基部楔形或阔楔形，边缘有粗锯齿，两面均无毛或下面脉上微被疏柔毛；侧脉 5 ~ 7 对，叶柄长 5 ~ 14.5cm，无毛，小叶有短柄或几无柄。花序假顶生成主轴明显的圆锥状多歧聚伞花序，长 8 ~ 20cm；花序梗长 3 ~ 5cm，无毛；花梗长 1.5 ~ 2.5mm，无毛；花蕾椭圆形，高 2 ~ 3mm，先端圆形；花萼碟形，全缘，无毛；花瓣 5，长椭圆形，高 1.7 ~ 2.7mm，无毛；雄蕊 5，花丝

五叶地锦

长 0.6 ~ 0.8mm，花药长椭圆形，长 1.2 ~ 1.8mm；花盘不明显；子房卵锥形，渐狭至花柱，或后期花柱基部略微缩小，柱头不扩大。花期 6 ~ 7 月，果期 8 ~ 10 月。

| 生境分布 | 多栽培于庭园。分布于重庆潼南、合川等地。

| 资源情况 | 野生资源稀少。药材主要来源于野生。

| 采收加工 | 夏、秋季采集，切段，晒干或鲜用。

| 功能主治 | 强壮，利尿，祛痰，祛风除湿。用于风湿痛。

| 用法用量 | 内服煎汤，适量。

| 附　　注 | 本种喜温暖气候，耐寒、耐阴、耐贫瘠，对土壤与气候适应性较强，干燥条件下也能生存。

葡萄科 Vitaceae 地锦属 *Parthenocissus*

三叶地锦 *Parthenocissus semicordata* (Wall.) Planch.

| 药 材 名 | 三叶地锦（药用部位：全株）。

| 形态特征 | 木质藤本。小枝圆柱形，嫩时被疏柔毛，以后脱落几无毛。卷须总状 4 ~ 6 分枝，相隔 2 节间断与叶对生，先端嫩时尖细卷曲，后遇附着物扩大成吸盘。叶为 3 小叶，着生于短枝上，中央小叶倒卵状椭圆形或倒卵状圆形，长 6 ~ 13cm，宽 3 ~ 6.5cm，先端骤尾尖，基部楔形，最宽处在上部，边缘中部以上每侧有 6 ~ 11 锯齿，侧生小叶卵状椭圆形或长椭圆形，长 5 ~ 10cm，宽（2 ~）3 ~ 5cm，先端短尾尖，基部不对称，近圆形，外侧边缘有 7 ~ 15 锯齿，内侧边缘上半部有 4 ~ 6 锯齿，上面绿色，下面浅绿色，下面中脉和侧脉上被短柔毛；侧脉 4 ~ 7 对，网脉两面不明显或微凸出；叶柄长 3.5 ~ 15cm，疏生短柔毛，小叶几无柄。多歧聚伞花序着生于短枝上，

三叶地锦

花序基部分枝，主轴不明显；花序梗长 1.5 ~ 3.5cm，无毛或被疏柔毛；花梗长 2 ~ 3mm，无毛；花蕾椭圆形，高 2 ~ 3mm，先端圆形；花萼碟形，全缘，无毛；花瓣 5，卵状椭圆形，高 1.8 ~ 2.8mm，无毛；雄蕊 5，花丝长 0.6 ~ 0.9mm，花药卵状椭圆形，长 0.4 ~ 0.6mm；花盘不明显；子房扁球形，花柱短，柱头不扩大。果实近球形，直径 0.6 ~ 0.8cm，有种子 1 ~ 2；种子倒卵形，先端圆形，基部急尖成短喙，种脐在背面中部呈圆形，腹部中棱脊凸出，两侧洼穴呈沟状，从基部向上斜展达种子先端。花期 5 ~ 7 月，果期 9 ~ 10 月。

| 生境分布 | 生于海拔 1200 ~ 2000m 的山坡林中或灌丛。分布于重庆潼南、城口、忠县、垫江、南川、巫溪、酉阳、石柱、万州等地。

| 资源情况 | 野生资源一般。药材主要来源于野生。

| 采收加工 | 秋、冬季采收根及茎，洗净，切片或段，鲜用或晒干。夏、秋季采叶，鲜用或晒干。

| 功能主治 | 祛风除湿，散瘀通络。用于风湿痹痛，跌打损伤，骨折。

| 用法用量 | 内服煎汤，10 ~ 15g；或浸酒。外用适量，煎汤洗；或捣敷。

葡萄科 Vitaceae 地锦属 *Parthenocissus*

地锦 *Parthenocissus tricuspidata* (Sieb. & Zucc.) Planch.

| 药 材 名 | 地锦（药用部位：藤茎、根。别名：地噤、常春藤、土鼓藤）。

| 形态特征 | 木质藤本。小枝圆柱形，几无毛或微被疏柔毛。卷须 5 ~ 9 分枝，相隔 2 节间断与叶对生。卷须先端嫩时膨大成圆珠形，后遇附着物扩大成吸盘。叶为单叶，通常着生于短枝上为 3 浅裂，时有着生于长枝上者小型、不裂；叶片通常倒卵圆形，长 4.5 ~ 17cm，宽 4 ~ 16cm，先端裂片急尖，基部心形，边缘有粗锯齿，上面绿色，无毛，下面浅绿色，无毛或中脉上疏生短柔毛；基出脉 5，中央脉有侧脉 3 ~ 5 对，网脉上面不明显，下面微凸出；叶柄长 4 ~ 12cm，无毛或疏生短柔毛。花序着生于短枝上，基部分枝，形成多歧聚伞花序，长 2.5 ~ 12.5cm，主轴不明显；花序梗长 1 ~ 3.5cm，几无毛；花梗长 2 ~ 3mm，无毛；花蕾倒卵状椭圆形，高 2 ~ 3mm，先端圆形；

地锦

花萼碟形，全缘或边缘呈波状，无毛；花瓣 5，长椭圆形，高 1.8 ~ 2.7mm，无毛；雄蕊 5，花丝长 1.5 ~ 2.4mm，花药长椭圆状卵形，长 0.7 ~ 1.4mm，花盘不明显；子房椭球形，花柱明显，基部粗，柱头不扩大。果实球形，直径 1 ~ 1.5cm，有种子 1 ~ 3；种子倒卵圆形，先端圆形，基部急尖成短喙，种脐在背面中部呈圆形，腹部中棱脊凸出，两侧洼穴呈沟状，从种子基部向上达种子先端。花期 5 ~ 8 月，果期 9 ~ 10 月。

| 生境分布 | 生于海拔 120 ~ 1600m 的山坡崖石壁或灌丛中。分布于重庆丰都、忠县、涪陵、永川、綦江、云阳、武隆、奉节、璧山、北碚、荣昌、江津、石柱等地。

| 资源情况 | 野生资源较丰富。药材主要来源于栽培。

| 采收加工 | 秋季采收藤茎，除去叶，切段；冬季采挖根，洗净，切片，晒干或鲜用。

| 药材性状 | 本品藤茎呈圆柱形，灰绿色，光滑，外表面有细纵条纹，并有细圆点状凸起的皮孔，棕褐色；节略膨大，节上常有叉状分枝的卷须。叶互生，常脱落。断面中央有类白色的髓，木部黄白色，皮部成纤维片状剥离。气微，味淡。

| 功能主治 | 辛、微涩，温。祛风止痛，活血通络。用于风湿痹痛，中风半身不遂，偏正头痛，产后血瘀，腹生结块，跌打损伤，痈肿疮毒，溃疡不敛。

| 用法用量 | 内服煎汤，15 ~ 30g；或浸酒。外用适量，煎汤洗；或磨汁涂；或捣敷。

| 附　　注 | 本种喜温暖湿润的气候，在雨量充沛、土壤及空气湿度大的条件下植株生长健壮，冬季气温降至 10℃时生长停滞，对土壤要求不严，一般土壤均能种植，忌积水。

葡萄科 Vitaceae 崖爬藤属 *Tetrastigma*

三叶崖爬藤 *Tetrastigma hemsleyanum* Diels & Gilg

| 药 材 名 | 三叶青（药用部位：块根。别名：金线吊葫芦、丝线吊金钟、三叶扁藤）。

| 形态特征 | 草质藤本。小枝纤细，有纵棱纹，无毛或被疏柔毛。卷须不分枝，相隔 2 节间断与叶对生。叶为 3 小叶，小叶披针形、长椭圆状披针形或卵状披针形，长 3 ~ 10cm，宽 1.5 ~ 3cm，先端渐尖，稀急尖，基部楔形或圆形，侧生小叶基部不对称，近圆形，边缘每侧有 4 ~ 6 锯齿，锯齿细或有时较粗，上面绿色，下面浅绿色，两面均无毛；侧脉 5 ~ 6 对，网脉两面不明显，无毛；叶柄长 2 ~ 7.5cm，中央小叶柄长 0.5 ~ 1.8cm，侧生小叶柄较短，长 0.3 ~ 0.5cm，无毛或被疏柔毛。花序腋生，长 1 ~ 5cm，比叶柄短、近等长或较叶柄长，下部有节，节上有苞片，二级分枝通常 4，集生成伞形；花二歧状

三叶崖爬藤

着生于分枝末端；花序梗长 1.2 ~ 2.5cm，被短柔毛；花梗长 1 ~ 2.5mm，通常被灰色短柔毛；花蕾卵圆形，高 1.5 ~ 2mm，先端圆形；花萼碟形，萼齿细小，卵状三角形；花瓣 4，卵圆形，高 1.3 ~ 1.8mm，先端有小角，外展，无毛；雄蕊 4，花药黄色；花盘明显，4 浅裂；子房陷在花盘中，呈短圆锥状，花柱短，柱头 4 裂。果实近球形或倒卵球形，直径约 0.6cm，有种子 1；种子倒卵状椭圆形，先端微凹，基部圆钝，种脐在种子背面中部向上呈椭圆形，腹面两侧洼穴呈沟状，从下部近 1/4 处向上斜展直达种子先端。花期 4 ~ 6 月，果期 8 ~ 11 月。

| 生境分布 | 生于海拔 300 ~ 1300m 的山坡灌丛、山谷、溪边林下岩石缝中。分布于重庆北碚、綦江、丰都、忠县、彭水、巫山、石柱、酉阳、南川、涪陵、九龙坡、永川、武隆、江津、巫溪、璧山、合川、梁平、巴南等地。

| 资源情况 | 野生资源丰富。药材主要来源于野生，亦有少量栽培。

| 采收加工 | 全年均可采挖，鲜用者除去泥土、须根等杂质；干用者洗净，干燥。

| 药材性状 | 本品鲜者呈纺锤形、葫芦形或椭圆形，长 1 ~ 7.5cm，直径 0.5 ~ 4cm；表面灰褐色至黑褐色，较光滑；切面白色，皮部较窄，形成层环明显；质脆。干者呈类圆球形或不规则块状，长 1.5 ~ 5cm，直径 0.5 ~ 3cm；表面棕褐色，较光滑或有皱纹；质坚，断面平坦，粉性，浅棕红色或类白色。气微，味微甘。

| 功能主治 | 微苦，平。归肝、肺经。清热解毒，消肿止痛，化痰散结。用于小儿高热惊风，百日咳，疮痈痰核，毒蛇咬伤。

| 用法用量 | 内服煎汤，干品 3 ~ 6g，鲜品 9 ~ 15g。外用适量，研末敷。

| 附　　注 | 本种喜凉爽气候，耐旱，忌积水。种植宜选择疏松、肥沃土壤。

葡萄科 Vitaceae 崖爬藤属 *Tetrastigma*

崖爬藤 *Tetrastigma obtectum* (Wall.) Planch.

崖爬藤

| 药 材 名 |

小红藤（药用部位：藤茎）、走游草（药用部位：全株或根。别名：藤五甲、蜈蚣巴、痰五加）。

| 形态特征 |

草质藤本。小枝圆柱形，无毛或被疏柔毛。卷须 4 ~ 7 成伞状集生，相隔 2 节间断与叶对生。叶为掌状，具 5 小叶，小叶菱状椭圆形或椭圆状披针形，长 1 ~ 4cm，宽 0.5 ~ 2cm，先端渐尖、急尖或钝，基部楔形，外侧小叶基部不对称，边缘每侧有 3 ~ 8 锯齿或细牙齿，上面绿色，下面浅绿色，两面均无毛；侧脉 4 ~ 5 对，网脉不明显；叶柄长 1 ~ 4cm，小叶柄极短或几无柄，无毛或被疏柔毛；托叶褐色，膜质，卵圆形，常宿存。花序长 1.5 ~ 4cm，比叶柄短、近等长或较叶柄长，顶生或假顶生于具有 1 ~ 2 叶的短枝上，多数花集生成单伞形；花序梗长 1 ~ 4cm，无毛或被稀疏柔毛；花蕾椭圆形或卵状椭圆形，高 1.5 ~ 3mm，先端近截形或近圆形；花萼浅碟形，边缘呈波状浅裂，外面无毛或稀疏柔毛；花瓣 4，长椭圆形，高 1.3 ~ 2.7mm，先端有短角，外面无毛；雄蕊 4，花丝丝状，花药黄色，卵圆形，长、宽近相等，在雌花内雄蕊显著短而败育；花盘明显，4 浅裂，在雌花中不发达；子房锥形，花柱短，柱头扩大成碟形，边缘不规则分裂。果实球形，直径 0.5 ~ 1cm，有种子 1；种子椭圆形，先端圆形，基部有短喙，种脐在种子背面下部 1/3 处呈长卵形，两侧有棱纹和凹陷，腹部中棱脊凸出，两侧洼穴呈沟状向上斜展达种子先端 1/4 处。花期 4 ~ 6 月，果期 8 ~ 11 月。

| 生境分布 | 生于海拔 250 ~ 2400m 的山地林中或宅旁。重庆各地均有分布。

| 资源情况 | 野生资源较丰富。药材主要来源于野生，亦有少量栽培。

| 采收加工 | 小红藤：全年均可采收，除去杂质，干燥。

走游草：秋季挖取全株，除去泥沙及杂质，切碎，晒干。冬季采挖根，洗净，切片，晒干。

| 药材性状 | 小红藤：本品呈类圆柱形，直径 0.5 ~ 1.5cm。表面深棕色，着生多数红褐色刺状气生根或根痕，节处可见残存的卷须。质硬而韧，不易折断，断面不平坦，纤维性，有放射状裂隙及排列成环的小孔。气微，味淡。

| 功能主治 | 小红藤：微苦、涩，凉。活血通络，接骨续筋，清热凉血。用于跌打损伤，骨折脱臼，创口不收，咽喉肿痛，尿中带血。

走游草：辛，温。祛风除湿，活血通络，解毒消肿。用于风湿痹痛，跌打损伤，流注痰核，痈疮肿毒，毒蛇咬伤。

| 用法用量 | 小红藤：内服煎汤，10 ~ 15g。外用适量。

走游草：内服煎汤，10 ~ 15g；或浸酒。外用适量，煎汤洗；或捣敷；研末撒或麻油调涂。

葡萄科 Vitaceae 崖爬藤属 *Tetrastigma*

毛叶崖爬藤 *Tetrastigma obtectum* (Wall.) Planch. var. *pilosum* Gagnep.

| 药 材 名 | 走游草（药用部位：全株或根。别名：藤五甲、蜈蚣巴、上树蜈蚣）。

| 形态特征 | 本种与原变种崖爬藤的区别在于小枝、叶柄、叶片和花梗下面被疏柔毛。花期 5 ~ 6 月，果期 9 ~ 11 月。

| 生境分布 | 生于海拔 250 ~ 1160m 的林下或山坡崖石上。分布于重庆彭水、垫江、城口、黔江、石柱、南川、北碚等地。

| 资源情况 | 野生资源较少。药材主要来源于野生，亦有少量栽培。

| 采收加工 | 参见“崖爬藤”条。

| 功能主治 | 参见“崖爬藤”条。

毛叶崖爬藤

| 用法用量 | 参见“崖爬藤”条。

| 附　　注 | （1）在 FOC 中，本种被修订为崖爬藤 *Tetrastigma obtectum* (Wall.) Planch.。

（2）本种为崖爬藤的变种之一，另一变种为无毛崖爬藤，与崖爬藤不同之处在于无毛崖爬藤植株完全无毛。

（3）本种喜温暖、阴湿的环境，攀附于石壁或树上，宜在疏松、肥沃的土壤中种植。

葡萄科 Vitaceae 葡萄属 *Vitis*

桦叶葡萄 *Vitis betulifolia* Diels & Gilg

| 药 材 名 | 桦叶葡萄根皮（药用部位：根皮。别名：大血藤）。

| 形态特征 | 木质藤本。小枝圆柱形，有显著纵棱纹，嫩时小枝疏被蛛丝状绒毛，以后脱落无毛。卷须二叉分枝，每隔 2 节间断与叶对生。叶卵圆形或卵状椭圆形，长 4 ~ 12cm，宽 3.5 ~ 9cm，不分裂或 3 浅裂，先端急尖或渐尖，基部心形或近截形，稀上部叶基部近圆形，每侧边缘锯齿 15 ~ 25，齿急尖，上面绿色；基出脉 5，中脉有侧脉 4 ~ 6 对，网脉下面微凸出；叶柄长 2 ~ 6.5cm，嫩时被蛛丝状绒毛，以后脱落无毛；托叶膜质，褐色，条状披针形，长 2.5 ~ 6mm，宽 1.5 ~ 3mm，先端急尖或钝，全缘，无毛。圆锥花序疏散，与叶对生，下部分枝发达，长 4 ~ 15cm；花梗长 1.5 ~ 3mm，无毛；花蕾倒卵圆形，高 1.5 ~ 2mm，先端圆形；花萼碟形，边缘膜质，全缘，高约 0.2mm；

桦叶葡萄

花瓣5，呈帽状粘合脱落；雄蕊5，花丝丝状，长1 ~ 1.5mm，花药黄色，椭圆形，长约4mm，在雌花内雄蕊显著短，败育；花盘发达，5裂；子房在雌花中卵圆形，花柱短。果实圆球形，成熟时紫黑色，直径0.8 ~ 1cm；种子倒卵形，先端圆形，基部有短喙，种脐在种子背面中部呈圆形或椭圆形，腹面中棱脊凸起，两侧洼穴狭窄呈条形，向上达种子2/3 ~ 3/4处。花期3 ~ 6月，果期6 ~ 11月。

| 生境分布 | 生于海拔650 ~ 2000m的山坡林中。分布于重庆城口、巫溪、巫山、奉节、开州、酉阳、黔江、南川等地。

| 资源情况 | 野生资源稀少。药材主要来源于野生。

| 采收加工 | 冬季采挖根，洗净，剥取根皮，切片，鲜用或晒干。

| 功能主治 | 涩，平。舒筋活血，利湿解毒。用于风湿瘫痪，跌打骨折，痢疾，无名肿毒。

| 用法用量 | 内服煎汤，5 ~ 10g。外用适量，捣敷。

葡萄科 Vitaceae 葡萄属 *Vitis*

刺葡萄 *Vitis davidii* (Roman. du Caill.) Foex.

| 药 材 名 | 刺葡萄根（药用部位：根）。

| 形态特征 | 木质藤本。小枝圆柱形，纵棱纹幼时不明显，被皮刺，无毛。卷须二叉分枝，每隔 2 节间断与叶对生。叶卵圆形或卵状椭圆形，先端急尖或短尾尖，基部心形，基缺凹成钝角，边缘每侧有锯齿 12 ~ 33，齿端尖锐，不分裂或微 3 浅裂，上面绿色，无毛，下面浅绿色，无毛；基生脉五出，中脉有侧脉 4 ~ 5 对，网脉明显，下面比上面凸出，无毛，常疏生小皮刺；托叶近草质，绿褐色，卵状披针形，无毛，早落。花杂性异株；圆锥花序基部分枝发达，与叶对生，花序梗无毛；花梗无毛；花蕾倒卵圆形，先端圆形；花萼碟形，边缘萼片不明显；花瓣 5，呈帽状粘合脱落；雄蕊 5，花丝丝状，花药黄色，椭圆形，在雌花内雄蕊短，败育；花盘发达，5 裂；雌蕊 1，

刺葡萄

子房圆锥形，花柱短，柱头扩大。果实球形，成熟时紫红色；种子倒卵状椭圆形，先端圆钝，基部有短喙，种脐在种子背面中部呈圆形，腹面中棱脊凸起，两侧洼穴狭窄，向上达种子 3/4 处。花期 4 ~ 6 月，果期 7 ~ 10 月。

| 生境分布 | 生于海拔 300 ~ 1900m 的山坡、沟谷林中或灌丛。分布于重庆綦江、丰都、彭水、北碚、大足、城口、巫溪、巫山、奉节、万州、开州、忠县、南川、江津、合川等地。

| 资源情况 | 野生资源一般。药材主要来源于野生。

| 采收加工 | 秋、冬季采挖，洗净，切片，鲜用或晒干。

| 功能主治 | 甘、微苦，平。散瘀消积，舒筋止痛。用于吐血，腹胀癥积，关节肿痛，筋骨伤痛。

| 用法用量 | 内服煎汤，30 ~ 60g，鲜品加倍；或浸酒。

| 附　　注 | 本种适应高温多湿的环境，并具有一定的抗病虫害能力。

葡萄科 Vitaceae 葡萄属 *Vitis*

葛藟葡萄 *Vitis flexuosa* Thunb.

| 药 材 名 | 葛藟汁（药材来源：茎藤中液汁）、葛藟根（药用部位：根、根皮）、葛藟叶（药用部位：叶）、葛藟果实（药用部位：果实）。

| 形态特征 | 木质藤本。小枝圆柱形，有纵棱纹，嫩枝疏被蛛丝状绒毛，以后脱落无毛。卷须分枝，每隔 2 节间断与叶对生。叶卵形、三角状卵形、卵圆形或卵状椭圆形，先端急尖或渐尖，基部浅心形或近截形，心形者基部先端凹成钝角，边缘每侧有微不整齐锯齿，上面绿色，无毛，下面初时疏被蛛丝状绒毛，以后脱落；基生脉五出，中脉有侧脉，网脉不明显；叶柄被稀疏蛛丝状绒毛或几无毛；托叶早落。圆锥花序疏散，与叶对生，基部分枝发达或细长而短，被蛛丝状绒毛或几无毛；花梗无毛；花蕾倒卵圆形，先端圆形或近截形；花萼浅碟形，边缘呈波状浅裂，无毛；花瓣 5，呈帽状粘合脱落；雄蕊 5，花丝丝

葛藟葡萄

状，花药黄色，卵圆形，在雌花内短小，败育；花盘发达，5 裂；雌蕊 1，在雄花中退化，子房卵圆形，花柱短，柱头微扩大。果实球形；种子倒卵状椭圆形，先端近圆形，基部有短喙，种脐在种子背面中部呈狭长圆形，种脊微凸出，表面光滑，腹面中棱脊微凸起，两侧洼穴宽沟状，向上达种子 1/4 处。花期 3 ~ 5 月，果期 7 ~ 11 月。

| 生境分布 | 生于海拔 100 ~ 2300m 的山坡或沟谷田边、草地、灌丛或林中。分布于重庆石柱、开州、巫溪、奉节、黔江、彭水、酉阳、秀山、南川、巴南、南岸、合川、铜梁等地。

| 资源情况 | 野生资源较丰富。药材来源于野生和栽培。

| 采收加工 | 葛藟汁：夏、秋季砍断茎藤，取汁，鲜用。

葛藟根：秋、冬季采挖根，洗净，切片；或剥取根皮，切片，鲜用或晒干。

葛藟叶：夏、秋季采摘，洗净，鲜用或晒干。

葛藟果实：夏、秋季果实成熟时采收，鲜用或晒干。

| 功能主治 | 葛藟汁：甘，平。益气生津，活血舒筋。用于乏力，口渴，哕逆，跌打损伤。

葛藟根：甘，平。利湿退黄，活血通络，解毒消肿。用于黄疸性肝炎，风湿痹痛，跌打损伤，痈肿。

葛藟叶：甘，平。消积，解毒，敛疮。用于食积，痢疾，湿疹，烫火伤。

葛藟果实：甘，平。归肺、胃经。润肺止咳，凉血止血，消食。用于肺燥咳嗽，吐血，食积，泻痢。

| 用法用量 | 葛藟汁：内服原汁，5 ~ 10g。外用适量，涂敷；或点眼。

葛藟根：内服煎汤，15 ~ 30g。外用适量，捣敷。

葛藟叶：内服煎汤，10 ~ 15g。外用适量，煎汤洗；或捣汁涂。

葛藟果实：内服煎汤，10 ~ 15g。

| 附　　注 | 本种喜阴凉湿润气候，在排水良好、疏松而富含腐殖质的壤土中栽培为宜，重黏土、低洼地不宜种植，忌积水。

葡萄科 Vitaceae 葡萄属 *Vitis*

毛葡萄 *Vitis heyneana* Roem. & Schult

| 药 材 名 | 毛葡萄叶（药用部位：叶）、毛葡萄根皮（药用部位：根皮）。

| 形态特征 | 木质藤本。小枝圆柱形，有纵棱纹，被灰色或褐色蛛丝状绒毛。卷须二叉分枝，密被绒毛。叶卵圆形、长卵状椭圆形或卵状五角形，先端急尖或渐尖，基部心形或微心形，先端凹成钝角，稀成锐角，边缘每侧有尖锐锯齿，上面绿色，初时疏被蛛丝状绒毛，以后脱落无毛，下面密被灰色或褐色绒毛，稀脱落变稀疏，上面脉上无毛或有时疏被短柔毛，下面脉上密被绒毛，有时为短柔毛或稀绒毛状柔毛；叶柄密被蛛丝状绒毛；托叶膜质，褐色，全缘，无毛。花杂性异株；圆锥花序疏散，分枝发达，被灰色或褐色蛛丝状绒毛；花梗无毛；花蕾倒卵状圆形或椭圆形，先端圆形；花萼碟形，近全缘；花瓣 5，呈帽状粘合脱落；雄蕊 5，花丝丝状，花药黄色，椭圆形或

毛葡萄

阔椭圆形，在雌花内雄蕊显著短，败育；花盘发达，5裂；雌蕊1，子房卵圆形，花柱短，柱头微扩大。果实圆球形，成熟时紫黑色；种子倒卵形，先端圆形，基部有短喙，种脐在背面中部呈圆形，腹面中棱脊凸起，两侧洼穴狭窄呈条形。花期4～6月，果期6～10月。

| 生境分布 | 生于海拔580～1800m的山坡、沟谷灌丛、林缘或林中。分布于重庆云阳、丰都、綦江、武隆、垫江、奉节、万州、涪陵、黔江、彭水、酉阳、秀山、南川、江津、巴南、南岸、潼南等地。

| 资源情况 | 野生资源一般。药材来源于野生和栽培。

| 采收加工 | 毛葡萄叶：夏、秋季采收，晒干。

毛葡萄根皮：秋、冬季采挖根，洗净，剥取根皮，切片，鲜用或晒干。

| 功能主治 | 毛葡萄叶：苦、微酸，平。止血。用于外伤出血。

毛葡萄根皮：酸、微苦，平。活血舒筋。用于月经不调，带下，风湿骨痛，跌打损伤。

| 用法用量 | 毛葡萄叶：外用适量，研末敷。

毛葡萄根皮：内服煎汤，6～10g。外用适量，捣敷。

| 附　　注 | 栽培宜选土壤肥沃、浇灌方便、交通便利的向阳地块。

葡萄科 Vitaceae 葡萄属 *Vitis*

葡萄 *Vitis vinifera* L.

| 药 材 名 | 葡萄干（药用部位：果实。别名：马奶子葡萄干、贡布如木、再比毕）、葡萄根（药用部位：根）、葡萄藤叶（药用部位：藤叶。别名：葡萄秧）。

| 形态特征 | 木质藤本。小枝圆柱形，有纵棱纹，无毛或被稀疏柔毛。卷须二叉分枝，每隔 2 节间断与叶对生。叶卵圆形，显著 3 ~ 5 浅裂或中裂，长 7 ~ 18cm，宽 6 ~ 16cm；基生脉五出，中脉有侧脉 4 ~ 5 对，网脉不明显凸出；叶柄长 4 ~ 9cm，几无毛；托叶早落。圆锥花序密集或疏散，多花，与叶对生，基部分枝发达，长 10 ~ 20cm，花序梗长 2 ~ 4cm，几无毛或疏生蛛丝状绒毛；花梗长 1.5 ~ 2.5mm，无毛；花蕾倒卵圆形，高 2 ~ 3mm，先端近圆形；花萼浅碟形，边缘呈波状，外面无毛；花瓣 5，呈帽状粘合脱落；雄蕊 5，花丝丝状，长 0.6 ~ 1mm，花药黄色，卵圆形，长 0.4 ~ 0.8mm；花盘发达，

葡萄

5 浅裂；雌蕊 1，在雄花中完全退化，子房卵圆形，花柱短，柱头扩大。果实球形或椭圆形，直径 1.5 ~ 2cm；种子倒卵状椭圆形，先端近圆形，基部有短喙。花期 4 ~ 5 月，果期 8 ~ 9 月。

| 生境分布 | 生于山地或庭园。重庆各地均有分布。

| 资源情况 | 栽培资源丰富。药材主要来源于栽培。

| 采收加工 | 葡萄干：果实成熟时采收，阴干。

葡萄根：秋季采挖，洗净，切片，鲜用或晒干。

葡萄藤叶：夏、秋季采收，洗净，茎切片，叶切碎，晒干。

| 药材性状 | 葡萄干：本品呈长圆形或类圆形，略扁，长 1 ~ 1.5cm，直径 0.6 ~ 0.8cm。表面皱缩不平，浅黄绿色至淡红色。质柔软，断面胶质状，无核。气微清香，味甘、微酸。

| 功能主治 | 葡萄干：甘、平。归肺、脾、肾经。补气血，强筋骨，调中逐水，除烦止渴。用于气血虚弱，肺虚咳嗽，心悸盗汗，烦渴，风湿痹痛，淋病，水肿，痘疹不出。

葡萄根：甘，平。祛风通络，利湿消肿，解毒。用于风湿痹痛，肢体麻木，跌打损伤，水肿，小便不利，痈肿疔毒等。

葡萄藤叶：甘，平。祛风除湿，利水消肿，解毒。用于风湿痹痛，水肿，腹泻，风热目赤，痈肿疔疮等。

| 用法用量 | 葡萄干：内服煎汤，6 ~ 15g。

葡萄根：内服煎汤，15 ~ 30g；或炖肉。外用适量，捣敷；或煎汤洗。

葡萄藤叶：内服煎汤，10 ~ 15g；或捣汁。外用适量，捣敷。

| 附　　注 | 本种喜阳，喜温。栽培宜选择海拔 200 ~ 1000m 的地区，以土层深厚、富含腐殖质、排水良好的壤土或砂壤土为最好。

葡萄科 Vitaceae 葡萄属 *Vitis*

网脉葡萄 *Vitis wilsoniae* H. J. Veitch

| 药 材 名 | 野葡萄根（药用部位：根。别名：刺葡萄、千斤藤、山葡萄）。

| 形态特征 | 木质藤本。小枝圆柱形，有纵棱纹，被稀疏褐色蛛丝状绒毛。卷须二叉分枝，每隔 2 节间断与叶对生。叶心形或卵状椭圆形，长 7 ~ 16cm，宽 5 ~ 12cm，先端急尖或渐尖，基部心形，基缺先端凹成钝角，每侧边缘有牙齿 16 ~ 20，或基部呈锯齿状，上面绿色，无毛或近无毛，下面沿脉被褐色蛛丝状绒毛；基生脉五出，中脉有侧脉 4 ~ 5 对；叶柄长 4 ~ 8cm，几无毛；托叶早落。圆锥花序疏散，与叶对生，基部分枝发达，长 4 ~ 16cm，花序梗长 1.5 ~ 3.5cm，被稀疏蛛丝状绒毛；花梗长 2 ~ 3cm，无毛；花蕾倒卵状椭圆形，高 1.5 ~ 3cm，先端近截形；花萼浅碟形，边缘波状浅裂；花瓣 5，呈帽状粘合脱落；雄蕊 5，花丝丝状，长 1.2 ~ 1.6mm，花药黄色，

网脉葡萄

卵状椭圆形，长 0.8 ~ 1.2mm，在雌花内短小，败育；花盘发达，5 裂；雌蕊 1，在雌花中完全退化，子房卵圆形，花柱短，柱头扩大。果实圆球形，直径 0.7 ~ 1.5cm；种子倒卵状椭圆形，先端近圆形，基部有短喙，种脐在种子背面中部呈长椭圆形，种脊微凸出，表面光滑，腹面中棱脊凸起，两侧洼穴呈宽沟状，向上达种子 1/4 处。花期 5 ~ 7 月，果期 6 月至翌年 1 月。

| **生境分布** | 生于海拔 400 ~ 2000m 的山地、山坡岩石或灌丛中。分布于重庆丰都、南川、忠县、黔江、云阳、武隆、酉阳、彭水等地。

| **资源情况** | 野生资源较丰富。药材主要来源于野生。

| **采收加工** | 秋、冬季采挖，洗净，切片，鲜用或晒干。

| **功能主治** | 甘，平。归肝、肾经。清热解毒。用于痈疽疔疮，慢性骨髓炎等。

| **用法用量** | 外用适量，捣敷。

葡萄科 Vitaceae 俞藤属 *Yua*

俞藤 *Yua thomsonii* (M. A. Lawson) C. L. Li

| 药材名 | 粉叶地锦（药用部位：藤茎、根）。

| 形态特征 | 木质藤本。小枝圆柱形，褐色，嫩枝略有棱纹，无毛。卷须二叉分枝，相隔 2 节间断与叶对生。叶为掌状，具 5 小叶，草质，小叶披针形或卵状披针形，先端渐尖或尾状渐尖，基部楔形，边缘上半部每侧有细锐锯齿 4 ~ 7，上面绿色，无毛，下面淡绿色，常被白色粉霜，无毛或脉上被稀疏短柔毛；网脉不明显凸出，侧脉 4 ~ 6 对；小叶柄长 2 ~ 10cm，有时侧生小叶近无柄，无毛；叶柄无毛。花序为复二歧聚伞花序，与叶对生，无毛；花萼碟形，全缘，无毛；花瓣 5，稀 4，无毛，花蕾有时粘合，以后展开脱落，雄蕊 5，稀 4，花药长椭圆形，花柱细，柱头不明显扩大。果实近球形，紫黑色，味淡甜；种子梨形，先端微凹，背面种脐达种子中部，腹面两侧洼穴从基部

俞藤

达种子 2/3 处，周围无明显横肋纹，胚乳横切面呈“M”形。花期 5 ~ 6 月，果期 7 ~ 9 月。

| 生境分布 | 生于海拔 250 ~ 1300m 的山坡林中，攀缘树上。分布于重庆长寿、城口、云阳、垫江、沙坪坝、巴南、九龙坡、丰都、綦江、万州、涪陵、石柱、南川、江津、永川、巫山、巫溪、奉节等地。

| 资源情况 | 野生资源一般。药材主要来源于野生。

| 采收加工 | 秋、冬季采收，洗净，切片或段，鲜用或晒干。

| 功能主治 | 微甘、辛，平。清热解毒，祛风除湿。藤茎，用于关节痛。根，用于无名肿毒，风湿关节痛，带下。

| 用法用量 | 内服煎汤，15 ~ 30g；或浸酒。

杜英科 Elaeocarpaceae 杜英属 *Elaeocarpus*

山杜英 *Elaeocarpus sylvestris* (Lour.) Poir.

山杜英

药材名

山杜英（药用部位：根、叶、花）。

形态特征

小乔木，高约10m。小枝纤细，通常秃净无毛；老枝干后暗褐色。叶纸质，倒卵形或倒披针形，长4 ~ 8cm，宽2 ~ 4cm，幼态叶长达15cm，宽达6cm，上、下两面均无毛，干后黑褐色，不发亮，先端钝，或略尖，基部窄楔形，下延；侧脉5 ~ 6对，在上面隐约可见，在下面稍凸起，网脉不明显，边缘有钝锯齿或波状钝齿；叶柄长1 ~ 1.5cm，无毛。总状花序生于枝顶叶腋内，长4 ~ 6cm，花序轴纤细，无毛，有时被灰白色短柔毛；花柄长3 ~ 4mm，纤细，通常秃净；萼片5，披针形，长4mm，无毛；花瓣倒卵形，上半部撕裂，裂片10 ~ 12，外侧基部被毛；雄蕊13 ~ 15，长约3mm，花药被微毛，先端无毛丛，亦缺附属物；花盘5裂，圆球形，完全分开，被白色毛；子房被毛，2 ~ 3室，花柱长2mm。核果细小，椭圆形，长1 ~ 1.2cm，内果皮薄骨质，有腹缝沟3。花期4 ~ 5月。

| 生境分布 | 生于海拔 350 ~ 2000m 的常绿树林里。分布于重庆南川、长寿、江津、北碚、垫江、璧山、南岸等地。

| 资源情况 | 野生资源一般。药材主要来源于野生。

| 采收加工 | 冬季采挖根，洗净泥土，切片，晒干。全年均可采收叶，鲜用或晒干。4 ~ 5 月花开时采收花，鲜用或阴干。

| 功能主治 | 辛，温。散瘀消肿。根，用于跌打瘀肿，风湿痛。叶、花，用于胃痛，遗精，带下。

| 用法用量 | 内服煎汤，适量。外用适量，捣敷。

| 附　　注 | 本种喜温湿，较耐阴、耐寒，栽培以土层深厚、富含腐殖质、排水良好的壤土或砂壤土为最好。

杜英科 Elaeocarpaceae 猴欢喜属 *Sloanea*

仿栗 *Sloanea hemsleyana* (Ito) Rehd. et Wils.

仿栗

|药 材 名|

仿栗（药用部位：根。别名：药王树）。

|形态特征|

乔木，高 25m。顶芽被黄褐色柔毛；嫩枝秃净无毛，老枝干后暗褐色，有皮孔。叶簇生枝顶，薄革质，形状多变，长 10 ~ 15cm，最长达 20cm，宽 3 ~ 5cm，最宽达 7cm，先端急尖，有时渐尖，基部收窄而钝，有时为微心形，上面绿色，或偶在脉腋内被毛束；侧脉 7 ~ 9 对，基部 1 对常较纤弱，边缘有不规则钝齿，有时为波状钝齿；叶柄长 1 ~ 2.5cm，最长达 3.5cm，秃净无毛。花生于枝顶，多朵排成总状花序，花序轴及花梗被柔毛；萼片 4，卵形，长 6 ~ 7mm，两面被柔毛；花瓣白色，与萼片等长，或稍超出，先端有撕裂状齿刻，被微毛；雄蕊与花瓣等长，花药长 5mm，先端有长 1.5mm 的芒刺；子房被褐色茸毛，花柱凸出雄蕊之上，长 5 ~ 6mm。蒴果大小不一，4 ~ 5 爿裂开，稀为 3 或 6，果爿长 2.5 ~ 5cm，厚 3 ~ 5mm，内果皮紫红色或黄褐色，针刺长 1 ~ 2cm，果柄长 2.5 ~ 6cm；种子黑褐色，发亮。花期 7 月。

| **生境分布** | 生于海拔 500 ~ 1500m 的常绿林里。分布于重庆长寿、垫江、南川、武隆、奉节、綦江等地。

| **资源情况** | 野生资源稀少。药材主要来源于野生。

| **采收加工** | 秋、冬季采挖，洗净泥土，切片，晒干。

| **功能主治** | 止泻，止痛。用于痢疾，腰痛。

| **用法用量** | 内服煎汤，适量。

| **附　　注** | 本种喜温湿，耐阴。栽培宜选择海拔 1100m 以上的高山区，以土层深厚、富含腐殖质、排水良好的壤土或砂壤土为最好。

椴树科 Tiliaceae 田麻属 *Corchoropsis*

田麻 *Corchoropsis tomentosa* (Thunb.) Makino

田麻

| 药 材 名 |

田麻（药用部位：全草。别名：黄花喉草、白喉草、野络麻）。

| 形态特征 |

一年生草本，高 40 ~ 60cm。分枝被星状短柔毛。叶卵形或狭卵形，长 2.5 ~ 6cm，宽 1 ~ 3cm，边缘有钝齿，两面均密生星状短柔毛，基出脉 3；叶柄长 0.2 ~ 2.3cm；托叶钻形，长 2 ~ 4mm，脱落。花有细梗，单生叶腋，直径 1.5 ~ 2cm；萼片 5，狭窄披针形，长约 5mm；花瓣 5，黄色，倒卵形；发育雄蕊 15，每 3 枚成 1 束，退化雄蕊 5，与萼片对生，匙状条形，长约 1cm；子房被短茸毛。蒴果角状圆筒形，长 1.7 ~ 3cm，被星状柔毛。果期秋季。

| 生境分布 |

生于海拔 600 ~ 1700m 的山地路旁或林边。分布于重庆綦江、潼南、彭水、丰都、城口、忠县、涪陵、酉阳、长寿、武隆、垫江、北碚、合川、南川、秀山等地。

| 资源情况 |

野生资源较丰富。药材主要来源于野生。

|采收加工| 夏、秋季采收，切段，鲜用或晒干。

|功能主治| 苦，凉。清热利湿，解毒止血。用于痈疖肿毒，咽喉肿痛，疥疮，小儿疳积，白带过多，外伤出血等。

|用法用量| 内服煎汤，9 ~ 15g；大剂量可用 30 ~ 60g。外用适量，鲜品捣敷。

|附　　注| 在 FOC 中，本种的拉丁学名被修订为 *Corchoropsis crenata* Siebold et Zuccarini。

椴树科 Tiliaceae 扁担杆属 *Grewia*

扁担杆 *Grewia biloba* G. Don

| 药 材 名 | 娃娃拳（药用部位：全株。别名：麻糖果、孩儿拳头、拗山皮）。

| 形态特征 | 灌木或小乔木，高 1 ~ 4m。多分枝，嫩枝被粗毛。叶薄革质，椭圆形或倒卵状椭圆形，长 4 ~ 9cm，宽 2.5 ~ 4cm，先端锐尖，基部楔形或钝，两面被稀疏星状粗毛；基出脉 3，两侧脉上行过半，中脉有侧脉 3 ~ 5 对，边缘有细锯齿；叶柄长 4 ~ 8mm，被粗毛；托叶钻形，长 3 ~ 4mm。聚伞花序腋生，多花，花序梗长不到 1cm；花柄长 3 ~ 6mm；苞片钻形，长 3 ~ 5mm；萼片狭长圆形，长 4 ~ 7mm，外面被毛，内面无毛；花瓣长 1 ~ 1.5mm；雌雄蕊柄长 0.5mm，被毛；雄蕊长 2mm；子房被毛，花柱与萼片平齐，柱头扩大，盘状，浅裂。核果红色，有分核 2 ~ 4。花期 5 ~ 7 月。

扁担杆

| 生境分布 | 生于海拔 400 ~ 1500m 的丘陵、低山路边草地、灌丛或疏林中。分布于重庆城口、丰都、彭水、南川、潼南、云阳、涪陵、武隆、荣昌等地。

| 资源情况 | 野生资源较丰富。药材来源于野生。

| 采收加工 | 夏、秋季采收，洗净，晒干或鲜用。

| 功能主治 | 甘、苦，温。健脾益气，祛风除湿，固精止带。用于脾虚食少，脱肛，小儿疳积，蛔虫病，风湿痹痛，遗精，崩漏，带下，子宫脱垂。

| 用法用量 | 内服煎汤，9 ~ 15g；或浸酒。外用适量，鲜品捣敷。

| 附　　注 | 本种喜温暖湿润气候，耐寒。栽培宜选择海拔 1200m 以下的低山区，以土层深厚、富含腐殖质、排水良好的壤土或砂壤土为最好。

椴树科 Tiliaceae 扁担杆属 *Grewia*

小花扁担杆 *Grewia biloba* G. Don var. *parviflora* (Bunge) Hand.-Mazz.

| 药 材 名 | 吉利子树（药用部位：枝叶。别名：铜箍散、扁担木、孩子儿拳头）。

| 形态特征 | 本种与原变种扁担杆的区别在于叶下面密被黄褐色软茸毛，花朵较短小。

| 生境分布 | 生于海拔 300 ~ 2000m 的路边、山坡上。分布于重庆城口、巫溪、涪陵、武隆、南川等地。

| 资源情况 | 野生资源一般。药材主要来源于野生，亦有少量栽培。

| 采收加工 | 春、夏季采收，晒干。

| 功能主治 | 甘、苦，温。健脾益气，祛风除湿。用于小儿疳积，脘腹胀满，脱肛，妇女崩漏，带下，风湿痹痛等。

小花扁担杆

| **用法用量** | 内服煎汤，9 ~ 15g；或浸酒。

| **附　　注** | 本种喜温湿，耐寒。栽培宜选择土层深厚、富含腐殖质、排水良好的壤土或砂壤土。

椴树科 Tiliaceae 椴树属 *Tilia*

椴树 *Tilia tuan* Szyszyl.

| 药 材 名 | 椴树根（药用部位：根。别名：叶上果根、滚筒树根、家鹤儿）。

| 形态特征 | 乔木，高 20m。树皮灰色，直裂；小枝近秃净。叶卵圆形，长 7 ~ 14cm，宽 5.5 ~ 9cm，先端短尖或渐尖，基部单侧心形或斜截形，上面无毛，下面初时被星状茸毛，以后变秃净，在脉腋有毛丛，干后灰色或褐绿色；侧脉 6 ~ 7 对，边缘上半部有疏而小的齿突；叶柄长 3 ~ 5cm，近秃净。聚伞花序长 8 ~ 13cm，无毛；花柄长 7 ~ 9mm；苞片狭窄倒披针形，长 10 ~ 16cm，宽 1.5 ~ 2.5cm，无柄，先端钝，基部圆形或楔形；萼片长圆状披针形，长 5mm，被茸毛，内面被长茸毛；花瓣长 7 ~ 8mm；退化雄蕊长 6 ~ 7mm；雄蕊长 5mm；子房被毛，花柱长 4 ~ 5mm。果实球形，宽 8 ~ 10mm，无棱，有小突起，被星状茸毛。花期 7 月。

椴树

| 生境分布 | 生于海拔 1150 ~ 2500m 的山谷或山坡杂木林中。分布于重庆城口、巫山、石柱、南川、万州、武隆、巫溪、酉阳、黔江等地。

| 资源情况 | 野生资源一般。药材主要来源于野生，亦有少量栽培。

| 采收加工 | 秋季采挖，洗净泥土，切片，晒干。

| 功能主治 | 苦，温。祛风除湿，活血止痛，止咳。用于风湿痹痛，四肢麻木，跌打损伤，久咳。

| 用法用量 | 内服煎汤，15 ~ 30g；或浸酒。外用适量，浸酒搽。

| 附　　注 | 本种喜温凉湿润气候，喜光，耐寒。栽培宜选择海拔 1000m 以上的高山区，以土层深厚、富含腐殖质、排水良好的壤土或砂壤土为最好。

锦葵科 Malvaceae 秋葵属 *Abelmoschus*

咖啡黄葵 *Abelmoschus esculentus* (L.) Moench

| 药 材 名 | 秋葵（药用部位：根、叶、花、种子。别名：羊角豆、毛茄、黄蜀葵）。

| 形态特征 | 一年生草本，高 1 ~ 2m。茎圆柱形，疏生散刺。叶掌状 3 ~ 7 裂，直径 10 ~ 30cm，裂片阔至狭，边缘具粗齿及凹缺，两面均疏被硬毛；叶柄长 7 ~ 15cm，被长硬毛；托叶线形，长 7 ~ 10mm，疏被硬毛。花单生叶腋间，花梗长 1 ~ 2cm，疏被糙硬毛；小苞片 8 ~ 10，线形，长约 1.5cm，疏被硬毛；花萼钟形，较长于小苞片，密被星状短绒毛；花黄色，内面基部紫色，直径 5 ~ 7cm，花瓣倒卵形，长 4 ~ 5cm。蒴果筒状尖塔形，长 10 ~ 25cm，直径 1 ~ 5cm，先端具长喙，疏被糙硬毛；种子球形，多数，直径 4 ~ 5mm，具毛脉纹。花期 5 ~ 9 月。

咖啡黄葵

| **生境分布** | 生于海拔 200 ~ 1600m 的低丘、草坡、旷地，或栽培于房前屋后。分布于重庆涪陵、武隆、南川、南岸、开州、渝北、荣昌、黔江等地。

| **资源情况** | 野生资源稀少。药材主要来源于栽培。

| **采收加工** | 11 月至翌年 2 月前挖取根，抖去泥土，晒干或烘干。9 ~ 10 月采收叶，晒干。6 ~ 8 月采摘花，晒干。9 ~ 10 月果实成熟时采摘果实，脱粒，晒干。

| **功能主治** | 淡，寒。利咽，通淋，下乳，调经。用于咽喉肿痛，小便淋涩，产后乳汁稀少，月经不调。

| **用法用量** | 内服煎汤，9 ~ 15g。

| **附　　注** | （1）本种从印度引种，在我国已经有约 60 年的栽培历史。

（2）本种喜温暖、怕严寒，耐热力强，对土壤适应性较广，不择地力，但以土层深厚、疏松肥沃、排水良好的壤土或砂壤土为宜。

锦葵科 Malvaceae 秋葵属 *Abelmoschus*

黄蜀葵 *Abelmoschus manihot* (L.) Medicus

黄蜀葵

| 药 材 名 |

黄蜀葵花（药用部位：花。别名：侧金盏）、黄蜀葵茎（药用部位：茎、茎皮）、黄蜀葵根（药用部位：根）、秋葵子（药用部位：种子）。

| 形态特征 |

一年生或多年生草本，高 1 ~ 2m，疏被长硬毛。叶掌状 5 ~ 9 深裂，直径 15 ~ 30cm，裂片长圆状披针形，长 8 ~ 18cm，宽 1 ~ 6cm，具粗钝锯齿，两面疏被长硬毛；叶柄长 6 ~ 18cm，疏被长硬毛；托叶披针形，长 0.8 ~ 1.5cm。花单生枝端叶腋；小苞片 4 ~ 5，卵状披针形，长 15 ~ 25mm，宽 4 ~ 5mm，疏被长硬毛；花萼佛焰苞状，5 裂，近全缘，较长于小苞片，被柔毛，果时脱落；花大，淡黄色，内面基部紫色，直径约 12cm；雄蕊柱长 1.5 ~ 2cm，花药近无柄；柱头紫黑色，匙状盘形。蒴果卵状椭圆形，长 4 ~ 5cm，直径 2.5 ~ 3cm，被硬毛；种子多数，肾形，被多条柔毛组成的条纹。花期 8 ~ 10 月。

| 生境分布 |

生于海拔 500 ~ 1000m 的山谷、路旁或林边的草丛间。分布于重庆大足、潼南、涪陵、綦江、江津、璧山、巫山、合川、荣昌、巫溪、万州、武隆、秀山、开州、石柱、北碚等地。

| 资源情况 | 野生资源较少，亦有零星栽培。药材主要来源于栽培。

| 采收加工 | 黄蜀葵花：夏、秋季花开时采摘，及时干燥。

黄蜀葵茎：秋、冬季采集，晒干或烘干。

黄蜀葵根：秋季采挖，洗净，晒干。

秋葵子：果实成熟后采割全草，晒干，脱粒，筛去泥沙、杂质，晒干。

| 药材性状 | 黄蜀葵花：本品多皱缩破碎，完整花瓣呈三角状阔倒卵形，长 7 ~ 10cm，宽 7 ~ 12cm，表面有纵向脉纹，呈放射状，淡棕色，边缘浅波状，内面基部紫褐色。雄蕊多数，联合成管状，长 1.5 ~ 2cm，花药近无柄。柱头紫黑色，匙状盘形，5 裂。气微香，味甘、淡。

秋葵子：本品呈橘瓣形，略胖，长 3.5 ~ 7mm，宽 2.5 ~ 4.5mm，厚约 2.5mm。灰褐色或灰黑色，一边中央凹陷，两端凸起。种皮表面可见连接两端的弧形条纹，用放大镜观察，可见弧形条纹由橘黄色疣状突起相连而成。质坚硬，不易破碎，剖开后可见子叶 2，呈黄白色，富油性。气微，味淡。

| 功能主治 | 黄蜀葵花：甘，寒。清热利湿，消肿解毒。用于湿热壅遏，淋浊水肿。外用于痈疽肿毒，烫火伤。

黄蜀葵茎：甘，寒。清热解毒，通便利尿。用于高热不退，大便秘结，小便不利，疔疮肿毒，烫伤。

黄蜀葵根：甘、苦，寒。利水，通经，解毒。用于淋证，水肿，便秘，跌打损伤，乳汁不通，痈肿，聤耳，腮腺炎。

秋葵子：甘，寒。清热解毒，润燥滑肠。用于大便秘结，小便不利，水肿，尿路结石，乳汁不通。

| 用法用量 | 黄蜀葵花：内服煎汤，10 ~ 30g；或研末，3 ~ 5g。外用适量，研末调敷。

黄蜀葵茎：内服煎汤，5 ~ 10g。外用以油浸搽。

黄蜀葵根：内服煎汤，9 ~ 15g；或研末，每次 1.5 ~ 3g。外用适量，捣敷；或研末调敷；或煎汤洗。

秋葵子：内服煎汤，4.5 ~ 9g。

| 附　　注 | 本种喜温暖湿润气候，栽培宜选择海拔 1000m 以下的地区，以土层深厚、富含腐殖质、排水良好的壤土或砂壤土为最好。

锦葵科 Malvaceae 秋葵属 *Abelmoschus*

箭叶秋葵 *Abelmoschus sagittifolius* (Kurz) Merr.

| 药 材 名 | 五指山参（药用部位：根）、火炮草果（药用部位：果实）、五指山参叶（药用部位：叶）。

| 形态特征 | 多年生草本，高 40 ~ 100cm，具萝卜状肉质根。小枝被糙硬长毛。叶形多样，下部的叶卵形，中部以上的叶卵状戟形、箭形至掌状 3 ~ 5 浅裂或深裂，裂片阔卵形至阔披针形，长 3 ~ 10cm，先端钝，基部心形或戟形，边缘具锯齿或缺刻，上面疏被刺毛，下面被长硬毛；叶柄长 4 ~ 8cm，疏被长硬毛。花单生叶腋，花梗纤细，长 4 ~ 7cm，密被糙硬毛；小苞片 6 ~ 12，线形，宽 1 ~ 1.7mm，长约 1.5cm，疏被长硬毛；花萼佛焰苞状，长约 7mm，先端具 5 齿，密被细绒毛；花红色或黄色，直径 4 ~ 5cm，花瓣倒卵状长圆形，长 3 ~ 4cm；雄蕊柱长约 2cm，平滑无毛；花柱分枝 5，柱头扁平。蒴果椭圆形，

箭叶秋葵

长约3cm，直径约2cm，被刺毛，具短喙；种子肾形，具腺状条纹。花期5～9月。

| 生境分布 | 生于海拔900～1600m的低丘、草坡、旷地、稀疏松林下或干燥的瘠地，或栽培于庭园。分布于重庆南川、綦江等地。

| 资源情况 | 野生和栽培资源均稀少。药材主要来源于栽培。

| 采收加工 | 五指山参：秋、冬季采挖，洗净，切片，晒干。

火炮草果：秋、冬季采摘，鲜用或晒干。

五指山参叶：春、秋季采集，洗净，鲜用或晒干。

| 功能主治 | 五指山参：甘、淡，平。滋阴润肺，和胃止痛。用于肺燥咳嗽，肺痨，胃痛，疳积，神经衰弱等。

火炮草果：甘、淡，平。柔肝补肾，和胃止痛。用于肾虚耳聋，胃痛，疳积，少年白发。

五指山参叶：微甘，平。解毒排脓。用于疮痈肿毒。

| 用法用量 | 五指山参：内服煎汤，10～15g。

火炮草果：内服煎汤，9～15g。

五指山参叶：外用适量，鲜品捣敷；或干品研末调敷。

| 附　　注 | 本种喜阳、喜光，耐寒。栽培宜选择海拔1000m左右的山区，以土层深厚、富含腐殖质、排水良好的壤土或砂壤土为最好。

锦葵科 Malvaceae 苘麻属 *Abutilon*

苘麻 *Abutilon theophrasti* Medicus

苘麻

| 药 材 名 |

苘麻子（药用部位：种子。别名：青麻子、野棉花子）、苘麻（药用部位：全草。别名：白麻、青麻、野棉花）、苘麻根（药用部位：根）。

| 形态特征 |

一年生亚灌木状草本，高达 1 ~ 2m。茎枝被柔毛。叶互生，圆心形，长 5 ~ 10cm，先端长渐尖，基部心形，边缘具细圆锯齿，两面均密被星状柔毛；叶柄长 3 ~ 12cm，被星状细柔毛；托叶早落。花单生叶腋，花梗长 1 ~ 3cm，被柔毛，近先端具节；花萼杯状，密被短绒毛，裂片 5，卵形，长约 6mm；花黄色，花瓣倒卵形，长约 1cm；雄蕊柱平滑无毛，心皮 15 ~ 20，长 1 ~ 1.5cm，先端平截，具扩展、被毛的长芒 2，排列成轮状，密被软毛。蒴果半球形，直径约 2cm，长约 1.2cm，分果爿 15 ~ 20，被粗毛，先端具长芒 2；种子肾形，褐色，被星状柔毛。花期 7 ~ 8 月。

| 生境分布 |

生于海拔 500 ~ 1600m 的路旁、荒地、田野间，或栽培于房前屋后。分布于重庆城口、巫溪、万州、南川、北碚、开州、武隆、黔江等地。

| 资源情况 | 野生资源稀少。药材主要来源于野生，亦有少量栽培。

| 采收加工 | 苘麻子：秋季采收成熟果实，晒干，打下种子，除去杂质。

苘麻：8 ~ 9 月拔起全株，除去泥土，晒干。

苘麻根：立冬后采挖，除去茎叶，洗净，晒干。

| 药材性状 | 苘麻子：本品呈三角状肾形，长 3.5 ~ 6mm，宽 2.5 ~ 4.5mm，厚 1 ~ 2mm。表面灰黑色或暗褐色，有白色稀疏绒毛，凹陷处有类椭圆状种脐，淡棕色，四周有放射状细纹。种皮坚硬，子叶 2，重叠折曲，富油性。气微，味淡。

苘麻：本品长 80 ~ 100cm。主根发达，圆锥形，着生多数细侧根。茎圆柱形；外表面黄绿色或暗绿色，被软毛；断面皮部黄褐色，纤维性强，木部淡黄色，髓部大，疏松。叶多卷曲或破碎，完整者展平后呈圆心形，直径 7 ~ 10cm，先端尖，基部心形，叶缘有锯齿，两面密生柔毛；叶柄长 3 ~ 12cm，亦被柔毛。蒴果常存在，有分果爿 15 ~ 20，排列成轮状，先端有 2 长芒。种子肾形或三角状肾形，扁平，褐色，微具毛。气微，味微苦。

苘麻根：本品呈圆锥形，着生多数细侧根。气微，味微苦。

| 功能主治 | 苘麻子：苦，平。清热解毒，利湿，退翳。用于赤白痢疾，淋病涩痛，痈肿疮毒，目生翳膜。

苘麻：苦，平。解毒，祛风。用于痢疾，中耳炎，耳鸣，耳聋，关节酸痛。

苘麻根：苦，平。利湿解毒。用于小便淋沥，痢疾，急性中耳炎，睾丸炎。

| 用法用量 | 苘麻子：内服煎汤，3 ~ 9g。

苘麻：内服煎汤，9 ~ 30g。外用捣敷。

苘麻根：内服煎汤，30 ~ 60g。

锦葵科 Malvaceae 蜀葵属 *Althaea*

蜀葵 *Althaea rosea* (L.) Cavan.

蜀葵

药材名

蜀葵花（药用部位：花。别名：棋盘花、吴葵华、侧金盏）、蜀葵苗（药用部位：茎、叶。别名：葵茎、赤葵茎）。

形态特征

二年生直立草本，高达2m。茎枝密被刺毛。叶近圆心形，直径6 ~ 16cm，掌状5 ~ 7浅裂或具波状棱角，裂片三角形或圆形，中裂片长约3cm，宽4 ~ 6cm，上面疏被星状柔毛，粗糙，下面被星状长硬毛或绒毛；叶柄长5 ~ 15cm，被星状长硬毛；托叶卵形，长约8mm，先端具3尖。花腋生、单生或近簇生，排列成总状花序，具叶状苞片，花梗长约5mm，果时延长至1 ~ 2.5cm，被星状长硬毛；小苞片杯状，常6 ~ 7裂，裂片卵状披针形，长10mm，密被星状粗硬毛，基部合生；花萼钟状，直径2 ~ 3cm，5齿裂，裂片卵状三角形，长1.2 ~ 1.5cm，密被星状粗硬毛；花大，直径6 ~ 10cm，有红色、紫色、白色、粉红色、黄色和黑紫色等，单瓣或重瓣；花瓣倒卵状三角形，长约4cm，先端凹缺，基部狭，爪被长髯毛；雄蕊柱无毛，长约2cm，花丝纤细，长约2mm，花药黄色；花柱分枝多数，微被细毛。果实盘状，直径约 2cm，被短柔毛，分果爿近圆形，多数，背部厚达 1mm，具纵槽。花期 2 ~ 8 月。

| 生境分布 | 多栽培于庭园或花台。分布于重庆彭水、涪陵、忠县、璧山、酉阳等地。

| 资源情况 | 野生资源稀少。药材主要来源于栽培。

| 采收加工 | 蜀葵花：夏、秋季采收，晒干。
蜀葵苗：花期前采叶，晒干。

| 药材性状 | 蜀葵花：本品多皱缩，小苞片 7 ~ 8，基部联合，较短于花萼；花萼圆杯状，5 裂，裂片三角形；花冠紫红色、淡红色或白色；花瓣 5，倒卵形；雄蕊多数，联合成柱状，花柱上部分裂；子房多室。

| 功能主治 | 蜀葵花：甘，寒。和血润燥，通利二便。用于痢疾，吐血，血崩，带下，二便不通，小儿风疹。
蜀葵苗：甘，凉。归肺、大肠、膀胱经。清热利湿，解毒。用于热毒下痢，淋证，无名肿毒，烫火伤，金疮。

| 用法用量 | 蜀葵花：内服煎汤，3 ~ 6g。外用适量，研末调敷。
蜀葵苗：内服煎汤，6 ~ 18g；或煮食；或捣汁。外用适量，捣敷；或烧存性，研末调敷。

| 附　　注 | （1）在 FOC 中，本种的拉丁学名被修订为 *Alcea rosea* Linnaeus，蜀葵属的拉丁学名被修订为 *Alcea*。
（2）本种喜阳光，耐半阴，但忌涝，耐盐碱能力强。栽培以土层深厚、富含腐殖质、排水良好的壤土或砂壤土为最好。

锦葵科 Malvaceae 棉属 *Gossypium*

陆地棉 *Gossypium hirsutum* L.

| 药 材 名 | 棉花子（药用部位：种子。别名：木棉子、棉花核）、棉花根（药用部位：根。别名：草棉根皮、蜜根、土黄芪）、棉花壳（药用部位：外果皮。别名：棉桃壳）、棉花花（药用部位：花）。

| 形态特征 | 一年生草本，高 0.6 ~ 1.5m。小枝疏被长毛。叶阔卵形，直径 5 ~ 12cm，长、宽近相等或较宽，基部心形或心状截头形，常 3 浅裂，很少为 5 裂，中裂片常深裂达叶片之半，裂片宽三角状卵形，先端凸渐尖，基部宽，上面近无毛，沿脉被粗毛，下面疏被长柔毛；叶柄长 3 ~ 14cm，疏被柔毛；托叶卵状镰形，长 5 ~ 8mm，早落。花单生叶腋，花梗通常较叶柄略短；小苞片 3，分离，基部心形，具腺体 1，边缘具齿 7 ~ 9，连齿长达 4cm，宽约 2.5cm，被长硬毛和纤毛；花萼杯状，裂片 5，三角形，具缘毛；花白色或淡黄色，后变淡红色或紫色，长 2.5 ~ 3cm；雄蕊柱长 1.2cm。蒴果卵圆形，

陆地棉

长 3.5 ~ 5cm，具喙，3 ~ 4 室；种子分离，卵圆形，具白色长绵毛和灰白色不易剥离的短绵毛。花期夏、秋季。

| 生境分布 | 生于海拔 1000m 以上的高地及低于海平面的洼地。重庆各地均有分布。

| 资源情况 | 栽培资源稀少。药材主要来源于栽培。

| 采收加工 | 棉花子：秋、冬季采收，一般专收集已除去纤维的种子，除去杂质，晒干。

棉花根：秋季采收棉花后采挖根，晒干。

棉花壳：轧取棉花时收集。

棉花花：秋季花开未落地时采收，阴干。

| 药材性状 | 棉花子：本品呈卵圆形，长约 8mm，直径 5mm；种子两端具灰白色不易剥离的短绵毛。外皮灰黄色，坚硬；内皮棕黄色，膜质；胚乳灰白色，富油质。气微，味淡。

棉花根：本品呈圆柱形，稍弯曲，长 10 ~ 20cm，直径 0.2 ~ 2cm。表面黄棕色，有不规则皱纹及横裂皮孔，皮部薄，红棕色，易剥离。质硬，折断面纤维性，黄白色。无臭，味淡。

棉花花：本品呈筒状，多皱缩，长 2.5 ~ 3cm。花瓣 5，黄色，内面基部紫色，长几乎为苞片的 2 倍；小苞片 3，分离，基部心形；花萼杯状，5 齿裂；雄蕊多数，花丝联合成筒状。质脆。气微香，味微苦。

| 功能主治 | 棉花子：辛，热。补肾强腰，催乳，止痛，止血。用于腰虚腰痛，乳汁稀少，胃痛，便血，崩漏。

棉花根：甘，温。补气，止咳，平喘，用于慢性支气管炎，体虚浮肿，子宫脱垂。

棉花壳：辛，温。归胃经。温胃降逆，化痰止咳。用于噎膈，胃寒呃逆，咳嗽气喘等。

棉花花：益心补脑，养神安神，消肿抗炎。用于脑弱神疲，心悸心烦，机体炎肿，皮肤瘙痒，烧伤热痛。

| 用法用量 | 棉花子：内服煎汤，9 ~ 15g。

棉花根：内服煎汤，18 ~ 30g。

棉花壳：内服煎汤，9 ~ 15g。

棉花花：内服煎汤，15g。

| 附　　注 | 本种为喜光作物，适宜在较充足的光照条件下生长。栽培以土层深厚、富含腐殖质、排水良好的壤土或砂壤土为最好。

锦葵科 Malvaceae 木槿属 *Hibiscus*

木芙蓉 *Hibiscus mutabilis* L.

木芙蓉

| 药 材 名 |

木芙蓉花（药用部位：花。别名：芙蓉、芙蓉花、拒霜花）、木芙蓉叶（药用部位：叶。别名：拒霜叶、铁箍散）、木芙蓉根（药用部位：根）。

| 形态特征 |

落叶灌木或小乔木，高 2 ~ 5m。小枝、叶柄、花梗和花萼均密被星状毛与直毛相混的细绵毛。叶宽卵形至圆卵形或心形，直径 10 ~ 15cm，常 5 ~ 7 裂，裂片三角形，先端渐尖，具钝圆锯齿，上面疏被星状细毛和细点，下面密被星状细绒毛；主脉 7 ~ 11；叶柄长 5 ~ 20cm；托叶披针形，长 5 ~ 8mm，常早落。花单生枝端叶腋间，花梗长约 5 ~ 8cm，近端具节；小苞片 8，线形，长 10 ~ 16mm，宽约 2mm，密被星状绵毛，基部合生；花萼钟形，长 2.5 ~ 3cm，裂片 5，卵形，渐尖头；花初开时白色或淡红色，后变深红色，直径约 8cm，花瓣近圆形，直径 4 ~ 5cm，外面被毛，基部被髯毛；雄蕊柱长 2.5 ~ 3cm，无毛；花柱分枝 5，疏被毛。蒴果扁球形，直径约 2.5cm，被淡黄色刚毛和绵毛，果爿 5；种子肾形，背面被长柔毛。花期 8 ~ 10 月。

| 生境分布 | 生于海拔 600 ~ 2000m 的庭园和街道旁。重庆各地均有分布。

| 资源情况 | 栽培资源较丰富。药材主要来源于栽培。

| 采收加工 | 木芙蓉花：秋季采摘初开放的花，干燥。

木芙蓉叶：夏、秋季采收，干燥。

木芙蓉根：秋、冬季采挖，晒干。

| 药材性状 | 木芙蓉花：本品呈钟形或团缩成不规则椭圆形。小苞片 8，线形；花萼灰绿色，5 裂，表面被星状毛；花冠淡红色、红褐色或白色，皱缩，质软，中心有黄褐色花蕊。气微香，味微辛。

木芙蓉叶：本品多卷缩破碎，全体被毛，完整者展平后呈卵圆状心形，宽 10 ~ 15cm，掌状 3 ~ 7 浅裂，裂片三角形，边缘有钝齿；上表面暗黄绿色，下表面灰绿色，叶脉 7 ~ 11，于两面凸起。叶柄长 5 ~ 20cm。气微，味微辛。

| 功能主治 | 木芙蓉花：辛、微苦，凉。归肺、心、肝经。清热解毒，凉血消肿。用于肺热咳嗽，吐血，崩漏，带下，痈肿，疔疮，烫伤。

木芙蓉叶：辛，平。归肺、肝经。凉血，解毒，消肿，止痛。用于痈疽焮肿，缠腰火丹，烫伤，目赤肿痛，跌打损伤等。

木芙蓉根：用于痈肿，秃疮，臁疮，咳嗽气喘，妇女带下。

| 用法用量 | 木芙蓉花：内服煎汤，6 ~ 15g。

木芙蓉叶：内服煎汤，10 ~ 30g。外用适量。

木芙蓉根：内服煎汤，鲜品 50 ~ 100g。外用捣敷或研末调敷。

| 附　　注 | 本种喜光，喜温暖湿润气候，不耐寒。栽培宜选择土层深厚、富含腐殖质、排水良好的壤土或砂壤土。

锦葵科 Malvaceae 木槿属 *Hibiscus*

重瓣木芙蓉 *Hibiscus mutabilis* L. f. *plenus* (Andrews) S. Y. Hu

重瓣木芙蓉

| 药 材 名 |

重瓣木芙蓉（药用部位：叶、花）。

| 形态特征 |

本种与原变型木芙蓉的区别在于花系重瓣。

| 生境分布 |

栽培于庭园或街道。重庆各地均有分布。

| 资源情况 |

栽培资源丰富。药材主要来源于栽培。

| 采收加工 |

夏、秋季采摘叶，阴干或晒干。8 ~ 10 月采摘初开放的花，晒干或烘干。

| 药材性状 |

本品叶多卷缩破碎，全体被毛，完整者展平后呈卵圆状心形，宽 10 ~ 15cm，掌状 3 ~ 7 浅裂，裂片三角形，边缘有钝齿，上表面暗黄绿色，下表面灰绿色；叶脉 7 ~ 11，于两面凸起；叶柄长 5 ~ 20cm；气微，味微辛。花呈不规则圆柱形，具副萼，10 裂，裂片条形；花冠直径约 9cm；花瓣 5 或为重瓣，淡棕色至棕红色，倒卵圆

形，边缘微弯曲，基部与雄蕊柱合生；花药多数，生于柱顶；雌蕊 1，柱头 5 裂；气微香，味微辛。

| **功能主治** | 花，辛、微苦，凉。归肺、心、肝经。清热解毒，凉血止血，消肿排脓。用于肺热咳嗽，吐血，目赤肿痛，崩漏，带下，腹泻，腹痛，痈肿，疮疖，毒蛇咬伤，烫火伤，跌打损伤。

叶，辛、微苦，凉。归肺、肝经。清肺凉血，解毒消肿。用于肺热咳嗽，目赤肿痛，痈疽肿毒，恶疮，缠身蛇丹，脓疱疮，肾盂肾炎，烫火伤，毒蛇咬伤，跌打损伤。

| **用法用量** | 花，内服煎汤，9 ~ 15g，鲜品 30 ~ 60g。外用适量，研末调敷；或捣敷。叶，内服煎汤，10 ~ 30g。外用适量，研末调敷；或捣敷。

| **附　　注** | 在 FOC 中，本种被修订为木芙蓉 *Hibiscus mutabilis* L.。

锦葵科 Malvaceae 木槿属 *Hibiscus*

朱槿 *Hibiscus rosa-sinensis* L.

| 药 材 名 | 扶桑花（药用部位：花。别名：花上花、大红花、土红花）、扶桑叶（药用部位：叶）、扶桑根（药用部位：根）。

| 形态特征 | 常绿灌木，高 1 ~ 3m。小枝圆柱形，疏被星状柔毛。叶阔卵形或狭卵形，长 4 ~ 9cm，宽 2 ~ 5cm，先端渐尖，基部圆形或楔形，边缘具粗齿或缺刻，两面除背面沿脉上被少许疏毛外均无毛；叶柄长 5 ~ 20mm，上面被长柔毛；托叶线形，长 5 ~ 12mm，被毛。花单生上部叶腋间，常下垂，花梗长 3 ~ 7cm；小苞片 6 ~ 7，线形，长 8 ~ 15mm，疏被星状柔毛，基部合生；花萼钟形，长约 2cm，被星状柔毛，裂片 5，卵形至披针形；花冠漏斗形，直径 6 ~ 10cm，玫瑰红色或淡红色、淡黄色等，花瓣倒卵形；雄蕊柱长 4 ~ 8cm，平滑无毛；花柱分枝 5。蒴果卵形，长约 2.5cm，

朱槿

平滑无毛，有喙。花期全年。

| 生境分布 | 栽培于庭园。重庆各地均有分布。

| 资源情况 | 栽培资源丰富。药材主要来源于栽培。

| 采收加工 | 扶桑花：夏、秋季或初冬花开放时，选择晴天采摘，晒干。

扶桑叶：随用随采。

扶桑根：秋末采挖，洗净，晒干。

| 药材性状 | 扶桑花：本品皱缩成长条状，长 5.5 ~ 7cm。小苞片 6 ~ 7，线形，分离，比花萼短；花萼黄棕色，长约 2cm，有星状毛，5 裂，裂片披针形或尖三角形；花瓣 5，紫色或淡棕红色，有的为重瓣，花瓣先端圆或具粗圆齿，但不分裂；雄蕊管长，突出于花冠之外，上部有多数具花药的花丝；子房五棱形，被毛，花柱 5。体轻。气清香，味淡。

| 功能主治 | 扶桑花：甘，平。清热解毒，利水消肿。用于痰火咳嗽，鼻衄，痢疾，赤白浊，痈肿，毒疮，汗斑。

扶桑叶：甘、淡，平。消热利湿，解毒。用于带下，淋证，疔疮肿毒，腮腺炎，乳腺炎，淋巴结炎等。

扶桑根：甘、涩，平。调经，利湿，解毒。用于月经不调，崩漏，带下，白浊，痈疮肿毒，尿路感染，急性结膜炎。

| 用法用量 | 扶桑花：内服煎汤，6 ~ 12g。外用适量，捣敷。

扶桑叶：内服煎汤，15 ~ 30g。外用适量，捣敷。

扶桑根：内服煎汤，15 ~ 30g。

| 附　　注 | （1）本种有一变种重瓣朱槿，重瓣朱槿与本种的主要区别在于其花重瓣，花冠红色、淡红色、橙黄色等。

（2）本种喜温暖湿润气候，不耐寒霜，能耐阴，喜光。栽培以土层深厚、富含腐殖质、排水良好的壤土或砂壤土为最好。

锦葵科 Malvaceae 木槿属 *Hibiscus*

木槿 *Hibiscus syriacus* L.

| 药 材 名 | 木槿花（药用部位：花。别名：里梅花、朝开幕落花、疟子花）、木槿皮（药用部位：茎皮、根皮。别名：槿皮、川槿皮、白槿皮）、木槿叶（药用部位：叶）、木槿子（药用部位：果实。别名：朝天子、川槿子、槿树子）。

| 形态特征 | 落叶灌木，高 3 ~ 4m。小枝密被黄色星状绒毛。叶菱形至三角状卵形，长 3 ~ 10cm，宽 2 ~ 4cm，具深浅不同的 3 裂或不裂，先端钝，基部楔形，边缘具不整齐齿缺，下面沿叶脉微被毛或近无毛；叶柄长 5 ~ 25mm，上面被星状柔毛；托叶线形，长约 6mm，疏被柔毛。花单生枝端叶腋间，花梗长 4 ~ 14mm，被星状短绒毛；小苞片 6 ~ 8，线形，长 6 ~ 15mm，宽 1 ~ 2mm，密被星状疏绒毛；花萼钟形，长 14 ~ 20mm，密被星状短绒毛，裂片 5，三角形；花钟形，淡紫色，

木槿

直径 5 ~ 6cm；花瓣倒卵形，长 3.5 ~ 4.5cm，外面疏被纤毛和星状长柔毛；雄蕊柱长约 3cm；花柱枝无毛。蒴果卵圆形，直径约 12mm，密被黄色星状绒毛；种子肾形，背部被黄白色长柔毛。花期 7 ~ 10 月。

| 生境分布 | 生于海拔 300 ~ 1600m 的河流沿岸、湿草原、树林下或山坡。重庆各地均有分布。

| 资源情况 | 野生资源一般，栽培资源丰富。药材主要来源于栽培。

| 采收加工 | 木槿花：夏季花初开时采摘，鲜用或晒干。

木槿皮：4 ~ 5 月剥取茎皮，晒干。秋末采挖根，剥取根皮，晒干。

木槿叶：全年均可采收，鲜用或晒干。

木槿子：9 ~ 10 月果实黄绿色时采收，晒干。

| 药材性状 | 木槿花：本品皱缩成团，常留有短花梗，全体被毛，长 1.5 ~ 3cm，宽 1 ~ 2cm。苞片 6 ~ 8，条形；花萼钟状，黄绿色，先端 5 裂，裂片三角形；花冠类白色、黄白色或浅棕黄色，单瓣 5 或重瓣超过 10；雄蕊多数，花丝呈筒状。气微香，味淡。

木槿皮：本品多呈槽状或单筒状，长短不一，厚约 1mm。外表面青灰白色或灰褐色，有弯曲的纵皱纹及点状小突起，内表面淡黄白色，光滑，有细纵纹。质韧，断面纤维性强。气微，味淡。

木槿叶：本品多皱缩，完整者展开多呈菱状卵圆形，长 3 ~ 6cm，宽 2 ~ 4cm，常具深浅不等的 3 裂，基部楔形，叶两面疏被星状毛，叶柄长 5 ~ 25mm，托叶条形。质脆。气微，味淡。

木槿子：本品呈卵圆形或长椭圆形，长 1.5 ~ 3cm，直径 1.2cm。表面黄绿色或棕黄色，密被黄色短绒毛，有 5 条纵向浅沟及 5 条纵缝线；先端短尖，有的沿缝线开裂为 5 瓣；基部有宿存钟状花萼，5 裂，花萼下有狭条形的苞片 7 ~ 8，排成 1 轮或部分脱落；有残存的短果柄；果皮质脆。种子多数，扁肾形，长约 3mm，宽约 4mm；棕色至深棕色，无光泽，四周密布乳白色至黄色长绒毛。气微，味微苦；种子味淡。以身干、色黄、蒂绿、不开裂者为佳。

| 功能主治 | 木槿花：甘、苦，凉。归脾、肺、肝经。清热除湿，凉血止血。用于痢疾，腹泻，带下，痔疮出血，疖肿。

木槿皮：甘、苦，微寒。归大肠、肝、心、肺、胃、脾经。清热利湿，杀虫止痒。用于湿热泻痢，肠风泻血，脱肛，痔疮，赤白带下，阴道滴虫，皮肤疥癣，阴囊湿疹。

木槿叶：苦，寒。归心、胃、大肠经。清热解毒。用于赤白痢疾，肠风，痈肿疮毒。

木槿子：甘，寒。归肺、心、肝经。清肺化痰，止头痛，解毒。用于痰喘咳嗽，支气管炎，偏、正头痛，黄水疮，湿疹。

| **用法用量** | 木槿花：内服煎汤，3 ~ 9g。外用适量，鲜品捣敷。

木槿皮：内服煎汤，3 ~ 9g。外用适量，浸酒搽；或煎汤熏洗。

木槿叶：内服煎汤，3 ~ 9g，鲜品 30 ~ 60g。外用适量，捣敷。

木槿子：内服煎汤，9 ~ 15g。外用适量，煎汤熏洗。

| **附　　注** | 本种喜光和温暖湿润的气候，稍耐阴，对土壤要求不严。

锦葵科 Malvaceae 木槿属 *Hibiscus*

野西瓜苗 *Hibiscus trionum* L.

| 药 材 名 | 野西瓜苗（药用部位：全草或根。别名：秃汉头、野芝麻、和尚头）、野西瓜苗子（药用部位：种子）。

| 形态特征 | 一年生直立或平卧草本，高 25 ~ 70cm。茎柔软，被白色星状粗毛。叶二型，下部的叶圆形，不分裂，上部的叶掌状 3 ~ 5 深裂，直径 3 ~ 6cm，中裂片较长，两侧裂片较短，裂片倒卵形至长圆形，通常羽状全裂，上面疏被粗硬毛或无毛，下面疏被星状粗刺毛；叶柄长 2 ~ 4cm，被星状粗硬毛和星状柔毛；托叶线形，长约 7mm，被星状粗硬毛。花单生叶腋，花梗长约 2.5cm，果时延长达 4cm，被星状粗硬毛；小苞片 12，线形，长约 8mm，被粗长硬毛，基部合生；花萼钟形，淡绿色，长 1.5 ~ 2cm，被粗长硬毛或星状粗长硬毛，裂片 5，膜质，三角形，具纵向紫色条纹，中部以上合生；花淡黄色，

野西瓜苗

内面基部紫色，直径 2 ~ 3cm，花瓣 5，倒卵形，长约 2cm，外面疏被极细柔毛；雄蕊柱长约 5mm，花丝纤细，长约 3mm，花药黄色；花柱分枝 5，无毛。蒴果长圆状球形，直径约 1cm，被粗硬毛，果爿 5，果皮薄，黑色；种子肾形，黑色，具腺状突起。花期 7 ~ 10 月。

| 生境分布 | 生于平原、山野、丘陵或田埂处。分布于重庆武隆、南川等地。

| 资源情况 | 野生资源稀少。药材来源于野生。

| 采收加工 | 野西瓜苗：夏、秋季采收，除去泥土，晒干。

野西瓜苗子：秋季果实成熟时采摘，晒干，打下种子，筛净，再晒干。

| 药材性状 | 野西瓜苗：本品茎柔软，长 30 ~ 60cm。表面具星状粗毛。单叶互生，叶柄长 2 ~ 4cm；完整者掌状 3 ~ 5 全裂，直径 3 ~ 6cm，裂片倒卵形，通常羽状分裂，两面有星状粗刺毛。质脆。气微，味甘、淡。

| 功能主治 | 野西瓜苗：甘，寒。清热解毒，利咽止咳。用于咽喉肿痛，咳嗽，泻痢，疮毒，烫伤。

野西瓜苗子：辛，平。补肾，润肺。用于肾虚头晕，耳鸣，耳聋，肺痨咳嗽。

| 用法用量 | 野西瓜苗：内服煎汤，15 ~ 30g，鲜品 30 ~ 60g。外用适量，鲜品捣敷；或干品研末，油调涂。

野西瓜苗子：内服煎汤，9 ~ 15g。

锦葵科 Malvaceae 锦葵属 *Malva*

锦葵 *Malva sinensis* Cavan.

锦葵

| 药 材 名 |

锦葵（药用部位：花、叶、茎。别名：荆葵、钱葵、旌节花）。

| 形态特征 |

二年生或多年生直立草本，高 50 ~ 90cm。分枝多，疏被粗毛。叶圆心形或肾形，具 5 ~ 7 圆齿状钝裂片，长 5 ~ 12cm，宽几相等，基部近心形至圆形，边缘具圆锯齿，两面均无毛或仅脉上疏被短糙伏毛；叶柄长 4 ~ 8cm，近无毛，但上面槽内被长硬毛；托叶偏斜，卵形，具锯齿，先端渐尖。花 3 ~ 11 簇生，花梗长 1 ~ 2cm，无毛或疏被粗毛；小苞片 3，长圆形，长 3 ~ 4mm，宽 1 ~ 2mm，先端圆形，疏被柔毛；花萼杯状，长 6 ~ 7mm，裂片 5，宽三角形，两面均被星状疏柔毛；花紫红色或白色，直径 3.5 ~ 4cm；花瓣 5，匙形，长 2cm，先端微缺，爪被髯毛；雄蕊柱长 8 ~ 10mm，被刺毛，花丝无毛；花柱分枝 9 ~ 11，被微细毛。果实扁圆形，直径 5 ~ 7mm，分果爿 9 ~ 11，肾形，被柔毛；种子黑褐色，肾形，长 2mm。花期 5 ~ 10 月。

| **生境分布** | 生于海拔 500 ~ 2500m 的荒地、田边、路边、山坡、山顶路边向阳地或宅边，或栽培于庭园。重庆各地均有分布。

| **资源情况** | 野生资源稀少，栽培资源丰富。药材主要来源于栽培。

| **采收加工** | 夏、秋季采收，晒干。

| **功能主治** | 咸，寒。利尿通便，清热解毒。用于二便不畅，带下，淋巴结结核，咽喉肿痛。

| **用法用量** | 内服煎汤，3 ~ 9g；或研末，1 ~ 3g，开水送服。

| **附　　注** | （1）在 FOC 中，本种的拉丁学名被修订为 *Malva cathayensis* M. G. Gilbert,Y. Tang et Dorr。

（2）本种喜光，耐寒，适应性强，在各种土壤中均能生长，栽培以土层深厚、富含腐殖质、排水良好的壤土或砂壤土为最适。

锦葵科 Malvaceae 锦葵属 *Malva*

冬葵 *Malva crispa* L.

| 药 材 名 | 冬葵果（药用部位：果实。别名：冬苋菜子、皱叶锦葵）、冬葵叶（药用部位：嫩苗、叶。别名：冬葵苗叶、蓍葵叶、冬苋菜）、冬葵根（药用部位：根。别名：葵根、土黄蓍）。

| 形态特征 | 一年生草本，高 1m。不分枝，茎被柔毛。叶圆形，常 5 ~ 7 裂或角裂，直径 5 ~ 8cm，基部心形，裂片三角状圆形，边缘具细锯齿，并极皱缩扭曲，两面无毛至疏被糙伏毛或星状毛，在脉上尤为明显；叶柄瘦弱，长 4 ~ 7cm，疏被柔毛。花小，白色，直径约 6mm，单生或几个簇生叶腋，近无花梗至具极短梗；小苞片 3，披针形，长 4 ~ 5mm，宽 1mm，疏被糙伏毛；花萼浅杯状，5 裂，长 8 ~ 10mm，裂片三角形，疏被星状柔毛；花瓣 5，较萼片略长。果实扁球形，直径约 8mm，分果爿 11，网状，被细柔毛；种子肾形，直径约

冬葵

1mm，暗黑色。花期 6 ～ 9 月。

| 生境分布 | 生于平原、山野等处，或栽培于菜地。重庆各地均有分布。

| 资源情况 | 栽培资源丰富。药材主要来源于栽培。

| 采收加工 | 冬葵果：夏、秋季果实成熟时采收，除去杂质，阴干。

冬葵叶：夏、秋季采收，鲜用。

冬葵根：夏、秋季采挖，洗净，鲜用或晒干。

| 药材性状 | 冬葵果：本品呈扁球状盘形，直径 4 ～ 7mm，外被膜质宿萼。宿萼钟状，黄绿色或黄棕色，有的微带紫色，先端 5 齿裂，裂片内卷，其外有条状披针形的小苞片 3。果梗细短。果实由分果爿 11 组成，在圆锥形中轴周围排成 1 轮；分果类扁圆形，直径 1.4 ～ 2.5mm，表面黄白色或黄棕色，具隆起的环向细脉纹。种子肾形，棕黄色或黑褐色。气微，味涩。

| 功能主治 | 冬葵果：甘、涩，凉。清热利尿，消肿。用于尿闭，水肿，口渴，尿路感染等。

冬葵叶：甘，寒。清热，利湿，滑肠，通乳。用于肺热咳嗽，咽喉肿痛，热毒下痢，湿热黄疸，二便不通，乳汁不下，疮疖痈肿，丹毒等。

冬葵根：甘，寒。清热利水，解毒。用于水肿，热淋，带下，乳痈，疳疮，蛇虫咬伤等。

| 用法用量 | 冬葵果：内服煎汤，3 ～ 9g。

冬葵叶：内服煎汤，10 ～ 30g，鲜品可用至 60g；或捣汁。外用适量，捣敷；或研末调敷；或煎汤含漱。

冬葵根：内服煎汤，15 ～ 30g；或捣汁。外用适量，研末调敷。

| 附　　注 | （1）在 FOC 中，本种的拉丁学名被修订为 *Malva verticillata* var. *crispa* Linnaeus。

（2）本种与野葵 *Malva verticillata* L. 均为中药材冬葵根、冬葵叶的基原。

（3）本种喜冷凉湿润气候，不耐高温和严寒，对土壤要求不严，但栽培以土层深厚、富含腐殖质、排水良好的壤土或砂壤土为宜。

锦葵科 Malvaceae 锦葵属 *Malva*

野葵 *Malva verticillata* L.

| 药 材 名 | 冬葵子（药用部位：种子。别名：葵子、葵菜子）、冬葵叶（药用部位：嫩苗、叶。别名：冬葵苗叶、蓍葵叶、冬苋菜）、冬葵根（药用部位：根。别名：葵根、土黄蓍）。

| 形态特征 | 二年生草本，高 50 ~ 100cm。茎干被星状长柔毛。叶肾形或圆形，直径 5 ~ 11cm，通常为掌状 5 ~ 7 裂，裂片三角形，具钝尖头，边缘具钝齿，两面被极疏糙伏毛或近无毛；叶柄长 2 ~ 8cm，近无毛，上面槽内被绒毛；托叶卵状披针形，被星状柔毛。花 3 至多朵簇生叶腋，具极短梗至近无梗；小苞片 3，线状披针形，长 5 ~ 6mm，被纤毛；花萼杯状，直径 5 ~ 8mm，5 裂，裂片广三角形，疏被星状长硬毛；花冠长稍微超过萼片，淡白色至淡红色；花瓣 5，长 6 ~ 8mm，先端凹入，爪无毛或被少数细毛；雄蕊柱

野葵

长约 4mm，被毛；花柱分枝 10 ~ 11。果实扁球形，直径 5 ~ 7mm，分果爿 10 ~ 11，背面平滑，厚 1mm，两侧具网纹；种子肾形，直径约 1.5mm，无毛，紫褐色。花期 3 ~ 11 月。

| 生境分布 | 生于平原或山野。分布于重庆丰都、涪陵、石柱、黔江、彭水、秀山、南川、北碚、合川等地。

| 资源情况 | 野生资源稀少，亦有零星栽培。药材主要来源于野生。

| 采收加工 | 冬葵子：春季种子成熟时采收。

冬葵叶：参见“冬葵”条。

冬葵根：参见“冬葵”条。

| 药材性状 | 冬葵子：本品呈橘瓣状肾形，种皮黑色至棕褐色。质坚硬，破碎后子叶心形，2 片重叠折曲。气微，味涩。

| 功能主治 | 冬葵子：甘，寒。归大肠、小肠、肝、肺、胃、膀胱经。利水通淋，滑肠通便，下乳。用于淋病，水肿，大便不通，乳汁不行等。

冬葵叶：参见“冬葵”条。

冬葵根：参见“冬葵”条。

| 用法用量 | 冬葵子：内服煎汤，6 ~ 15g；或入散剂。

冬葵叶：参见“冬葵”条。

冬葵根：参见“冬葵”条。

| 附　　注 | 本种喜冷凉湿润气候，对土壤要求不严，但栽培以土层深厚、富含腐殖质、排水良好的壤土或砂壤土为宜。

锦葵科 Malvaceae 黄花稔属 *Sida*

白背黄花稔 *Sida rhombifolia* L.

｜药 材 名｜ 黄花母（药用部位：全草。别名：黄花稔、黄金树、吸血草）、黄花母根（药用部位：根。别名：胶粘根、土黄芪）。

｜形态特征｜ 直立亚灌木，高约1m。分枝多，枝被星状绵毛。叶菱形或长圆状披针形，长25 ~ 45mm，宽6 ~ 20mm，先端浑圆至短尖，基部宽楔形，边缘具锯齿，上面疏被星状柔毛至近无毛，下面被灰白色星状柔毛；叶柄长3 ~ 5mm，被星状柔毛；托叶纤细，刺毛状，与叶柄近等长。花单生叶腋，花梗长1 ~ 2cm，密被星状柔毛，中部以上有节；花萼杯形，长4 ~ 5mm，被星状短绵毛，裂片5，三角形；花黄色，直径约1cm，花瓣倒卵形，长约8mm，先端圆，基部狭；雄蕊柱无毛，疏被腺状乳突，长约5mm；花柱分枝8 ~ 10。果实半球形，直径6 ~ 7mm，分果爿8 ~ 10，被星状柔毛，先端具2短芒。花期秋、冬季。

白背黄花稔

| 生境分布 | 生于山坡、灌丛、旷野或沟谷两岸。分布于重庆南川。

| 资源情况 | 野生资源稀少。药材主要来源于野生，亦有少量栽培。

| 采收加工 | 黄花母：秋季采收，洗净，除去杂质，鲜用或晒干、烘干。

黄花母根：夏、秋季采挖，洗净，鲜用或切片晒干。

| 药材性状 | 黄花母：本品长短不一，幼枝被星状柔毛，老枝无毛，有网眼状纹理。叶多破碎卷缩，完整者呈长圆状披针形或菱形，上面暗绿色，下面灰绿色，被星状柔毛。花生于叶腋，黄色。气微香，味淡。以干燥、无泥沙者为佳。

| 功能主治 | 黄花母：甘、辛，凉。归肝、胃、大肠经。清热利湿，解毒消肿。用于感冒高热，咽喉肿痛，湿热泻痢，黄疸，带下，淋证，风湿瘦弱，头晕，劳倦乏力，痔血，痈疽疔疮。

黄花母根：辛，凉。清热利湿，生肌排脓。用于湿热痢疾，泄泻，黄疸，疮痈难溃或溃后不易收口。

| 用法用量 | 黄花母：内服煎汤，15 ~ 30g，鲜品大剂量可用至 90g。外用适量，捣敷。

黄花母根：内服煎汤，15 ~ 30g，鲜品可用 60 ~ 90g。

| 附　　注 | 本种喜温暖和阳光充足的环境，生长适应性强，耐旱、耐寒，对土壤要求不严，在较贫瘠的土地中也能生长。

锦葵科 Malvaceae 梵天花属 *Urena*

地桃花 *Urena lobata* L.

| 药 材 名 | 地桃花（药用部位：地上部分。别名：天下捶、八卦拦路虎、假桃花）。

| 形态特征 | 直立亚灌木状草本，高达 1m。小枝被星状绒毛。茎下部的叶近圆形，长 4 ~ 5cm，宽 5 ~ 6cm，先端 3 浅裂，基部圆形或近心形，边缘具锯齿；中部的叶卵形，长 5 ~ 7cm，宽 3 ~ 6.5cm；上部的叶长圆形至披针形，长 4 ~ 7cm，宽 1.5 ~ 3cm；叶上面被柔毛，下面被灰白色星状绒毛；叶柄长 1 ~ 4cm，被灰白色星状毛；托叶线形，长约 2mm，早落。花腋生、单生或稍丛生，淡红色，直径约 15mm；花梗长约 3mm，被绵毛；小苞片 5，长约 6mm，基部 1/3 合生；花萼杯状，裂片 5，较小苞片略短，两者均被星状柔毛；花瓣 5，倒卵形，长约 15mm，外面被星状柔毛；雄蕊柱长约 15mm，无毛；花柱

地桃花

分枝10，微被长硬毛。果实扁球形，直径约1cm，分果爿被星状短柔毛和锚状刺。花期7 ~ 10月。

| 生境分布 | 生于海拔500 ~ 1500m的草坡、山边灌丛或路旁。重庆各地均有分布。

| 资源情况 | 野生资源较丰富。药材主要来源于野生，亦有少量栽培。

| 采收加工 | 秋季采收，除去杂质，晒干。

| 药材性状 | 本品茎呈棕黑色至棕黄色，具粗浅的网纹；质硬，断面木部不平坦，皮部纤维性。叶大多已破碎，完整者多皱缩，上表面深绿色，下表面粉绿色，密被短柔毛和星状毛，掌状网脉，下面凸出，叶腋常有宿存托叶。气微，味淡。

| 功能主治 | 甘、辛，凉。归肺、脾经。祛风利湿，活血消肿，清热解毒。用于感冒，风湿痹痛，痢疾，泄泻，淋证，带下，月经不调，跌打肿痛，喉痹，乳痈，疮疖，毒蛇咬伤。

| 用法用量 | 内服煎汤，15 ~ 30g，鲜品50 ~ 100g。脾胃虚寒者禁服。

| 附　　注 | 本种喜温暖湿润气候，适应性强，在较干旱、贫瘠的土地中也能生长，一般土壤均可栽培，但以向阳、疏松肥沃的砂壤土为好。

木棉科 Bombacaceae 木棉属 *Bombax*

木棉 *Bombax malabaricum* DC.

木棉

|药 材 名|

木棉花（药用部位：花）、木棉树皮（药用部位：树皮）。

|形态特征|

落叶大乔木，高可达 25m。树皮灰白色，幼树的树干通常有圆锥状的粗刺；分枝平展。掌状复叶，小叶 5 ~ 7，长圆形至长圆状披针形，长 10 ~ 16cm，宽 3.5 ~ 5.5cm，先端渐尖，基部阔或渐狭，全缘，两面均无毛；羽状侧脉 15 ~ 17 对，上举，其间有 1 较细的二级侧脉，网脉极细密，两面微凸起；叶柄长 10 ~ 20cm；小叶柄长 1.5 ~ 4cm；托叶小。花单生枝顶叶腋，通常红色，有时橙红色，直径约 10cm；花萼杯状，长 2 ~ 3cm，外面无毛，内面密被淡黄色短绢毛，萼齿 3 ~ 5，半圆形，高 1.5cm，宽 2.3cm；花瓣肉质，倒卵状长圆形，长 8 ~ 10cm，宽 3 ~ 4cm，两面被星状柔毛，但内面较疏；雄蕊管短，花丝较粗，基部粗，向上渐细，内轮部分花丝上部分二叉，中间 10 雄蕊较短，不分叉，外轮雄蕊多数，集成 5 束，每束花丝 10 以上，较长；花柱长于雄蕊。蒴果长圆形，钝，长 10 ~ 15cm，直径 4.5 ~ 5cm，密被灰白色长柔毛和星状柔毛；种子多数，倒卵形，光滑。花期 3 ~ 4 月，果实夏季成熟。

| **生境分布** | 栽培于庭园。分布重庆南川、北碚、万州、开州等地。

| **资源情况** | 栽培资源稀少。药材来源于栽培。

| **采收加工** | 木棉花：春季花盛开时采收，除去杂质，晒干。
木棉树皮：全年均可采收，刮去粗皮，切片，干燥。

| **药材性状** | 木棉花：本品常皱缩成团。花萼杯状，厚革质，长 2 ~ 3cm，直径 1.5 ~ 3cm，先端 3 或 5 裂，裂片钝圆形，反曲；外表面棕褐色，有纵皱纹，内表面被棕黄色短绒毛。花瓣 5，椭圆状倒卵形或披针状椭圆形，长 3 ~ 8cm，宽 1.5 ~ 3.5cm；外表面浅棕黄色或浅棕褐色，密被星状毛，内表面紫棕色，有疏毛。雄蕊多数，基部合生成筒状，最外轮集生成 5 束，柱头 5 裂。气微，味淡、微甘、涩。
木棉树皮：本品多呈块片或条状，宽 1 ~ 1.5cm，厚 0.5 ~ 2cm。外表面浅灰色至灰褐色，粗糙，有的可见灰白色地衣斑。内表面浅棕色至棕黄色，稍平滑，具纤维状纹理。切面颗粒性，层片状。质硬。气微，味微苦。

| **功能主治** | 木棉花：甘、淡，凉。归大肠经。清热利湿，解毒。用于泄泻，痢疾，痔疮出血。
木棉树皮：苦、涩，凉。归脾、肺、肝、胆经。清火解毒，凉血止血，止咳化痰，生肌敛疮。用于感冒咳嗽，痰多喘息，呕血吐血，产后流血不止，疔疮脓肿。

| **用法用量** | 木棉花：内服煎汤，6 ~ 9g。
木棉树皮：内服煎汤，15 ~ 30g。外用适量。

| **附　　注** | （1）在 FOC 中，本种的拉丁学名被修订为 *Bombax ceiba* Linnaeus。
（2）本种喜温暖气候，为热带季雨林的代表树种，不耐寒，喜光，耐旱，生长迅速，萌蘖性强，具深根性，抗风力强；在土层深厚肥沃的酸性、中性土壤中生长最好。

梧桐科 Sterculiaceae 梧桐属 *Firmiana*

梧桐 *Firmiana platanifolia* (L. f.) Marsili

梧桐

药材名

梧桐子（药用部位：种子。别名：瓢儿果、桐麻豌）、梧桐根（药用部位：根）、梧桐白皮（药用部位：树皮）、梧桐叶（药用部位：叶）。

形态特征

落叶乔木，高达 16m。树皮青绿色，平滑。叶心形，掌状 3 ~ 5 裂，直径 15 ~ 30cm，裂片三角形，先端渐尖，基部心形，两面均无毛或略被短柔毛；基生脉 7；叶柄与叶片等长。圆锥花序顶生，长 20 ~ 50cm，下部分枝长达 12cm，花淡黄绿色；花萼 5 深裂几至基部，萼片条形，向外卷曲，长 7 ~ 9mm，外面被淡黄色短柔毛，内面仅在基部被柔毛；花梗与花几等长；雄花的雌雄蕊柄与花萼等长，下半部较粗，无毛，花药 15，不规则地聚集在雌雄蕊柄的先端，退化子房梨形且甚小；雌花的子房圆球形，被毛。蓇葖果，膜质，有柄，成熟前开裂成叶状，长 6 ~ 11cm，宽 1.5 ~ 2.5cm，外面被短茸毛或几无毛，每蓇葖果有种子 2 ~ 4；种子圆球形，表面有皱纹，直径约 7mm。花期 6 月。

| 生境分布 | 生于海拔500 ~ 1600m的山地或杂木林中，或栽培于公路旁。重庆各地均有分布。

| 资源情况 | 栽培资源丰富。药材主要来源于栽培。

| 采收加工 | 梧桐子：秋季种子成熟时将果枝采下，打落种子，除去杂质，晒干。

梧桐根：秋季采挖，除去泥沙、须根，洗净，晒干。

梧桐白皮：全年均可采收，剥取韧皮部，晒干。

梧桐叶：夏、秋季采集，随采随用或晒干。

| 药材性状 | 梧桐子：本品呈球形，直径6 ~ 7mm。表面淡绿色至黄棕色，微具光泽，有明显隆起的网状皱纹。体轻而硬，外种皮较脆，易破裂，内种皮坚韧。剥除种皮，可见淡红色的数层外胚乳，内胚乳淡黄色，肥厚，油性；子叶2，薄而大，紧贴于内胚乳上，胚根位于较小的一端。气微，味淡。

梧桐根：本品呈不规则圆柱形，弯曲，长6 ~ 50cm，直径1 ~ 10cm。表面灰棕色或棕褐色，有纵纹。体轻，韧性强，易纵裂，不易折断，断面纤维性，皮部棕褐色或黄棕色，易剥落，木部黄白色。气腥，味微苦。

梧桐叶：本品多皱缩破碎，完整者呈心形，掌状3 ~ 5裂，直径15 ~ 30cm，裂片三角形，先端渐尖，基部心形，表面棕色或棕绿色，两面均无毛或被短柔毛，基生脉7；叶柄与叶片等长。气微，味淡。以叶大、完整、色棕绿者为佳。

| 功能主治 | 梧桐子：辛、甘，平。归心、肺、胃、肾经。降气和胃，消食。用于食伤腹泻，胃痛，疝气，小儿口疮。

梧桐根：甘，平。归肺、肝、肾、大肠经。祛风除湿，调经止血，解毒疗疮。用于风湿性关节炎，肠风下血，月经不调，跌打损伤。

梧桐白皮：甘、苦，凉。归肝、脾、肺、肾、大肠经。祛风除湿，活血通经。用于风湿痹痛，月经不调，痔疮脱肛，丹毒，恶疮，跌打损伤。

梧桐叶：苦，寒。归肺、肝经。祛风除湿，解毒消肿，降血压。用于风湿痹痛，跌打损伤，痈疮肿毒，痔疮，小儿疳积，泻痢，高血压。

| 用法用量 | 梧桐子：内服煎汤，3 ~ 9g。外用适量，煅存性，研末撒敷。

梧桐根：内服煎汤，15 ~ 30g，鲜品30 ~ 50g，煎汤或捣汁。外用适量，捣敷。

梧桐白皮：内服煎汤，10 ~ 30g。外用适量，捣敷；或煎汤洗。

梧桐叶：内服煎汤，10 ~ 30g。外用适量，鲜叶敷贴；或煎汤洗；或研末调敷。

| 附　　注 | （1）在FOC中，本种的拉丁学名被修订为 *Firmiana simplex* (Linnaeus) W. Wight。

（2）本种喜光，喜温暖湿润气候，耐寒性不强。栽培以土层深厚、富含腐殖质、排水良好的壤土或砂壤土为最好。

梧桐科 Sterculiaceae 瑞香属 *Daphne*

滇瑞香 *Daphne feddei* Lévl.

| 药 材 名 | 桂花岩陀（药用部位：根、茎、叶。别名：桂花矮陀陀、构皮岩陀、铜牛皮）。

| 形态特征 | 常绿直立灌木，高 0.6 ~ 2m。幼枝灰黄色，散生暗灰色短绒毛，老枝棕色，无毛；冬芽近圆形，疏或密被丝状粗绒毛。叶互生，密生于新枝上，纸质，倒披针形或长圆状披针形至倒卵状披针形，长 5 ~ 12cm，宽 1.4 ~ 3.5cm，先端急尖或渐尖，稀钝形，基部楔形，全缘，上面暗绿色，下面淡绿色，两面无毛；中脉在上面凹下，下面隆起，侧脉 11 ~ 16 对，近边缘通常分叉而网结，在上面微凹下或隆起，不甚明显，下面显著隆起，网状脉在下面稍明显；叶柄短，长 1 ~ 3mm，具狭翅。花白色，芳香，8 ~ 12 组成顶生的头状花序；苞片早落，披针形或长圆形，在边缘和先端被丝状绒毛；花序梗短，

滇瑞香

长约 3mm，花梗长约 1mm，均被淡黄色丝状柔毛；花萼筒筒状，长 8 ~ 12mm，直径 1.5 ~ 2.5mm，密被短柔毛，不久部分脱落，裂片 4，卵形或卵状披针形，长 4.5 ~ 5.5mm，宽 2.5mm，先端钝形，外面通常无毛或沿中脉被稀少的短柔毛；雄蕊 8，2 轮，下轮着生于花萼筒的中部，上轮着生于花萼筒的喉部，花药 1/2 伸出于外，花丝纤细，长 0.5mm，花药长圆形，长 1.3mm；花盘杯状，边缘流苏状；子房卵形或锥形，先端钝尖，花柱粗短，柱头头状，表面多具细粒状突起。果实橙红色，圆球形，直径约 4.5mm。花期 2 ~ 4 月，果期 5 ~ 6 月。

| **生境分布** | 生于海拔 1800 ~ 2600m 的疏林下或灌丛中。分布于重庆涪陵、丰都、忠县、巫溪、巫山、奉节、南川等地。

| **资源情况** | 野生资源较丰富。药材主要来源于野生，亦有少量栽培。

| **采收加工** | 秋、冬季采挖根，洗净，切片，晒干或研粉。

| **功能主治** | 微辛、涩，温；有小毒。归肝、膀胱经。祛风除湿，活血止痛。用于风湿性关节炎，跌打损伤，胃痛。

| **附　　注** | 本种喜冷凉气候，耐阴。栽培以土层深厚、富含腐殖质、排水良好的壤土或砂壤土为最好。

梧桐科 Sterculiaceae 瑞香属 *Daphne*

黄瑞香 *Daphne giraldii* Nitsche

黄瑞香

|药 材 名|

祖师麻（药用部位：茎皮、根皮。别名：祖司麻、金腰带、走司马）。

|形态特征|

落叶直立灌木，高 45 ~ 70cm。枝圆柱形，无毛，幼时橙黄色，有时上段紫褐色，老时灰褐色。叶互生，常密生于小枝上部，膜质，倒披针形，长 3 ~ 6cm，稀更长，宽 0.7 ~ 1.2cm，先端钝形或微凸尖，基部狭楔形，全缘，上面绿色，下面带白霜，两面无毛；中脉在上面微凹下，下面隆起，侧脉 8 ~ 10 对，在下面较上面显著；叶柄极短或无。花黄色，微芳香，常 3 ~ 8 组成顶生的头状花序；花序梗极短或无，花梗短，长不到 1mm；无苞片；花萼筒圆筒状，长 6 ~ 8mm，直径 2mm，无毛，裂片 4，卵状三角形，覆瓦状排列，长 3 ~ 4mm，先端开展，急尖或渐尖，无毛；雄蕊 8，2 轮，均着生于花萼筒中部以上，花丝长约 0.5mm，花药长圆形，黄色，长约 1.2mm；花盘不发达，浅盘状，全缘；子房椭圆形，无毛，无花柱，柱头头状。果实卵形或近圆形，成熟时红色，长 5 ~ 6mm，直径 3 ~ 4mm。花期 6 月，果期 7 ~ 8 月。

| 生境分布 | 生于海拔 1600 ~ 2650m 的山地林中或林缘。分布于重庆石柱、酉阳、南川、武隆等地。

| 资源情况 | 野生资源一般。药材主要来源于野生，亦有少量栽培。

| 采收加工 | 春、秋季剥取，晒干。

| 药材性状 | 本品根皮呈长条状，卷曲，长 8 ~ 70cm，厚 0.5 ~ 2mm；外表面褐黄色或浅棕黄色，较粗糙，具皱纹及横长皮孔，栓皮易脱落，内表面灰黄色或浅黄色，有细纵纹；质韧，不易折断，断面具毛状纤维；气微，味微苦，具持久的麻舌感。茎皮呈卷曲的筒状，厚 0.5 ~ 1.5mm；外表面灰褐色或灰棕色，较光滑，老枝具横长皮孔，具叶或小枝脱落的类圆形疤痕，栓皮多成环状脱落，脱落处成黄白色，内表面浅灰黄色或灰白色。

| 功能主治 | 辛、苦，温；有小毒。归肺、心经。祛风除湿，活血止痛。用于风湿痹痛，跌打损伤，四肢麻木，头痛，胃脘疼痛。

| 用法用量 | 内服煎汤，3 ~ 6g；或泡酒。

| 附　　注 | 本种喜温暖湿润的气候。栽培以土层深厚、富含腐殖质、排水良好的壤土或砂壤土为最好。

梧桐科 Sterculiaceae 瑞香属 *Daphne*

瑞香 *Daphne odora* Thunb.

瑞香

| 药 材 名 |

瑞香叶（药用部位：叶）、瑞香根（药用部位：根、根皮。别名：雪花皮、土狗皮、软筋木）、瑞香花（药用部位：花。别名：野梦花、山梦花、雪地开花）。

| 形态特征 |

常绿直立灌木。枝粗壮，通常二歧分枝，小枝近圆柱形，紫红色或紫褐色，无毛。叶互生，纸质，长圆形或倒卵状椭圆形，长 7 ~ 13cm，宽 2.5 ~ 5cm，先端钝尖，基部楔形，全缘，上面绿色，下面淡绿色，两面无毛；侧脉 7 ~ 13 对；叶柄粗壮，长 4 ~ 10mm，散生极少的微柔毛或无毛。花外面淡紫红色，内面肉红色，无毛，数朵至 12 朵组成顶生头状花序；苞片披针形或卵状披针形，长 5 ~ 8mm，宽 2 ~ 3mm，无毛，脉纹显著隆起；花萼筒管状，长 6 ~ 10mm，无毛，裂片 4，心状卵形或卵状披针形，基部心形，与花萼筒等长或超过之；雄蕊 8，2 轮，下轮雄蕊着生于花萼筒中部以上，上轮雄蕊的花药 1/2 伸出花萼筒的喉部，花丝长 0.7mm，花药长圆形，长 2mm；子房长圆形，无毛，先端钝形，花柱短，柱头头状。果实红色。花期 3 ~ 5 月，果期 7 ~ 8 月。

| 生境分布 | 多栽培于庭园。分布于重庆万州、黔江、南川、涪陵、北碚、綦江、丰都等地。

| 资源情况 | 栽培资源稀少。药材主要来源于栽培。

| 采收加工 | 瑞香叶：夏季采收，鲜用或晒干。

瑞香根：夏季采挖，洗净，切片，晒干。

瑞香花：冬末春初采收，鲜用或晒干。

| 药材性状 | 瑞香根：本品主根分成 2 支根，长约 40cm，直径 1 ~ 5mm。表面褐色，有纵皱纹，表皮多破碎脱落，内面显黄白色。质较坚韧，不易折断。

瑞香花：本品呈黄褐色，为顶生头状花序，无总花梗，基部具数枚早落苞片；花被筒状，外侧被灰黄色绢状毛，裂片 4，卵形，花盘环状，边缘波状，外被黄色短柔毛。气微，味甘、咸。

| 功能主治 | 瑞香叶：辛，平。解毒，消肿止痛。用于疮疡，乳痈，痛风。

瑞香根：辛、甘，平。解毒，活血止痛。用于咽喉肿痛，胃脘痛，跌打损伤，毒蛇咬伤。

瑞香花：甘、辛，平。活血止痛，解毒散结。用于头痛，牙痛，咽喉肿痛，乳房肿硬，风湿疼痛。

| 用法用量 | 瑞香叶：内服煎汤，3 ~ 6g。外用适量，捣敷；或研末调敷；或煎汤洗。

瑞香根：内服煎汤，3 ~ 6g；或研末。

瑞香花：内服煎汤，3 ~ 6g。外用捣敷；或煎汤含漱。

| 附　　注 | （1）本种喜温暖、湿润、凉爽的气候环境，不耐严寒，忌暑热；喜弱光，忌烈日直射，适生于半阴地；喜质地疏松、排水良好的肥沃砂壤土，在黏重土或干旱贫瘠地中生长不良，忌积水地。

（2）本种因植株矮壮，树形自然而潇洒，观赏价值高，为盆栽观赏植物上品。

梧桐科 Sterculiaceae 瑞香属 *Daphne*

白瑞香 *Daphne papyracea* Wall. ex Steud.

| 药 材 名 | 软皮树（药用部位：全株或根皮、茎皮。别名：小黑构、大八爪金龙、山辣子皮）。

| 形态特征 | 常绿灌木，高 1 ~ 1.5m。树皮灰色，小枝圆柱形，纤细，灰褐色至灰黑色，稀淡褐色，当年生枝被黄褐色粗绒毛，以后脱落几无毛；腋芽较小，卵圆形，褐色，微被柔毛。叶互生，密集于小枝先端，膜质或纸质，长椭圆形至长圆形，或长圆状披针形至倒披针形，长 6 ~ 16cm，宽 1.5 ~ 4cm，先端钝，或长渐尖至尾状渐尖，尖头钝或急尖，有时微凹下或微被白色短柔毛，基部楔形，全缘，有时微反卷，上面绿色，下面淡绿色，两面无毛；中脉在上面凹下，下面隆起，侧脉 6 ~ 15 对，纤细，不规则上升，下面稍隆起；叶柄长 4 ~ 15mm，上面具沟，基部略膨大，几无毛。花白色，多花簇生小

白瑞香

枝先端成头状花序；苞片绿色，早落，卵状披针形或卵状长圆形，长 7 ～ 15mm，宽 3 ～ 4mm，先端尾尖或渐尖，外面散生淡黄色丝状毛，边缘被淡白色长纤毛；花序梗短，与花梗各长 2mm，密被黄绿色丝状毛；花萼筒漏斗状，长 10 ～ 12mm，喉部宽 2.6mm，外面被淡黄色丝状柔毛，裂片 4，卵状披针形至卵状长圆形，长 5 ～ 7mm，宽 2 ～ 4mm，先端渐尖或钝形，外面中部至先端散生白色短柔毛；雄蕊 8，2 轮，下轮着生于花萼筒中部，上轮着生于花萼筒喉部，花丝短，花药 1/3 伸出喉部以外，花药长圆形，长 1.5 ～ 2mm；花盘杯状，长 0.8mm，边缘微波状；子房圆柱形，高 2 ～ 4mm，具长 1mm 的子房柄，先端截形，无毛，花柱粗短，长 0.75mm，柱头头状，直径约 1mm，具乳突。果实为浆果，成熟时红色，卵形或倒梨形，长 0.8 ～ 1cm，直径 0.6 ～ 0.8mm；种子圆球形，直径 5 ～ 6mm。花期 11 月至翌年 1 月，果期 4 ～ 5 月。

| 生境分布 | 生于海拔 700 ～ 2000m 的山坡灌丛中或草坡。分布于重庆巫溪、开州、秀山、南川、酉阳等地。

| 资源情况 | 野生资源一般。药材主要来源于野生，亦有少量栽培。

| 采收加工 | 夏、秋季挖取全株，分别剥取根皮和茎皮，洗净，晒干。

| 药材性状 | 本品花外面呈墨绿色，内面浅黄色，多枯萎破碎，通常数花成顶生头状花序，具总苞；苞片边缘有睫毛，长卵形或卵状披针形；花被筒状，无毛，裂片 4，卵形或卵状披针形，先端钝，环状花盘边缘有不规则浅裂。核果卵形，表皮显棕红色，表面皱缩，柄有毛。果实先端有棕色或棕黄色未脱落的花萼，或有脱落痕。果皮不易破碎。

| 功能主治 | 甘、辛，微温；有小毒。祛风止痛，活血调经。用于风湿痹痛，跌打损伤，月经不调，痛经，疔疮疖肿。

| 用法用量 | 内服煎汤，3 ～ 6g；或浸酒。外用适量，捣敷。

| 附　　注 | （1）本种有 3 个变种，即短柄白瑞香、山辣子皮和大花白瑞香。

（2）本种喜凉爽气候，耐阴。栽培宜选择海拔 1400m 以上的高山区，以土层深厚、富含腐殖质、排水良好的壤土或砂壤土为最好。

梧桐科 Sterculiaceae 结香属 *Edgeworthia*

结香 *Edgeworthia chrysantha* Lindl.

| 药 材 名 | 梦花（药用部位：花蕾、头状花序。别名：打结花、梦冬花、喜花）、梦花根（药用部位：根皮、茎皮）。

| 形态特征 | 灌木，高 0.7 ~ 1.5m。常作三叉分枝，幼枝常被短柔毛，茎皮极坚韧，叶痕大，直径约 5mm。叶在花前凋落，长圆形、披针形至倒披针形，先端短尖，基部楔形或渐狭，长 8 ~ 20cm，宽 2.5 ~ 5.5cm，两面均被银灰色绢状毛。头状花序顶生或侧生，具花 30 ~ 50，成绒球状，外围有 10 枚左右被长毛而早落的总苞；花序梗长 1 ~ 2cm，被灰白色长硬毛；花芳香，无梗；花萼长 1.3 ~ 2cm，宽 4 ~ 5mm，外面密被白色丝状毛，内面无毛，黄色；雄蕊 8，2 轮，上轮 4 与花萼裂片对生，下轮 4 与花萼裂片互生，花丝短，花药近卵形，长约 2mm；子房卵形，长约 4mm，直径约为 2mm，先端被丝状毛，花

结香

柱线形，长约 2mm，无毛，柱头棒状，长约 3mm，具乳突，花盘浅杯状，膜质，边缘不整齐。果实椭圆形，绿色，长约 8mm，直径约 3.5mm，先端被毛。花期冬末春初，果期春、夏季。

| 生境分布 | 生于海拔 300 ~ 1800m 的山坡、山谷林下。分布于重庆奉节、万州、巫山、城口、巫溪、南川、綦江等地。

| 资源情况 | 野生资源较丰富。药材主要来源于野生，亦有少量栽培。

| 采收加工 | 梦花：冬末春初花开放时采摘，晒干。
梦花根：全年均可采收，洗净，切片晒干。

| 药材性状 | 梦花：本品为头状花序或单个花蕾。花序半球形，总苞片 6 ~ 9，总花梗钩状，全体被淡黄色毛茸。花蕾棒状，稍弯曲，长 6 ~ 8mm，直径 3 ~ 5mm，表面被浅黄色或灰白色绢丝状毛茸。

| 功能主治 | 梦花：甘，平。滋养肝肾，明目消翳。用于青盲，翳障，目赤流泪，羞明怕光，小儿疳眼，头痛，失音，夜梦遗精。
梦花根：辛，平。祛风通络，滋养肝肾。用于风湿痹痛，跌打损伤，梦遗，早泄，血崩，白浊，虚淋，带下。

| 用法用量 | 梦花：内服煎汤，3 ~ 15g；或研末。
梦花根：内服煎汤，6 ~ 15g；或泡酒。外用适量，捣敷。

| 附　　注 | 本种喜温和凉爽的气候；在海拔 500m 以上的山区栽培时，生长良好；在低海拔地区栽培时，生长缓慢，植株矮小，开花花朵小，结实率低；以排水良好、土层疏松而肥沃的壤土栽培为宜。

梧桐科 Sterculiaceae 荛花属 *Wikstroemia*

小黄构 *Wikstroemia micrantha* Hemsl.

| 药材名 | 香构（药用部位：茎皮、根。别名：藤构、娃娃皮、野棉皮）。

| 形态特征 | 灌木，高 0.5 ~ 3m。除花萼有时被极稀疏的柔毛外，余部无毛。小枝纤弱，圆柱形，幼时绿色，后渐变为褐色。叶坚纸质，通常对生或近对生，长圆形、椭圆状长圆形或窄长圆形，少有为倒披针状长圆形或匙形，长 0.5 ~ 4cm，宽 0.3 ~ 1.7cm，先端钝或具细尖头，基部通常圆形，边缘向下面反卷；叶上面绿色，下面灰绿色；侧脉 6 ~ 11 对，在下面明显且在边缘网结；叶柄长 1 ~ 2mm。总状花序单生、簇生或为顶生的小圆锥花序，长 0.5 ~ 4cm，无毛或被疏散的短柔毛；花黄色，疏被柔毛；花萼近肉质，长 4 ~ 6mm，先端 4 裂，裂片广卵形；雄蕊 8，2 轮，花药线形，花盘鳞片小，近长方形，先端不整齐或为分离的 2 ~ 3 线形鳞片；子房倒卵形，先端被柔毛，

小黄构

花柱短，柱头头状。果实卵圆形，黑紫色。花果期秋、冬季。

| 生境分布 | 生于海拔 250 ~ 1000m 的山谷、路旁、河边或灌丛中。重庆各地均有分布。

| 资源情况 | 野生资源丰富。药材主要来源于野生。

| 采收加工 | 全年均可采收，洗净，切片，晒干。

| 功能主治 | 甘，平。止咳化痰，清热解毒。用于咳喘，百日咳，痈肿疮毒，风火牙痛。

| 用法用量 | 内服煎汤，9 ~ 15g。

胡颓子科 Elaeagnaceae 胡颓子属 *Elaeagnus*

长叶胡颓子 *Elaeagnus bockii* Diels

| 药 材 名 | 马鹊树（药用部位：根、枝叶、果实。别名：羊奶奶树、牛奶奶树、牛奶子）。

| 形态特征 | 常绿直立灌木，高 1 ~ 3m。通常具粗壮的刺。小枝开展，幼枝密被锈色或褐色鳞片，老枝鳞片脱落，带黑色。叶纸质或近革质，窄椭圆形或窄矩圆形，稀椭圆形，长 4 ~ 9cm，宽 1 ~ 3.5cm，两端渐尖或微钝形，边缘略反卷，上面幼时被褐色鳞片，下面银白色，密被银白色鳞片，散生少数褐色鳞片；侧脉 5 ~ 7 对，与中脉开展成 30° ~ 45° 的角，上面略明显，下面不甚显著；叶柄褐色，长 5 ~ 8mm。花白色，密被鳞片，常 5 ~ 7 花簇生叶腋短小枝上成伞形总状花序，花梗长 3 ~ 5mm，淡褐白色；花萼筒在花蕾时四棱形，开放后圆筒形或漏斗状圆筒形，长 5 ~ 7mm，稀达 8 ~ 10mm，裂片卵状三角

长叶胡颓子

形，长 2.5 ~ 3mm，先端钝渐尖，内面疏生白色星状短柔毛；雄蕊 4，花丝极短，长 0.6mm，花药矩圆形，长 1.3mm；花柱直立，先端弯曲，达裂片的 2/3，密被淡白色星状柔毛。果实短矩圆形，长 9 ~ 10mm，直径为长的一半；果梗长 4 ~ 6mm。花期 10 ~ 11 月，果期翌年 4 月。

| 生境分布 | 生于海拔 300 ~ 2100m 的向阳山坡、路旁灌丛中。分布于重庆黔江、城口、江津、云阳、酉阳、綦江、垫江、巴南、合川、南川等地。

| 资源情况 | 野生资源较丰富。药材主要来源于野生。

| 采收加工 | 全年均可采收根，洗净，切片，晒干；枝叶随采随用；果实成熟时采收果实。

| 功能主治 | 微苦、酸，平。止咳平喘，活血止痛。用于咳嗽气喘，跌打损伤，风湿性关节炎，牙痛，痔疮。

| 用法用量 | 内服煎汤，根、枝叶 30 ~ 60g，果实 15 ~ 30g。

胡颓子科 Elaeagnaceae 胡颓子属 *Elaeagnus*

巴东胡颓子 *Elaeagnus difficilis* Serv.

| 药 材 名 | 巴东胡颓子（药用部位：根）。

| 形态特征 | 常绿直立或蔓状灌木，高 2 ~ 3m。无刺或有时具短刺。幼枝褐锈色，密被鳞片，老枝鳞片脱落，灰黑色或深灰褐色。叶纸质，椭圆形或椭圆状披针形，长 7 ~ 13.5cm，宽 3 ~ 6cm，先端渐尖，基部圆形或楔形，全缘，稀微波状，上面幼时散生锈色鳞片，成熟后脱落，绿色，干燥后褐绿色或褐色，下面灰褐色或淡绿褐色，密被锈色和淡黄色鳞片；侧脉 6 ~ 9 对，两面明显；叶柄粗壮，红褐色，长 8 ~ 12mm。花深褐色，密被鳞片，数花生于叶腋短小枝上成伞形总状花序，花枝锈色，长 2 ~ 4mm，花梗长 2 ~ 3mm；花萼筒钟形或圆筒状钟形，长 5mm，在子房上骤收缩，裂片宽三角形，长 2 ~ 3.5mm，先端急尖或钝形，内面略被星状柔毛；雄蕊的花丝极短，

巴东胡颓子

花药长椭圆形，长 1.2mm，达裂片的 2/3；花柱弯曲，无毛。果实长椭圆形，长 14 ~ 17mm，直径 7 ~ 9mm，被锈色鳞片，成熟时橘红色；果梗长 2 ~ 3mm。花期 11 月至翌年 3 月，果期 4 ~ 5 月。

| 生境分布 | 生于海拔 450 ~ 1900m 的向阳山坡灌丛中或林中。分布于重庆黔江、江津、城口、巫山、奉节、开州、酉阳、武隆、南川等地。

| 资源情况 | 野生资源较丰富。药材主要来源于野生。

| 采收加工 | 全年均可采挖，洗净，切片，晒干。

| 功能主治 | 酸、微甘，温。温下焦，祛寒湿，收敛止泻。用于小便失禁，外感风寒。

| 用法用量 | 内服煎汤，9 ~ 15g；或浸酒。外用适量，捣敷。

胡颓子科 Elaeagnaceae 胡颓子属 *Elaeagnus*

蔓胡颓子 *Elaeagnus glabra* Thunb.

| 药 材 名 | 蔓胡颓子（药用部位：果实。别名：甜棒锤、蒲颓子、半春子）、蔓胡颓子叶（药用部位：枝叶）、蔓胡颓子根（药用部位：根。别名：牛奶子根）。

| 形态特征 | 常绿蔓生或攀缘灌木，高达 5m。无刺，稀具刺。幼枝密被锈色鳞片，老枝鳞片脱落，灰棕色。叶革质或薄革质，卵形或卵状椭圆形，长 4 ~ 12cm，宽 2.5 ~ 5cm，先端渐尖或长渐尖，基部圆形，全缘，微反卷，上面幼时具褐色鳞片；侧脉 6 ~ 8 对，与中脉开展成 50° ~ 60° 的角；叶柄棕褐色，长 5 ~ 8mm。花淡白色，下垂，密被银白色鳞片，散生少数褐色鳞片，常 3 ~ 7 花密生叶腋短小枝上成伞形总状花序；花梗锈色，长 2 ~ 4mm；花萼筒漏斗形，质较厚，长 4.5 ~ 5.5mm，在裂片下面扩展，向基部渐窄狭，在子房上不明

蔓胡颓子

显收缩，裂片宽卵形，长 2.5 ~ 3mm，先端急尖，内面被白色星状柔毛；雄蕊的花丝长不超过 1mm，花药长椭圆形，长 1.8mm；花柱细长，无毛，先端弯曲。果实矩圆形，稍有汁，长 14 ~ 19mm，被锈色鳞片，成熟时红色；果梗长 3 ~ 6mm。花期 9 ~ 11 月，果期翌年 4 ~ 5 月。

| 生境分布 | 生于海拔 700 ~ 1500m 的丘陵、山地的灌丛中。分布于重庆巫山、城口、南川、奉节、忠县、黔江、云阳、武隆等地。

| 资源情况 | 野生资源较丰富。药材主要来源于野生，亦有少量栽培。

| 采收加工 | 蔓胡颓子：春季果实成熟时采摘，鲜用或晒干。

蔓胡颓子叶：全年均可采收，鲜用或晒干。

蔓胡颓子根：全年均可采挖，洗净，切片，晒干。

| 功能主治 | 蔓胡颓子：酸，平。收敛止泻，止痢。用于肠炎，腹泻，痢疾。

蔓胡颓子叶：辛、微涩，平。归肺经。止咳平喘。用于咳嗽气喘。

蔓胡颓子根：辛、微涩，凉。归肝、胃经。清热利湿，通淋止血，散瘀止痛。用于痢疾，腹泻，黄疸性肝炎，热淋，石淋，胃痛，吐血，痔血，血崩，风湿痹痛，跌打肿痛。

| 用法用量 | 蔓胡颓子：内服煎汤，9 ~ 18g。

蔓胡颓子叶：内服煎汤，10 ~ 15g；或研末，每次 1.5 ~ 5g；或鲜品捣汁。

蔓胡颓子根：内服煎汤，15 ~ 30g。

| 附　　注 | 本种耐干旱瘠薄。栽培宜选择海拔 1000m 以下的低山丘陵地带，以土层深厚、富含腐殖质、排水良好的壤土或砂壤土为最好。

胡颓子科 Elaeagnaceae 胡颓子属 *Elaeagnus*

宜昌胡颓子 *Elaeagnus henryi* Warb. Apud Diels

| 药 材 名 | 红鸡踢香（药用部位：茎、叶。别名：金背藤、红面将军、金耳环）、红鸡踢香根（药用部位：根）。

| 形态特征 | 常绿直立灌木，高 3 ~ 5m。具刺，刺生叶腋，长 8 ~ 20mm，略弯曲。幼枝淡褐色，被鳞片，老枝鳞片脱落，黑色或灰黑色。叶革质至厚革质，阔椭圆形或倒卵状阔椭圆形，长 6 ~ 15cm，宽 3 ~ 6cm，先端渐尖或急尖，尖头三角形，基部钝形或阔楔形，稀圆形，边缘有时稍反卷，上面幼时被褐色鳞片，成熟后脱落，深绿色，干燥后黄绿色或黄褐色，下面银白色，密被白色鳞片，散生少数褐色鳞片；侧脉 5 ~ 7 对，近边缘分叉而互相连接或消失，上面不甚明显，下面甚凸起；叶柄粗壮，长 8 ~ 15mm，黄褐色。花淡白色；质厚，密被鳞片，1 ~ 5 花生于叶腋短小枝上成短总状花序，花枝锈色，长 3 ~ 6mm；花梗

宜昌胡颓子

长 2 ~ 5mm；花萼筒圆筒状漏斗形，长 6 ~ 8mm，在裂片下面扩展，向下渐窄狭，在子房上略收缩，裂片三角形，长 1.2 ~ 3mm，先端急尖，内面密被白色星状柔毛和少数褐色鳞片；雄蕊的花丝极短，花药矩圆形，长约 1.5mm；花柱直立或稍弯曲，无毛，连柱头长 7 ~ 8mm，略超过雄蕊。果实矩圆形，多汁，长 18mm，幼时被银白色鳞片，散生少数褐色鳞片，淡黄白色或黄褐色，成熟时红色；果核内面被丝状绵毛；果梗长 5 ~ 8mm，下弯。花期 10 ~ 11 月，果期翌年 4 月。

| 生境分布 | 生于海拔 250 ~ 2000m 的疏林或灌木林中。分布于重庆南岸、彭水、云阳、奉节、城口、巫山、南川、江津等地。

| 资源情况 | 野生资源一般。药材主要来源于野生。

| 采收加工 | 红鸡踢香：全年均可采收，鲜用或晒干。

红鸡踢香根：全年均可采收，洗净，切片，晒干。

| 功能主治 | 红鸡踢香：苦、酸，平。散瘀消肿，接骨止痛，平喘止咳。用于跌打肿痛，骨折，风湿骨痛，哮喘。

红鸡踢香根：苦、酸，平。清热利湿，止咳，止血。用于风湿腰痛，咳喘，痢疾，吐血，血崩，痔血，恶疮。

| 用法用量 | 红鸡踢香：内服煎汤，9 ~ 15g；或浸酒。外用适量，捣碎，酒炒敷。

红鸡踢香根：内服煎汤，15 ~ 30g。外用适量，煎汤洗。

胡颓子科 Elaeagnaceae 胡颓子属 *Elaeagnus*

披针叶胡颓子 *Elaeagnus lanceolata* Warb aquad Diels

| 药 材 名 | 盐匏藤果（药用部位：果实。别名：羊奶子果）、盐匏藤（药用部位：根、叶。别名：咸匏藤、沉匏、补阴丹）。

| 形态特征 | 常绿直立或蔓状灌木，高 4m。无刺或老枝上具粗而短的刺。幼枝淡黄白色或淡褐色，密被银白色和淡黄褐色鳞片，老枝灰色或灰黑色，圆柱形；芽锈色。叶革质，披针形或椭圆状披针形至长椭圆形，长 5 ~ 14cm，宽 1.5 ~ 3.6cm，先端渐尖，基部圆形，稀阔楔形，全缘，反卷，上面幼时被褐色鳞片，成熟后脱落，具光泽，干燥后褐色，下面银白色，密被银白色鳞片和鳞毛，散生少数褐色鳞片；侧脉 8 ~ 12 对，与中脉开展成 45° 的角，上面显著，下面不甚明显；叶柄长 5 ~ 7mm，黄褐色。花淡黄白色，下垂，密被银白色鳞片，散生少量褐色鳞片和鳞毛，常 3 ~ 5 花簇生叶腋短小枝上成伞形总状花序；

披针叶胡颓子

花梗纤细，锈色，长 3 ~ 5mm；花萼筒圆筒形，长 5 ~ 6mm，在子房上骤收缩，裂片宽三角形，长 2.5 ~ 3mm，先端渐尖，内面疏生白色星状柔毛，包围子房的萼管椭圆形，长 2mm，被褐色鳞片；雄蕊的花丝极短或几无，花药椭圆形，长 1.5mm，淡黄色；花柱直立，几无毛或疏生极少数星状柔毛，柱头长 2 ~ 3mm，达裂片的 2/3。果实椭圆形，长 12 ~ 15mm，直径 5 ~ 6mm，密被褐色或银白色鳞片，成熟时红黄色；果梗长 3 ~ 6mm。花期 8 ~ 10 月，果期翌年 4 ~ 5 月。

| 生境分布 | 生于海拔 600 ~ 2500m 的山地林中或林缘。分布于重庆潼南、奉节、石柱、忠县、铜梁、丰都、綦江、巫山、南川、巫溪等地。

| 资源情况 | 野生资源较丰富。药材主要来源于野生。

| 采收加工 | 盐匏藤果：4 ~ 5 月采收成熟果实，晒干。

盐匏藤：全年均可采收，根洗净，切片，晒干；叶晒干或鲜用。

| 功能主治 | 盐匏藤果：酸，平。涩肠止痢。用于肠炎，痢疾。

盐匏藤：酸、微甘，温。活血通络，疏风止咳，温肾缩尿。用于跌打骨折，劳伤，风寒咳嗽，小便失禁。

| 用法用量 | 盐匏藤果：内服煎汤，9 ~ 15g。

盐匏藤：内服煎汤，9 ~ 15g；或浸酒。外用适量，捣敷。

胡颓子科 Elaeagnaceae 胡颓子属 *Elaeagnus*

大披针叶胡颓子 *Elaeagnus lanceolata* Warb. subsp. *grandeflora* Serv.

|药 材 名| 大披针叶胡颓子（药用部位：叶、果实）。

|形态特征| 本种与原亚种披针叶胡颓子的区别在于幼枝锈色；叶片椭圆形，下面淡褐色，具较多的锈色或褐色鳞片，叶柄长 10 ~ 15mm；花梗长 6 ~ 8mm，花萼筒长 6 ~ 7mm，裂片长 3 ~ 4mm，花柱疏生柔毛。

|生境分布| 生于海拔 1400 ~ 2100m 的山地林中或灌丛中。分布于重庆南川等地。

|资源情况| 野生资源稀少。药材主要来源于野生。

|采收加工| 全年均可采收叶，晒干或鲜用。4 ~ 5 月采收成熟果实，晒干。

大披针叶胡颓子

| **功能主治** | 叶，止咳，平喘。用于风寒咳嗽，哮喘。果实，止痢疾。用于肠炎，痢疾。

| **用法用量** | 叶，内服煎汤，9 ~ 15g；或浸酒。外用适量，捣敷。果实，内服煎汤，9 ~ 15g。

| **附　　注** | 在 FOC 中，本种被修订为披针叶胡颓子 *Elaeagnus lanceolata* Warb. aquad Diels。

胡颓子科 Elaeagnaceae 胡颓子属 *Elaeagnus*

银果牛奶子 *Elaeagnus magna* Rehd.

| 药 材 名 | 银果牛奶子（药用部位：根、叶）。

| 形态特征 | 落叶直立散生灌木，高达 3m。常有刺，稀无刺。幼枝被银白色鳞片，老枝鳞片脱落，灰黑色。叶膜质或纸质，倒卵状长圆形或倒卵状披针形，长 4 ~ 10cm，宽 1.5 ~ 3.7cm，先端钝尖，基部宽楔形，上面幼时被白色鳞片，老时部分鳞片脱落，下面灰白色，密被银白色鳞片，散生淡黄色鳞片，有光泽；侧脉 7 ~ 10 对，不甚明显；叶柄长 4 ~ 8mm，密被白色鳞片。花银白色，密被鳞片，常 1 ~ 3 花着生于新枝基部，或单生叶腋；花梗长 1 ~ 2mm；花萼筒圆筒形，长 0.8 ~ 1cm，在裂片下面稍扩展，在子房之上骤收缩，裂片卵状三角形或卵形，长 3 ~ 4mm，内面无毛；花丝极短，花柱直立，无毛或被星状柔毛，柱头偏向一边膨大，长 2 ~ 3mm，超过雄蕊。

银果牛奶子

果实长圆形或长椭圆形，长 1.2 ~ 1.6cm，密被白色和少数褐色鳞片，成熟时粉红色；果柄粗，直立，银白色，长 4 ~ 6mm。花期 4 ~ 5 月，果期 6 月。

| 生境分布 | 生于海拔 200 ~ 1200m 的山地、路旁、林缘、河边向阳的砂壤土中。分布于重庆城口、长寿、垫江、奉节、南川等地。

| 资源情况 | 野生资源一般。药材主要来源于野生。

| 采收加工 | 全年均可采收，鲜用或晒干。

| 功能主治 | 清热解毒，解表透疹。根用于麻疹不透。叶用于无名肿毒。

| 用法用量 | 内服煎汤，适量。

胡颓子科 Elaeagnaceae 胡颓子属 *Elaeagnus*

木半夏 *Elaeagnus multiflora* Thunb.

| 药 材 名 | 木半夏果实（药用部位：果实。别名：四月子、野樱桃、棠台）、木半夏叶（药用部位：叶）、木半夏根（药用部位：根、根皮。别名：牛奶子根）。

| 形态特征 | 落叶直立灌木，高 2 ~ 3m。通常无刺，稀老枝上具刺。幼枝细弱伸长，密被锈色或深褐色鳞片，稀具淡黄褐色鳞片，老枝粗壮，圆柱形，鳞片脱落，黑褐色或黑色，有光泽。叶膜质或纸质，椭圆形或卵形至倒卵状阔椭圆形，长 3 ~ 7cm，宽 1.2 ~ 4cm，先端钝尖或骤渐尖，基部钝形，全缘，上面幼时具白色鳞片或鳞毛，成熟后脱落，干燥后黑褐色或淡绿色，下面灰白色，密被银白色鳞片，散生少数褐色鳞片；侧脉 5 ~ 7 对，两面均不甚明显；叶柄锈色，长 4 ~ 6mm。花白色，被银白色鳞片，散生少数褐色鳞片，常单生新枝基部叶腋；

木半夏

花梗纤细，长 4 ~ 8mm；花萼筒圆筒形，长 5 ~ 6.5mm，在裂片下面扩展，在子房上收缩，裂片宽卵形，长 4 ~ 5mm，先端圆形或钝形，内面被极少数白色星状短柔毛，包围子房的萼管卵形，深褐色，长约 1mm；雄蕊着生于花萼筒喉部稍下面，花丝极短，花药细小，矩圆形，长约 1mm，花柱直立，微弯曲，无毛，稍伸出花萼筒喉部，长不超过雄蕊。果实椭圆形，长 12 ~ 14mm，密被锈色鳞片，成熟时红色；果梗在花后伸长，长 15 ~ 49mm。花期 5 月，果期 6 ~ 7 月。

| 生境分布 | 生于海拔 1300 ~ 2200m 的向阳山坡、灌丛中。分布于重庆石柱、涪陵、丰都、垫江、奉节、武隆等地。

| 资源情况 | 野生资源一般。药材主要来源于野生，亦有少量栽培。

| 采收加工 | 木半夏果实：6 ~ 7 月采收，鲜用或晒干。

木半夏叶：夏、秋季采收，晒干。

木半夏根：夏、秋季采挖，洗净，切片，晒干。

| 功能主治 | 木半夏果实：淡、涩，温。平喘，止痢，活血消肿，止血。用于哮喘，痢疾，跌打损伤，风湿性关节炎，痔疮下血，肿毒。

木半夏叶：涩、微甘，温。平喘，活血。用于哮喘，跌打损伤。

木半夏根：涩、微甘，平。行气活血，止泻，敛疮。用于跌打损伤，虚弱劳损，泻痢，肝炎，恶疮疥癞。

| 用法用量 | 木半夏果实：内服煎汤，15 ~ 30g。

木半夏叶：内服煎汤，9 ~ 15g。外用适量，煎汤洗。

木半夏根：内服煎汤，9 ~ 24g；或浸酒。外用适量，煎汤洗。

| 附　　注 | 本种喜光，适应性强，耐干旱、瘠薄，栽培以土层深厚、富含腐殖质、排水良好的壤土或砂壤土为最好。

胡颓子科 Elaeagnaceae 胡颓子属 *Elaeagnus*

南川牛奶子 *Elaeagnus nanchuanensis* C. Y. Chang

| 药 材 名 | 南川牛奶子（药用部位：根、叶、果实）。

| 形态特征 | 落叶直立灌木，高达 5m。具粗短的刺。小枝开展成 80° ~ 90° 的角，幼枝褐色或锈色，被鳞片；老枝圆柱形，黑色或灰褐色，粗壮而坚硬。芽深褐色或锈色。叶纸质，阔椭圆形或倒披针状椭圆形，长 4 ~ 8cm，宽 1.8 ~ 3.5cm，先端钝形或渐尖，基部圆形或楔形，全缘，上面幼时具淡白色鳞片，成熟后脱落，常有凹下斑点，干燥后黑褐色或褐绿色，下面灰褐色或褐色，被灰白色或褐色鳞片；侧脉 6 ~ 8 对，两面不甚明显；叶柄被锈色或褐色鳞片，长 4 ~ 8mm。花褐色或淡黄褐色，密被褐色或黄色鳞片，常 5 ~ 7 花簇生叶腋短小枝上或新枝基部；花梗极短或几无，长约 1mm；花萼筒圆筒状钟形，长 5 ~ 6mm，在裂片下面不甚收缩，在子房上明显收缩，内

南川牛奶子

面除喉部疏生白色星状柔毛外，其余无毛，裂片宽卵形，长 2 ～ 3mm，先端钝形，内面黄色，无毛，包围子房的萼管矩圆形，锈色，长约 1mm；雄蕊贴生花萼筒喉部，花丝极短，花药阔椭圆形，长 1.2mm；花柱直立，无毛，超过雄蕊。果实椭圆形，长 12 ～ 16mm，直径约为长的一半，被褐色鳞片，成熟时红色；果梗粗壮，长 3 ～ 9mm。花期 4 ～ 5 月，果期 6 ～ 7 月。

| 生境分布 | 生于海拔 750 ～ 1570m 的向阳山坡或沟旁。分布于重庆酉阳、云阳、南川、武隆、石柱、丰都、忠县、江津等地。

| 资源情况 | 野生资源稀少。药材主要来源于野生。

| 采收加工 | 全年均可采收根、叶，鲜用或晒干。夏、秋季果实成熟时采摘果实，鲜用或晒干。

| 功能主治 | 根，行血散瘀。用于跌打损伤。叶、果实，收敛止咳。用于咳喘。

| 用法用量 | 根，内服煎汤，适量。外用适量，捣敷。叶、果实，内服煎汤，适量。

胡颓子科 Elaeagnaceae 胡颓子属 *Elaeagnus*

星毛羊奶子 *Elaeagnus stellipila* Rehd.

| 药 材 名 | 星毛羊奶子（药用部位：根、叶、果实。别名：星毛胡颓子、牛奶、马奶）。

| 形态特征 | 落叶或半落叶灌木，高达 2m。无刺或老枝具刺。幼枝密被褐色星状绒毛，老枝灰黑色；芽深黄色，被星状绒毛。单叶互生，叶柄被星状柔毛，长 2 ~ 4mm；叶纸质，宽卵形或卵状椭圆形，长 3 ~ 5.5cm，宽 1.5 ~ 3cm，先端钝或短急尖，基部圆形或近心形，上面幼时被白色星状柔毛，后变无毛，下面密被淡白色星状绒毛，有时具鳞毛或鳞片。花淡白色，外被银色绒毛，或散生褐色星状绒毛，花梗短；花被筒圆筒形，长 5 ~ 7mm，裂片 4，披针形或卵状三角形；雄蕊 4；花柱直立，无毛或微被星状柔毛。果实长椭圆形或圆柱形，长 10 ~ 16mm，被褐色鳞片，成熟时红色，果梗极短，长 0.5 ~ 2mm。

星毛羊奶子

花期 3 ~ 4 月，果期 7 ~ 8 月。

| 生境分布 | 生于海拔 200 ~ 1200m 的向阳丘陵地区、溪边矮林中或路边、田边。分布于重庆荣昌、奉节、巫溪、南川、开州、大足、合川等地。

| 资源情况 | 野生资源稀少。药材主要来源于野生。

| 采收加工 | 夏、秋季采收，根洗净，切片，晒干；叶、果实晒干。

| 功能主治 | 辛、苦，凉。散瘀止痛，清热利湿。用于跌打肿痛，痢疾。

| 用法用量 | 内服煎汤，15 ~ 30g。外用适量，捣敷。

胡颓子科 Elaeagnaceae 胡颓子属 *Elaeagnus*

牛奶子 *Elaeagnus umbellata* Thunb.

|药材名| 牛奶子（药用部位：根、叶、果实。别名：甜枣、麦粒子、夏至苑）。

|形态特征| 落叶直立灌木，高 1 ~ 4m。具长 1 ~ 4cm 的刺。小枝甚开展，多分枝，幼枝密被银白色鳞片及少数黄褐色鳞片，有时全被深褐色或锈色鳞片，老枝鳞片脱落，灰黑色；芽银白色或褐色至锈色。叶纸质或膜质，椭圆形至卵状椭圆形或倒卵状披针形，长 3 ~ 8cm，宽 1 ~ 3.2cm，先端钝或渐尖，基部圆形至楔形，全缘或边缘皱卷至波状，上面幼时被白色星状短柔毛或鳞片，成熟后全部或部分脱落，干燥后淡绿色或黑褐色，下面密被银白色鳞片，散生少数褐色鳞片；侧脉 5 ~ 7 对，两面均略明显；叶柄白色，长 5 ~ 7mm。花较叶先开放，黄白色，芳香，密被银白色盾形鳞片，花 1 ~ 7 簇生新枝基部，单生或对生幼叶腋；花梗白色，长 3 ~ 6mm；花萼筒圆筒状漏斗形，稀圆筒形，

牛奶子

长 5 ~ 7mm，在裂片下面扩展，向基部渐窄狭，在子房上略收缩，裂片卵状三角形，长 2 ~ 4mm，先端钝尖，内面几无毛或疏生白色星状短柔毛；雄蕊的花丝极短，长约为花药的一半，花药矩圆形，长约 1.6mm；花柱直立，疏生少数白色星状柔毛和鳞片，长 6.5mm，柱头侧生。果实几球形或卵圆形，长 5 ~ 7mm，幼时绿色，被银白色鳞片，或有时全被褐色鳞片，成熟时红色；果梗直立，粗壮，长 4 ~ 10mm。花期 4 ~ 5 月，果期 7 ~ 8 月。

| 生境分布 | 生于海拔 750 ~ 1750m 的向阳林缘、灌丛中。分布于重庆城口、酉阳、奉节、云阳、巫溪、开州、武隆等地。

| 资源情况 | 野生资源一般。药材主要来源于野生。

| 采收加工 | 夏、秋季采收，根洗净，切片，晒干；叶、果实晒干。

| 功能主治 | 苦、酸，凉。清热止咳，利湿解毒。用于肺热咳嗽，泄泻，痢疾，淋证，带下，崩漏，乳痈。

| 用法用量 | 内服煎汤，根或叶 15 ~ 30g，果实 3 ~ 9g。

大风子科 Flacourtiaceae 山羊角属 *Carrierea*

山羊角树 *Carrierea calycina* Franch.

山羊角树

|药材名|

红木子（药用部位：种子。别名：山羊角树、山丁木）。

|形态特征|

落叶乔木，高 12 ~ 16m。树皮黑褐色，不规则开裂，不剥落。幼枝粗壮，紫灰色或灰绿色，有白色皮孔和叶痕，无毛；冬芽圆锥形，芽鳞被毛；树冠扁圆形。叶薄革质，长圆形，长 9 ~ 14cm，宽 4 ~ 6cm，先端凸尖，基部圆形、心形或宽楔形，边缘有稀疏锯齿，齿尖有腺体，上面深绿色，无毛，或沿脉被疏绒毛，下面淡绿色，沿脉被疏绒毛；叶脉两面明显，中脉在下面凹入，基出脉 3，侧脉 4 ~ 5 对；叶柄长 3 ~ 7cm，上面有浅槽，下面圆形，幼时被毛，老时无毛。花杂性，白色，圆锥花序顶生，稀腋生，被密绒毛；花梗长 1 ~ 2cm；有叶状苞片 2，长圆形，对生；萼片 4 ~ 6，卵形，长 1.5 ~ 1.8cm；雌花比雄花小，直径 0.6 ~ 1.2cm，有退化雄蕊，子房上位，椭圆形，长约 2cm，被棕色绒毛，侧膜胎座 3 ~ 4，胚珠多数，花柱 3 ~ 4；雄花比雌花大，苞片较小，雄蕊多数，花丝丝状，长约 1.8cm，无毛，花药 2 室，有退化雌蕊。蒴果木质，羊角状，有喙，长

4 ~ 5cm，直径 1 ~ 1.5cm，被棕色绒毛；果梗粗壮，有关节，长 2 ~ 3cm；种子多数，扁平，四周有膜质翅。花期 5 ~ 6 月，果期 7 ~ 10 月。

| 生境分布 |

生于海拔 600 ~ 1800m 的山坡林中或林缘。分布于重庆城口、石柱、南川、武隆、涪陵等地。

| 资源情况 |

野生资源稀少。药材主要来源于野生。

| 采收加工 |

10 月果实成熟时，剥开蒴果，取出种子，晒干。

| 功能主治 |

苦，凉。息风，定眩。用于头晕，目眩。

| 用法用量 |

内服煎汤，9 ~ 15g。

大风子科 Flacourtiaceae 山桐子属 *Idesia*

山桐子 *Idesia polycarpa* Maxim.

山桐子

|药材名|

山桐子（药用部位：种子油、叶）。

|形态特征|

落叶乔木，高 8 ~ 21m。树皮淡灰色，不裂。小枝圆柱形，细而脆，黄棕色，有明显的皮孔，枝条平展，近轮生，树冠长圆形；冬芽被淡褐色毛，有锥状鳞片 4 ~ 6。叶薄革质或厚纸质，卵形或心状卵形，或宽心形，长 13 ~ 16cm，宽 12 ~ 15cm，先端渐尖或尾状，边缘有粗的齿，齿尖有腺体，上面深绿色，光滑无毛，下面有白粉，沿脉被疏柔毛，脉腋被丛毛，基部脉腋更多；通常基出脉 5，第 2 对脉斜升到叶片的 3/5 处；叶柄长 6 ~ 12cm，圆柱状，无毛，下部有紫色腺体 2 ~ 4。花单性，雌雄异株或杂性，黄绿色，有芳香，花序梗被疏柔毛，长 10 ~ 20（~ 30）cm。雄花比雌花稍大，直径约 1.2cm，萼片 3 ~ 6，通常 6，覆瓦状排列，长卵形，长约 6mm，宽约 3mm，被密毛，花丝丝状，被软毛，花药椭圆形。雌花比雄花稍小，直径约 9mm，萼片 3 ~ 6，通常 6，卵形，长约 4mm，宽约 2.5mm，外面被密毛，内面被疏毛；子房上位，圆球形，无毛，花柱 5 或 6，向外平展，柱头倒卵圆形，退化雄蕊多数，花丝短或缺。浆果成熟期紫红色，扁圆形，长 3 ~ 5mm，直径 5 ~ 7mm，宽大于长，果梗细小，长 0.6 ~ 2cm；种子红棕色，圆形。花期 4 ~ 5 月，果熟期 10 ~ 11 月。

| 生境分布 | 生于海拔 600 ~ 1350m 的向阳山坡或树林中。分布于重庆秀山、城口、奉节、巫山、石柱、江津、开州、黔江、忠县、南川等地。

| 资源情况 | 野生资源较丰富。药材主要来源于野生。

| 采收加工 | 果实成熟时采摘果实，榨油。夏、秋季采集叶，晒干或鲜用。

| 功能主治 | 种子油，杀虫。用于疥癣。叶，辛、甘，寒。清热凉血，散瘀消肿。用于骨折，烫火伤，外伤出血，吐血。

| 用法用量 | 外用适量，涂抹于患处。

大风子科 Flacourtiaceae 栀子皮属 *Itoa*

栀子皮 *Itoa orientalis* Hemsl.

| 药 材 名 | 大黄树（药用部位：根、树皮。别名：白走马胎、盐巴菜、木桃果）。

| 形态特征 | 落叶乔木，高 8 ~ 20m。幼枝被毛，后渐脱落无毛，皮孔明显。叶互生，有时近对生或在枝顶呈轮生状，椭圆形或长圆形，长 15 ~ 30cm，先端渐尖，基部圆形或心形，边缘有粗齿，下面被黄色柔毛；侧脉 10 ~ 21 对；叶柄长 2 ~ 6cm，被毛。雄花序为直立圆锥花序，长达 15cm；萼片 3 ~ 4，基部常合生，长 1 ~ 1.2cm，被毛；雄蕊多数，花丝细长，退化雌蕊被毛。雌花单生、顶生或腋生；子房 1 室，被毛，具侧膜胎座 6 ~ 8，花柱 6 ~ 8。蒴果，卵圆形，长约 8cm，初被黄色毛，后渐脱落；种子扁，具膜质翅，长 1.5 ~ 2cm。花期 4 ~ 6 月，果期 9 ~ 11 月。

栀子皮

| 生境分布 | 生于海拔 500 ~ 1400m 的阔叶林中。分布于重庆南川、大足、北碚、忠县、彭水、合川、潼南、永川、荣昌等地。

| 资源情况 | 野生资源稀少。药材主要来源于野生。

| 采收加工 | 秋、冬季挖取根部，洗去泥土，切片，晒干；剥取树皮，晒干。

| 功能主治 | 祛风除湿，活血通络。用于风湿痹痛，跌打损伤，肝炎，贫血。

| 用法用量 | 内服煎汤，9 ~ 12g。

| 附　　注 | （1）本种有一变种光叶栀子皮，变种和本种的区别在于叶下面和叶柄近无毛至无毛，叶片通常比本种小；花期 3 ~ 6 月，果期 7 ~ 12 月。

（2）本种喜温暖湿润气候，喜光。栽培以土层深厚、富含腐殖质、排水良好的壤土或砂壤土为最好。

大风子科 Flacourtiaceae 柞木属 *Xylosma*

柞木 *Xylosma racemosum* (Sieb. & Zucc.) Miq.

柞木

| 药 材 名 |

柞木枝（药用部位：树枝）、柞木根（药用部位：根）、柞木皮（药用部位：树皮。别名：孤奴、纳葛窊）、柞木叶（药用部位：枝叶）。

| 形态特征 |

常绿大灌木或小乔木，高 4 ~ 15m。树皮棕灰色，不规则从下面向上反卷成小片，裂片向上反卷；幼时有枝刺，结果株无刺；枝条近无毛或被疏短毛。叶薄革质，雌雄株稍有区别，通常雌株的叶有变化，菱状椭圆形至卵状椭圆形，长 4 ~ 8cm，宽 2.5 ~ 3.5cm，先端渐尖，基部楔形或圆形，边缘有锯齿，两面无毛或在近基部中脉被污毛；叶柄短，长约 2mm，被短毛。花小，总状花序腋生，长 1 ~ 2cm，花梗极短，长约 3mm；花萼 4 ~ 6，卵形，长 2.5 ~ 3.5mm，外面被短毛；无花瓣；雄花有多数雄蕊，花丝细长，长约 4.5mm，花药椭圆形，底部着药，花盘由多数腺体组成，包围着雄蕊；雌花的萼片与雄花相同，子房椭圆形，无毛，长约 4.5mm，1 室，有侧膜胎座 2，花柱短，柱头 2 裂，花盘圆形，边缘稍波状。浆果黑色，球形，先端有宿存花柱，直径 4 ~ 5mm；种子 2 ~ 3，卵形，长 2 ~ 3mm，鲜时绿色，干后褐色，有黑色条纹。花期春季，果期冬季。

| 生境分布 | 生于海拔 250 ~ 1400m 以下的林边、丘陵、平原或村边灌丛中。分布于重庆黔江、酉阳、涪陵、潼南、铜梁、彭水、长寿、武隆、荣昌、城口、巫溪、巫山、云阳、万州、梁平、垫江、南川、北碚等地。

| 资源情况 | 野生资源较丰富。药材主要来源于野生，亦有少量栽培。

| 采收加工 | 柞木枝：全年均可采收，锯下树枝，切段，晒干。

柞木根：秋季采挖，洗净，切片，晒干或鲜用。

柞木皮：夏、秋季剥取树皮，晒干。

柞木叶：全年均可采收，晒干。

| 功能主治 | 柞木枝：苦，平。催产。用于难产，胎死腹中。

柞木根：苦，平。解毒，利湿，散瘀，催产。用于黄疸，痢疾，水肿，肺结核咯血，瘰疬，跌打肿痛，难产，死胎不下。

柞木皮：苦、酸，微寒。清热利湿，催产。用于湿热黄疸，痢疾，瘰疬，梅疮溃烂，瘰疬，难产，死胎不下。

柞木叶：苦、涩，寒。归心经。清热燥湿，解毒，散瘀消肿。用于婴幼儿泄泻，痢疾，痈疖肿毒，跌打骨折，扭伤脱臼，死胎不下。

| 用法用量 | 柞木枝：内服煎汤，15 ~ 30g。孕妇禁服。

柞木根：内服煎汤，12 ~ 18g，鲜品 60 ~ 120g；或烧存性，研末酒调。孕妇禁服。

柞木皮：内服煎汤，6 ~ 9g；或研末。孕妇禁服。

柞木叶：外用适量，捣敷；或研粉，酒、醋调敷。孕妇禁服。

| 附　　注 | （1）在 FOC 中，本种的拉丁学名被修订为 *Xylosma congesta* (Loureiro) Merrill。

（2）本种喜光，略耐阴，喜温暖湿润气候，耐寒，耐旱，不耐湿。以播种繁殖为主。

堇菜科 Violaceae 堇菜属 *Viola*

鸡腿堇菜 *Viola acuminata* Ledeb.

鸡腿堇菜

|药 材 名|

鸡腿堇菜（药用部位：全草）。

|形态特征|

多年生草本。根茎较粗，垂直或倾斜，密生多条淡褐色根。茎直立，通常 2 ~ 4 丛生，高 10 ~ 40cm，无毛或上部被白色柔毛。通常无基生叶；茎生叶心形、卵状心形或卵形，长 1.5 ~ 5.5cm，宽 1.5 ~ 4.5cm，先端锐尖、短渐尖至长渐尖，基部通常心形（狭或宽心形，变异幅度较大），稀截形，边缘具钝锯齿及短缘毛，两面密生褐色腺点，沿叶脉被疏柔毛；叶柄下部者长达 6cm，上部者较短，长 1.5 ~ 2.5cm，无毛或被疏柔毛；托叶草质，叶状，长 1 ~ 3.5cm，宽 2 ~ 8mm，通常羽状深裂成流苏状，或浅裂成齿牙状，边缘被缘毛，两面有褐色腺点，沿脉疏生柔毛。花淡紫色或近白色，具长梗；花梗细，被细柔毛，通常均超出叶，中部以上或在花附近具线形小苞片 2；萼片线状披针形，长 7 ~ 12mm，宽 1.5 ~ 2.5mm，外面 3 片较长而宽，先端渐尖，基部附属物长 2 ~ 3mm，末端截形或有时具 1 ~ 2 齿裂，上面及边缘被短毛，具 3 脉；花瓣有褐色腺点，上方花瓣与侧方花瓣近等长，上瓣向上反曲，侧瓣里面近基部被长须毛，下瓣里面常有紫色脉纹，连距长 0.9 ～ 1.6cm；距通常直，长 1.5 ～ 3.5mm，呈囊状，末端钝；下方 2 枚雄蕊之距短而钝，长约 1.5mm；子房圆锥状，无毛，花柱基部微向前膝曲，向上渐增粗，顶部具数列明显的乳头状突起，先端具短喙，喙端微向上撅，具较大的柱头孔。蒴果椭圆形，长约 1cm，无毛，通常有黄褐色腺点，先端渐尖。花果期 5 ～ 9 月。

| 生境分布 | 生于海拔 600 ～ 1900m 的灌丛、山坡荒地或溪谷潮湿地。分布于重庆黔江、忠县、城口、彭水、酉阳、奉节、云阳、南川、武隆、江津、开州、巫溪、垫江、丰都等地。

| 资源情况 | 野生资源较丰富。药材主要来源于野生。

| 采收加工 | 夏、秋季采收，鲜用或晒干。

| 药材性状 | 本品多皱缩成团。根数条，棕褐色。茎数枝丛生。托叶羽状深裂，多卷缩成条状，叶片心形。有时可见椭圆形蒴果。气微，味微苦。

| 功能主治 | 淡，寒。清热解毒，消肿止痛。用于肺热咳嗽，疮痈，跌打损伤。

| 用法用量 | 内服煎汤，9 ～ 15g，鲜品 30 ～ 60g；或捣汁服。外用适量，捣敷。

堇菜科 Violaceae 堇菜属 *Viola*

如意草 *Viola arcuata* Blume

如意草

| 药 材 名 |

如意草（药用部位：全草。别名：白三百棒、红三百棒）。

| 形态特征 |

多年生草本。根茎横走，直径约 2mm，褐色，密生多数纤维状根，向上发出多条地上茎或匍匐枝。地上茎通常数条丛生，高达 35cm，淡绿色，节间较长；匍匐枝蔓生，长可达 40cm，节间长，节上生不定根。基生叶叶片深绿色，三角状心形或卵状心形，长 1.5 ~ 3cm，宽 2 ~ 5.5cm，先端急尖，稀渐尖，基部通常宽心形，稀深心形，弯缺呈新月形，垂片大而开展，边缘具浅而内弯的疏锯齿，两面通常无毛或下面沿脉被疏柔毛；茎生叶及匍匐枝上的叶片与基生叶的叶片相似；基生叶具长柄，叶柄长 5 ~ 20cm，上部具狭翅，茎生叶及匍匐枝上叶的叶柄较短；托叶披针形，长 5 ~ 10mm，先端渐尖，通常全缘或边缘具极稀疏的细齿和缘毛。花淡紫色或白色，皆自茎生叶或匍匐枝的叶腋抽出，具长梗，在花梗中部以上有线形小苞片 2；萼片卵状披针形，长约 4mm，先端尖，基部附属物极短，呈半圆形，具狭膜质边缘；花瓣狭倒卵形，长约 7.5mm，侧方花瓣具暗

紫色条纹，里面基部疏生短须毛，下方花瓣较短，有明显的暗紫色条纹，基部具长约 2mm 的短距；下方雄蕊之距粗而短，其长度与花药近相等，末端圆；子房无毛，花柱呈棍棒状，基部稍膝曲，向上渐增粗，柱头 2 裂，两侧裂片肥厚，向上直立，中央部分隆起呈鸡冠状，在前方裂片间的基部具向上撅起的短喙，喙端具圆形柱头孔。蒴果长圆形，长 6 ~ 8mm，直径约 3mm，无毛，先端尖；种子卵状，淡黄色，长约 1.5mm，直径约 1mm，基部一侧具膜质翅。花果期较长。

| 生境分布 | 生于溪谷潮湿地、沼泽地、灌丛林缘。分布于重庆万州、涪陵、石柱、彭水、南川、巴南、璧山、铜梁、大足、永川、城口、巫山等地。

| 资源情况 | 野生资源稀少。药材主要来源于野生。

| 采收加工 | 秋季采收，洗净，晒干。

| 药材性状 | 本品多皱缩成团。根茎上有细根。基生叶多，具长柄，茎生叶有托叶，托叶披针形；叶片湿润展平后呈宽心形或近新月形。波状花基生或腋生于茎生叶，淡棕紫色。蒴果较小，椭圆形，长 8mm。气微，味微苦。

| 功能主治 | 辛、微酸，寒。清热解毒，散瘀止血。用于疮疡肿毒，乳痈，跌打损伤，开放性骨折，外伤出血，蛇咬伤。

| 用法用量 | 内服煎汤，9 ~ 15g，鲜品 15 ~ 30g。外用适量，捣敷。

堇菜科 Violaceae 堇菜属 *Viola*

戟叶堇菜 *Viola betonicifolia* J. E. Smith

| **药材名** | 犁头草（药用部位：全草）。

| **形态特征** | 多年生草本，无地上茎。根茎通常较粗短，长 5 ~ 10mm，斜生或垂直，有多数粗长的淡褐色根。叶基生，莲座状，窄披针形、长三角状戟形或三角状卵形，长 2 ~ 8cm，基部平截或略浅心形，有时宽楔形，基部垂片开展并具牙齿，疏生波状齿，两面无毛或近无毛；叶柄长 1.5 ~ 13cm，上半部有窄翅；托叶褐色，约 3/4 与叶柄合生，离生部分线状披针形或钻形，全缘或边缘疏具细齿。花白色或淡紫色，有深色条纹，长 1.4 ~ 1.7cm；花梗基部附属物较短；上方花瓣倒卵形，长 1 ~ 1.2cm，侧花瓣长圆状倒卵形，内面基部密生或有少量须毛，下方花瓣常稍短，距管状，粗短，直或稍上弯；柱头两侧及后方略增厚成窄缘，前方具短喙，喙端具柱头孔。蒴果椭圆形至

戟叶堇菜

长圆形，长 6 ~ 9mm，无毛。花果期 4 ~ 9 月。

| 生境分布 | 生于田野、路边、山坡草地、灌丛、林缘等处。分布于重庆万州、涪陵、武隆、巫溪、南川、綦江、铜梁等地。

| 资源情况 | 野生资源一般。药材主要来源于野生，亦有少量栽培。

| 采收加工 | 春、夏季采挖，洗净，低温干燥。

| 药材性状 | 本品根茎短，圆柱形，灰棕色至淡棕色，有环节，节间长 1 ~ 6mm。根呈细圆柱形，具细纵纹，断面平坦，类白色或黄白色，中央有 1 棕色圆形的中柱。叶近基生，通常 1 ~ 3；叶片纸质，皱缩或破碎，展开后呈圆心形或卵状心形，长 4 ~ 8cm，宽 3 ~ 8cm，先端圆钝或急尖，基部心形；叶柄长 3 ~ 13cm。花有时可见，单生叶腋；花梗长约 1cm；花被筒卵球形，喉部缢缩，内壁有格状网眼，花被裂片三角形，近喉部有乳突状横皱褶；花柱 6，离生，柱头顶生。气香，味辛、辣，略有麻舌感。

| 功能主治 | 辛，温；有小毒。归心、肺、肾经。祛风散寒，开窍止痛。用于外感风寒，头痛鼻塞，中暑发痧，慢性鼻炎，鼻窦炎。

| 用法用量 | 内服煎汤，1.5 ~ 3g。

| 附　　注 | 本种喜温暖湿润的气候。栽培宜选择疏松肥沃的砂壤土。通过种子繁殖。

堇菜科 Violaceae 堇菜属 *Viola*

球果堇菜 *Viola collina* Bess.

| 药 材 名 | 地核桃（药用部位：全草。别名：山核桃、箭头草、匙头菜）。

| 形态特征 | 多年生草本，花期高 4 ~ 9cm，果期高可达 20cm。根茎粗而肥厚，具结节，黄褐色，垂直或斜生；根多条，淡褐色。叶均基生，呈莲座状；叶柄具狭翅，被毛；托叶膜质，披针形，边缘具较稀疏的流苏状细齿；叶片宽卵形或近圆形，长 1 ~ 3.5cm，宽 1 ~ 3cm，边缘具浅而钝的锯齿，果期叶片显著增大，长可达 8cm，宽可达 6cm，基部心形，两面密生白色短柔毛。花淡紫色，有长梗；花萼 5，长圆状披针形或狭长圆形，先端圆或钝，被毛，基部有短而钝的附属物。蒴果球形，密生白色长柔毛，成熟时果梗常向下弯曲，使果实接近地面。花果期 5 ~ 8 月。

球果堇菜

| 生境分布 | 生于林下或林缘、灌丛、草坡、沟谷及路旁较阴湿处。分布于重庆城口、巫山、奉节、巫溪、开州、酉阳、南川等地。

| 资源情况 | 野生资源稀少。药材主要来源于野生。

| 采收加工 | 夏、秋季采收，洗净，鲜用或晒干。

| 药材性状 | 本品多皱缩成团，深绿色或枯绿色，全株有毛茸。根茎稍长，主根圆锥形。叶基生，湿润展平后呈心形或近圆形，先端钝或圆，基部稍呈心形，边缘有浅锯齿。花基生，具柄，淡棕紫色，两侧对称。蒴果球形，具毛茸，果柄下弯。气微，味微苦。

| 功能主治 | 苦、辛，寒。归肺、肝经。清热解毒，散瘀消肿。用于疮疡肿毒，肺痈，跌打损伤，刀伤出血，外感咳嗽。

| 用法用量 | 内服煎汤，9 ~ 15g，鲜品 15 ~ 30g；或浸酒。外用适量，捣敷。

| 附　　注 | 本种为商品辽细辛的伪品，两者在性状方面的区别在于：辽细辛叶片心形或肾状心形，全缘，两面疏生短柔毛或近无毛，气辛香，味辛辣、麻舌；本种叶片近圆形或广卵形，边缘具钝齿，两面密生白色短柔毛，气微，味淡。

堇菜科 Violaceae 堇菜属 *Viola*

心叶堇菜 *Viola concordifolia* C. J. Wang

| 药 材 名 | 犁头草（药用部位：全草。别名：三角草、犁头尖、烙铁草）。

| 形态特征 | 多年生草本，无地上茎和匍匐枝。根茎粗短，节密生，直径 4 ~ 5mm；支根多数，较粗壮而伸长，褐色。叶多数，基生，卵形、宽卵形或三角状卵形，稀肾状，长 3 ~ 8cm，宽 3 ~ 8cm，先端尖或稍钝，基部深心形或宽心形，边缘具多数圆钝齿，两面无毛或疏被短毛；叶柄在花期通常与叶片近等长，在果期远较叶片长，最上部具极狭的翅，通常无毛；托叶短，下部与叶柄合生，长约 1cm，离生部分开展。花淡紫色；花梗不高出叶片，被短毛或无毛，近中部有 2 线状披针形小苞片；萼片宽披针形，长 5 ~ 7mm，宽约 2mm，先端渐尖，基部附属物长约 2mm，末端钝或平截；上方花瓣与侧花瓣倒卵形，长 1.2 ~ 1.4cm，宽 5 ~ 6mm，侧花瓣里面无

心叶堇菜

毛，下方花瓣长倒心形，先端微缺，连距长约1.5cm，距圆筒状，长4 ~ 5mm，直径约2mm；下方雄蕊的距细长，长约3mm；子房圆锥状，无毛，花柱棍棒状，基部稍膝曲，上部变粗，柱头顶部平坦，两侧及背面具明显缘边，前端具短喙，柱头孔较粗。蒴果椭圆形，长约1cm。

| 生境分布 | 生于林缘、林下开阔草地间、山地草丛、溪谷旁。分布于重庆涪陵、南川、北碚、垫江等地。

| 资源情况 | 野生资源一般。药材主要来源于野生。

| 采收加工 | 夏季采收，洗净，鲜用或干燥。

| 药材性状 | 本品叶片呈长圆状卵形或三角状卵形，长3 ~ 8cm，宽3 ~ 6cm，基部深心形，边缘有较密的粗齿。花淡棕紫色。蒴果长圆形。

| 功能主治 | 苦、辛，寒。归肝、肾经。清热解毒，散瘀消肿。用于乳痈，喉痛，目赤肿痛，疮疡肿毒，刀伤出血。

| 用法用量 | 内服煎汤，9 ~ 15g。外用适量，捣敷。

| 附　　注 | 在FOC中，本种的拉丁学名被修订为 *Viola yunnanfuensis* W. Becker。

堇菜科 Violaceae 堇菜属 *Viola*

深圆齿堇菜 *Viola davidii* Franch.

| 药 材 名 | 紫花地丁（药用部位：全草）。

| 形态特征 | 多年生细弱无毛草本，高 4 ~ 9cm。无地上茎或几无地上茎，有时具匍匐枝。根茎细，几垂直，节密生。叶基生；叶片圆形，有时肾形，长、宽均为 1 ~ 3cm，先端圆钝，基部浅心形或截形，边缘具较深圆齿，两面无毛，上面深绿色，下面灰绿色；叶柄长短不等，长 2 ~ 5cm，无毛；托叶褐色，离生或仅基部与叶柄合生，披针形，长约 0.5mm，先端渐尖，边缘疏生细齿。花白色或有时淡紫色；花梗细，长 4 ~ 9cm，上部有线形小苞片 2；萼片披针形，长 3 ~ 5mm，宽 1.5 ~ 2mm，先端稍尖，基部附属物短，末端截形，边缘膜质；花瓣倒卵状长圆形，上方花瓣长 1 ~ 1.2cm，宽约 4mm，侧方花瓣与上方花瓣近等大，里面无须毛，下方花瓣较短，

深圆齿堇菜

连距长约 9mm，有紫色脉纹；距较短，长约 2mm，囊状；花药长约 1.5mm，药隔先端附属物长约 1mm，下方雄蕊之距钝角状，长约 1.5mm；子房球形，有褐色腺点，花柱棍棒状，基部膝曲，柱头两侧及后方有狭缘边，前方具短喙。蒴果椭圆形，长约 7mm，无毛，常具褐色腺点。花期 3 ~ 6 月，果期 5 ~ 8 月。

| 生境分布 | 生于林下、林缘、山坡草地、溪谷或石上荫蔽处。分布于重庆綦江、巫山、巫溪、奉节、南川等地。

| 资源情况 | 野生资源稀少。药材主要来源于野生。

| 采收加工 | 夏、秋季采收，切段，晒干或鲜用。

| 功能主治 | 苦，寒。清热解毒，散瘀消肿。用于风火眼肿，跌打损伤，无名肿痛，刀伤，毒蛇咬伤。

| 用法用量 | 外用适量，捣敷。

堇菜科 Violaceae 堇菜属 *Viola*

七星莲 *Viola diffusa* Ging.

|药 材 名| 地白草（药用部位：全草。别名：蔓茎堇菜、白地黄瓜、狗儿草）。

|形态特征| 一年生草本，全体被糙毛或白色柔毛，或近无毛。花期生出地上匍匐枝，匍匐枝先端具莲座状叶丛，通常生不定根。根茎短，具多条白色细根及纤维状根。基生叶多数，丛生，呈莲座状，或于匍匐枝上互生，叶片卵形或卵状长圆形，长 1.5 ~ 3.5cm，宽 1 ~ 2cm，先端钝或稍尖，基部宽楔形或截形，稀浅心形，明显下延于叶柄，边缘具钝齿及缘毛，幼叶两面密被白色柔毛，后渐变稀疏，但叶脉上及两侧边缘仍被较密的毛；叶柄长 2 ~ 4.5cm，具明显的翅，通常被毛；托叶基部与叶柄合生，2/3 离生，线状披针形，长 4 ~ 12mm，先端渐尖，边缘具稀疏的细齿或疏生流苏状齿。花较小，淡紫色或浅黄色，具长梗，生于基生叶或匍匐枝叶丛的叶腋间；花梗纤细，

七星莲

长1.5 ~ 8.5cm，无毛或被疏柔毛，中部有1对线形苞片；萼片披针形，长4 ~ 5.5mm，先端尖，基部附属物短，末端圆或具稀疏细齿，边缘疏生睫毛；侧方花瓣倒卵形或长圆状倒卵形，长6 ~ 8mm，无须毛，下方花瓣连距长约6mm，较其他花瓣显著短；距极短，长仅1.5mm，稍露出萼片附属物之外，下方2枚雄蕊背部的距短而宽，呈三角形；子房无毛，花柱棍棒状，基部稍膝曲，上部渐增粗，柱头两侧及后方具肥厚的缘边，中央部分稍隆起，前方具短喙。蒴果长圆形，直径约3mm，长约1cm，无毛，先端常具宿存的花柱。花期3 ~ 5月，果期5 ~ 8月。

| 生境分布 | 生于山地林下、林缘、草坡、溪谷旁、岩石缝隙中。重庆各地均有分布。

| 资源情况 | 野生资源丰富。药材主要来源于野生，亦有少量栽培。

| 采收加工 | 夏、秋季采挖，洗净，除去杂质，晒干或鲜用。

| 药材性状 | 本品多皱缩成团，并有数条短的匍匐茎，根圆锥形。湿润展开后，叶基生，卵形，叶端稍尖，边缘有钝齿，基部下延至叶柄，表面有毛茸。花梗较叶柄长，具毛茸，花淡棕紫色或黄白色。气微，味微苦。

| 功能主治 | 苦、辛，寒。归肺、肝经。清热解毒，散瘀消肿，止咳。用于疮疡肿毒，眼结膜炎，肺热咳嗽，百日咳，黄疸性肝炎，带状疱疹，烫火伤，跌打损伤，骨折，毒蛇咬伤。

| 用法用量 | 内服煎汤，9 ~ 15g，鲜品30 ~ 60g；或捣汁。外用适量，捣敷。

| 附　　注 | 本种喜温暖阴凉的湿润环境，生长适宜温度25 ~ 28℃，在半荫蔽而潮湿的地方生长茂盛，以含腐殖质较多的土壤栽培为宜。

堇菜科 Violaceae 堇菜属 *Viola*

阔萼堇菜 *Viola grandisepala* W. Beck.

| 药 材 名 | 阔萼堇菜（药用部位：全草）。

| 形态特征 | 多年生矮小草本，近无地上茎，高 7 ~ 10cm。根茎连缩短的地上茎长约 2cm，直径约 2mm，其上密生节和叶，有时生匍匐茎。叶近基生，宽卵形或近圆形，长 1 ~ 3cm，宽 1.5 ~ 3cm，先端钝或圆形，基部深心形，边缘密生细的圆形浅锯齿，两面无毛但密生棕色斑点，或上面近叶缘部分散生白色毛；叶柄长 2 ~ 5cm，柔软，无毛；托叶仅基部与叶柄合生，大部分离生，深褐色，外部的卵形，内部的宽披针形，长约 1.2cm，先端渐尖，全缘。花白色，中等大；花梗长于叶，无毛，中部以上靠近花处有褐色线形小苞片 2；萼片宽卵形至卵形，长约 5mm，宽约 3mm，具 3 脉，先端尖，基部具极短的附属物，边缘密生纤毛，下面有棕色斑点；花瓣长圆状倒卵形，侧瓣无须毛，

阔萼堇菜

下方花瓣连距长约 1cm，距短，稍超出花萼的附属物，长 1.5 ~ 2mm；下方雄蕊花药长约 2mm，药隔先端附属物长约 1mm，背方的距短而宽，长仅 1.5mm；子房宽卵形，花柱基部近直立，上部稍增粗，柱头向前方弯曲成较粗之喙，喙端具较粗的柱头孔。

| 生境分布 | 生于海拔 1100 ~ 1900m 的岩石上、山坡、路旁阴湿处。分布于重庆南川、垫江等地。

| 资源情况 | 野生资源稀少。药材主要来源于野生。

| 采收加工 | 夏、秋季采收，切段，晒干或鲜用。

| 功能主治 | 清热解毒，消炎止血。用于毒疮。

| 用法用量 | 外用适量，捣敷。

堇菜科 Violaceae 堇菜属 *Viola*

紫花堇菜 *Viola grypoceras* A. Gray

紫花堇菜

|药材名|

地黄瓜（药用部位：全草。别名：肾气草、黄瓜香、犁头草）。

|形态特征|

多年生草本，具发达主根。根茎短粗，垂直，节密生，褐色。地上茎多数，花期高 5 ~ 20cm，果期高可达 30cm，直立或斜升，通常无毛。基生叶心形或宽心形，长 1 ~ 4cm，宽 1 ~ 3.5cm，先端钝或微尖，基部弯缺狭，边缘具钝锯齿，两面无毛或近无毛，密布褐色腺点；茎生叶三角状心形或狭卵状心形，长 1 ~ 6cm，基部弯缺浅或宽三角形；基生叶叶柄长达 8cm，茎生叶叶柄较短；托叶褐色，狭披针形，长 1 ~ 1.5cm，宽 1 ~ 2mm，先端渐尖，边缘具流苏状长齿，齿长 2 ~ 5mm，比托叶宽长约 2 倍。花淡紫色，无芳香；花梗自茎基部或茎生叶叶腋抽出，长 6 ~ 11cm，远超出叶，中部以上有 2 线形小苞片；萼片披针形，长约 7mm，有褐色腺点，先端锐尖，基部附属物长约 2mm，末端截形，具浅齿；花瓣倒卵状长圆形，有褐色腺点，边缘呈波状，侧瓣里面无须毛，下瓣连距长 1.5 ~ 2cm，距长 6 ~ 7mm，直径约 2mm，通常向下弯，稀直伸；下方 2 雄蕊具长距，距近直立；子房无毛，花柱基部稍膝曲，向顶部逐渐增粗成棒状，柱头无乳头状突起，向前弯曲成短喙；喙端具较宽柱头孔。蒴果椭圆形，长约 1cm，密生褐色腺点，先端短尖。花期 4 ~ 5 月，果期 6 ~ 8 月。

| 生境分布 | 生于水边草丛中或林下湿地。分布于重庆城口、石柱、丰都、江津、垫江、巫溪、巫山、梁平、九龙坡、奉节、南川、开州等地。

| 资源情况 | 野生资源一般。药材主要来源于野生。

| 采收加工 | 夏、秋季采收，洗净，鲜用或晒干。

| 药材性状 | 本品多皱缩成团。湿润展开后，具细长的根，植株较长，基生叶较小，茎生叶较大，三角状心形，叶柄基部有披针形托叶。花自茎生叶的叶腋或基部抽出，淡棕紫色。气微，味微苦。

| 功能主治 | 微苦，凉。清热解毒，消瘀消肿，凉血止血。用于疮痈肿毒，咽喉肿痛，乳痈，急性结膜炎，跌打损伤，便血，刀伤出血，蛇蛟伤。

| 用法用量 | 内服煎汤，9 ~ 15g。外用适量，捣敷。

| 附　　注 | 本种与鸡腿堇菜 *Viola acuminata* Ledeb. 的外形极近似，无花时更难辨认。鸡腿堇菜通常无基生叶，植株被白色柔毛。本种花大，距长（6 ~ 7mm），侧瓣里面无须毛，花柱无乳头状突起，柱头之喙短而向上，柱头孔较宽大；而鸡腿堇菜花小，距短（1.5 ~ 3.5mm），侧瓣里面有长须毛，花柱顶部有明显的乳头状突起，柱头之喙较长，柱头孔较狭窄。此外，从分布区看，本种主要分布于长江流域，而鸡腿堇菜主要分布于黄河流域及东北地区。

堇菜科 Violaceae 堇菜属 *Viola*

长萼堇菜 *Viola inconspicua* Blume

| 药 材 名 | 犁头草（药用部位：全草。别名：铧头草、紫花地丁、耳钩草）。

| 形态特征 | 多年生草本，无地上茎。根茎垂直或斜生，较粗壮，长 1 ~ 2cm，直径 2 ~ 8mm，节密生，通常被残留的褐色托叶所包被。叶基生，莲座状，三角形、三角状卵形或戟形，基部宽心形，弯缺呈宽半圆形，具圆齿；叶柄具窄翅。花淡紫色，有暗紫色条纹；萼片卵状披针形或披针形，基部附属物长；花瓣长圆状倒卵形，下瓣距管状，直伸。蒴果长圆形，长 8 ~ 10mm，无毛；种子卵球形，长 1 ~ 1.5mm，直径 0.8mm，深绿色。花果期 3 ~ 11 月。

| 生境分布 | 生于林缘、山坡草地、田边或溪旁等处。分布于重庆巫溪、巫山、南川、江津等地。

长萼堇菜

| 资源情况 | 野生资源稀少。药材主要来源于野生，亦有少量栽培。

| 采收加工 | 参见“心叶堇菜”条。

| 药材性状 | 本品叶片三角状卵形、近三角形或戟形，长 2 ~ 4cm 或更长，宽 1 ~ 3cm，基部宽心形，两侧有明显垂片，边缘有小齿。花梗略长于叶，花棕紫色。蒴果长圆形。

| 功能主治 | 参见“心叶堇菜”条。

| 用法用量 | 参见“心叶堇菜”条。

| 附　　注 | 本种喜温暖湿润的气候。种植应选择疏松肥沃的砂壤土。通过种子繁殖。

堇菜科 Violaceae 堇菜属 *Viola*

萱 *Viola moupinensis* Franch.

药材名 乌藨连（药用部位：全草或根茎。别名：乌泡连、山羊臭、如意草）。

形态特征 多年生草本。无地上茎，有时具长达 30cm 的上升的匍匐枝，枝端簇生多数叶片。根茎直径 6 ~ 10mm，长可达 15cm，垂直或有时斜生，节间短而密，通常残存褐色托叶，密生细根。叶基生，心形或肾状心形，花后增大成肾形，先端急尖或渐尖，基部弯缺狭或宽三角形，两侧耳部花期常向内卷，叶柄有翅。花较大，淡紫色或白色，具紫色条纹；花梗长不超出叶；萼片披针形或窄卵形，先端稍尖，基部附属物短，末端平截，疏生浅齿；花瓣长圆状倒卵形，侧瓣内面近基部有须毛，下瓣连囊状距长约 1.5cm；柱头平截，两侧及后方具肥厚的缘边，前方具平伸的短喙。蒴果椭圆形，长约 1.5cm，无毛，有褐色腺点；种子大，倒卵状，长 2.5mm，直径约 2mm，先端圆，

萱

基部尖。花期 4 ~ 6 月，果期 5 ~ 7 月。

| 生境分布 | 生于林缘旷地、灌丛中、溪旁或草坡等处。分布于重庆江津、奉节、丰都、南川、巫溪、开州、石柱、武隆、黔江、彭水、酉阳、秀山等地。

| 资源情况 | 野生资源丰富。药材主要来源于野生。

| 采收加工 | 夏、秋季采收，洗净，鲜用或晒干。

| 药材性状 | 本品多皱缩成团，湿润展开后，根茎较粗大，主根明显，直径可达 1cm，长可达 14cm，并可见匍匐茎。基生叶心形，先端渐尖，边缘有钝锯齿。花淡棕紫色，具条纹。果实较大，有的已开裂。气微，味微苦。

| 功能主治 | 微甘、涩，寒。清热解毒，活血止痛，止血。用于疮痈肿毒，乳房硬肿，麻疹热毒，头痛，牙痛，跌打损伤，开放性骨折，咯血，刀伤出血。

| 用法用量 | 内服煎汤，9 ~ 15g；或泡酒。外用适量，捣敷。

| 附　　注 | 本种有一变种黄花堇，二者的区别在于变种的花瓣黄色，叶片下面被柔毛，托叶披针形。

堇菜科 Violaceae 堇菜属 *Viola*

柔毛堇菜 *Viola principis* H. de Boiss.

|药材名| 柔毛堇菜（药用部位：全草）。

|形态特征| 多年生草本，全体被开展的白色柔毛。根茎较粗壮，长 2 ~ 4cm，直径 3 ~ 7mm；匍匐枝较长，延伸，被柔毛，有时似茎状。叶近基生或互生匍匐枝上；叶片卵形或宽卵形，有时近圆形，长 2 ~ 6cm，宽 2 ~ 4.5cm，先端圆，稀具短尖，基部宽心形，有时较狭，边缘密生浅钝齿，下面尤其沿叶脉毛较密；叶柄长 5 ~ 13cm，密被长柔毛，无翅；托叶大部分离生，褐色或带绿色，有暗色条纹，宽披针形，长 1.2 ~ 1.8cm，宽 3 ~ 4mm，先端渐尖，边缘具长流苏状齿。花白色；花梗通常高出叶丛，密被开展的白色柔毛，中部以上有对生的线形小苞片 2；萼片狭卵状披针形或披针形，长 7 ~ 9mm，先端渐尖，基部附属物短，长约 2mm，末端钝，边缘及外面被柔毛，

柔毛堇菜

具 3 脉；花瓣长圆状倒卵形，长 1 ～ 1.5cm，先端稍尖，侧方 2 花瓣里面基部稍被须毛，下方 1 花瓣较短，连距长约 7mm；距短而粗，呈囊状，长 2 ～ 2.5mm，直径约 2mm，下方 2 雄蕊具角状距，稍长于花药，末端尖；子房圆锥状，无毛，花柱棍棒状，基部稍膝曲，向上增粗，先端略平，两侧有明显的缘边，前方具短喙，喙端具向上开口的柱头孔。蒴果长圆形，长约 8mm。花期 3 ～ 6 月，果期 6 ～ 9 月。

| 生境分布 | 生于山地林下、林缘、草地、溪谷、沟边或路旁等处。分布于重庆涪陵、南川、巫溪、武隆、巴南、城口、云阳、丰都、石柱、酉阳、秀山、合川、永川、江津等地。

| 资源情况 | 野生资源一般。药材主要来源于野生。

| 采收加工 | 夏、秋季采收，切段，晒干或鲜用。

| 功能主治 | 辛、苦，寒。清热解毒，祛瘀生新。用于跌打损伤，骨折，无名肿毒。

| 用法用量 | 外用适量，捣敷。

| 附　　注 | （1）在 FOC 中，本种的拉丁学名被修订为 *Viola fargesii* H. Boissieu。

（2）本种有一变种尖叶柔毛堇菜，二者的区别在于变种的叶片先端急尖或渐尖，基部通常宽心形；侧方 2 枚花瓣里面基部被长须毛；无匍匐枝。

堇菜科 Violaceae 堇菜属 *Viola*

早开堇菜 *Viola prionantha* Bunge

| 药材名 | 早开堇菜（药用部位：全草）。

| 形态特征 | 多年生草本，花期高 3 ~ 10cm，果期高可达 20cm。无地上茎。根茎垂直，短而较粗壮，长 4 ~ 20mm，直径可达 9mm，上端常有去年残叶围绕。根数条，带灰白色，粗而长，通常皆由根茎的下端发出，向下直伸，或有时近横生。叶多数，均基生；叶片在花期呈长圆状卵形、卵状披针形或狭卵形，长 1 ~ 4.5cm，宽 6 ~ 20mm，先端稍尖或钝，基部微心形、截形或宽楔形，稍下延，幼叶两侧通常向内卷折，边缘密生细圆齿，两面无毛，或被细毛，有时仅沿中脉被毛；果期叶片显著增大，长可达 10cm，宽可达 4cm，三角状卵形，最宽处靠近中部，基部通常宽心形；叶柄较粗壮，花期长 1 ~ 5cm，果期长达 13cm，上部有狭翅，无毛或被细柔毛；托叶苍白色或淡绿

早开堇菜

色，干后呈膜质，2/3 与叶柄合生，下部宽 7 ~ 9mm，离生部分线状披针形，长 7 ~ 13mm，边缘疏生细齿。花大，紫堇色或淡紫色，喉部色淡并有紫色条纹，直径 1.2 ~ 1.6cm，无香味；花梗较粗壮，具棱，超出于叶，在近中部处有线形小苞片 2；萼片披针形或卵状披针形，长 6 ~ 8mm，先端尖，具白色狭膜质边缘，基部附属物长 1 ~ 2mm，末端具不整齐牙齿或近全缘，无毛或被纤毛；上方花瓣倒卵形，长 8 ~ 11mm，向上方反曲，侧方花瓣长圆状倒卵形，长 8 ~ 12mm，里面基部通常被须毛或近于无毛，下方花瓣连距长 14 ~ 21mm，距长 5 ~ 9mm，直径 1.5 ~ 2.5mm，末端钝圆且微向上弯；药隔先端附属物长约 1.5mm，花药长 1.5 ~ 2mm，下方 2 雄蕊背方的距长约 4.5mm，末端尖；子房长椭圆形，无毛，花柱棍棒状，基部明显膝曲，上部增粗，柱头顶部平或微凹，两侧及后方浑圆或具狭缘边，前方具不明显短喙，喙端具较狭的柱头孔。蒴果长椭圆形，长 5 ~ 12mm，无毛，先端钝，常具宿存的花柱；种子多数，卵球形，长约 2mm，直径约 1.5mm，深褐色，常有棕色斑点。花果期 4 月上中旬至 9 月。

|生境分布| 生于宅旁向阳处或路边草地。分布于重庆忠县、奉节、巫山等地。

|资源情况| 野生资源稀少。药材主要来源于野生。

|采收加工| 春、秋季采收，除去杂质，晒干或鲜用。

|药材性状| 本品多皱缩成团。根圆锥形，黄白色。叶基生，灰绿色，展开后呈卵形或卵状披针形，长 3 ~ 4.5cm，宽 0.5 ~ 1.2cm，先端钝，基部平截或微心形，叶缘锯齿状，两面有疏毛；叶柄上部有狭翅。花茎纤细；花瓣 5，紫堇色，花距细管状。蒴果椭圆形，常开裂；种子多数，淡棕色。气微，味微苦。

|功能主治| 抗肿瘤，抗突变，增强免疫。用于疔疮肿毒，痈疽发背，丹毒，毒蛇咬伤。

|用法用量| 内服煎汤，15 ~ 30g。外用适量，鲜品捣敷。

|附　　注| 本种喜生于光照充分、比较干燥的环境中，在弱碱性至微酸性土壤中均可生长，但在疏松、腐殖质丰富的土壤中生长最好。

堇菜科 Violaceae 堇菜属 *Viola*

浅圆齿堇菜 *Viola schneideri* W. Beck.

| 药材名 | 浅圆齿堇菜（药用部位：根）。

| 形态特征 | 多年生无毛草本，高 7 ~ 10cm。几无地上茎。根茎斜生，具短而明显的节，密生细根；匍匐茎发达，长 10 ~ 15cm，散生叶及花，节处生不定根，先端通常发育成 1 新植株。叶近基生；叶片卵形或卵圆形，长 2 ~ 7cm，宽 1.5 ~ 3.5cm，先端圆，基部深心形，边缘每侧具浅圆齿 6 ~ 8，两面无毛，上面淡绿色，下面常带红色，干后有褐色腺点；叶柄长短不等，长者可达 5cm；托叶大部分离生，褐色，宽披针形，长 1 ~ 1.5cm，先端长渐尖，边缘具流苏状疏齿，上面有棕色条纹。花白色或淡紫色；花梗超出于叶，或与叶近等长，中部以上有线形小苞片 2；萼片披针形或卵状披针形，长 5 ~ 6mm，宽 1.5 ~ 2mm，先端尖，基部附属物短，截形，有狭膜质缘；花瓣

浅圆齿堇菜

长圆状倒卵形，长 7 ~ 8mm，侧方花瓣被须毛，下方花瓣较短，基部之距短，呈囊状，长 1.5 ~ 2mm，直径约 2mm；下方雄蕊背部的距短，呈长圆形，与花药近等长，长约 2mm，子房长圆形，无毛，花柱棍棒状，基部近直立，向上稍增粗，柱头两侧具宽而明显的滚边，前方具向上而直伸的喙，喙短粗，喙端具粗大的柱头孔。蒴果长圆形，长 5 ~ 7mm，无毛。花期 4 ~ 6 月。

| 生境分布 | 生于山地林下、林缘、草坡、溪谷或路旁等处。分布于重庆綦江、忠县、丰都、涪陵、南川、城口、江津、北碚等地。

| 资源情况 | 野生资源稀少。药材主要来源于野生。

| 采收加工 | 春、秋季采收，除去杂质，晒干。

| 药材性状 | 本品根茎具短而明显的节，密生细根；匍匐枝长 10 ~ 15cm，散生叶及花。叶近基生，棕绿色，呈卵形、宽卵形或近卵圆形，先端圆或钝，基部深心形，边缘每侧具 6 ~ 8 浅圆齿；托叶大部分离生。

| 功能主治 | 接骨。用于骨折。

| 用法用量 | 内服煎汤，9 ~ 15g。外用适量，鲜品捣敷。

| 附　　注 | 在 FOC 中，本种被修订为深圆齿堇菜 *Viola davidii* Franch.。

堇菜科 Violaceae 堇菜属 *Viola*

深山堇菜 *Viola selkirkii* Pursh ex Gold

| 药 材 名 | 深山堇菜（药用部位：全草）。

| 形态特征 | 多年生草本，高 5 ~ 16cm。无地上茎和匍匐枝。根茎细，长 1 ~ 4cm，有时可达 10cm，具较长的节间和不明显的节，生多条白色细根。叶基生，通常较多，呈莲座状；叶片薄纸质，心形或卵状心形，长 1.5 ~ 5cm，宽 1.3 ~ 3.5cm，果期长约 6cm，宽约 4cm，先端稍急尖或圆钝，基部狭深心形，两侧垂片发达，边缘具钝齿，两面疏生白色短毛；叶柄长 2 ~ 7cm，果期长可达 13cm，有狭翅，疏生白色短毛；托叶淡绿色，1/2 与叶柄合生，离生部分披针形，边缘疏生具腺体的细齿。花淡紫色，具长梗；花梗长 4 ~ 7cm，稍超出或不超出于叶，无毛，通常在中部有小苞片 2；小苞片线形，长 5 ~ 7mm，边缘疏生细齿；萼片卵状披针形，长 6 ~ 7mm，先端急尖，具狭膜

深山堇菜

质缘，有 3 脉，基部附属物长圆形，长约 2mm，末端具不整齐的缺刻状浅裂并疏生缘毛；花瓣倒卵形，侧方花瓣无须毛，下方花瓣连距长 1.5 ~ 2cm；距较粗，长 5 ~ 7mm，直径 2 ~ 3mm，末端圆，直或稍向上弯；子房无毛，花柱棍棒状，基部稍向前膝曲，上部明显增粗，柱头顶部平坦，两侧具窄缘边，前方具明显短喙，喙端具向上柱头孔。蒴果较小，椭圆形，长 6 ~ 8mm，无毛，先端钝；种子多数，卵球形，长约 2mm，直径约 1.1mm，淡褐色。花果期 5 ~ 7 月。

｜生境分布｜ 生于海拔 1700m 以下的针阔混交林、落叶阔叶林或灌丛下腐殖层较厚的土壤中、溪谷、沟旁阴湿处。分布于重庆城口、巫溪、南川、开州等地。

｜资源情况｜ 野生资源稀少。药材主要来源于野生。

｜采收加工｜ 春、夏季采收，鲜用或晒干。

｜功能主治｜ 清热解毒，消暑，消肿。用于无名肿毒，暑热。

｜用法用量｜ 内服煎汤，适量。外用适量，鲜品捣敷。

堇菜科 Violaceae 堇菜属 *Viola*

三色堇 *Viola tricolor* L.

| 药 材 名 | 三色堇（药用部位：全草。别名：蝴蝶花）。

| 形态特征 | 一年生、二年生或多年生草本，高 10 ~ 40cm。地上茎较粗，直立或稍倾斜，有棱，单一或多分枝。基生叶长卵形或披针形，具长柄；茎生叶卵形、长圆状圆形或长圆状披针形，先端圆或钝，基部圆，边缘具稀疏的圆齿或钝锯齿，上部叶叶柄较长，下部者较短；托叶大型，叶状，羽状深裂，长 1 ~ 4cm。花大，直径 3.5 ~ 6cm，每个茎上有花 3 ~ 10，通常每花有紫色、白色、黄色 3 色；花梗稍粗，单生叶腋，上部具对生的小苞片 2；小苞片极小，卵状三角形；萼片绿色，长圆状披针形，长 1.2 ~ 2.2cm，宽 3 ~ 5mm，先端尖，边缘狭膜质，基部附属物发达，长 3 ~ 6mm，边缘不整齐；上方花瓣深紫色，侧方及下方花瓣均为 3 色，有紫色条纹，侧方花瓣里面

三色堇

基部密被须毛，下方花瓣距较细，长 5 ~ 8mm；子房无毛，花柱短，基部明显膝曲，柱头膨大，呈球状，前方具较大的柱头孔。蒴果椭圆形，长 8 ~ 12mm，无毛。花期 4 ~ 7 月，果期 5 ~ 8 月。

| 生境分布 | 生于湿润、肥沃的地方，或栽培于公园、绿化带等。重庆各地均有分布。

| 资源情况 | 野生资源较少，栽培资源丰富。药材主要来源于栽培。

| 采收加工 | 5 ~ 7 月果实成熟时采收，除去泥土，晒干。

| 药材性状 | 本品叶多皱缩，着生在茎上，托叶较大，羽状分裂，叶片宽披针形，基生叶有长柄。花较大，多色。气微香，味微苦。

| 功能主治 | 苦，寒。清热解毒，止咳。用于疮疡肿毒，小儿湿疹，小儿瘰疬，咳嗽。

| 用法用量 | 内服煎汤，9 ~ 15g。外用适量，捣敷。

| 附　　注 | 本种喜凉爽环境，耐寒，畏夏季高温，宜在肥沃而排水良好的砂壤土中栽种。

堇菜科 Violaceae 堇菜属 *Viola*

堇菜 *Viola verecunda* A. Gray

| 药 材 名 | 消毒药（药用部位：全草。别名：如意草、箭头草、罐嘴菜）。

| 形态特征 | 多年生草本，高 5 ~ 20cm。根茎短粗，长 1.5 ~ 2cm，直径约 5mm，斜生或垂直，节间缩短，节较密，密生多条须根。地上茎通常数条丛生，稀单一，直立或斜升，平滑无毛。基生叶宽心形、卵状心形或肾形，长 1.5 ~ 3cm（包括垂片），宽 1.5 ~ 3.5cm，先端圆或微尖，基部宽心形，两侧垂片平展，边缘具向内弯的浅波状圆齿，两面近无毛；茎生叶少，疏列，与基生叶相似，但基部的弯缺较深，幼叶的垂片常卷折；叶柄长 1.5 ~ 7cm，基生叶之柄较长，具翅，茎生叶之柄较短，具极狭的翅；基生叶的托叶褐色，下部与叶柄合生，上部离生，呈狭披针形，长 5 ~ 10mm，先端渐尖，边缘疏生细齿，茎生叶的托叶离生，绿色，卵状披针形或匙形，长 6 ~ 12mm，通

堇菜

常全缘，稀具细齿。花小，白色或淡紫色，生于茎生叶的叶腋，具细弱的花梗；花梗远长于叶片，中部以上有近于对生的线形小苞片 2；萼片卵状披针形，长 4 ~ 5mm，先端尖，基部附属物短，末端平截具浅齿，边缘狭膜质；上方花瓣长倒卵形，长约 9mm，宽约 2mm，侧方花瓣长圆状倒卵形，长约 1cm，宽约 2.5mm，上部较宽，下部变狭，里面基部被短须毛，下方花瓣连距长约 1cm，先端微凹，下部有深紫色条纹；距呈浅囊状，长 1.5 ~ 2mm；雄蕊的花药长约 1.7mm，药隔先端附属物长约 1.5mm，下方雄蕊的背部具短距；距呈三角形，长约 1mm，直径约 1.5mm，末端钝圆；子房无毛，花柱棍棒状，基部细且明显向前膝曲，向上渐增粗，柱头 2 裂，裂片稍肥厚而直立，中央部分稍隆起，前方位于 2 裂片间的基部有斜升的短喙，喙端具圆形的柱头孔。蒴果长圆形或椭圆形，长约 8mm，先端尖，无毛；种子卵球形，淡黄色，长约 1.5mm，直径约 1mm，基部具狭翅状附属物。花果期 5 ~ 10 月。

| 生境分布 | 生于湿草地、山坡草丛、灌丛、杂木林林缘、田野、宅旁等处。分布于重庆巫山、巫溪、南川、奉节等地。

| 资源情况 | 野生资源较丰富。药材主要来源于野生。

| 采收加工 | 7 ~ 8 月采收，洗净，鲜用或晒干。

| 药材性状 | 本品多皱缩成团，湿润展开后，基生叶具长柄，宽心形。茎纤细，单叶互生，心形，先端钝尖，基部深心形，边缘具圆齿，基部有小型披针形托叶 2。花顶生，淡棕紫色。气微，味微涩。

| 功能主治 | 微苦，凉。清热解毒，止咳，止血。用于肺热咳嗽，乳蛾，眼结膜炎，疔疮肿毒，蝮蛇咬伤，刀伤出血。

| 用法用量 | 内服煎汤，15 ~ 30g，鲜品 30 ~ 60g；或捣汁。外用适量，捣敷。

| 附　　注 | 在 FOC 中，本种被修订为如意草 *Viola arcuata* Blume。

堇菜科 Violaceae 堇菜属 *Viola*

云南堇菜 *Viola yunnanensis* W. Beck. et H. de Boiss.

| 药 材 名 | 昆明堇菜（药用部位：全草。别名：紫花地丁、紫罗兰）。

| 形态特征 | 多年生草本。根茎伸长，具长的节间，斜生或平卧地面呈茎状，节上有不定根。地上茎缺或较短，长不足 2cm。匍匐枝纤细，长可达 37cm，通常密被白色柔毛，先端有簇生的叶丛且常形成新植株。叶近基生或互生匍匐枝上；叶片长圆形或长圆状卵形，长 3 ~ 8cm，宽 2 ~ 4cm，近中部处最宽，先端尖或渐尖，基部呈浅而狭的心形，边缘具粗圆齿，两面密被灰白色柔毛，上面深绿色或暗绿色，下面灰绿色，幼叶上毛较密；叶柄长短不等，长 3 ~ 8cm，密被开展的白色柔毛；托叶大部分离生，披针形，长 1 ~ 1.3cm，苍白色，膜质，先端狭长，渐尖，边缘具长流苏状齿。花淡红色或白色，长 1.5 ~ 1.7cm，直径约 1.5cm；自基生叶叶腋抽出的闭花受粉花的花梗远较叶短，

云南堇菜

匍匐枝上花梗远长于叶，花梗密被柔毛，中部以上有2枚对生的线形小苞片；萼片线状披针形或披针形，长5～7mm，基部附属物短，具3脉，沿脉疏生白色毛，边缘密生缘毛；上方2花瓣长圆形，长1.3～1.5cm，宽5～6.5mm，侧方2花瓣长约1cm，里面基部无须毛，下方1花瓣较短，连距长8～9mm；距极短，呈浅囊状，长1.5mm，稍向下弯；下方2雄蕊具极短的角状距；子房卵球形，无毛，花柱棍棒状，基部近直立，向上逐渐增粗，柱头具窄而直展的缘边，前方具短而直伸的喙，喙端具较细的柱头孔。蒴果小，长圆形或近球形，长5～7mm，绿色；种子球形。花期3～6月，果期8～12月。

生境分布 生于海拔1300～2400m的山地林下、林缘草地、沟谷或路旁岩石上较湿润处。分布于重庆巫山、开州、巫溪、南川等地。

资源情况 野生资源稀少。药材主要来源于野生。

采收加工 春、夏季采收，洗净，鲜用或晒干。

药材性状 本品多皱缩成团。湿润展开后，主根呈圆锥形。叶基生，叶片舌形或矩圆状披针形，先端钝，基部截形；叶柄纤细，基部可见托叶。花梗长于叶，其中部有2小苞片，花淡棕紫色。气微，味微苦。

功能主治 辛、苦，寒。清热解毒，消痞化积。用于疮疡肿毒，小儿痞积。

用法用量 内服煎汤，9～15g。外用适量，捣敷。

旌节花科 Stachyuraceae 旌节花属 *Stachyurus*

中国旌节花 *Stachyurus chinensis* Franch.

| 药 材 名 | 小通草（药用部位：茎髓。别名：小通花、鱼泡通、喜马拉雅旌节花）。

| 形态特征 | 落叶灌木，高 2 ~ 4m。树皮光滑，紫褐色或深褐色；小枝粗状，圆柱形，具淡色椭圆形皮孔。叶于花后发出，互生，纸质至膜质，卵形、长圆状卵形至长圆状椭圆形，长 5 ~ 12cm，宽 3 ~ 7cm，先端渐尖至短尾状渐尖，基部钝圆至近心形，边缘为圆齿状锯齿；侧脉 5 ~ 6 对，在两面均凸起，细脉网状，上面亮绿色，无毛，下面灰绿色，无毛或仅沿主脉和侧脉疏被短柔毛，后很快脱落；叶柄长 1 ~ 2cm，通常暗紫色。穗状花序腋生，先叶开放，长 5 ~ 10cm，无梗；花黄色，长约 7mm，近无梗或有短梗；苞片 1，三角状卵形，先端急尖，长约 3mm；小苞片 2，卵形，长约 2cm；萼片 4，黄绿色，卵形，长约 3.5mm，先端钝；花瓣 4，卵形，长约 6.5mm，先

中国旌节花

端圆形；雄蕊 8，与花瓣等长，花药长圆形，纵裂，2 室；子房瓶状，连花柱长约 6mm，被微柔毛，柱头头状，不裂。果实圆球形，直径 6 ~ 7cm，无毛，近无梗，基部具花被的残留物；花粉粒球形或近球形，赤道面观为近圆形或圆形，极面观为 3 裂圆形或近圆形，具 3 孔沟。花期 3 ~ 4 月，果期 5 ~ 7 月。

| 生境分布 | 生于海拔 400 ~ 2700m 的山坡谷地林中或林缘。分布于重庆黔江、垫江、涪陵、城口、奉节、彭水、万州、丰都、璧山、永川、长寿、忠县、云阳、武隆、北碚、巫溪、梁平等地。

| 资源情况 | 野生资源丰富。药材主要来源于野生，亦有少量栽培。

| 采收加工 | 秋季割取茎，截成段，趁鲜取出髓部，理直，晒干。

| 药材性状 | 本品呈圆柱形，长 30 ~ 50cm，直径 0.5 ~ 1cm。表面白色或淡黄色，无纹理。体轻，质松软，捏之能变形，有弹性，易折断，断面平坦，无空心，显银白色光泽。水浸后有黏滑感。无臭，无味。

| 功能主治 | 甘、淡，寒。归肺、胃经。清热，利尿，下乳。用于小便不利，乳汁不下，淋证。

| 用法用量 | 内服煎汤，3 ~ 6g。

| 附　　注 | （1）本种的药材市场流通品种十分混乱，伪品多，正品少。在实际工作中，常将小通草当作通草使用，或通草、小通草、灯心草混用。不法药贩为牟取暴利，常将本种药材用廉价的白矾、硝石浸泡后晒干，充当正品小通草药用，其外观与正品小通草几无差别。

（2）本种喜温暖气候，虽然在一般土壤条件下均可生长，但以肥沃、疏松的砂壤土或壤土栽培为好。

旌节花科 Stachyuraceae 旌节花属 *Stachyurus*

宽叶旌节花 *Stachyurus chinensis* Franch. var. *latus* H. L. Li

| 药 材 名 | 小通草（药用部位：茎髓）。

| 形态特征 | 本种与原变种中国旌节花的区别在于叶近圆形或卵形，长 6 ~ 7.5cm，宽 5 ~ 6.5cm，先端短尾尖，尖长 5 ~ 8mm，基部呈心形或微心形，边缘具粗锯齿。

| 生境分布 | 生于海拔 700 ~ 2100m 的山坡林下。分布于重庆南川、长寿、城口、巫溪、巫山、奉节、秀山、涪陵等地。

| 资源情况 | 野生资源稀少。药材主要来源于野生，亦有少量栽培。

| 采收加工 | 秋季将嫩枝砍下，剪去过细或过粗的枝，然后用细木棍将茎髓捅出，再用手拉平，晒干。

宽叶旌节花

| 功能主治 | 淡，平。清热，利尿，渗湿，通乳。用于乳汁不下，小便淋痛，风湿关节痛。

| 用法用量 | 内服煎汤，3 ~ 6g。

| 附　　注 | （1）在 FOC 中，本种被修订为中国旌节花 *Stachyurus chinensis* Franch.。

（2）《中国药典》记载“小通草”来源之一为中国旌节花。本种为中国旌节花变种之一，《中国中药资源志要》记载本种药材与中国旌节花功效相同。

（3）本种喜温暖湿润气候，宜选择疏松、肥沃、排水良好的土壤种植。

旌节花科 Stachyuraceae 旌节花属 *Stachyurus*

西域旌节花 *Stachyurus himalaicus* Hook. f. et Thoms. ex Benth.

| 药 材 名 | 小通草（药用部位：茎髓。别名：小通花、鱼泡通、喜马拉雅旌节花）。

| 形态特征 | 落叶灌木或小乔木，高 3 ~ 5m。树皮平滑，棕色或深棕色；小枝褐色，具浅色皮孔。叶片坚纸质至薄革质，披针形至长圆状披针形，长 8 ~ 13cm，宽 3.5 ~ 5.5cm，先端渐尖至长渐尖，基部钝圆，边缘具细而密的锐锯齿，齿尖骨质并加粗；侧脉 5 ~ 7 对，两面均凸起，细脉网状；叶柄紫红色，长 0.5 ~ 1.5cm。穗状花序腋生，长 5 ~ 13cm，无总梗，通常下垂，基部无叶；花黄色，长约 6mm，几无梗；苞片 1，三角形，长约 2mm；小苞片 2，宽卵形，先端急尖，基部联合；萼片 4，宽卵形，长约 3mm，先端钝；花瓣 4，倒卵形，长约 5mm，宽约 3.5mm；雄蕊 8，长 4 ~ 5mm，通常短于花瓣；花药黄色，2 室，纵裂；子房卵状长圆形，连花柱长约 6mm，柱头

西域旌节花

头状。果实近球形，直径 7 ～ 8cm，无梗或近无梗，具宿存花柱；花粉粒球形或长球形，极面观为三角形或三角状圆形，赤道面观为圆形，具 3 孔沟。花期 3 ～ 4 月，果期 5 ～ 8 月。

| 生境分布 | 生于海拔 500 ～ 2300m 的山坡阔叶林下或灌丛中。分布于重庆大足、綦江、彭水、云阳、南川、长寿、奉节、垫江、巫溪、万州、忠县、酉阳、涪陵、渝北、北碚、合川等地。

| 资源情况 | 野生资源较丰富。药材主要来源于野生。

| 采收加工 | 参见“中国旌节花”条。

| 药材性状 | 参见“中国旌节花”条。

| 功能主治 | 参见“中国旌节花”条。

| 用法用量 | 参见“中国旌节花”条。

旌节花科 Stachyuraceae 旌节花属 *Stachyurus*

矩圆叶旌节花 *Stachyurus oblongifolius* Wang et Tang

| 药 材 名 | 小通草（药用部位：茎髓。别名：小通花）。

| 形态特征 | 灌木，高 2 ~ 3m，直立，稀匍匐，棕褐色，光滑无毛。叶互生，革质，长圆状椭圆形，长 4 ~ 8cm，宽 1.5 ~ 4cm，先端急尖、长渐尖或钝圆，基部圆形，边缘具疏尖锯齿，齿端坚硬，叶缘略反卷，两面无毛，上面淡绿色，下面带红色；中脉在上面明显，在下面凸起，侧脉 5 ~ 6 对，从中脉分出弯向边缘，和细脉连结成网状，两面均明显；叶柄长 5 ~ 15mm。总状花序腋生，长 2.5 ~ 4.5cm；苞片无毛，卵状短披针形，长 2.5mm；小苞片无毛，卵状三角形；萼片 4，无毛，形状不一，下面 1 对卵形中凹，略具短缘毛，长 2mm，上面 1 对矩形，缘毛不明显，长 2mm；花瓣 4，无毛，倒卵形，末端圆形，微分爪和片 2 部分，长 5mm，宽 3mm；雄蕊 8，长短不等，长 2.5 ~ 3mm，

矩圆叶旌节花

比雌蕊短；雌蕊不伸出瓣外，子房上位，卵状椭圆形，花柱不明显，柱头头状，4 浅裂。果实呈圆形浆果状，直径 5mm，先端具短喙，果梗短。花期 3 ~ 4 月，果期 6 ~ 7 月。

| 生境分布 | 生于海拔 600 ~ 1000m 的溪沟、路边或山坡灌丛中。分布于重庆彭水、涪陵、奉节、南川、开州等地。

| 资源情况 | 野生资源稀少。药材主要来源于野生。

| 采收加工 | 秋季将嫩枝砍下，剪去过细或过粗的枝，然后用细木棍将茎髓捅出，再用手拉平，晒干。

| 功能主治 | 甘、淡，凉。清热，利水，通乳。用于热病烦渴，小便黄赤，尿少或尿闭，急性膀胱炎，肾炎，水肿，小便不利，乳汁不通。

| 用法用量 | 内服煎汤，3 ~ 6g。

| 附　　注 | 在 FOC 中，本种被修订为云南旌节花 *Stachyurus yunnanensis* Franch.。

旌节花科 Stachyuraceae 旌节花属 *Stachyurus*

倒卵叶旌节花 *Stachyurus obovatus* (Rehd.) Hand.-Mazz.

倒卵叶旌节花

| 药 材 名 |

小通草（药用部位：茎髓。别名：小通花、鱼泡通、喜马拉雅旌节花）。

| 形态特征 |

常绿灌木或小乔木，高 1 ~ 4m。树皮灰色或灰褐色，枝条绿色或紫绿色，有明显的线状皮孔，茎髓白色。叶革质或亚革质，倒卵形或倒卵状椭圆形，中部以下突然收窄变狭，长 5 ~ 8cm，宽 2 ~ 3.5cm，先端长尾状渐尖，基部渐狭成楔形，边缘中部以上具锯齿，齿尖骨质；上面绿色，下面淡绿色，无毛；中脉在上面稍凸，在下面明显凸起，侧脉 5 ~ 7 对，在下面较明显，细脉网状；叶柄长 0.5 ~ 1cm。总状花序腋生，长 1 ~ 2cm；有花 5 ~ 8；总花梗长约 0.5cm，基部具叶；花淡黄绿色，近于无梗；苞片 1，三角形，长约 1.5mm，急尖，宿存；小苞片 2，卵形，长约 2mm；萼片 4，卵形，长 2mm；花瓣 4，倒卵形，长 5.5 ~ 7mm，宽 2 ~ 5mm，先端钝圆；雄蕊 8，长约 4mm；子房长卵形，被微柔毛，柱头卵形。浆果球形，直径 6 ~ 7mm，疏被微柔毛；果梗长 2 ~ 3mm，中部具关节，先端具宿存花柱；花粉具 3 拟孔沟。花期 4 ~ 5 月，果期 8 月。

| 生境分布 | 生于海拔 500 ～ 2000m 的山坡常绿阔叶林下或林缘。分布于重庆南川、江津、北碚等地。

| 资源情况 | 野生资源稀少。药材主要来源于野生。

| 采收加工 | 秋季将嫩枝砍下，剪去过细或过粗的枝，然后用细木棍将茎髓捅出，再用手拉平，晒干。

| 药材性状 | 本品呈细圆柱形，长短不一，直径 0.4 ～ 1cm。银白色或微黄色，表面平坦无纹理。体轻，质松软，可弯曲，以指捏之能使其变形，断面银白色，有光泽，无空心。水浸后，外表及断面均有黏滑感。无气，无味。

| 功能主治 | 甘、淡，凉。归肺、胃、膀胱经。清热，利水，通乳。用于热病烦渴，小便黄赤，尿少或尿闭，急性膀胱炎，肾炎，水肿，小便不利，乳汁不通。

| 用法用量 | 内服煎汤，3 ～ 6g。

旌节花科 Stachyuraceae 旌节花属 *Stachyurus*

柳叶旌节花 *Stachyurus salicifolius* Franch.

|药材名| 小通草（药用部位：茎髓）。

|形态特征| 常绿灌木，高 2 ~ 3m。树皮褐色或紫褐色；小枝光滑无毛，当年生枝绿色或黄绿色，老枝圆柱形，绿褐色或紫红色。叶革质或厚纸质，线状披针形，长 7 ~ 16cm，宽 1 ~ 2cm，先端渐尖，基部钝至圆形；边缘具不明显内弯的疏齿，上面绿色，下面淡绿色，两面均无毛；中脉在两面均凸起，侧脉 6 ~ 8 对，下 1 侧脉与上 1 侧脉在边缘多少网结，并与中脉平行，上面稍凹，下面凸起，网脉在上面下陷，下面不明显；叶柄长约 4mm。穗状花序腋生，长 5 ~ 7cm，直立或下垂，具短梗，梗长约 6mm，基部无叶；花黄绿色，长 5 ~ 6mm，无梗；苞片 1，三角状卵形，急尖，长约 2mm；小苞片 2，卵形，长约 2mm，急尖，具缘毛；萼片 4，卵形，长约 4mm，宽约 3mm，

柳叶旌节花

先端钝，具缘毛；花瓣 4，倒卵形，长约 5mm，宽约 4mm，先端钝或近圆形；雄蕊 8，与花瓣等长；子房瓶状，被短柔毛，柱头头状，不露出花瓣。果实球形，直径 5 ~ 6mm，具宿存花柱；果梗长约 2.5mm。花期 4 ~ 5 月，果期 6 ~ 7 月。

| 生境分布 | 生于海拔 1300 ~ 2000m 的山坡阔叶混交林下或灌丛中。分布于重庆酉阳、巫溪、奉节、开州、南川等地。

| 资源情况 | 野生资源稀少。药材主要来源于野生。

| 采收加工 | 参见“倒卵叶旌节花”条。

| 药材性状 | 参见“倒卵叶旌节花”条。

| 功能主治 | 参见“倒卵叶旌节花”条。

| 用法用量 | 参见“倒卵叶旌节花”条。

| 附　　注 | 《中华本草》将矩圆叶旌节花作为小通草来源之一，但《中国药典》中“小通草”条下无此来源。

旌节花科 Stachyuraceae 旌节花属 *Stachyurus*

披针叶旌节花 *Stachyurus salicifolius* Franch. var. *lancifolius* C. Y. Wu ex S. K. Chen

| 药 材 名 | 小通草（药用部位：茎髓）。

| 形态特征 | 本种与原变种柳叶旌节花的区别在于叶片纸质，长圆状披针形，不为线状披针形，长为宽的 4 倍，侧脉于边缘网结。

| 生境分布 | 生于海拔 800 ~ 1900m 的山坡、山谷溪边杂木林中。分布于重庆武隆、南川等地。

| 资源情况 | 野生资源稀少。药材主要来源于野生。

| 采收加工 | 秋季将嫩枝砍下，剪去过细或过粗的枝，然后用细木棍将茎髓捅出，再用手拉平，晒干。

披针叶旌节花

| **功能主治** | 甘、淡，凉。清热，利水，通乳。用于热病烦渴，小便黄赤，尿少或尿闭，急性膀胱炎，肾炎，水肿，小便不利，乳汁不通。

| **用法用量** | 内服煎汤，3 ~ 6g。

| **附　　注** | 在 FOC 中，本种被修订为柳叶旌节花 *Stachyurus salicifolius* Franch.。

旌节花科 Stachyuraceae 旌节花属 *Stachyurus*

四川旌节花 *Stachyurus szechuanensis* Fang

| 药 材 名 | 小通草（药用部位：茎髓）。

| 形态特征 | 小乔木，高 5m。树皮深褐色，光滑；小枝圆柱形，无毛，当年生枝绿色，老枝绿褐色；冬芽圆锥形，鳞片 4 ~ 5，卵形，无毛。叶厚革质，长圆状椭圆形、椭圆形至圆状椭圆形，有时稍呈倒卵状椭圆形，长 4 ~ 8cm，宽 2.5 ~ 4.5cm，先端圆钝或钝，基部钝至近圆形，边缘具疏微齿，稍反卷；侧脉 5 ~ 7 对，上面不明显，下面显著；叶柄长 1 ~ 2cm，无毛，上面有沟槽，下面浑圆。总状花序腋生，下垂，长约 2cm。浆果卵圆形，直径约 6mm；果梗长约 2mm，具宿存柱头。

| 生境分布 | 生于海拔 650 ~ 1900m 的山谷溪边或杂木林中。分布于重庆云阳、南川等地。

四川旌节花

| **资源情况** | 野生资源一般。药材主要来源于野生。

| **采收加工** | 参见“倒卵叶旌节花”条。

| **药材性状** | 参见“倒卵叶旌节花”条。

| **功能主治** | 参见“倒卵叶旌节花”条。

| **用法用量** | 参见“倒卵叶旌节花”条。

| **附　　注** | 在 FOC 中，本种被修订为凹叶旌节花 *Stachyurus retusus* Yang。

旌节花科 Stachyuraceae 旌节花属 *Stachyurus*

云南旌节花 *Stachyurus yunnanensis* Franch.

| 药 材 名 | 参见“倒卵叶旌节花”条。

| 形态特征 | 常绿灌木，高 1 ~ 3m。树皮暗灰色，光滑；枝条圆形，当年生枝为绿黄色，二年生枝为棕色或棕褐色，具皮孔。叶革质或薄革质，椭圆状长圆形至长圆状披针形，长 7 ~ 15cm，宽 2 ~ 4cm，先端渐尖或尾状渐尖，基部楔形或钝圆，边缘具细尖锯齿，齿尖骨质，上面绿色，具光泽，下面淡绿色、紫色，两面均无毛；中脉在下面明显凸起，侧脉 5 ~ 7 对，在两面均不明显，细脉网状；叶柄粗壮，长 12.5cm。总状花序腋生，长 3 ~ 8cm，花序轴呈“之”字形，具短梗，长约 7mm，有花 12 ~ 22；花近于无梗；苞片 1，三角形，急尖，长约 1.5mm；小苞片三角状卵形，急尖，长约 2.5mm；萼片 4，

云南旌节花

卵圆形，长约 3.5mm；花瓣 4，黄色至白色，倒卵圆形，长 5.5 ~ 6.5mm，宽约 4mm，先端钝圆；雄蕊 8，无毛；子房和花柱长约 6mm，无毛，柱头头状。果实球形，直径 6 ~ 7mm，无梗，具宿存花柱、苞片及花丝的残存物。花期 3 ~ 4 月，果期 6 ~ 9 月。

| 生境分布 | 生于海拔 600 ~ 1800m 的山坡常绿阔叶林下，或林缘灌丛中。分布于重庆城口、巫溪、巫山、奉节、武隆、彭水、南川、开州等地。

| 资源情况 | 野生资源稀少。药材主要来源于野生，亦有少量栽培。

| 采收加工 | 参见“倒卵叶旌节花”条。

| 药材性状 | 参见“倒卵叶旌节花”条。

| 功能主治 | 参见“倒卵叶旌节花”条。

| 用法用量 | 参见“倒卵叶旌节花”条。

| 附　　注 | （1）本种有一变种即具梗旌节花，变种与原变种的区别在于：叶缘具粗而疏的锯齿；果实明显有梗，梗长 3 ~ 5mm，梗间具关节。

（2）《中华本草》将本种作为小通草来源之一记载，但《中国药典》中“小通草”条下未列此来源。

（3）本种喜温暖气候，种植宜选择肥沃、疏松的砂壤土或壤土。

西番莲科 Passifloraceae 西番莲属 *Passiflora*

杯叶西番莲 *Passiflora cupiformis* Mast.

|药材名| 对叉疔药（药用部位：根、茎叶。别名：叉痔草、飞蛾草、半边风）。

|形态特征| 藤本，长达 6m。茎渐变无毛。叶坚纸质，长 6 ~ 12（~ 15）cm，宽 4 ~ 10（~ 11）cm，先端截形至 2 裂，基部圆形至心形，上面无毛，下面被稀疏粗伏毛，并具 6 ~ 25 腺体，裂片长达 3 ~ 8cm，先端圆形或近钝尖；叶柄长 3 ~ 7cm，被疏毛，从基部往上 1/8 ~ 1/4 处具 2 盘状腺体。花序近无梗，有 5 至多朵花，被棕色毛；花梗长 2 ~ 3cm；花白色，直径 1.5 ~ 2cm；萼片 5，长 8 ~ 10mm，外面先端通常具 1 腺体（有时缺）或长达 1mm 的角状附属器，被毛；花瓣长 7 ~ 8.5mm；外副花冠裂片 2 轮，丝状，外轮长 8 ~ 9mm，内轮长 2 ~ 3mm；内副花冠褶状，高约 1.5mm；具花盘，高约 0.25mm；雌雄蕊柄长 3 ~ 5mm；雄蕊 5，花丝分离，长 4.5 ~

杯叶西番莲

6mm，花药长圆形，长 2.5mm；子房近卵球形，无柄，长约 2mm，无毛，花柱 3，分离，长约 4mm。浆果球形，直径 1 ~ 1.6cm，成熟时紫色，无毛；种子多数，三角状椭圆形，长约 5mm，扁平，深棕色。花期 4 月，果期 9 月。

| 生境分布 | 生于海拔 1700 ~ 2000m 的山坡、路边草丛或沟谷灌丛中。分布于重庆武隆、开州、南川等地。

| 资源情况 | 野生资源稀少。药材主要来源于野生，亦有少量栽培。

| 采收加工 | 秋季挖取全株，洗去泥土，鲜用或切碎晒干。

| 功能主治 | 甘、微涩，温。祛风除湿，活血止痛，养心安神。用于风湿性心脏病，血尿，白浊，半身不遂，疔疮，外伤出血，痧气腹胀疼痛。

| 用法用量 | 内服煎汤，10 ~ 15g；或泡酒。外用适量，捣敷。

| 附　　注 | 本种喜温和凉爽气候，稍耐寒，最适宜生长的温度为 25 ~ 30℃，当气温降至 0℃能安全越冬；以疏松、富含腐殖质的砂壤土栽培为宜。

西番莲科 Passifloraceae 西番莲属 *Passiflora*

鸡蛋果 *Passiflora edulia* Sims

| 药 材 名 | 鸡蛋果（药用部位：果实。别名：土罗汉果、芒葛萨、洋石榴）。

| 形态特征 | 草质藤本，长约6m。茎具细条纹，无毛。叶纸质，长6～13cm，宽8～13cm，基部楔形或心形，掌状3深裂，中间裂片卵形，两侧裂片卵状长圆形，裂片边缘有细锯齿，近裂片缺弯基部有1～2杯状小腺体，无毛。聚伞花序退化，仅存1花，与卷须对生；花芳香，直径约4cm；花梗长4～4.5cm；苞片绿色，宽卵形或菱形，长1～1.2cm，边缘有不规则细锯齿；萼片5，外面绿色，内面绿白色，长2.5～3cm，外面先端具1角状附属器；花瓣5，与萼片等长；外副花冠裂片4～5轮，外2轮裂片丝状，约与花瓣近等长，基部淡绿色，中部紫色，顶部白色，内3轮裂片窄三角形，长约2mm；内副花冠非褶状，先端全缘或呈不规则撕裂状，高1～1.2mm；花盘膜质，

鸡蛋果

高约 4mm；雌雄蕊柄长 1 ~ 1.2cm；雄蕊 5，花丝分离，基部合生，长 5 ~ 6mm，扁平；花药长圆形，长 5 ~ 6mm，淡黄绿色；子房倒卵球形，长约 8mm，被短柔毛；花柱 3，扁棒状，柱头肾形。浆果卵球形，直径 3 ~ 4cm，无毛，成熟时紫色；种子多数，卵形，长 5 ~ 6mm。花期 6 月，果期 11 月。

| 生境分布 | 生于海拔 180 ~ 1900m 的山谷丛林中，或栽培于庭园。重庆各地均有分布。

| 资源情况 | 野生和栽培资源均稀少。药材主要来源于栽培。

| 采收加工 | 8 ~ 11 月果皮呈紫色时分批采收，鲜用或晒干。

| 功能主治 | 甘、酸，平。清肺润燥，安神止痛，和血止痢。用于咳嗽，咽干，声嘶，大便秘结，失眠，痛经，关节痛，痢疾。

| 用法用量 | 内服煎汤，10 ~ 15g。

| 附　　注 | 本种喜温暖湿润气候，喜肥，在土质稍差、肥料不足的土壤中栽培可使叶子黄化、茎藤短弱，故以肥沃、疏松、排水良好的砂壤土栽培为宜。

柽柳科 Tamaricaceae 柽柳属 *Tamarix*

柽柳 *Tamarix chinensis* Lour.

| **药材名** | 西河柳（药用部位：枝叶。别名：怪柳）。

| **形态特征** | 乔木或灌木，高 3 ~ 6（~ 8）m。老枝直立，暗褐红色，光亮，幼枝稠密细弱，常开展而下垂，红紫色或暗紫红色，有光泽；嫩枝繁密纤细，悬垂。叶鲜绿色，从去年生木质化生长枝上生出的绿色营养枝上的叶长圆状披针形或长卵形，长 1.5 ~ 1.8mm，稍开展，先端尖，基部背面有龙骨状隆起，常呈薄膜质；上部绿色营养枝上的叶钻形或卵状披针形，半贴生，先端渐尖而向弯，基部变窄，长 1 ~ 3mm，背面有龙骨状突起。每年开花 2 ~ 3 次。春季开花时，总状花序侧生在去年生木质化的小枝上，长 3 ~ 6cm，宽 5 ~ 7mm，花大而少，较稀疏而纤弱点垂，小枝亦下倾；有短总花梗，或近无梗，梗生有少数苞叶或无；苞片线状长圆形或长圆形，渐尖，与花梗等长或稍

柽柳

长；花梗纤细，较萼短；花 5 出；萼片 5，狭长卵形，具短尖头，略全缘，外面 2，背面具隆脊，长 0.75 ~ 1.25mm，较花瓣略短；花瓣 5，粉红色，通常呈卵状椭圆形或椭圆状倒卵形，稀倒卵形，长约 2mm，较花萼微长，果时宿存；花盘 5 裂，裂片先端圆或微凹，紫红色，肉质；雄蕊 5，长于或略长于花瓣，花丝着生于花盘裂片间，自其下方近边缘处生出；子房圆锥状瓶形，花柱 3，棍棒状，长约为子房之半。蒴果圆锥形。夏、秋季开花时，总状花序长 3 ~ 5cm，较春季开者细，生于当年生幼枝先端，组成顶生大圆锥花序，疏松而通常下弯；花 5 出，较春季开者略小，密生；苞片绿色，草质，较春季花的苞片狭细，较花梗长，线形至线状锥形或狭三角形，渐尖，向下变狭，基部背面有隆起，全缘；花萼三角状卵形；花瓣粉红色，直而略外斜，远比花萼长；花盘 5 裂，或每一裂片再 2 裂成 10 裂片状；雄蕊 5，长等于花瓣或为其 2 倍，花药钝，花丝着生于花盘主裂片间，自其边缘和略下方生出；花柱棍棒状，其长等于子房的 2/5 ~ 3/4。花期 4 ~ 9 月。

| 生境分布 | 生于河流冲积平原、海滨、滩头、潮湿盐碱地和沙荒地。分布于重庆潼南、万州、涪陵、南川、南岸、巫山等地。

| 资源情况 | 栽培资源较少。药材主要来源于栽培。

| 采收加工 | 夏季花未开时采收，阴干。

| 药材性状 | 本品茎枝呈细圆柱形，直径 0.5 ~ 1.5mm；表面灰绿色，有多数互生的鳞片状小叶；质脆，易折断。稍粗的枝表面红褐色，叶片常脱落而残留凸起的叶基，断面黄白色，中心有髓。气微，味淡。

| 功能主治 | 甘、辛，平。归心、肺、胃经。发表透疹，祛风除湿。用于麻疹不透，风湿痹痛。

| 用法用量 | 内服煎汤，3 ~ 6g。外用适量，煎汤擦洗。

| 附　　注 | 本种适应性强，对气候、土壤要求不严，耐碱，耐旱。

番木瓜科 Caricaceae 番木瓜属 *Carica*

番木瓜 *Carica papaya* L.

番木瓜

|药材名|

番木瓜（药用部位：果实。别名：石瓜、万寿果、蓬生果）、番木叶（药用部位：叶）。

|形态特征|

常绿软木质小乔木，高达 8 ~ 10m，具乳汁。茎不分枝或有时于损伤处分枝，具螺旋状排列的托叶痕。叶大，聚生茎先端，近盾形，直径可达 60cm，通常 5 ~ 9 深裂，每裂片再为羽状分裂；叶柄中空，长达 60 ~ 100cm。花单性或两性，有些品种在雄株上偶尔产生两性花或雌花，并结成果实，亦有时在雌株上出现少数雄花。植株有雄株、雌株和两性株。雄花排列成圆锥花序，长达 1m，下垂，无梗；萼片基部联合；花冠乳黄色，花冠管细管状，长 1.6 ~ 2.5cm；花冠裂片 5，披针形，长约 1.8cm，宽 4.5mm；雄蕊 10，5 长 5 短，短的几无花丝，长的花丝白色，被白色绒毛；子房退化。雌花单生或由数朵排列成伞房花序，着生于叶腋内，具短梗或近无梗；萼片 5，长约 1cm，中部以下合生；花冠裂片 5，分离，乳黄色或黄白色，长圆形或披针形，长 5 ~ 6.2cm，宽 1.2 ~ 2cm；子房上位，卵球形，无柄，花柱 5，柱头数裂，近流苏状。两性花雄蕊 5，着生于近子房基部极短的花冠管上，或为雄蕊 10 着生于较长的花冠管上，排列成 2 轮；花冠管长 1.9 ~ 2.5cm；花冠裂片长圆形，长约 2.8cm，宽 9mm，子房比雌株子房较小。浆果肉质，成熟时橙黄色或黄色，长圆球形、倒卵状长圆球形、梨形或近圆球形，长 10 ~ 30cm 或更长，果肉柔软多汁，味香甜；种子多数，卵球形，成熟时黑色，外种皮肉质，内种皮木质，具皱纹。花果期全年。

| 生境分布 | 栽培于保存圃。分布于重庆南川等地。

| 资源情况 | 栽培资源稀少。药材主要来源于栽培。

| 采收加工 | 番木瓜：夏、秋季采收，鲜用或切片晒干。

番木瓜叶：全年均可采收，鲜用。

| 药材性状 | 番木瓜：本品较大，长圆形或矩圆形，长 15 ~ 35cm，直径 7 ~ 12cm。成熟时棕黄色或橙黄色，有 10 条浅纵槽；果肉厚，黄色，有白色浆汁；内壁着生多数黑色种子，椭圆形，外包有多浆、淡黄色假种皮，长 6 ~ 7mm，直径 4 ~ 5mm，种皮棕黄色，具网状突起。气特异，味微甘。

| 功能主治 | 番木瓜：甘，平。消食下乳，除湿通络，解毒驱虫。用于消化不良，胃、十二指肠溃疡疼痛，乳汁稀少，风湿痹痛，肢体麻木，湿疹，烂疮，肠道寄生虫病。

番木瓜叶：甘，平。解毒，接骨。用于疮疡肿毒，骨折。

| 用法用量 | 番木瓜：内服煎汤，9 ~ 15g；或鲜品适量，生食。外用适量，取汁涂；或研末撒。

番木瓜叶：外用适量，鲜品捣敷。

| 附　　注 | 本种喜高温多湿气候，不耐寒，遇霜即凋零，因其根系较浅，忌大风，忌积水。本种对土壤适应性较强，但以疏松、肥沃的砂壤土或壤土栽培为好。

秋海棠科 Begoniaceae 秋海棠属 *Begonia*

秋海棠 *Begonia grandis* Dry.

| 药材名 | 秋海棠茎叶（药用部位：茎、叶）、秋海棠根（药用部位：根。别名：一口血、金线吊葫芦、红白二丸）、秋海棠花（药用部位：花）、秋海棠果（药用部位：果实）。

| 形态特征 | 多年生草本。根茎近球形，直径 8 ~ 20mm，具密集而交织的细长纤维状根。茎直立，有分枝，高 40 ~ 60cm，有纵棱，近无毛。基生叶未见；茎生叶互生，具长柄；叶片两侧不相等，宽卵形至卵形，长 10 ~ 18cm，宽 7 ~ 14cm，先端渐尖至长渐尖，基部心形，偏斜，窄侧宽 1.6 ~ 4cm，宽侧向下延伸长达 3 ~ 6.5cm，宽 4 ~ 8cm，边缘具不等大的三角形浅齿，齿尖带短芒，并常具波状或宽三角形的极浅齿，在宽侧出现较多，上面褐绿色，常有红晕，幼时散生硬毛，逐渐脱落，老时近无毛，下面色淡，带红晕或紫红色，沿脉散生硬

秋海棠

毛或近无毛，掌状脉 7（～9），带紫红色，窄侧常 2（～3），宽侧 3～4（～5），近中部分枝，呈羽状脉；叶柄长 4～13.5cm，有棱，近无毛；托叶膜质，长圆形至披针形，长约 10mm，宽 2～4mm，先端渐尖，早落。花葶高 7.1～9cm，有纵棱，无毛；花粉红色，较多数，（2～）3～4 回二歧聚伞状，花序梗长 4.5～7cm，基部常有 1 小叶，二次分枝长 2～3.5cm，三次分枝长 1.2～2cm，有纵棱，均无毛；苞片长圆形，长 5～6mm，宽 2～3mm，先端钝，早落。雄花花梗长约 8mm，无毛，花被片 4，外面 2 宽卵形或近圆形，长 1.1～1.3cm，宽 7～10mm，先端圆，内面 2 倒卵形至倒卵状长圆形，长 7～9mm，宽 3～5mm，先端圆或钝，基部楔形，无毛；雄蕊多数，基部合生，长达（1～）2～3mm，整个呈球形，花药倒卵球形，长约 0.9mm，先端微凹。雌花花梗长约 2.5cm，无毛，花被片 3，外面 2 近圆形或扁圆形，长约 12mm，宽和长几相等，先端圆，内面 1，倒卵形，长约 8mm，宽约 6mm，先端圆；子房长圆形，长约 10mm，直径约 5mm，无毛，3 室，中轴胎座，每室胎座具 2 裂片，具不等 3 翅或 2 短翅退化呈檐状，花柱 3，1/2 部分合生或微合生或离生，柱头常 2 裂或头状或肾状，外向膨大呈螺旋状扭曲，或呈“U”字形并带刺状乳头。蒴果下垂，果梗长 3.5cm，细弱，无毛，长圆形，长 10～12mm，直径约 7mm，无毛，具不等翅 3，大的斜长圆形或三角状长圆形，长约 1.8cm，上方的边平，下方的边从下向上斜，另 2 翅极窄，呈窄三角形，长 3～5mm，上方的边平，下方的边斜，或 2 窄翅呈窄檐状或完全消

失，均无毛或几无毛；种子极多，小，长圆形，淡褐色，光滑。花期 7 月开始，果期 8 月开始。

| 生境分布 | 生于海拔 100 ~ 1100m 的山谷潮湿石壁上、山谷溪旁密林石上、山沟边岩石上或山谷灌丛中。分布于重庆城口、巫溪、云阳、开州、石柱、武隆、彭水、酉阳、秀山、南川、万州、巫山等地。

| 资源情况 | 野生资源稀少。药材主要来源于野生，亦有少量栽培。

| 采收加工 | 秋海棠茎叶：春、夏季采收，洗净，分别切碎，晒干或鲜用。

秋海棠根：全年均可采挖，洗净，鲜用或切片晒干。

秋海棠花：夏、秋季采收，鲜用或晒干。

秋海棠果：9 ~ 10 月采收，多为鲜用。

| 功能主治 | 秋海棠茎叶：酸、辛，微寒。解毒消肿，散瘀止痛，杀虫。用于咽喉肿痛，疮痈溃疡，毒蛇咬伤，跌打瘀痛，皮癣。

秋海棠根：酸、涩，凉。化瘀止血，清热利湿。用于跌打损伤，吐血，咯血，衄血，刀伤出血，崩漏，血瘀经闭，月经不调，带下，淋浊，泻痢，胃痛，咽喉肿痛。

秋海棠花：苦、酸，寒。解毒杀虫。用于皮癣。

秋海棠果：酸、涩、微辛，凉。解毒，消肿。用于毒蛇咬伤。

| 用法用量 | 秋海棠茎叶：外用适量，鲜品捣敷或绞汁含漱。

秋海棠根：内服煎汤，9 ~ 15g；或研末，每次 3 ~ 6g。外用适量，捣敷；或研末敷；或捣汁含漱。

秋海棠花：外用适量，捣汁调蜜搽。

秋海棠果：外用适量，鲜品捣敷或捣汁搽。

| 附　　注 | 本种喜温暖、潮湿、半阴的环境，忌强光直射和高温干旱。宜选择疏松、肥沃、富含腐殖质的砂壤土栽培。

秋海棠科 Begoniaceae 秋海棠属 *Begonia*

中华秋海棠 *Begonia grandis* Dry. subsp. *sinensis* (A. DC.) Irmsch.

中华秋海棠

| 药 材 名 |

红白二丸（药用部位：全草或根茎。别名：一点血、岩丸子、鸳鸯七）、红白二丸果（药用部位：果实）。

| 形态特征 |

中型草本。茎高 20 ~ 40（~ 70）cm，几无分枝，外形似金字塔。叶较小，椭圆状卵形至三角状卵形，长 5 ~ 12（~ 20）cm，宽 3.5 ~ 9（~ 13）cm，先端渐尖，下面色淡，偶带红色，基部心形，宽侧下延呈圆形，长 0.5 ~ 4cm，宽 1.8 ~ 7cm。花序较短，呈伞房状至圆锥状二歧聚伞花序；花小，雄蕊多数，短于 2mm，整体呈球状；花柱基部合生或微合生，有分枝，柱头呈螺旋状扭曲，稀呈“U”字形。蒴果具 3 不等大翅。

| 生境分布 |

生于海拔 500 ~ 1200m 的山谷阴湿岩石上、滴水石灰岩边、疏林阴处、荒坡阴湿处或山坡林下。分布于重庆丰都、城口、忠县、酉阳、奉节、北碚、开州、巫山等地。

| 资源情况 |

野生资源较丰富。药材主要来源于野生。

| **采收加工** | 红白二丸：夏季开花前采挖根茎，除去须根，洗净，晒干或鲜用。

红白二丸果：夏季采收，鲜用。

| **药材性状** | 红白二丸：本品根茎较粗，多呈双球形，直径 1 ~ 2cm；表皮干燥皱缩，呈深褐色或棕褐色，下部须根丛生，呈纤维状，黑褐色；质软，易折断，断面呈黄白色，纤维性。气微，味甘、苦。

| **功能主治** | 红白二丸：苦、酸，微寒。活血调经，止血止痢，镇痛。用于崩漏，月经不调，赤白带下，外伤出血，痢疾，胃痛，腹痛，腰痛，瘈气痛，痛经，跌打瘀痛。

红白二丸果：苦，微寒。解毒。用于蛇咬伤。

| **用法用量** | 红白二丸：内服煎汤，6 ~ 15g；研末或泡酒。外用适量，捣敷。

红白二丸果：外用适量，捣汁搽。

| **附　　注** | 本种喜温暖、潮湿环境，忌强光直射和高温干旱。宜选择疏松、肥沃、富含腐殖质的砂壤土栽培。

秋海棠科 Begoniaceae 秋海棠属 *Begonia*

裂叶秋海棠 *Begonia palmata* D. Don

| 药材名 | 红孩儿（药用部位：根茎）。

| 形态特征 | 多年生草本，高 15 ~ 60cm。根茎横生，粗壮具节。地上茎肉质，茎节膨大，多少被棕色绵毛。单叶互生；叶柄与叶片近等长；托叶披针形，长约 2cm，早落；叶片膜质，斜卵形，长 12 ~ 20cm，宽 10 ~ 15cm，呈多角状或不规则状的 5 ~ 7 裂，先端渐尖，基部偏心形，边缘有小锯齿及睫毛，上面绿色，被长硬毛，略被柔毛，下面淡绿色或淡紫色，被褐色绵毛。花单性，雌雄同株；聚伞花序腋生，总花梗与花梗细长，粉红色，被棕色柔毛；雄花花被片 4，外轮 2 比内轮的大，外被绵毛；雄蕊多数，花丝线形，花药椭圆形；雌花花被片 5，斜卵形，近相等，子房被柔毛。蒴果长 10 ~ 15mm，具 3 翅，其中 1 翅特大。花期 6 ~ 8 月，果期 7 ~ 9 月。

裂叶秋海棠

| 生境分布 | 生于海拔 100 ~ 1700m 的河边阴处湿地、山谷阴处岩石上、密林中岩壁上、山谷阴处岩石边潮湿地、山坡常绿阔叶林下、石山林下石壁上、林中潮湿的石上。分布于重庆江津、北碚等地。

| 资源情况 | 野生资源稀少。药材主要来源于野生。

| 采收加工 | 夏、秋季采挖，洗净，晒干。

| 药材性状 | 本品呈不规则长条状，长 2 ~ 6cm，直径 0.5 ~ 1cm。表面红棕褐色或棕褐色，密生须根，并有鳞片及芽。质硬，不易折断，断面纤维性，呈浅黄色，略带褐色。气微，味酸。

| 功能主治 | 甘、酸，微凉。清热解毒，散瘀消肿。用于肺热咳嗽，疔疮痈肿，痛经，经闭，风湿热痹，跌打肿痛，蛇咬伤。

| 用法用量 | 内服煎汤，9 ~ 15g；研末或浸酒。外用适量，鲜品或捣敷。

| 附　　注 | 本种喜阴凉湿润气候，耐寒。忌强光直射和高温干旱，故需遮阴栽培。宜选择疏松、肥沃、富含腐殖质的砂壤土栽培。

秋海棠科 Begoniaceae 秋海棠属 *Begonia*

掌裂叶秋海棠 *Begonia pedatifida* Lévl.

掌裂叶秋海棠

| 药 材 名 |

大半边莲（药用部位：根茎。别名：水八角、棵莲因、花鸡公）。

| 形态特征 |

草本。根茎粗，长圆柱形，扭曲，直径 6 ~ 9mm，节密，有残存褐色的鳞片和纤维状根。叶自根茎抽出，偶在花葶中部有 1 小叶，具长柄；叶片扁圆形至宽卵形，长 10 ~ 17cm，基部截形至心形，（4 ~ ）5 ~ 6 深裂，几达基部，中间 3 裂片再中裂，偶深裂，裂片均披针形，稀三角状披针形，先端渐尖，两侧裂片再浅裂，披针形至三角形，先端急尖至渐尖，边缘有浅而疏三角形之齿，上面深绿色，散生短硬毛，下面淡绿色，沿脉被短硬毛，掌状 6 ~ 7 脉；叶柄长 12 ~ 20（ ~ 30）cm，密被或疏被褐色卷曲长毛；托叶膜质，卵形，长约 10mm，宽约 8mm，先端钝，早落。花葶高 7 ~ 15cm，疏被或密被长毛，偶在中部有 1 小叶，和基生叶近似，但很小；花白色或带粉红色，4 ~ 8，呈二歧聚伞状，首次分枝长约 1cm，被毛或近无毛；苞片早落。雄花花梗长 1 ~ 2cm，被毛或近无毛，花被片 4，外面 2 宽卵形，长 1.8 ~ 2.5cm，宽 1.2 ~ 1.8cm，先端钝或圆，外面被疏毛，内面 2 长圆形，长 14 ~ 16mm，宽 7 ~ 8mm，先端钝或圆，无毛；雄蕊多数，花丝长 1.5 ~ 2mm，花药倒卵状长圆形，长 1 ~ 1.2mm，先端凹或微钝。雌花花梗长 1 ~ 2.5cm，被毛或近无毛；花被片 5，不等大，外轮宽卵形，长 18 ~ 20mm，宽 10 ~ 20mm，先端钝，内轮小，长圆形，长 9 ~ 10mm，宽 5 ~ 6mm；子房倒卵球形，长约 8mm，直径 4 ~ 6mm，外面无毛，2 室，每室胎座具 2 裂片，具不等翅 3；花柱 2，约 1/2 处分枝，柱头外向增厚，扭曲呈环状，并具刺状乳突。蒴果下垂，果梗长 2 ~ 2.5cm，无毛，倒卵球形，长约 1.5cm，直径约 1cm，无毛，具不等翅 3，大的三角形或斜舌状，长约 1.2cm，宽约 1cm，上方的边斜，先端圆钝，其余 2 翅短，三角形，长 4 ~ 5mm，先端钝，均无毛；种子极多数，小，长圆形，淡褐色，光滑。花期 6 ~ 7 月，果期 10 月开始。

| 生境分布 | 生于海拔 350 ~ 1700m 的林下潮湿处、常绿林山坡沟谷、阴湿林下石壁上、山坡阴处密林下或林缘。分布于重庆大足、城口、开州、巫溪、合川、奉节、石柱、酉阳、涪陵、南川等地。

| 资源情况 | 野生资源稀少。药材主要来源于野生，亦有少量栽培。

| 采收加工 | 全年均可采挖，除去须根，洗净，干燥。

| 药材性状 | 本品略呈圆柱形，弯曲，有分枝，长 5 ~ 12cm，直径 0.4 ~ 0.9cm。表面红棕色或棕褐色，粗糙，有纵皱纹和明显的结节，有时可见薄片状的栓皮和残留的须根；有的表面具点状凸起的根痕和黄褐色绒毛；节间长 0.5 ~ 1cm，每节有 1 凹陷的茎痕。质硬脆，易折断，断面不平坦，黄白色至棕红色，可见黄白色点状维管束。气微，味酸、涩。

| 功能主治 | 酸、涩，凉。清热解毒，消肿止痛。用于咽喉肿痛，风湿骨痛，跌打肿痛，牙痛，毒蛇咬伤，烫火伤。

| 用法用量 | 内服煎汤，9 ~ 15g。外用适量，鲜品捣敷。

| 附　　注 | 本种喜温暖、潮湿、凉爽的环境。忌烈日直射，耐湿，忌干旱。宜选择疏松、肥沃、含腐殖质丰富的砂壤土栽培。

秋海棠科 Begoniaceae 秋海棠属 *Begonia*

四季海棠 *Begonia semperflorens* Link et Otto.

| 药 材 名 | 四季海棠（药用部位：全草）。

| 形态特征 | 肉质草本，高 15 ~ 30cm。根呈纤维状。茎直立，肉质，无毛，基部多分枝，多叶。叶卵形或宽卵形，长 5 ~ 8cm，基部略偏斜，边缘有锯齿和睫毛，两面光亮，绿色，但主脉通常微红色。花淡红色或带白色，数朵聚生于腋生的总花梗上，雄花较大，花被片 4，雌花稍小，花被片 5。蒴果绿色，有带红色的翅。常年开花。

| 生境分布 | 生于低纬度高海拔地区树林下的潮湿地，或栽培于公园、绿化带等。重庆各地均有分布。

| 资源情况 | 栽培资源一般。药材主要来源于栽培。

四季海棠

| 采收加工 | 全年均可采收，鲜用。

| 功能主治 | 酸，凉。清热解毒，散结消肿。用于疮疖。

| 用法用量 | 外用适量，鲜品捣敷。

| 附　　注 | 在 FOC 中，本种的拉丁学名被修订为 *Begonia cucullata* Willd. var. *hookeri* (Sweet) L. B. Sm. & B. G. Schub.。

秋海棠科 Begoniaceae 秋海棠属 *Begonia*

长柄秋海棠 *Begonia smithiana* Yü ex Irmsch.

| **药 材 名** | 长柄秋海棠（药用部位：根茎。别名：红八角莲）。

| **形态特征** | 多年生草本，无茎或具极短缩之茎。根茎斜出或直立，呈念珠状，直径 5 ~ 10mm，节密，生出多数粗细、长短均不等的纤维状根。叶多基生，极少数自短缩茎抽出，具长柄；叶片均同形，两侧极不相等，卵形至宽卵形，稀长圆状卵形，长（3.5 ~ ）5 ~ 9（ ~ 12）cm，宽 3 ~ 5（ ~ 8）cm，先端尾尖或渐尖，基部极偏斜，呈斜心形，窄侧宽 1.8 ~ 3cm，呈圆形，宽侧 2.5 ~ 4.5cm，呈宽大耳状，边缘有齿并不规则浅裂，裂片三角形至宽三角形，长 1 ~ 2cm，先端急尖，稀渐尖，上面带紫红色，散生短硬毛，下面亦常带紫红色，色淡，脉常带紫红色，沿主脉、侧脉和小脉被或疏被短硬毛；掌状 6 ~ 7 脉，中部以上为羽状脉；叶柄变异较大，长 9 ~ 25cm，常带红色，散生

长柄秋海棠

卷曲毛，近先端密；托叶卵形，长 3.5 ~ 5mm，宽 2 ~ 3mm，先端渐尖，近无毛。花葶高 12 ~ 20（~ 30）cm，近无毛；花粉红色，少数，呈二歧聚伞状。雄花花梗长 12 ~ 20mm，无毛；花被片 4，外面 2，宽卵形，长 10 ~ 12mm，宽 8 ~ 11mm，先端钝或圆，全缘，外面中间部分被刺毛，内面 2，长圆卵形，长 6 ~ 8mm，宽 3 ~ 4mm，先端钝，全缘，无毛；雄蕊多数，花丝长 1 ~ 1.5mm，基部合生，花药倒卵形，长约 1mm。雌花花梗长 12 ~ 15mm，无毛；花被片 3（~ 4），外面的宽卵形，长 8 ~ 13mm，宽 7 ~ 10mm，外面微被毛，内面窄椭圆形至长圆状倒卵形，长 4 ~ 5mm，宽 2 ~ 3mm，先端钝；子房偏倒卵球形，长 6 ~ 7mm，直径 4 ~ 5mm，散生卷曲毛，2 室，每室胎座具 2 裂片，具不等翅 3，花柱在上部 1/2 处分枝，柱头外向增厚并螺旋状扭曲，具刺状乳突。蒴果下垂，倒卵球形，被毛，具不等翅 3，大的近三角形，长约 15mm，有纵棱，先端钝，其余 2 翅窄，均无毛；种子极多数，小，长圆形，浅褐色，平滑。花期 8 月，果期 9 月。

| 生境分布 | 生于海拔 700 ~ 1320m 的水沟阴处岩石上、山谷密林下、山脚湿地灌丛中、水旁沟底岩石上。分布于重庆南川、开州、石柱等地。

| 资源情况 | 野生资源稀少。药材主要来源于野生。

| 采收加工 | 夏、秋季采收，洗净，晒干或鲜用。

| 功能主治 | 酸，寒。散瘀，止血，解毒。用于跌打损伤，筋骨疼痛，崩漏，毒蛇咬伤。

| 用法用量 | 内服煎汤，9 ~ 15g。外用适量，鲜品捣敷。

秋海棠科 Begoniaceae 秋海棠属 *Begonia*

一点血 *Begonia wilsonii* Gagnep.

| 药 材 名 | 一点血（药用部位：根茎。别名：红砖草、一点红、石鼓子）。

| 形态特征 | 多年生无茎草本。根茎横走，粗壮，呈念珠状，长 2 ~ 5cm，直径 8 ~ 12（~ 15）mm，表面凹凸不平，节间长 6 ~ 8mm，周围长出多数细长纤维状根。叶全部基生，通常 1（~ 2），具长柄；叶片两侧略不相等至明显不相等，菱形至宽卵形，稀长卵形，长 12 ~ 20cm，宽 8 ~ 18cm，先端长尾尖，基部心形，微偏斜至甚偏斜，窄侧呈圆形，宽侧下延，长 1 ~ 2cm，呈宽圆耳状，边缘常 3 ~ 7（~ 9）浅裂，裂片三角形，并有大小不等三角形之齿，齿尖常有短芒，上面深绿色，下面淡绿色，有时两面均带暗紫色，两面近无毛；掌状 6 ~ 7

一点血

脉，窄侧 2 ~ 3，宽侧 3 ~ 4，脉均直达叶缘；叶柄长 11 ~ 19（~ 25）cm，近无毛；托叶卵状披针形，早落。花葶高 4 ~ 12cm，柔弱，无毛；花粉红色，5 ~ 10，排成 2 ~ 3 回二歧聚伞状，花序梗长 8 ~ 35（~ 50）mm，无毛；花梗柔弱，长 1 ~ 1.8（~ 2.2）cm，无毛；苞片和小苞片均膜质，卵状披针形，长约 5mm，宽约 2mm，先端渐尖。雄花花被片 4，外轮 2，卵形至宽卵形，长 1 ~ 1.4cm，宽 8 ~ 10mm，先端圆，基部近圆形，外面无毛，内轮 2，长圆状倒卵形，长约 8mm，宽约 4mm，先端圆，基部楔形；雄蕊 8 ~ 10，花丝长 2 ~ 3mm，离生，花药倒卵状长圆形，长约 2mm，先端圆或微凹。雌花花被片 3，外轮 2，宽长圆形或近圆形，长约 10mm，宽约 9mm，先端圆，内轮 1，椭圆形，长 5 ~ 6mm，宽约 2mm，先端钝，基部楔形；子房纺锤形，无毛，3 室，有中轴胎座，每室胎座具 1 裂片；花柱 3，基部或 1/2 处合生，柱头 3 裂，先端向外膨大，呈头状或环状并具刺状乳突。蒴果下垂，果梗长 1 ~ 1.5cm，无毛，纺锤形，长 1 ~ 1.2cm，直径 3 ~ 5mm，无毛，无翅，具 3 棱；种子极多数，小，长圆形，淡褐色。花期 8 月，果期 9 月开始。

| 生境分布 | 生于海拔 700 ~ 1950m 的山坡密林下、沟边石壁上或山坡阴处岩石上。分布于重庆开州、石柱、涪陵、南川等地。

| 资源情况 | 野生资源稀少。药材主要来源于野生，亦有少量栽培。

| 采收加工 | 秋后采挖，洗净，切片，晒干或鲜用。

| 药材性状 | 本品粗壮横走，呈不规则长块状，长约 2.7cm，直径约 1.2cm。表面黑褐色或棕褐色，密生须根，残留茎的基部有棕黄色长绒毛。质柔软，易折断，断面红色。气微，味甘、苦。

| 功能主治 | 甘、苦，微寒。养血止血，散瘀止痛。用于病后虚弱，劳伤，血虚经闭，崩漏，带下，吐血，咯血，衄血，外伤出血，跌打肿痛。

| 用法用量 | 内服煎汤，15 ~ 30g；或绞汁、炖肉、浸酒。外用适量，鲜品捣敷。

| 附　　注 | 本种喜温暖、阴湿的环境。宜选择富含腐殖质且疏松、肥沃、湿润的壤土栽培。

葫芦科 Cucurbitaceae 冬瓜属 *Benincasa*

冬瓜 *Benincasa hispida* (Thunb.) Cogn.

|药材名| 冬瓜皮（药用部位：外层果皮）、冬瓜子（药用部位：种子）。

|形态特征| 一年生蔓生或架生草本。茎被黄褐色硬毛及长柔毛，有棱沟。叶柄粗壮，长 5 ~ 20cm，被黄褐色的硬毛和长柔毛；叶片肾状近圆形，宽 15 ~ 30cm，5 ~ 7 浅裂或有时中裂，裂片宽三角形或卵形，先端急尖，边缘有小齿，基部深心形，弯缺张开，近圆形，深、宽均为 2.5 ~ 3.5cm，表面深绿色，稍粗糙，被疏柔毛，老后渐脱落，变近无毛；背面粗糙，灰白色，叶脉在叶背面稍隆起，密被毛；卷须 2 ~ 3 歧，被粗硬毛和长柔毛。雌雄同株，花单生。雄花花梗长 5 ~ 15cm，密被黄褐色短刚毛和长柔毛，常在花梗的基部具 1 苞片，苞片卵形或宽长圆形，长 6 ~ 10mm，先端急尖，被短柔毛，花萼筒宽钟形，宽 12 ~ 15mm，密生刚毛状长柔毛，裂片披针形，长 8 ~ 12mm，

冬瓜

有锯齿，反折；花冠黄色，辐状，裂片宽倒卵形，长 3 ~ 6cm，宽 2.5 ~ 3.5cm，两面被稀疏的柔毛，先端钝圆，具 5 脉；雄蕊 3，离生，花丝长 2 ~ 3mm，基部膨大，被毛，花药长 5mm，宽 7 ~ 10mm，药室 3 回折曲。雌花花梗长不及 5cm，密生黄褐色硬毛和长柔毛；子房卵形或圆筒形，密被黄褐色茸毛状硬毛，长 2 ~ 4cm；花柱长 2 ~ 3mm，柱头 3，长 12 ~ 15mm，2 裂。果实长圆柱形或近球形，大型，被硬毛和白霜，长 25 ~ 60cm，直径 10 ~ 25cm；种子卵形，白色或淡黄色，压扁，有边缘，长 10 ~ 11mm，宽 5 ~ 7mm，厚 2mm。花果期夏季。

| 生境分布 | 栽培于菜地。重庆各地均有分布。

| 资源情况 | 栽培资源丰富。药材主要来源于栽培。

| 采收加工 | 冬瓜皮：食用冬瓜时，洗净，削取外层果皮，晒干。

冬瓜子：食用冬瓜时，取种子，洗净，干燥。

| 药材性状 | 冬瓜皮：本品为不规则碎片，常向内卷曲，大小不一。外表面灰绿色或黄白色，被有白霜，有的较光滑不被白霜；内表面较粗糙，有的可见筋脉状维管束。体轻，质脆。气微，味淡。

冬瓜子：本品呈扁卵圆形，长 1 ~ 1.1cm，宽 0.5 ~ 0.7cm。表面淡黄白色，一端钝圆，一端较尖，尖端一侧有凸起的种脐；边缘光滑，或两面外缘各有 1 环纹。体轻，剥去种皮可见白色子叶 2，具油性。无臭，味微甘。

| 功能主治 | 冬瓜皮：甘，凉。归脾、小肠经。利尿消肿。用于水肿胀满，小便不利，暑热口渴，小便短赤。

冬瓜子：甘，微寒。清热化痰，排脓利湿。用于痰热咳嗽，肺脓疡，阑尾炎，带下。

| 用法用量 | 冬瓜皮：内服煎汤，9 ~ 30g。

冬瓜子：内服煎汤，9 ~ 30g。

| 附　　注 | 本种喜温暖气候，耐热，怕涝，忌低温。种植宜选择排水良好、土层深厚的砂壤土，不宜在低洼处栽培。

葫芦科 Cucurbitaceae 假贝母属 *Bolbostemma*

假贝母 *Bolbostemma paniculatum* (Maxim.) Franquet

| 药 材 名 | 土贝母（药用部位：块茎。别名：土贝、大贝母、地苦胆）。

| 形态特征 | 攀缘蔓生草本。鳞茎肥厚，肉质，乳白色。茎草质，无毛，攀缘状；枝具棱沟，无毛。叶柄纤细，长 1.5 ~ 3.5cm；叶片卵状近圆形，长 4 ~ 11cm，宽 3 ~ 10cm，掌状 5 深裂，每裂片再 3 ~ 5 浅裂，侧裂片卵状长圆形，急尖，中间裂片长圆状披针形，渐尖，基部小裂片先端各有 1 显著凸出的腺体，叶片两面无毛或仅在脉上被短柔毛；卷须丝状，单一或 2 歧。雌雄异株；雌、雄花序均呈疏散圆锥状，极稀花单生，花序轴丝状，长 4 ~ 10cm，花梗纤细，长 1.5 ~ 3.5cm；花黄绿色；花萼与花冠相似，裂片卵状披针形，长约 2.5mm，先端具长丝状尾；雄蕊 5，离生；花丝先端不膨大，长 0.3 ~ 0.5mm，花药长 0.5mm，药隔在花药背面不伸出花药；子房近球形，疏生不显

假贝母

著的疣状突起，3室，每室2胚珠，花柱3，柱头2裂。果实圆柱形，长1.5～3cm，直径1～1.2cm，成熟后由先端盖裂，果盖圆锥形，具种子6；种子卵状菱形，暗褐色，表面有雕纹状突起，边缘有不规则的齿，长8～10mm，宽约5mm，厚1.5mm，先端有膜质翅，翅长8～10mm。花期6～8月，果期8～9月。

｜生境分布｜ 生于阴山坡，或栽培于房前屋后。分布于重庆城口、奉节、开州、云阳、南川等地。

｜资源情况｜ 野生和栽培资源均稀少。药材主要来源于栽培。

｜采收加工｜ 秋季采挖，洗净，掰开，煮至无白心，取出，晒干。

｜药材性状｜ 本品呈不规则的块状，大小不等。表面淡红棕色或暗棕色，凹凸不平。质坚硬，不易折断，断面角质样，光亮而平滑。气微，味微苦。

｜功能主治｜ 苦，微寒。散结，消肿，解毒。用于乳痈，瘰疬，乳腺炎，颈淋巴结结核，慢性淋巴结炎，肥厚性鼻炎。

｜用法用量｜ 内服煎汤，4.5～9g。

｜附　　注｜ 本种喜温暖湿润气候。耐严寒。对土壤适应范围广，宜选择疏松、肥沃的砂壤土种植。

葫芦科 Cucurbitaceae 西瓜属 *Citrullus*

西瓜 *Citrullus lanatus* (Thunb.) Matsum. et Nakai

| 药 材 名 | 西瓜霜（药材来源：成熟新鲜果实与皮硝的加工品）、西瓜皮（药用部位：外层果皮。别名：西瓜翠）。

| 形态特征 | 一年生蔓生藤本。茎、枝粗壮，具明显的棱沟，被长而密的白色或淡黄褐色长柔毛。卷须较粗壮，被短柔毛，2 歧；叶柄粗壮，长 3 ~ 12cm，直径 0.2 ~ 0.4cm，具不明显的沟纹，密被柔毛；叶片纸质，三角状卵形，带白绿色，长 8 ~ 20cm，宽 5 ~ 15cm，两面被短硬毛，脉上和背面较多，3 深裂，中裂片较长，倒卵形、长圆状披针形或披针形，先端急尖或渐尖，裂片又羽状或 2 重羽状浅裂或深裂，边缘波状或有疏齿，末次裂片通常有少数浅锯齿，先端钝圆，叶片基部心形，有时形成半圆形的弯缺，弯缺宽 1 ~ 2cm，深 0.5 ~ 0.8cm。雌雄同株；雌、雄花均单生叶腋。雄花花梗长 3 ~ 4cm，密被黄褐

西瓜

色长柔毛；花萼筒宽钟形，密被长柔毛，花萼裂片狭披针形，与花萼筒近等长，长2～3mm；花冠淡黄色，直径2.5～3mm，外面带绿色，被长柔毛，裂片卵状长圆形，长1～1.5cm，宽0.5～0.8cm，先端钝或稍尖，脉黄褐色，被毛；雄蕊3，近离生，1枚1室，2枚2室，花丝短，药室折曲。雌花花萼和花冠与雄花同；子房卵形，长0.5～0.8cm，宽0.4cm，密被长柔毛，花柱长4～5mm，柱头3，肾形。果实大型，近于球形或椭圆形，肉质，多汁，果皮光滑，色泽及纹饰各式；种子多数，卵形，黑色、红色，有时为白色、黄色、淡绿色或有斑纹，两面平滑，基部钝圆，通常边缘稍拱起，长1～1.5cm，宽0.5～0.8cm，厚1～2mm。花果期夏季。

| 生境分布 | 生于海拔900～1600m的温度较高、日照充足的地区，或栽培于果树下、大田等。重庆各地均有分布。

| 资源情况 | 栽培资源一般。药材主要来源于栽培。

| 采收加工 | 西瓜霜：成熟新鲜果实与皮硝经加工制成。

西瓜皮：夏、秋季果实成熟后，削取外层果皮，洗净，干燥。

| 药材性状 | 西瓜霜：本品为类白色至黄白色的结晶性粉末。气微，味咸。

西瓜皮：本品呈不规则条状或片状，边缘常向内卷曲，有的皱缩。外表面深绿色、灰黄色或黄棕色，有的有深绿色条纹；内表面黄白色至黄棕色，维管束似网状筋脉。质脆，易折断。无臭，味淡。

| 功能主治 | 西瓜霜：咸，寒。清热泻火，消肿止痛。用于咽喉肿痛，喉痹，口疮。

西瓜皮：甘，凉。清热解暑，生津止渴，利尿泻火。用于暑热烦渴，小便不利，水肿，口舌生疮。

| 用法用量 | 西瓜霜：内服煎汤，0.5～1.5g。外用适量，研末吹敷患处。

西瓜皮：内服煎汤，15～30g。

| 附　　注 | 本种喜温暖气候，耐热，不耐低温，耐旱，喜光。对土壤适应性强，宜选择深厚的砂壤土栽培。

葫芦科 Cucurbitaceae 黄瓜属 *Cucumis*

黄瓜 *Cucumis sativus* L.

| 药 材 名 | 黄瓜子（药用部位：种子。别名：哈力苏）、黄瓜藤（药用部位：茎藤）、黄瓜皮（药用部位：果皮。别名：金衣）、黄瓜根（药用部位：根）、黄瓜叶（药用部位：叶）。

| 形态特征 | 一年生蔓生或攀缘草本。茎、枝伸长，有棱沟，被白色的糙硬毛。卷须细，不分歧，被白色柔毛；叶柄稍粗糙，被糙硬毛，长 10 ~ 16（~ 20）cm；叶片宽卵状心形，膜质，长、宽均为 7 ~ 20cm，两面甚粗糙，被糙硬毛，有 3 ~ 5 角或浅裂，裂片三角形，有齿，有时边缘有缘毛，先端急尖或渐尖，基部弯缺半圆形，宽 2 ~ 3cm，深 2 ~ 2.5cm，有时基部向后靠合。雌雄同株。雄花常数朵簇生叶腋；花梗纤细，长 0.5 ~ 1.5cm，被微柔毛；花萼筒狭钟状或近圆筒状，长 8 ~ 10mm，密被白色长柔毛，花萼裂片钻形，开展，与花萼筒

黄瓜

近等长；花冠黄白色，长约 2cm，花冠裂片长圆状披针形，急尖；雄蕊 3，花丝近无，花药长 3 ~ 4mm，药隔伸出，长约 1mm。雌花单生，稀簇生；花梗粗壮，被柔毛，长 1 ~ 2cm；子房纺锤形，粗糙，有小刺状突起。果实长圆形或圆柱形，长 10 ~ 30（~ 50）cm，成熟时黄绿色，表面粗糙，有具刺尖的瘤状突起，极稀近于平滑；种子小，狭卵形，白色，无边缘，两端近急尖，长约 5 ~ 10mm。花果期夏季。

| 生境分布 | 栽培于菜园。重庆各地均有分布。

| 资源情况 | 栽培资源丰富。药材主要来源于栽培。

| 采收加工 | 黄瓜子：夏、秋季取种子成熟的老黄瓜，剖开，取出种子，晒干。

黄瓜藤：夏季采收，晒干。

黄瓜皮：秋季采摘老黄瓜，趁鲜将皮刮下，洗净，晒干。

黄瓜根：夏、秋季采挖，洗净，切段，晒干或鲜用。

黄瓜叶：夏、秋季采收，晒干或鲜用。

｜药材性状｜ 黄瓜子：本品呈扁椭圆形，长 6 ~ 9mm，宽 2 ~ 4mm，一端略尖，边缘稍有棱，一端钝圆或有缺刻。表面黄白色，光滑。种皮稍厚，子叶 2，乳白色，富油性。气微，味微甘。

黄瓜藤：本品常卷扎成束。茎呈长棱柱形，直径 5 ~ 8mm。表面灰黄色或灰绿黄色，有纵棱纹，被短刚毛；切面黄白色，中空。叶互生，多皱缩或破碎，完整者展平后呈宽卵状心形，长与宽均为 7 ~ 20cm，掌状 3 ~ 5 浅裂，裂片三角形；先端尖锐，基部心形，边缘具锯齿，两面均被短刚毛。卷须通常脱落。体轻。气清香，味微苦。

黄瓜皮：本品呈卷筒状，长约 20cm，厚约 1 ~ 2mm。外表面黄褐色，上有深色疣状突起及网状花纹，内表面暗黄色。体轻，质韧。气清香，味淡。

黄瓜叶：本品多皱缩或破碎，完整者展平后呈宽卵状心形，长、宽均为 7 ~ 20cm，掌状 3 ~ 5 浅裂，裂片三角形；先端尖锐，基部心形，边缘具锯齿，两面均被短刚毛。气清香，味微苦。

｜功能主治｜ 黄瓜子：甘，平。归肝、肺经。舒筋接骨，祛风消痰。用于骨折筋伤，风湿痹痛，劳伤咳嗽。

黄瓜藤：苦，平。祛痰镇痉。用于癫痫。

黄瓜皮：甘，寒。利尿，清热。用于水肿，小便不利。

黄瓜根：苦、甘，凉。清热，利湿，解毒。用于胃热消渴，湿热泻痢，黄疸，疮疡肿毒，聤耳流脓。

黄瓜叶：苦，寒。清湿热，消毒肿。用于湿热泻痢，无名肿毒，湿脚气。

| 用法用量 | 黄瓜子：内服煎汤，15 ~ 25g。

黄瓜藤：内服煎汤，15 ~ 50g。

黄瓜皮：内服煎汤，15 ~ 25g。

黄瓜根：内服煎汤，10 ~ 15g，鲜品加倍；或入丸剂。外用适量，捣敷。

黄瓜叶：内服煎汤，10 ~ 15g，鲜品加倍；或绞汁饮。外用适量，捣敷或绞汁涂。

| 附　　注 | 本种喜温暖气候，不耐高温，不耐寒冷。对土壤要求不严，种植宜选择疏松、肥沃、保水保肥能力强的土壤。

葫芦科 Cucurbitaceae 南瓜属 *Cucurbita*

南瓜 *Cucurbita moschata* (Duch. ex Lam.) Duch. ex Poiret

| 药 材 名 | 南瓜（药用部位：成熟果肉）、南瓜子（药用部位：成熟种子）、南瓜蒂（药用部位：瓜蒂）、南瓜藤（药用部位：藤茎）。

| 形态特征 | 一年生蔓生草本。茎常节部生根，伸长达 2 ~ 5m，密被白色短刚毛。叶柄粗壮，长 8 ~ 19cm，被短刚毛；叶片宽卵形或卵圆形，质稍柔软，有 5 角或 5 浅裂，稀钝，长 12 ~ 25cm，宽 20 ~ 30cm，侧裂片较小，中间裂片较大，三角形，上面密被黄白色刚毛和茸毛，常有白斑，叶脉隆起，各裂片之中脉常延伸至先端，形成 1 小尖头，背面色较淡，毛更明显，边缘有小而密的细齿，先端稍钝；卷须稍粗壮，与叶柄一样被短刚毛和茸毛，3 ~ 5 歧。雌雄同株。雄花单生；花萼筒钟形，长 5 ~ 6mm，裂片条形，长 1 ~ 1.5cm，被柔毛，上部扩大成叶状；花冠黄色，钟状，长 8cm，直径 6cm，5 中裂，裂片边缘反卷，具褶皱，

南瓜

先端急尖；雄蕊 3，花丝腺体状，长 5 ~ 8mm，花药靠合，长 15mm，药室折曲。雌花单生；子房 1 室，花柱短，柱头 3，膨大，先端 2 裂。果梗粗壮，有棱和槽，长 5 ~ 7cm，瓜蒂扩大成喇叭状；瓠果形状多样，因品种而异，外面常有数条纵沟或无；种子多数，长卵形或长圆形，灰白色，边缘薄，长 10 ~ 15mm，宽 7 ~ 10mm。

| **生境分布** | 栽培于菜园。重庆各地均有分布。

| **资源情况** | 栽培资源丰富。药材来源于栽培。

| **采收加工** | 南瓜：夏、秋季采收，剖开，除去瓜瓤及种子，切薄片，干燥。

南瓜子：夏、秋季食用南瓜时，收集成熟种子，除去瓤膜，洗净，晒干。
南瓜蒂：瓜熟后摘取，干燥。
南瓜藤：夏、秋季采收，晒干。

| 药材性状 | 南瓜：本品呈不规则薄片状，皱缩卷曲，长度不等，宽 2 ~ 3cm。外果皮灰棕色或棕褐色，果肉棕黄色或淡黄色，切面平滑，略呈粉性。体轻，质脆，易碎。气微，味微甘。

南瓜子：本品呈扁椭圆形，长 1.2 ~ 1.5cm，宽 0.7 ~ 1cm。表面淡黄白色至淡黄色，两面平坦而微隆起，边缘稍有棱，一端略尖，先端有珠孔，种脐稍凸起或不明显；除去种皮，可见绿色薄膜状胚乳，子叶 2，黄色，肥厚，显油性。气微香，味微甘。

南瓜蒂：本品呈五角形至六角形盘状，直径 2.5 ~ 5.5cm，附残存柱状果柄。外表面淡黄色，微有光泽，具稀疏刺状短毛及凸起的小圆点。果柄略弯曲，粗约 1 ~ 2cm，有隆起的棱脊 5 ~ 6，纵向延伸至蒂端。质坚硬，断面黄白色，常见空隙。无臭，味淡。

南瓜藤：本品常卷缩成团，全体被白色刚毛和茸毛。茎呈棱柱形，直径 3 ~ 6mm。表面灰绿色或黄绿色，有纵棱纹，节略膨大，断面中空。叶通常皱缩破碎，展平后呈宽卵形或卵圆形，5 浅裂，长 12 ~ 25cm，宽 20 ~ 30cm，边缘有较密的细齿。体轻。气清香，味微甘。

| 功能主治 | 南瓜：甘，温。归脾经。补中益气。用于高血糖、高血脂等的辅助治疗。

南瓜子：甘，平。归大肠经。驱虫，消肿，下乳。用于绦虫、蛔虫、钩虫、血吸虫病，四肢浮肿，痔疮，产后缺奶。

南瓜蒂：苦、甘，平。和中，益气，安胎，解毒，敛疮。用于胃虚气逆，胎动不安，痈疮。

南瓜藤：苦，微寒。清热。用于肺结核低热。

| 用法用量 | 南瓜：内服煎汤，75 ~ 150g。

南瓜子：内服煎汤，30 ~ 60g。

南瓜蒂：内服煎汤，9 ~ 15g。外用适量。

南瓜藤：内服煎汤，15 ~ 50g。

| 附　　注 | 本种喜温暖气候，不耐高温，不耐低温，喜光。对土壤要求不严，种植宜选择土层深厚、保水保肥能力强的土壤。

葫芦科 Cucurbitaceae 绞股蓝属 *Gynostemma*

绞股蓝 *Gynostemma pentaphyllum* (Thunb.) Makino

| 药 材 名 | 绞股蓝（药用部位：地上部分。别名：七叶胆、小苦药、公罗锅底）。

| 形态特征 | 草质攀缘植物。茎细弱，具分枝，具纵棱及槽，无毛或疏被短柔毛。叶膜质或纸质，鸟足状，具3～9小叶，通常5～7小叶；叶柄长3～7cm，被短柔毛或无毛；小叶片卵状长椭圆形或披针形，中央小叶长3～12cm，宽1.5～4cm，侧生叶较小，先端急尖或短渐尖，基部渐狭，边缘具波状齿或圆齿状牙齿，上面深绿色，背面淡绿色，两面均疏被短硬毛；侧脉6～8对，上面平坦，背面凸起，细脉网状；小叶柄略叉开，长1～5mm；卷须纤细，2歧，稀单一，无毛或基部被短柔毛。花雌雄异株。雄花圆锥花序，花序轴纤细，多分枝，长10～15（～30）cm，分枝广展，长3～4（～15）cm，有时基部具小叶，被短柔毛；花梗丝状，长1～4mm，基部具钻状小苞片；花萼筒极短，5裂，裂片三角形，长约0.7mm，先端急尖，具1脉，

绞股蓝

边缘具缘毛状小齿；雄蕊 5，花丝短，联合成柱，花药着生于柱先端。雌花圆锥花序远较雄花之短小，花萼及花冠似雄花；子房球形，2 ~ 3 室，花柱 3，短而分叉，柱头 2 裂；具短小的退化雄蕊 5。果实肉质不裂，球形，直径 5 ~ 6mm，成熟后黑色，光滑无毛，内含倒垂种子 2；种子卵状心形，直径约 4mm，灰褐色或深褐色，先端钝，基部心形，压扁，两面具乳突状突起。花期 3 ~ 11 月，果期 4 ~ 12 月。

| 生境分布 | 生于海拔 300 ~ 2000m 的山谷密林中、山坡疏林下或灌丛中。分布于重庆黔江、綦江、彭水、长寿、秀山、合川、奉节、石柱、城口、北碚、永川、万州、丰都、忠县、铜梁、云阳、酉阳、南川、涪陵、武隆、江津、开州、垫江、璧山、巫山、梁平等地。

| 资源情况 | 野生资源丰富。药材主要来源于野生，亦有少量栽培。

| 采收加工 | 秋季采收，除去杂质，干燥。

| 药材性状 | 本品呈皱缩卷曲状。茎呈棱柱形，纤细，多分枝；表面黄绿色，有短柔毛；质韧，不易折断。叶腋具黄棕色卷须，先端不分叉或 2 分叉；叶互生，多数脱落或破碎，完整者为鸟足状复叶，叶柄长 2 ~ 4cm，被柔毛；小叶膜质，通常 5 ~ 7，卵状矩圆形，中间者较长，先端渐尖，基部楔形，叶缘有锯齿。圆锥花序，总花梗细，长 10 ~ 20cm。浆果球形。种子 2，宽卵形，两面有小疣状突起。气微香，味微苦、甘。

| 功能主治 | 苦、微甘，寒。归肺、脾、肾经。益气养阴，清热解毒，止咳化痰。用于乏力自汗，心悸气短，眩晕头痛，健忘耳鸣，胸膈痞闷，痰阻咳嗽。

| 用法用量 | 内服煎汤，15 ~ 30g；或研末，3 ~ 6g；亦可泡茶饮。

| 附　　注 | 本种喜温暖气候，喜阴湿环境，忌烈日直射，耐旱性差。对土壤条件要求不严，种植宜选择疏松、肥沃、排水良好的砂壤土。

葫芦科 Cucurbitaceae 绞股蓝属 *Gynostemma*

毛绞股蓝 *Gynostemma pubescens* (Gagnep.) C. Y. Wu ex C. Y. Wu et S. K. Chen.

| 药 材 名 | 毛绞股蓝（药用部位：全草。别名：毛叶假母猪藤）。

| 形态特征 | 攀缘草本。茎细弱，具纵棱及槽，密被卷曲短柔毛。叶纸质，鸟足状，具 5 小叶，两面均较密被硬毛状短柔毛，叶柄长 3 ~ 5cm，具纵条纹，密被短柔毛；中间小叶片近菱形或菱状椭圆形，长 5.5 ~ 10cm，宽 2 ~ 3.5cm，侧生小叶较小，先端渐尖，具芒尖，基部楔形或钝，最外 1 对小叶基部偏斜，近圆形，边缘具疏离粗齿，齿具短尖头，上面绿色，背面淡绿色；侧脉 8 ~ 9 对，弓形上升，直达齿尖，两面凸起；小叶柄长 0.5 ~ 0.9cm，密被短柔毛，卷须自基部开始旋转，近先端二歧，疏被短柔毛。雌雄异株。雄花未见。雌花组成狭圆锥花序，长约 5cm，密被长柔毛；花萼裂片三角形，长约 1mm；花冠裂片披针形，长约 2mm，先端渐尖，上面被毛；子房球形，直径约

毛绞股蓝

2mm，被柔毛，花柱 3，短锥状，先端二歧。果序长 4 ~ 7cm，密被短柔毛，果实球形，直径约 5mm，无毛；种子阔心形，直径 3mm，淡灰褐色，压扁，具乳突。花果期 8 ~ 10 月。

| 生境分布 | 生于海拔 1880m 的丛林中。分布于重庆涪陵、彭水、丰都、南川等地。

| 资源情况 | 野生资源稀少。药材主要来源于野生。

| 采收加工 | 7 ~ 9 月采收，除去杂质，洗净，晒干。

| 功能主治 | 清热补虚，解毒。用于体虚乏力，虚劳失精，白细胞减少，高血脂，病毒性肝炎，慢性胃肠炎，慢性支气管炎。

| 用法用量 | 内服煎汤，适量；或泡茶饮。

| 附　　注 | 在 FOC 中，本种被修订为绞股蓝 *Gynostemma pentaphyllum* (Thunb.) Makino。

葫芦科 Cucurbitaceae 雪胆属 *Hemsleya*

马铜铃 *Hemsleya graciliflora* (Harms) Cogn.

| 药 材 名 | 金龟莲（药用部位：块根）、土马兜铃（药用部位：果实）。

| 形态特征 | 多年生攀缘草本。小枝纤细具棱槽，疏被微柔毛及细刺毛，老时近光滑无毛。卷须纤细，疏被微柔毛，先端二歧。趾状复叶多为7小叶，叶柄长3～5cm；小叶长圆状披针形至倒卵状披针形，长5～10cm，宽2～3.5cm，小叶柄长4～7mm，叶面浓绿色，背面灰绿色，先端钝或短渐尖，基部楔形，边缘圆锯齿状，沿中脉及侧脉疏被细刺毛。雌雄异株。雄花呈聚伞圆锥花序，腋生，花序梗及分枝纤细，长5～20cm，密被短柔毛，花柄丝状，长1.5～2mm；花萼裂片三角形，长2mm，宽1mm，平展，自花冠裂片间伸出；花冠浅黄绿色，直径5～6mm，平展，裂片倒卵形，薄膜质，长3～4mm，宽2mm，基部疏被细乳突；雄蕊5，花丝短，长约1mm。雌花子房狭

马铜铃

圆筒状，基部渐狭；子房柄长 2 ~ 3mm，花柱 3，柱头 2 裂。果实筒状倒圆锥形，长 2.5 ~ 3.5cm，直径 1 ~ 1.5cm，具 10 细纹，底平截，果柄弯曲，长 5 ~ 6mm；种子轮廓长圆形，长 1.2 ~ 1.4cm，宽 5 ~ 6mm，稍扁平，周生 1.5 ~ 2mm 宽的木栓质翅，外有乳白色膜质边，上端宽 3 ~ 4mm，先端浑圆或微凹，两侧较狭，基部中央微缺，种子倒卵形，边缘密布乳头状突起，两面密布小瘤突。花期 6 ~ 9 月，果期 8 ~ 11 月。

| 生境分布 | 生于海拔 1200 ~ 2100m 的林下草丛中。分布于重庆城口、南川等地。

| 资源情况 | 野生资源稀少。药材主要来源于野生。

| 采收加工 | 金龟莲：秋、冬季采挖，洗净，切片，晒干。
土马兜铃：秋季采收，切片，晒干。

| 功能主治 | 金龟莲：清热解毒，消肿。用于胃痛，细菌性痢疾，肠炎。
土马兜铃：化痰止咳。用于咳嗽。

| 用法用量 | 内服煎汤，适量。

葫芦科 Cucurbitaceae 雪胆属 *Hemsleya*

金佛山雪胆 *Hemsleya pengxianensis* W. J. Chang var. *jinfushanensis* L. T. Shen et W. J. Chang

金佛山雪胆

| 药 材 名 |

金盆（药用部位：块根。别名：苦金盆）。

| 形态特征 |

多年生草质藤本。具膨大块茎，扁球形。小枝纤细，疏被短柔毛，老枝近光滑，无毛。卷须线形，先端二歧。趾状复叶由（3 ~ ）5 ~ 7 小叶组成，叶柄长 4.5 ~ 7cm，近无毛；小叶片倒卵状披针形至狭椭圆状披针形，膜质，上面绿色，背面灰绿色，先端急尖或尾状渐尖，基部渐狭，小叶柄长 3 ~ 5mm，叶缘疏圆锯齿状，齿裂深 2 ~ 3mm，沿中脉、侧脉及叶缘疏生细刺毛，其余光滑无毛，中央小叶片长 8 ~ 17cm，宽 2 ~ 4cm，两侧叶片渐小。花雌雄异株，聚伞总状花序，总花序梗长 4 ~ 10cm，曲折，密被短柔毛。雄花花萼裂片 5，披针形；花冠黄绿色，盘状，草质，裂片卵圆形，先端圆钝，具小尖凸，向后反折。雌花子房近球形，具柄；花柱 3，柱头 2 裂。果实宽卵形，长 4 ~ 5cm，直径 2.5 ~ 3.5cm，果皮表面有细小的疣状突起，3 果爿，具种子超过 10；种子近圆形，直径 1 ~ 1.3cm，周生木栓质翅，一侧稍狭，略具皱褶，种子本身卵形至近圆形，肿胀，周生小瘤突，中间部分近平滑。花期 6 ~ 9 月，果期 8 ~ 11 月。

| 生境分布 | 生于海拔 1500 ~ 2000m 的林缘或山谷灌丛中。分布于重庆南川等地。

| 资源情况 | 野生资源稀少。药材主要来源于野生。

| 采收加工 | 秋末地上部分枯萎后或早春萌芽前采收，切片，晒干。

| 功能主治 | 苦，寒；有小毒。归心、胃、大肠经。清热解毒，利湿消肿，止痛止血。用于咽喉肿痛，牙痛，目赤肿痛，胃痛，菌痢，肠炎，肝炎，尿路感染，前列腺炎，痔疮，宫颈炎，痈肿疔疮，外伤出血。

| 用法用量 | 内服煎汤，6 ~ 9g；或研末，0.5 ~ 1g。外用适量，捣敷；或研末调敷。脾胃虚寒者及患有心脏病者慎服。

| 附　　注 | （1）在 FOC 中，本种被修订为彭县雪胆 *Hemsleya pengxianensis* W. J. Chang。

（2）本种块根在部分地区与雪胆 *Hemsleya chinensis* Cogn. ex Forbes et Hemsl. 块根等同入药。

（3）本种喜温暖气候和阴湿环境。宜选择土层深厚的砂壤土或腐殖质壤土栽培。

葫芦科 Cucurbitaceae 葫芦属 *Lagenaria*

葫芦 *Lagenaria siceraria* (Molina) Standl.

| 药 材 名 | 葫芦壳（药用部位：成熟果皮。别名：葫芦瓢）、壶卢（药用部位：果实。别名：匏瓜、壶、甜瓠）、壶卢子（药用部位：种子。别名：葫芦子）。

| 形态特征 | 一年生攀缘草本。茎、枝具沟纹，被黏质长柔毛，老后渐脱落，变近无毛。叶柄纤细，长 16 ~ 20cm，有和茎、枝一样的毛被，先端有 2 腺体；叶片卵状心形或肾状卵形，长、宽均为 10 ~ 35cm，不分裂或 3 ~ 5 裂，具掌状脉 5 ~ 7，先端锐尖，边缘有不规则的齿，基部心形，弯缺开张，半圆形或近圆形，深 1 ~ 3cm，宽 2 ~ 6cm，两面均被微柔毛，叶背及脉上较密。卷须纤细，初时被微柔毛，后渐脱落，变光滑无毛，上部分二歧。雌雄同株，雌、雄花均单生。雄花花梗细，比叶柄稍长，花梗、花萼、花冠均被微柔毛；花萼筒

葫芦

漏斗状，长约 2cm，裂片披针形，长 5mm，花冠黄色，裂片皱波状，长 3 ~ 4cm，宽 2 ~ 3cm，先端微缺而先端有小尖头，5 脉；雄蕊 3，花丝长 3 ~ 4mm，花药长 8 ~ 10mm，长圆形，药室折曲。雌花花梗比叶柄稍短或近等长；花萼、花冠似雄花；花萼筒长 2 ~ 3mm；子房中间缢细，密生黏质长柔毛，花柱粗短，柱头 3，膨大，2 裂。果实初为绿色，后变白色至带黄色，由于长期栽培，果形变异很大，因不同品种或变种而异，有的呈哑铃状，中间缢细，下部和上部膨大，长数十厘米，有的仅长 10cm（小葫芦），有的呈扁球形、棒状或勺状；种子倒卵形或三角形，先端截形或 2 齿裂，稀圆，长约 20mm。花期夏季，果期秋季。

| 生境分布 | 生于排水良好、土质肥沃的平川、低洼地或有灌溉条件的岗地。重庆各地均有分布。

| 资源情况 | 栽培资源较丰富。药材主要来源于栽培。

| 采收加工 | 葫芦壳：秋季采收成熟果实，干燥，敲碎，除去种子。

壶卢：秋季采摘已成熟但外皮尚未木质化的果实，去皮。

壶卢子：秋季采收成熟果实，切开，取出种子，洗净，晒干。

| 药材性状 | 葫芦壳：本品为不规则碎块，大小不一，厚 0.5 ~ 1.8cm。外表面黄棕色或灰黄色，较光滑；内表面黄白色或灰黄色，较粗糙，松软。体轻，质坚脆，易折断，断面黄白色或淡黄色，海绵状。气微，味淡。

壶卢子：本品略呈三角状长卵形，扁平，长约 2cm，宽约 1cm，厚约 4mm，先端略尖，底端较宽，上、下端两侧增厚成角状突起。表面白色或灰绿色，扁面两侧各有 2 浅色纵向条纹，端角增厚部色亦浅，内有长卵形子叶 2。气微，味淡、微甘。

| 功能主治 | 葫芦壳：甘，平。归肺、小肠经。利水，消肿，散结。用于水肿，四肢、面目浮肿，腹水肿胀，小便不利。

壶卢：甘、淡，平。归肺、脾、肾经。利水，消肿，通淋，散结。用于水肿，腹水，黄疸，消渴，淋病，痈肿。

壶卢子：甘，平。清热解毒，消肿止痛。用于肺炎，肠痈，牙痛。

| 用法用量 | 葫芦壳：内服煎汤，15 ~ 30g。

壶卢：内服煎汤，9 ~ 30g；或煅存性，研末。脾胃虚寒者禁服。

壶卢子：内服煎汤，9 ~ 15g。

葫芦科 Cucurbitaceae 葫芦属 *Lagenaria*

瓠子 *Lagenaria siceraria* (Molina) Standl. var. *hispida* (Thunb.) Hara

瓠子

药材名

瓠子（药用部位：果实。别名：棒瓜、甘瓠、甜瓠）、瓠子子（药用部位：种子）、蒲种壳（药用部位：老熟果皮）。

形态特征

一年生攀缘草本。茎、枝具沟纹，被黏质长柔毛，老后渐脱落，变近无毛。叶柄纤细，长 16 ~ 20cm，有和茎、枝一样的毛被，先端有 2 腺体；叶片卵状心形或肾状卵形，长、宽均为 10 ~ 35cm，不分裂或 3 ~ 5 裂，具掌状脉 5 ~ 7，先端锐尖，边缘有不规则的齿，基部心形，弯缺开张，半圆形或近圆形，深 1 ~ 3cm，宽 2 ~ 6cm，两面均被微柔毛，叶背及脉上较密。卷须纤细，初时被微柔毛，后渐脱落，变光滑无毛，上部分二歧。雌雄同株，雌、雄花均单生。雄花花梗细，比叶柄稍长，花梗、花萼、花冠均被微柔毛；花萼筒漏斗状，长约 2cm，裂片披针形，长 5mm；花冠黄色，裂片皱波状，长 3 ~ 4cm，宽 2 ~ 3cm，先端微缺而先端有小尖头，5 脉；雄蕊 3，花丝长 3 ~ 4mm，花药长 8 ~ 10mm，长圆形，药室折曲。雌花花梗比叶柄稍短或近等长；花萼和花冠似雄花；花萼筒长 2 ~ 3mm；子房圆柱形，密生黏质长柔毛，花柱粗短，柱头 3，膨大，2 裂。果实初为绿色，后变白色至带黄色，粗细匀称而呈圆柱形，直或稍弓曲，长可达 60 ~ 80cm，绿白色，果肉白色，成熟后果皮变木质；种子白色，倒卵形或三角形，先端截形或 2 齿裂，稀圆，长约 20mm。花期夏季，果期秋季。

| 生境分布 | 栽培于菜园。重庆各地均有分布。

| 资源情况 | 栽培资源一般。药材主要来源于栽培。

| 采收加工 | 瓠子：夏、秋季果实成熟时采收，鲜用或晒干。

瓠子子：秋季采收，将成熟的果实剖开，取出种子，洗净，晒干。

蒲种壳：立秋至白露间，采摘老熟果实，剖开，除去种子，晒干。

| 功能主治 | 瓠子：甘，平。利水，清热，止渴，除烦。用于水肿腹胀，烦热口渴，疮毒。

瓠子子：解毒，活血，辟秽。用于咽喉肿痛，跌打损伤，山岚瘴气。

蒲种壳：苦、淡，寒。利水消肿。用于面目或四肢浮肿，臌胀，小便不通。

| 用法用量 | 瓠子：内服煎汤，鲜品 60 ~ 120g；或烧存性，研末。外用适量，烧存性，研末调敷。中寒者禁服。

瓠子子：内服煎汤，3 ~ 9g。外用适量，煎汤擦浴。

蒲种壳：内服煎汤，12 ~ 15g。

| 附　　注 | （1）在 FOC 中，本种被修订为冬瓜 *Benincasa hispida* (Thunb.) Cogn.。

（2）本种喜温暖气候，不耐低温，喜光。对土壤要求不严格，但宜选择富含腐殖质、保肥保水能力强的壤土栽培。

葫芦科 Cucurbitaceae 丝瓜属 *Luffa*

广东丝瓜 *Luffa acutangula* (L.) Roxb.

广东丝瓜

|药材名|

丝瓜（药用部位：鲜嫩果实或霜后干枯的老熟果实。别名：天丝瓜、布瓜、天罗瓜）、丝瓜络（药用部位：成熟果实的维管束。别名：天萝筋、丝瓜网、丝瓜壳）、丝瓜子（药用部位：种子。别名：乌牛子）、丝瓜皮（药用部位：果皮）、丝瓜蒂（药用部位：瓜蒂。别名：甜丝瓜蒂）、丝瓜花（药用部位：花）、丝瓜叶（药用部位：叶。别名：虞刺叶）、丝瓜藤（药用部位：茎）。

|形态特征|

一年生攀缘藤本。卷须二至四歧。叶柄长10 ~ 12cm；叶片三角形或近圆形，长、宽均为10 ~ 20cm，通常掌状5 ~ 7裂。雄花15 ~ 20生于总状花序上部；花梗长1 ~ 2cm，花萼筒宽钟形，直径5 ~ 9mm，裂片卵状披针形或近三角形，长0.8 ~ 1.3cm，具3脉；花冠黄色，辐状，直径5 ~ 9cm，裂片长圆形，长2 ~ 4cm；雄蕊3，花丝长6 ~ 8mm，药室多回折曲。雌花单生。果实具纵棱8 ~ 10，直或稍弯，有深色纵纹，未成熟时肉质，成熟后干燥，内面呈网状纤维，先端盖裂；种子黑色，卵形。花果期夏、秋季。

| 生境分布 | 栽培于菜园。重庆各地均有分布。

| 资源情况 | 栽培资源丰富。药材来源于栽培。

| 采收加工 | 丝瓜：夏、秋季采摘鲜嫩果实，鲜用。秋后采收老熟果实，晒干。

丝瓜络：夏、秋季果实成熟、果皮变黄、内部干枯时采摘，除去外皮及果肉，洗净，晒干，除去种子。

丝瓜子：秋季果实老熟后，在采制丝瓜络时，收集种子，晒干。

丝瓜皮：夏、秋季食用丝瓜时，收集刨下的果皮，鲜用或晒干。

丝瓜蒂：夏、秋季食用丝瓜时，收集瓜蒂，鲜用或晒干。

丝瓜花：夏季开花时采收，晒干或鲜用。

丝瓜叶：夏、秋季采收，晒干或鲜用。

丝瓜藤：夏、秋季采收，洗净，鲜用或晒干。

| 药材性状 | 丝瓜：本品呈长圆柱形，具明显的棱角，肉质。表面绿色而带粉白色或黄绿色，有不明显的纵向浅沟或条纹，成熟者内有坚韧的网状瓜络。

丝瓜络：本品由丝状维管束交织而成，多呈长棱形或长圆筒形，略弯曲，长30 ~ 70cm，直径7 ~ 10cm。表面淡黄白色。体轻，质韧，有弹性，不能折断，横切面可见子房3室，呈空洞状。气微，味淡。

丝瓜子：本品呈长卵形，扁压，长8 ~ 20mm，直径5 ~ 11mm，厚约2mm，种皮黑色；表面有网纹及雕纹。种皮硬，剥开后可见膜状灰绿色的内种皮包于子叶外。子叶2，黄白色。气微，味微香。

| 功能主治 | 丝瓜：甘，凉。归肺、肝、胃、大肠经。清热化痰，凉血解毒。用于热病烦渴，咳嗽痰喘，肠风下血，痔疮出血，血淋，崩漏，痈疽疮疡，乳汁不通，无名肿毒，水肿。

丝瓜络：甘，凉。归肺、胃、肝经。通经活络，解毒消肿。用于胸胁疼痛，风湿痹痛，经脉拘挛，乳汁不通，肺热咳嗽，痈肿疮毒，乳痈。

丝瓜子：苦，寒。清热，利水，通便，驱虫。用于水肿，石淋，肺热咳嗽，肠风下血，痔漏，便秘，蛔虫病。

丝瓜皮：甘，凉。清热解毒。用于金疮，痈肿，疔疮，坐板疮。

丝瓜蒂：苦，微寒。清热解毒，化痰定惊。用于痘疮不起，咽喉肿痛，癫狂，痫证。

丝瓜花：甘、微苦，寒。清热解毒，化痰止咳。用于肺热咳嗽，咽痛，鼻窦炎，疔疮肿毒，痔疮。

丝瓜叶：苦，微寒。清热解毒，止血，祛暑。用于痈疽，疔肿，疮癣，蛇咬伤，烫火伤，咽喉肿痛，创伤出血，暑热烦渴。

丝瓜藤：苦，微寒。归心、脾、肾经。舒筋活血，止咳化痰，解毒杀虫。用于腰膝酸痛，肢体麻木，月经不调，咳嗽痰多，鼻渊，牙宣，龋齿。

| 用法用量 | 丝瓜：内服煎汤，9 ~ 15g，鲜品 60 ~ 120g；或烧存性，为散，每次 3 ~ 9g。外用适量，捣汁涂；或捣敷；或研末调敷。脾胃虚寒或肾阳虚弱者不宜多服。

丝瓜络：内服煎汤，5 ~ 15g；或烧存性，研末，每次 1.5 ~ 3g。外用适量，煅存性，研末调敷。

丝瓜子：内服煎汤，6 ~ 9g；或炒焦，研末。外用适量，研末调敷。脾虚者或孕妇慎服。

丝瓜皮：内服煎汤 9 ~ 15g；或入散剂。外用适量，研末调敷；或捣敷。

丝瓜蒂：内服煎汤，1 ~ 3g；或入散剂。外用适量，研为细粉，吹喉或搐鼻。脾胃虚弱者慎服。

丝瓜花：内服煎汤，6 ~ 9g。外用适量，捣敷。

丝瓜叶：内服煎汤，6 ~ 15g，鲜品 15 ~ 60g；或捣汁；或研末。外用适量，煎汤洗；或捣敷；或研末调敷。

丝瓜藤：内服煎汤，30 ~ 60g；或烧存性，研末，每次 3 ~ 6g。外用适量，煅存性，研末调敷。

| 附　　注 | 本种的药材丝瓜、丝瓜络、丝瓜子等的另一基原植物为丝瓜 *Luffa cylindrica* (L.) Roem.。《中国药典》所载丝瓜络的来源为丝瓜 *Luffa cylindrica* (L.) Roem.。

葫芦科 Cucurbitaceae 丝瓜属 *Luffa*

丝瓜 *Luffa cylindrica* (L.) Roem.

| 药 材 名 | 丝瓜络（药用部位：成熟果实的维管束。别名：天萝筋、丝瓜网、丝瓜壳）、丝瓜子（药用部位：种子。别名：乌牛子）、丝瓜根（药用部位：根）、丝瓜藤（药用部位：带叶藤茎）、丝瓜蒂（药用部位：瓜蒂。别名：甜丝瓜蒂）、丝瓜花（药用部位：花）、丝瓜皮（药用部位：果皮）。

| 形态特征 | 一年生攀缘藤本。茎、枝粗糙，有棱沟，被微柔毛。卷须稍粗壮，被短柔毛，通常二至四歧。叶柄粗糙，长 10 ~ 12cm，具不明显的沟，近无毛；叶片三角形或近圆形，长、宽均为 10 ~ 20cm，通常掌状 5 ~ 7 裂，裂片三角形，中间较长，长 8 ~ 12cm，先端急尖或渐尖，边缘有锯齿，基部深心形，弯缺深 2 ~ 3cm，宽 2 ~ 2.5cm，上面深绿色，粗糙，有疣点，下面浅绿色，被短柔毛，脉掌状，被

丝瓜

白色短柔毛。雌雄同株。雄花通常 15 ~ 20，生于总状花序上部，花序梗稍粗壮，长 12 ~ 14cm，被柔毛；花梗长 1 ~ 2cm，花萼筒宽钟形，直径 0.5 ~ 0.9cm，被短柔毛，裂片卵状披针形或近三角形，上端向外反折，长 0.8 ~ 1.3cm，宽 0.4 ~ 0.7cm，里面密被短柔毛，边缘尤为明显，外面毛被较少，先端渐尖，具 3 脉；花冠黄色，辐状，开展时直径 5 ~ 9cm，裂片长圆形，长 2 ~ 4cm，宽 2 ~ 2.8cm，里面基部密被黄白色长柔毛，外面具 3 ~ 5 凸起的脉，脉上密被短柔毛，先端钝圆，基部狭窄；雄蕊通常 5，稀 3，花丝长 6 ~ 8mm，基部被白色短柔毛，花初开放时稍靠合，最后完全分离，药室多回折曲。雌花单生，花梗长 2 ~ 10cm；子房长圆柱形，被柔毛，柱头 3，膨大。果实圆柱形，直或稍弯，长 15 ~ 30cm，直径 5 ~ 8cm，表面平滑，通常有深色纵条纹，未成熟时肉质，成熟后干燥，里面呈网状纤维，由先端盖裂；种子多数，黑色，卵形，扁，平滑，边缘狭翼状。花果期夏、秋季。

| 生境分布 | 栽培于菜园。重庆各地均有分布。

| 资源情况 | 栽培资源丰富。药材来源于栽培。

| 采收加工 | 丝瓜络：夏、秋季果实成熟、果皮变黄、内部干枯时采摘，除去外皮及果肉，洗净，晒干，除去种子。

丝瓜子：秋季果实成熟后，在采制丝瓜络时，收集种子，除去杂质，晒干。

丝瓜根：夏、秋季采挖，洗净，鲜用或晒干。

丝瓜藤：9 ~ 10 月采收，晒干。

丝瓜蒂：夏、秋季间食用丝瓜时，收集瓜蒂，鲜用或晒干。

丝瓜花：夏季开花时采收，晒干或鲜用。

丝瓜皮：夏、秋季间食用丝瓜时，收集刨下的果皮，鲜用或晒干。

| 药材性状 | 丝瓜络：本品由丝状维管束交织而成，多呈长棱形或长圆筒形，略弯曲，长 15 ~ 30cm，直径 5 ~ 8cm。表面淡黄白色。体轻，质韧，有弹性，不能折断，横切面可见子房 3 室，呈空洞状。气微，味淡。

丝瓜子：本品呈扁平的卵圆形，长 1.1 ~ 1.3cm，宽 0.6 ~ 0.9cm，厚约 2mm。表面灰黑色至黑色，置放大镜下可见微细凸起的曲纹，边缘有极狭的翅；种子一端的两侧各有 1 对呈“八”字形的突起。种皮质坚硬，剥开后可见膜状灰绿色的内种皮包于子叶之外。子叶 2，富油性。气微，味苦。

丝瓜根：本品呈长圆柱形，长 10 ~ 60cm，直径 0.1 ~ 0.6cm，有的分枝，具须状细根。表面灰黄色或棕黄色，有略扭曲而细微的纵皱纹及细根痕。质稍硬，断面淡棕黄色，木部宽广，具多数不规则排列的小孔。

丝瓜藤：本品常缠绕结扎成束。茎呈棱柱形，直径 0.8 ~ 1.5cm；表面浅灰黄色或黄褐色，粗糙，枝上被粗毛，节部略膨大，切面淡黄色或黄褐色。叶片多皱缩或破碎，完整者展平后呈掌状，长、宽均为 10 ~ 20cm，通常掌状 5 ~ 7 裂，裂片先端急尖或渐尖，边缘有锯齿，基部深心形，两面较粗糙。卷须通常脱落，完整者 2 ~ 4 歧。体轻。气清香，味微苦。

| 功能主治 | 丝瓜络：甘，平。通络，活血，祛风。用于痹痛拘挛，胸胁胀痛，乳汁不通。

丝瓜子：苦，平。清热化痰，润燥，驱虫。用于肺热咳嗽，痰多，便秘，蛔虫病。

丝瓜根：甘、苦，寒。活血通络，清热解毒。用于偏头痛，腰痛，痹证，乳腺炎，鼻炎，鼻窦炎，喉风肿痛，肠风下血，痔漏。

丝瓜藤：苦、酸，微寒。通筋活络。用于腰痛。

丝瓜蒂：清热解毒，化痰定惊。用于痘疮不起，咽喉肿痛，癫狂，痫证。

丝瓜花：甘、苦，寒。清热解毒，化痰止咳。用于肺热咳嗽，咽痛，鼻窦炎，疔疮肿毒，痔疮。

丝瓜皮：甘，凉。清热解毒。用于金疮，痈肿，疔疮，坐板疮。

｜用法用量｜ 丝瓜络：内服煎汤，4.5 ~ 9g。

丝瓜子：内服煎汤，10 ~ 15g。

丝瓜根：内服煎汤，3 ~ 9g，鲜品 30 ~ 60g；或烧存性，研末。外用适量，煎汤洗；或捣汁涂。

丝瓜藤：内服煎汤，15 ~ 24g。

丝瓜蒂：内服煎汤，1 ~ 3g；或入散剂。外用适量，研为细粉，吹喉或搐鼻。

丝瓜花：内服煎汤，6 ~ 9g。外用适量，捣敷。

丝瓜皮：内服煎汤，9 ~ 15g；或入散剂。外用适量，研末调敷；或捣敷。

｜附　　注｜ （1）在 FOC 中，本种的拉丁学名被修订为 *Luffa aegyptiaca* Miller。

（2）本种耐高温、高湿，忌低温。种植宜选择土层深厚、肥沃的砂壤土。

葫芦科 Cucurbitaceae 苦瓜属 *Momordica*

苦瓜 *Momordica charantia* L.

| 药 材 名 | 苦瓜（药用部位：近成熟果实）、苦瓜干（药用部位：除去种子后的干燥果实）、苦瓜藤（药用部位：茎。别名：苦瓜茎）、苦瓜子（药用部位：种子）。

| 形态特征 | 一年生攀缘柔弱草本，多分枝。茎、枝被柔毛。卷须纤细，长达20cm，被微柔毛，不分歧。叶柄细，初时被白色柔毛，后变近无毛，长4～6cm；叶片卵状肾形或近圆形，膜质，长、宽均为4～12cm，上面绿色，背面淡绿色，脉上密被明显的微柔毛，其余毛较稀疏，5～7深裂，裂片卵状长圆形，边缘具粗齿或有不规则小裂片，先端多半钝圆形，稀急尖，基部弯缺半圆形，叶脉掌状。雌雄同株。雄花单生叶腋，花梗纤细，被微柔毛，长3～7cm，中部或下部具1苞片；苞片绿色，肾形或圆形，全缘，稍有缘毛，两面被疏柔毛，

苦瓜

长、宽均为 5 ~ 15mm；花萼裂片卵状披针形，被白色柔毛，长 4 ~ 6mm，宽 2 ~ 3cm，急尖；花冠黄色，裂片倒卵形，先端钝、急尖或微凹，长 1.5 ~ 2cm，宽 0.8 ~ 1.2cm，被柔毛；雄蕊 3，离生，药室 2 回折曲。雌花单生，花梗被微柔毛，长 10 ~ 12cm，基部常具 1 苞片；子房纺锤形，密生瘤状突起，柱头 3，膨大，2 裂。果实纺锤形或圆柱形，多瘤皱，长 10 ~ 20cm，成熟后橙黄色，由先端 3 瓣裂；种子多数，长圆形，具红色假种皮，两端各具 3 小齿，两面有刻纹，长 1.5 ~ 2cm，宽 1 ~ 1.5cm。花果期 5 ~ 10 月。

| 生境分布 | 栽培于菜园。重庆各地均有分布。

| 资源情况 | 栽培资源丰富。药材来源于栽培。

| 采收加工 | 苦瓜：夏、秋季采收，对半纵剖，除去瓤和种子，切片，干燥。

苦瓜干：夏季采收，纵剖开，除去种子，干燥。

苦瓜藤：夏、秋季采收，洗净，切段，鲜用或晒干。

苦瓜子：秋后采收成熟果实，剖开，收取种子，洗净，晒干。

| 药材性状 | 苦瓜：本品为半月形或弯条形的薄片，长 2 ~ 7cm，宽 0.2 ~ 1cm，厚 0.2 ~ 0.3cm，略向内弯曲，少数带有果柄。外层浅黄棕色、黄棕色或灰绿色，皱缩，边缘呈瘤状突起；内层黄白色。质脆，易折断，断面不平整。偶有残留的种子。气微，味苦。

苦瓜干：本品呈椭圆形或矩圆形，厚 0.2 ~ 0.8cm，长 5 ~ 18cm，宽 0.4 ~ 2cm，全体皱缩，弯曲，果皮浅灰棕色，粗糙，有纵沟及瘤状突起。中间有时夹有种子或除去种子后留下的空洞。质脆，易断。气微，味苦。

| 功能主治 | 苦瓜：苦，寒。清暑涤热，明目，解毒。用于暑热烦渴，消渴，赤眼疼痛，痢疾，疮痈肿毒。

苦瓜干：苦，寒。清暑涤热，明目，解毒。用于烦渴引饮，中暑，赤眼疼痛，痈肿丹毒，恶疮。

苦瓜藤：苦，寒。清热解毒。用于痢疾，疮毒，胎毒，牙痛。

苦瓜子：苦，寒。温补肾阳。用于肾阳不足，小便频数，遗尿，遗精，阳痿。

| 用法用量 | 苦瓜：内服煎汤，6 ~ 15g。

苦瓜干：内服煎汤，10 ~ 15g。

苦瓜藤：内服煎汤，3 ~ 12g。外用适量，煎汤洗；或捣敷。

苦瓜子：内服煎汤，9 ~ 15g。

葫芦科 Cucurbitaceae 苦瓜属 *Momordica*

木鳖子 *Momordica cochinchinensis* (Lour.) Spreng.

| 药 材 名 | 木鳖子（药用部位：种子。别名：木蟹、土木鳖、壳木鳖）、木鳖子根（药用部位：块根）。

| 形态特征 | 粗壮大藤本，长达 15m。具块状根。全株近无毛或稍被短柔毛，节间偶被绒毛。叶柄粗壮，长 5 ~ 10cm，初时被稀疏的黄褐色柔毛，后变近无毛，在基部或中部有 2 ~ 4 腺体；叶片卵状心形或宽卵状圆形，质稍硬，长、宽均为 10 ~ 20cm，3 ~ 5 中裂至深裂或不分裂，中间的裂片最大，倒卵形或长圆状披针形，长 6 ~ 10（~ 15）cm，宽 3 ~ 6（~ 9）cm，先端急尖或渐尖，有短尖头，边缘有波状小齿或稀近全缘，侧裂片较小，卵形或长圆状披针形，长 3 ~ 7（~ 11）cm，宽 2 ~ 4（~ 7）cm，基部心形，基部弯缺半圆形，深 1.5 ~ 2cm，宽 2.5 ~ 3cm，叶脉掌状。卷须颇粗壮，光滑无毛，不分歧。雌雄

木鳖子

异株。雄花单生于叶腋，有时 3 ~ 4 着生于极短的总状花序轴上，花梗粗壮，近无毛，长 3 ~ 5cm，若单生时花梗长 6 ~ 12cm，先端生 1 大型苞片；苞片无梗，兜状，圆肾形，长 3 ~ 5cm，宽 5 ~ 8cm，先端微缺，全缘，有缘毛，基部稍凹陷，两面被短柔毛，内面稍粗糙；花萼筒漏斗状，裂片宽披针形或长圆形，长 12 ~ 20mm，宽 6 ~ 8mm，先端渐尖或急尖，被短柔毛；花冠黄色，裂片卵状长圆形，长 5 ~ 6cm，宽 2 ~ 3cm，先端急尖或渐尖，基部有齿状黄色腺体，腺体密被长柔毛，外面 2 枚稍大，内面 3 枚稍小，基部有黑斑，雄蕊 3，2 枚 2 室，1 枚 1 室，药室 1 回折曲。雌花单生叶腋，花梗长 5 ~ 10cm，近中部生 1 苞片；苞片兜状，长、宽均为 2mm；花冠、花萼同雄花；子房卵状长圆形，长约 1cm，密生刺状毛。果实卵球形，先端有 1 短喙，基部近圆，长达 12 ~ 15cm，成熟时红色，肉质，密生长 3 ~ 4mm、具刺尖的突起；种子多数，卵形或方形，干后黑褐色，长 26 ~ 28mm，宽 18 ~ 20mm，厚 5 ~ 6mm，边缘有齿，两面稍拱起，具雕纹。花期 6 ~ 8 月，果期 8 ~ 10 月。

| 生境分布 | 生于海拔 250 ~ 1100m 的山沟、林缘或路旁。分布于重庆涪陵、酉阳、南川、南岸、合川、铜梁、云阳、綦江、垫江等地。

| 资源情况 | 野生资源一般，栽培资源较少。药材来源于野生和栽培。

| 采收加工 | 木鳖子：冬季采收成熟果实，剖开，晒至半干，除去果肉，取出种子，干燥。

木鳖子根：夏、秋季采挖，洗净泥土，切段，鲜用或晒干。

| 药材性状 | 木鳖子：本品呈扁平圆板状，中间稍隆起或微凹陷，直径 2cm，厚约 0.5cm。表面灰棕色至黑褐色，有网状花纹，在边缘较大的 1 个齿状突起上有浅黄色种脐。外种皮质硬而脆，内种皮灰绿色，绒毛样。子叶 2，黄白色，富油性。有特殊的油腻气，味苦。

木鳖子根：本品直径 8 ~ 18cm。带皮者表皮浅棕黄色，微粗糙，有较密的椭圆形皮孔；去皮者表面色稍浅，断面浅黄灰色。质较松，粉性甚差，纤维极多，横断面韧皮部有多层横向层纹，木部有较密的棕黄色导管小孔。味苦。

| 功能主治 | 木鳖子：苦、微甘，凉；有毒。归肝、脾、胃经。散结消肿，攻毒疗疮。用于疮疡肿毒，乳痈，瘰疬，痔漏，干癣，秃疮。

木鳖子根：苦、微甘，寒。解毒，消肿，止痛。用于痈疮疔毒，无名肿毒，淋巴结炎。

| 用法用量 | 木鳖子：内服煎汤，0.9 ~ 1.2g。外用适量，研末，用油或醋调涂患处。孕妇慎用。木鳖子根：外用适量，捣敷。

| 附　　注 | 本种喜温暖潮湿气候和向阳的环境。对土壤要求不严，宜选择疏松、肥沃、排水良好的砂壤土栽培。

葫芦科 Cucurbitaceae 佛手瓜属 *Sechium*

佛手瓜 *Sechium edule* (Jacq.) Swartz

| 药材名 | 佛手瓜（药用部位：果实）。

| 形态特征 | 多年生宿根草质藤本。具块状根。茎攀缘或人工架生，有棱沟。叶柄纤细，无毛，长 5 ~ 15cm；叶片膜质，近圆形，中间裂片较大，侧面较小，先端渐尖，边缘有小细齿，基部心形，弯缺较深，近圆形，深 1 ~ 3cm，宽 1 ~ 2cm，上面深绿色，稍粗糙，背面淡绿色，被短柔毛，以脉上较密。卷须粗壮，有棱沟，无毛，多三至五歧。雌雄同株。雄花 10 ~ 30 生于长 8 ~ 30cm 的总花梗上部成总状花序，花序轴稍粗壮，无毛，花梗长 1 ~ 6mm；花萼筒短，裂片展开，近无毛，长 5 ~ 7mm，宽 1 ~ 1.5mm；花冠辐状，宽 12 ~ 17mm，分裂至基部，裂片卵状披针形，5 脉；雄蕊 3，花丝合生，花药分离，药室折曲。雌花单生，花梗长 1 ~ 1.5cm；花冠、花萼同雄花；子

佛手瓜

房倒卵形，具 5 棱，被疏毛，1 室，具 1 枚下垂生的胚珠，花柱长 2 ~ 3mm，柱头宽 2mm。果实淡绿色，倒卵形，被稀疏短硬毛，长 8 ~ 12cm，直径 6 ~ 8cm，上部有 5 纵沟，具 1 种子；种子大型，长达 10cm，宽 7cm，卵形，压扁状。花期 7 ~ 9 月，果期 8 ~ 10 月。

| 生境分布 |

生于高温潮湿地区，或栽培于房前屋后。重庆各地均有分布。

| 资源情况 |

野生资源稀少。药材主要来源于栽培。

| 采收加工 |

夏、秋季采收，鲜用。

| 功能主治 |

清热解毒，消炎。

| 用法用量 |

内服煮食，适量。

| 附　　注 |

本种喜温、耐热、不耐寒，但耐阴、耐瘠、耐涝，在雨量充沛、冬无冰冻地区均可种植。对土壤要求不严，因其适应性强，通透性好的中性砂壤土和酸性壤土、黏壤土都适合种植。整个生长过程以有机肥为主，对肥料要求是中后期要重施磷、钾肥，氮素不能过多，以免茎叶生长过旺而结果少。

葫芦科 Cucurbitaceae 赤瓟属 *Thladiantha*

大苞赤瓟 *Thladiantha cordifolia* (Bl.) Cogn.

| 药 材 名 | 大苞赤瓟（药用部位：块根）。

| 形态特征 | 草质藤本，全体被长柔毛。茎多分枝，稍粗壮，具深棱沟。叶柄细，长 4 ～ 10（～ 12）cm；叶片膜质或纸质，卵状心形，长 8 ～ 15cm，宽 6 ～ 11cm，先端渐尖或短渐尖，边缘有不规则的胼胝质小齿，基部心形，弯缺常张开，有时闭合，长 1 ～ 3cm，宽 0.5 ～ 2cm，最基部 1 对叶脉沿叶基弯缺边缘向外展开，叶面粗糙，密被长柔毛和基部膨大的短刚毛，后刚毛从基部断裂，在叶面上残留疣状突起，两面脉上的毛尤为密，叶背浅绿色或黄绿色，和叶面一样，密被淡黄色的长柔毛。卷须细，单一，初时被长柔毛，后变稀疏。雌雄异株。雄花 3 至数朵生于总梗上端，呈密集的短总状花序，总梗稍粗壮，长 4 ～ 15cm，被微柔毛和稀疏的长柔毛，每朵花的基部有 1 苞片，

大苞赤瓟

苞片覆瓦状排列，折扇形，锐裂，长 1.5 ~ 2cm，两面疏生长柔毛；花梗纤细，极短，长约 0.5cm；花萼筒钟形，长 5 ~ 6mm，5 裂，裂片线形，长 10mm，宽约 1mm，先端尾状渐尖，1 脉，疏被柔毛；花冠黄色，裂片卵形或椭圆形，长约 1.7cm，宽约 0.7cm，先端短渐尖或急尖；雄蕊 5，花丝稍粗壮，长 4mm，花药椭圆形，长 4mm；退化子房半球形。雌花单生，花萼、花冠似雄花；子房长圆形，基部稍钝，被疏长柔毛，花柱 3 裂，柱头膨大，肾形，2 浅裂。果梗强壮，有棱沟和疏柔毛，长 3 ~ 5cm；果实长圆形，长 3 ~ 5cm，宽 2 ~ 3cm，两端钝圆，果皮粗糙，被疏长柔毛，并有 10 纵纹；种子宽卵形，长 4 ~ 5mm，宽 3 ~ 3.5mm，厚 2mm，两面稍稍隆起，有网纹。花果期 5 ~ 11 月。

| **生境分布** |

生于海拔 800m 左右的林中或溪旁。分布于重庆南川、北碚、丰都等地。

| **资源情况** |

野生资源稀少。药材来源于野生。

| **采收加工** |

秋、冬季采挖，洗净，切段，干燥。

| **功能主治** |

清热解毒，止咳润肺。用于咽喉炎，肺热咳嗽，黄疸。

| **用法用量** |

内服煎汤，适量。

葫芦科 Cucurbitaceae 赤瓟属 *Thladiantha*

川赤瓟 *Thladiantha davidii* Franch.

| 药材名 | 川赤瓟（药用部位：根、果实）。

| 形态特征 | 攀缘草本。茎、枝光滑无毛，有纵向的深棱沟。叶柄稍粗壮，长6～8cm，无毛；叶片卵状心形，膜质，长10～20cm，宽6～12cm，先端渐尖，边缘有胼胝质细齿，基部弯缺圆形，深1.5～3cm，宽1～2.5cm，有时叶片基部向后靠合，上面深绿色，密生白色短刚毛，刚毛断落后基部呈疣状突起，甚为粗糙，下面淡绿色，光滑无毛，基部1对叶脉沿弯缺向外展开。卷须稍粗壮，二歧，光滑无毛。雌雄异株。雄花10～20或更多密生于花序轴的先端，呈伞形总状花序或几乎呈头状总状花序，花序轴长达10～20cm，无叶状总苞片或有时具1长1.5～2cm、宽1～1.3cm的叶状总苞片；花梗极短，纤细，通常长3～6mm，有时长达15mm；花萼筒倒锥状，裂片披

川赤瓟

针状长圆形，长 1 ~ 1.2cm，基部稍窄，宽 1.5mm，中部以上渐宽，宽达 2.5mm，先端钝或稍急尖，外面被微柔毛，边缘具缘毛，具明显 3 脉；花冠黄色，裂片卵形，先端钝，长约 1.5cm，宽约 0.9cm，内面和边缘被腺质微柔毛，尤以基部较密，5 脉，花冠内侧基部具 2 质地像花瓣的黄色鳞片；雄蕊 5，花丝稍粗壮，疏生微柔毛，长 3 ~ 4mm，花药椭圆形，长 1.5mm。雌花单生或 2 ~ 3 生于 1 粗壮的总梗先端，总梗长约 1cm，有时达 3cm，花梗较粗壮，长 1.5 ~ 3cm；花萼筒锥状，裂片披针状长圆形，基部稍窄，中、上部较宽，宽达 3mm，长 1.5 ~ 3cm，先端稍钝，具明显 3 脉；花冠黄色，裂片长圆形，长 2.5 ~ 2.7cm，宽 1 ~ 1.2cm，先端渐尖，5 脉；子房狭长圆形，长 1.7cm，宽 0.6cm，基部平截，先端稍狭，表面平滑，几无毛，长约 1.5cm，直径 5 ~ 6mm，花柱联合部分粗壮，长约 3mm，上端 3 裂，分裂部分长约 1mm，柱头 2 裂，膨大成肾形，2 裂。果梗无棱沟，平滑，圆柱形，长 3 ~ 5cm；果实长圆形，长 3 ~ 4.5cm，直径 2 ~ 2.4cm，基部和先端钝圆；种子黄白色，卵形，扁平，长 3 ~ 4mm，宽 2.5mm，表面光滑。花果期夏、秋季。

| 生境分布 | 生于海拔 1100 ~ 2100m 的路旁、沟边或灌丛中。分布于重庆彭水、巫溪、南川、永川等地。

| 资源情况 | 野生资源稀少。药材来源于野生。

| 采收加工 | 秋、冬季采挖根，洗净，切段，干燥。夏、秋季果实成熟时采收果实，晒干。

| 功能主治 | 清热利胆，通乳。用于产后气虚，骨折，热病伤阴，头目眩晕，疮肿，热咳。

| 用法用量 | 内服煎汤，适量。

葫芦科 Cucurbitaceae 赤瓟属 *Thladiantha*

齿叶赤瓟 *Thladiantha dentata* Cogn.

| 药 材 名 | 赤瓟根（药用部位：根）。

| 形态特征 | 粗壮攀缘或匍匐草本，全株几乎无毛。茎、枝光滑，有棱沟。叶柄稍粗壮，长 5 ~ 16cm，有不明显的沟纹；叶片卵状心形或宽卵状心形，先端短渐尖，基部弯缺开放或有时向内倾而靠合，边缘有小齿，齿先端具由小脉伸出而成的胼胝质小尖头，上面深绿色，密布由于短刚毛断裂而成的疣状糙点，下面淡绿色，平滑，无毛，基部的侧脉离开弯缺而向外展开。卷须稍粗壮，有不明显的纵纹，上部二歧，有时在幼枝先端出现不分歧的情况。雌雄异株。雄花花序总状或上部分枝成圆锥花序，花序轴细弱，长 8 ~ 12cm，花梗纤细，长 1 ~ 1.5cm；花萼筒宽杯形，裂片长圆状披针形，先端钝，3 脉；花冠黄色，裂片卵状长圆形，长 1.2cm，先端急尖，3 ~ 5 脉；雄蕊 5。

齿叶赤瓟

雌花单生或2～5生于长仅1～1.5cm的粗壮总梗先端；花梗长3～6cm，光滑，无毛；花萼裂片披针形，具5脉；子房狭长圆形，光滑，无毛。果实长椭圆形或长卵形，长3.5～6cm，表面平滑；种子长卵形，黄白色，长约6mm，宽约3.5mm，基部圆形，先端稍狭，两面平滑，有不明显的小疣状突起。花期夏季，果期秋季。

| 生境分布 | 生于海拔1500～2100m的路旁、溪边或灌丛中。分布于重庆城口、巫溪、巫山、奉节、南川等地。

| 资源情况 | 野生资源稀少。药材主要来源于野生。

| 采收加工 | 秋后采收，鲜用或切片晒干。

| 药材性状 | 本品呈纺锤形，微显4棱，长4～8cm，直径1.5～2.5cm。表面土黄色或灰黄棕色，有纵沟纹及横长的皮孔样疤痕。质坚硬，难折断，断面粉质。无臭，味微苦，有刺喉感。

| 功能主治 | 苦，寒。通乳，解毒，活血。用于乳汁不下，乳痈，痈肿，黄疸，跌打损伤，痛经。

| 用法用量 | 内服煎汤，5～15g；或研末，3～6g。孕妇禁服。

| 附　　注 | 本种的根在部分地区与赤瓟 *Thladiantha dubia* Bge. 的根等同入药。

葫芦科 Cucurbitaceae 赤瓟属 *Thladiantha*

皱果赤瓟 *Thladiantha henryi* Hemsl.

| 药 材 名 | 来来瓜（药用部位：根）。

| 形态特征 | 攀缘藤本。根块状，肥大。茎、枝有纵向棱沟，疏被短柔毛，后渐脱落而变近无毛。叶柄细，长 4 ~ 12cm，被短柔毛；叶片膜质或薄膜质，宽卵状心形，长 8 ~ 16cm，宽 7 ~ 14cm，先端急尖或短渐尖，边缘具胼胝质小齿，有时具三角形不等大锯齿，而先端具胼胝质小尖头，基部心形，弯缺张开成半圆形，深 1 ~ 3cm，宽 1 ~ 2cm，基部 1 对侧脉沿叶基弯缺向外展开，叶面深绿色，被白色短刚毛，后刚毛断裂而基部成疣状糙点，因此十分粗糙，叶背浅绿色，被短柔毛。卷须纤细，初时被短柔毛，后变近无毛，二歧或有时单一。雌雄异株。雄花 6 ~ 10 或更多生于花序轴上端成总状花序，或花序分枝成圆锥花序，花序轴稍粗壮，被短柔毛或近无毛，长 5 ~ 12cm；

皱果赤瓟

花梗长 1 ~ 3cm，疏生短柔毛；花萼筒宽钟形，上部宽 5 ~ 7mm，疏生短柔毛，裂片披针形，长 1 ~ 1.2cm，先端渐尖，1 脉，被短柔毛；花冠黄色，裂片长圆状椭圆形或长圆形，长约 2cm，宽 8mm，先端短渐尖或急尖，5 脉，稍被微柔毛；雄蕊 5，其中 4 枚两两成对；花丝基部靠合，1 枚分离，花丝稍粗壮，长 4 ~ 5mm，被短柔毛，花药长圆形，长约 4mm，花丝基部有 3 枚黄色、长约 2mm 的鳞片状附属物；退化雌蕊缺。雌花单生、双生或 3 至数朵生于长 2 ~ 3cm 的总花梗上，花梗被稀疏短柔毛，长 2 ~ 6cm，花萼、花冠与雄花同，但均较雄花稍大；退化雄蕊 5，棒状，长 2.5mm，被短柔毛，橙黄色，与雄花中同样，两两成对生，1 枚分离；子房长卵形或卵状长圆形，被柔毛，多瘤状突起，呈皱褶状，基部下延至花梗先端达 0.5cm，下延部分的边缘有小裂片，花柱短粗，长 3 ~ 4mm，先端分 3 叉，柱头极膨大，圆肾形，淡黄色，2 深裂。果梗稍粗壮，长 6 ~ 9cm；果实椭圆形，长 5 ~ 10cm，直径 3 ~ 4cm，果皮隆起，呈皱褶状，果实基部下延至果梗先端可达 1cm；种子长卵形，长 5 ~ 6mm，宽 2 ~ 2.5cm，扁压，先端稍狭，两面较平滑。花果期 6 ~ 11 月。

| 生境分布 | 生于海拔 1150 ~ 2000m 的山坡林下、路旁或灌丛中。分布于重庆丰都、城口、南川、江津、奉节等地。

| 资源情况 | 野生资源较少。药材主要来源于野生，亦有少量栽培。

| 采收加工 | 秋、冬季采挖，洗净，切段，干燥。

| 功能主治 | 降火，调气，止痛，清热解毒。用于肺热咳嗽，咽喉肿痛，口舌生疮，脾胃虚寒，气滞胃脘痛，腹泻。

| 用法用量 | 内服煎汤，9 ~ 15g。

| 附　　注 | 本种喜温耐阴，喜湿怕旱，不耐瘠薄。宜选择有机质含量高、微酸性的砂壤土、缓坡偏阴地栽培。

葫芦科 Cucurbitaceae 赤瓟属 *Thladiantha*

五叶赤瓟 *Thladiantha hookeri* C. B. Clarke var. *pentadactyla* (Cogn.) A. M. Lu et Z. Y. Zhang

| 药 材 名 | 异叶赤瓟（药用部位：块根）。

| 形态特征 | 攀缘草本。块根扁圆形，重可达数十斤。茎近无毛。叶柄长 3 ~ 6cm，无毛或有微柔毛；叶通常为鸟足状小叶 5，稀为指状小叶 7，小叶片狭长圆形、宽披针形或披针形，中间 1 枚长 8 ~ 15cm，宽 1.5 ~ 3cm，其余较小。卷须单一。雄花通常 3 ~ 5 生于疏散的花序上或稀单生；花梗丝状，长 3 ~ 6cm，花较大；花萼筒宽钟形，长 3 ~ 4mm，裂片伸直，窄三角形，长约 4mm，3 脉；花冠黄色，裂片卵形，长 1.5 ~ 2cm；雄蕊 5，花丝无毛，长 2 ~ 3mm，花药长圆形，长 2mm。雌花单生；花梗长 2 ~ 4cm；花萼、花冠与雄花同，稍大，花萼裂片长 1cm，花冠裂片长约 2cm；子房密被黄褐色柔毛，花柱先端 3 叉，柱头肾形。果实长圆形，长 4 ~ 6cm，直径 2 ~ 3cm，

五叶赤瓟

光滑；种子宽卵形，长 6 ~ 7mm，宽 5mm，基部钝圆，两面拱起，平滑。花果期 4 ~ 10 月。

| 生境分布 | 生于海拔 1100 ~ 2300m 的山沟草丛中或竹林下。分布于重庆巫溪、开州、石柱、武隆、南川等地。

| 资源情况 | 野生资源稀少。药材主要来源于野生。

| 采收加工 | 秋、冬季采挖，除去芦头及须根，洗净，切块，晒干或微火烘干。

| 功能主治 | 苦、涩，微寒；有小毒。清热，健胃，行气，止痛。用于消化不良，脘腹胀痛，咽喉肿痛，咳嗽，泻痢。

| 用法用量 | 内服研末，0.6 ~ 1.5g。

| 附　　注 | （1）在 FOC 中，本种被修订为异叶赤爮 *Thladiantha hookeri* C. B. Clarke。
（2）本种的块根在部分地区与异叶赤爮 *Thladiantha hookeri* C. B. Clarke 块根等同入药。

葫芦科 Cucurbitaceae 赤爮属 *Thladiantha*

长叶赤爮 *Thladiantha longifolia* Cogn. ex Oliv.

|药材名| 长叶赤爮（药用部位：块根）。

|形态特征| 攀缘草本。茎、枝柔弱，有棱沟，无毛或被稀疏的短柔毛。叶柄纤细，长 2 ~ 7cm，无毛或被极短的柔毛；叶片膜质，卵状披针形或长卵状三角形，长 8 ~ 18cm，下部宽 4 ~ 8cm，先端急尖或短渐尖，边缘具由于小脉稍伸出而成的胼胝质小齿，基部深心形，弯缺开张，半圆形，深 1.5 ~ 2cm，宽 1.5 ~ 2.5cm，基部叶脉不沿弯缺边缘；叶面被短刚毛，后断裂成白色小疣点，显得十分粗糙，脉上被短柔毛或近无毛，叶背稍光滑，无毛。卷须纤细，单一，光滑，无毛。雌雄异株。雄花 3 ~ 9（~ 12）生于总花梗上部，呈总状花序，总花梗细弱，长 2 ~ 2.5cm，花梗纤细，长 1 ~ 2cm，被稀疏短柔毛，后脱落变近无毛；花萼筒浅杯状，先端宽 0.6cm，脉上被短柔毛，

长叶赤爮

裂片三角状披针形，长 7 ~ 8mm，1 脉；花冠黄色，裂片长圆形或椭圆形，长 1.5 ~ 2cm，宽约 1cm，先端稍钝，具 5 脉；雄蕊 5，两两成对，1 枚离生，花丝向上渐细，长约 3mm，花药长圆形，长 2.5 ~ 3mm。雌花单生或 2 ~ 3 生于短的总花梗上，花梗长 2 ~ 4cm；花萼、花冠与雄花同；退化雄蕊 5，钻形，长约 1.5mm，两两成对，1 枚分离；子房长卵形，两端狭，基部内凹且有小裂片，表面多皱褶，花柱柱状，先端分 3 叉，柱头膨大，圆肾形。果实阔卵形，长达 4cm，果皮有瘤状突起，基部稍内凹；种子卵形，长 6 ~ 8mm，宽 3 ~ 4.5mm，厚 1 ~ 1.5mm，两面稍膨胀，有网脉，边缘稍隆起，呈环状，先端圆钝。花期 4 ~ 7 月，果期 8 ~ 10 月。

| 生境分布 | 生于海拔 1000 ~ 2200m 的山坡杂木林、沟边或灌丛中。分布于重庆巫山、奉节、南川、开州等地。

| 资源情况 | 野生资源稀少。药材来源于野生。

| 采收加工 | 秋、冬季采挖，洗净，切段，干燥。

| 功能主治 | 清热解毒，消炎止咳。用于头痛，发热，胸痹心痛，胃寒腹痛，便秘，无名肿毒。

| 用法用量 | 内服煎汤，适量。

葫芦科 Cucurbitaceae 赤瓟属 *Thladiantha*

南赤瓟 *Thladiantha nudiflora* Hemsl. ex Forbes et Hemsl.

| 药 材 名 | 南赤瓟（药用部位：根、叶。别名：野冬瓜、球子莲、地黄瓜）。

| 形态特征 | 攀缘草本，全体密生柔毛状硬毛。根块状。茎草质，攀缘状，有较深的棱沟。叶柄粗壮，长 3 ~ 10cm；叶片质稍硬，卵状心形、宽卵状心形或近圆心形，长 5 ~ 15cm，宽 4 ~ 12cm，先端渐尖或锐尖，边缘具胼胝状小尖头的细锯齿，基部弯缺开放或有时闭合，弯缺深 2 ~ 2.5cm，宽 1 ~ 2cm，上面深绿色，粗糙，被短而密的细刚毛，背面色淡，密被淡黄色短柔毛，基部侧脉沿叶基弯缺向外展开。卷须稍粗壮，密被硬毛，下部有明显的沟纹，上部二歧。雌雄异株。雄花为总状花序，多数花集生于花序轴的上部；花序轴纤细，长 4 ~ 8cm，密生短柔毛；花梗纤细，长 1 ~ 1.5cm；花萼密生淡黄色长柔毛，筒部宽钟形，上部宽 5 ~ 6mm，裂片卵状披针形，长

南赤瓟

5 ~ 6mm，基部宽 2.5mm，先端急尖，3 脉；花冠黄色，裂片卵状长圆形，长 1.2 ~ 1.6cm，宽 0.6 ~ 0.7cm，先端急尖或稍钝，5 脉；雄蕊 5，着生于花萼筒檐部，花丝被微柔毛，长 4mm，花药卵状长圆形，长 2.5mm。雌花单生，花梗细，长 1 ~ 2cm，被长柔毛，花萼、花冠同雄花，但较之为大；子房狭长圆形，长 1.2 ~ 1.5cm，直径 0.4 ~ 0.5cm，密被淡黄色长柔毛状硬毛，上部渐狭，基部钝圆，花柱粗短，自 2mm 处 3 裂，分生部分长 1.5mm，柱头膨大，圆肾形，2 浅裂；退化雄蕊 5，棒状，长 1.5mm。果梗粗壮，长 2.5 ~ 5.5cm；果实长圆形，干后红色或红褐色，长 4 ~ 5cm，直径 3 ~ 3.5cm，先端稍钝或有时渐狭，基部钝圆，有时密生毛及不明显的纵纹，后渐无毛；种子卵形或宽卵形，长 5mm，宽 3.5 ~ 4mm，厚 1 ~ 1.5mm，先端尖，基部圆，表面有明显的网纹，两面稍拱起。花期春、夏季，果期秋季。

| 生境分布 | 生于海拔 900 ~ 1700m 的沟边、林缘或山坡灌丛中。分布于重庆丰都、城口、长寿、涪陵、江津、云阳、沙坪坝等地。

| 资源情况 | 野生资源一般。药材主要来源于野生。

| 采收加工 | 春、夏季采叶，鲜用或晒干。秋后采根，鲜用或切片晒干。

| 药材性状 | 本品根呈块状或块片状，灰棕色，去皮者灰黄色，有细纵纹，断面纤维性。味淡、微苦。

| 功能主治 | 苦，凉。清热解毒，消食化滞。用于痢疾，肠炎，消化不良，脘腹胀闷，毒蛇咬伤。

| 用法用量 | 内服煎汤，9 ~ 18g。外用适量，鲜品捣敷。

葫芦科 Cucurbitaceae 赤瓟属 *Thladiantha*

鄂赤瓟 *Thladiantha oliveri* Cogn. ex Mottet

| 药 材 名 | 鄂赤瓟（药用部位：块根、果实）、鄂赤瓟茎叶（药用部位：茎叶）。

| 形态特征 | 攀缘生或蔓生多年生草本。茎、枝细，几无毛，有纵向棱沟。叶柄近无毛，有时被极稀疏的短刚毛或柔毛，后脱落变无毛，长 5 ~ 15cm；叶片宽卵状心形，长 10 ~ 20cm，宽 8 ~ 18cm，膜质或薄膜质，先端急尖或短渐尖，边缘有胼胝质小齿，基部 1 对叶脉沿弯缺边缘向外展开，基部弯缺开放，深 1.5 ~ 3cm，圆形或半圆形，叶面深绿色，散布由于短刚毛断裂而成的白色疣状小突起，触时粗糙，叶背浅绿色，无毛或有时叶脉上被稀疏短刚毛。卷须粗壮，有棱沟，无毛，中部以上二歧。雌雄异株。雄花多数聚生于总花序梗上端，有时稍为分枝，总梗粗壮，光滑，有棱沟，长达 20cm 或更长，花梗长 0.5 ~ 1cm，纤细，无毛；花萼筒宽钟形，长 0.3cm，

鄂赤瓟

上部宽 0.6cm，裂片线形，反折，长 0.7 ~ 0.9cm，先端渐尖，1 脉；花冠黄色，裂片卵状长圆形，长 1.8 ~ 2.2cm，宽 0.7 ~ 0.9cm，先端渐尖，外面的上端和内面被短柔毛和暗黄色腺点，5 脉；雄蕊 5，花丝长 2 ~ 3mm，疏生短柔毛，花药卵状长圆形，长 2mm；退化雌蕊球形，黄色。雌花通常单生或双生，极稀 3 ~ 4 生于长 1 ~ 1.5cm 的总梗上，花梗长 2 ~ 4cm，近无毛；花萼裂片线形，反折，长 1 ~ 1.2mm，花冠通常远较雄花大，裂片形状同雄花，长 2 ~ 4cm，宽 1.2cm；退化雄蕊线形，长约 2mm；子房卵形，长 1 ~ 1.2cm，直径 0.5cm，平滑无毛，基部截形，稍内凹，先端稍狭，花柱细，自 3mm 处分 3 叉，分叉部分长 4mm，柱头膨大，肾形，宽达 4 ~ 5mm。果梗平滑，长 3 ~ 5cm；果实卵形，长 3 ~ 4cm，直径 2 ~ 2.5cm，基部截形，稍内凹，先端钝圆，先端有喙状小尖头，无毛，稍平滑，有暗绿色纵条纹；种子卵形，稍扁压，长 5 ~ 6mm，下部宽 3 ~ 3.5mm，厚 1.5mm，基部钝圆，先端稍狭，两面密生不等大的颗粒状突起。花果期 5 ~ 10 月。

| 生境分布 | 生于海拔 660 ~ 2100m 的山坡路旁、灌丛或山沟湿地。分布于重庆黔江、丰都、忠县、云阳、酉阳、城口、南川、奉节、武隆、石柱等地。

| 资源情况 | 野生资源丰富。药材来源于野生。

| 采收加工 | 鄂赤瓟：秋、冬季采挖根，洗净，切段，干燥。夏、秋季果实成熟时采收果实，晒干。

鄂赤瓟茎叶：全年均可采收，鲜用或晒干。

| 功能主治 | 鄂赤瓟：清热，利胆，通便，通乳，消肿，解毒，排脓。用于无名肿毒，烫火伤，跌打损伤。

鄂赤瓟茎叶：杀虫。用于痱子，疔疮疖肿。

| 用法用量 | 鄂赤瓟：内服煎汤，适量。

鄂赤瓟茎叶：外用适量，鲜品捣敷；或取汁涂。

葫芦科 Cucurbitaceae 栝楼属 *Trichosanthes*

王瓜 *Trichosanthes cucumeroides* (Ser.) Maxim.

| 药 材 名 | 王瓜子（药用部位：种子）、王瓜（药用部位：果实。别名：土瓜、钩蒌、野甜瓜）。

| 形态特征 | 多年生草质藤本。块根纺锤形，肥大。茎细弱，多分枝，具纵棱和槽，被短柔毛。卷须二歧，被短柔毛。叶互生；叶柄 3 ~ 10cm，具纵条纹，密被短茸毛和疏刚毛状短软毛；叶片纸质，阔卵形或圆形，先端钝或渐尖，基部深心形，边缘具细齿或波状齿，长 5 ~ 13（~ 19）cm，宽 5 ~ 12（~ 18）cm，常 3 ~ 5 浅裂至深裂，或有时不分离，裂片卵形或倒卵形，上面深绿色，被短茸毛和疏散短刚毛，下面淡绿色，密被短茸毛，基出掌状脉 5 ~ 7，细脉网状。雌雄异株。雄花总状花序，或 1 单花与其并生，总花梗长 5 ~ 10cm，具纵条纹，被短茸毛，花梗短，约 5mm，被短茸毛；小苞片线状披针形，长 2 ~ 3mm，全缘，被短茸毛，稀无小苞片；花萼筒喇叭

王瓜

形，长 6 ~ 7cm，基部直径约 2mm，先端直径约 7mm，被短茸毛，裂片线状披针形，长 3 ~ 6mm，宽约 1.5mm；花冠白色，裂片长圆状卵形，长 14 ~ 15（~ 20）mm，宽 6 ~ 7mm，具极长的丝状流苏；雄蕊 3，花丝短，分离；退化雌蕊刚毛状。雌花单生，花梗短，长 0.5 ~ 1cm；子房长圆形，均密被短柔毛；花萼、花冠与雄花同。果实卵圆形、卵状椭圆形或球形，长 6 ~ 7cm，直径 4 ~ 5.5cm，成熟时橙红色，平滑，两端钝圆，具喙；果柄长 5 ~ 20mm，被短柔毛；种子横长圆形，长 7 ~ 12mm，宽 7 ~ 14mm，深褐色，两侧室大，近圆形，直径约 4.5mm，表面具瘤状突起。花期 5 ~ 8 月，果期 8 ~ 11 月。

| 生境分布 | 生于海拔 600 ~ 1700m 的山谷密林中、山坡疏林中或灌丛中。分布于重庆大足、丰都、城口、涪陵、云阳、武隆、开州等地。

| 资源情况 | 野生资源较丰富。药材主要来源于野生。

| 采收加工 | 王瓜子：秋季果实成熟变红时采摘果实，取出种子，洗净，干燥。

王瓜：秋季果实成熟后采收，鲜用；或连柄摘下，用线将果柄串起，挂于日光下或通风处干燥。

| 药材性状 | 王瓜子：本品呈长方形，长 1.2cm，宽 0.8 ~ 1.4cm。表面灰棕色或灰褐色，或带有灰白色透明的薄膜，粗糙，有细密的颗粒状突起；中部有隆起的宽环带，俗称“玉带缠腰”；边缘凸起成棱脊，两端各有一圆钝部分，先端有凹孔。体轻。种皮坚硬，破开后有 3 室，两端室内无种仁，各有 1 孔，中间室较大，内有种子 1，呈扁平三角形或长圆形，长 0.7 ~ 0.8cm，宽约 0.5cm，一端微尖，由褐色菲薄内种皮包被。剥开种仁成 2 瓣，黄褐色或黄白色，油润。气香，味淡。

王瓜：本品呈卵状椭圆形或椭圆形，长约 6cm，宽 3 ~ 5.5cm。先端窄，留有长 3 ~ 7mm 的柱基，基部钝圆。青时有 10 ~ 12 条苍白色条纹，成熟后橙红色。果皮薄，光滑，稍有光泽。果梗长 5 ~ 20mm。种子似螳螂头，长约 12mm，宽 14mm，中央室成一宽约 5mm 的环带，两侧有扁圆形的较小空室，黄棕色，表面有凹凸不平的细皱纹。具香甜气，味甘、微酸。

| 功能主治 | 王瓜子：清热，凉血。用于肺痿吐血，黄疸，痢疾，肠风下血，筋骨挛痛。

王瓜：清热，生津，化瘀，通乳。用于消渴，黄疸，噎膈反胃，经闭，乳汁不通，痈肿，慢性咽喉炎。

| 用法用量 | 王瓜子：内服煎汤，3 ~ 9g。

王瓜：内服煎汤，9 ~ 15g；或入丸、散。外用适量，捣敷。

葫芦科 Cucurbitaceae 栝楼属 *Trichosanthes*

栝楼 *Trichosanthes kirilowii* Maxim.

| 药 材 名 | 瓜蒌（药用部位：果实）、瓜蒌子（药用部位：种子）、瓜蒌皮（药用部位：果皮）。

| 形态特征 | 攀缘藤本，长达 10m。块根圆柱形，粗大肥厚，富含淀粉，淡黄褐色。茎较粗，多分枝，具纵棱及槽，被白色伸展柔毛。叶片纸质，近圆形，长、宽均为 5 ~ 20cm，常 3 ~ 5（~ 7）浅裂至中裂，稀深裂或不分裂而仅有不等大的粗齿，裂片菱状倒卵形、长圆形，先端钝，急尖，边缘常再浅裂，基部心形，弯缺深 2 ~ 4cm，上表面深绿色，粗糙，背面淡绿色，两面沿脉被长柔毛状硬毛，基出掌状脉 5，细脉网状；叶柄长 3 ~ 10cm，具纵条纹，被长柔毛。卷须三至七歧，被柔毛。花雌雄异株。雄花总状花序单生，或与 1 单花并生，或枝条上部者单生，总状花序长 10 ~ 20cm，粗壮，具纵棱与槽，被微柔毛，先

栝楼

端有5～8花，单花花梗长约15cm，花梗长约3mm；小苞片倒卵形或阔卵形，长1.5～2.5（～3）cm，宽1～2cm，中上部具粗齿，基部具柄，被短柔毛；花萼筒筒状，长2～4cm，先端扩大，直径约10mm，中、下部直径约5mm，被短柔毛，裂片披针形，长10～15mm，宽3～5mm，全缘；花冠白色，裂片倒卵形，长20mm，宽18mm，先端中央具1绿色尖头，两侧具丝状流苏，被柔毛；花药靠合，长约6mm，直径约4mm，花丝分离，粗壮，被长柔毛。雌花单生，花梗长7.5cm，被短柔毛；花萼筒圆筒形，长2.5cm，直径1.2cm，裂片、花冠同雄花；子房椭圆形，绿色，长2cm，直径1cm，花柱长2cm，柱头3。果梗粗壮，长 4 ~ 11cm；果实椭圆形或圆形，长 7 ~ 10.5cm，成熟时黄褐色或橙黄色；种子卵状椭圆形，压扁，长 11 ~ 16mm，宽 7 ~ 12mm，淡黄褐色，近边缘处具棱线。花期 5 ~ 8 月，果期 8 ~ 10 月。

| 生境分布 | 生于海拔 200 ~ 1800m 的山坡林下、灌丛中、草地或村旁田边。分布于重庆綦江、潼南、永川、酉阳、奉节、合川、沙坪坝等地。

| 资源情况 | 野生资源一般，栽培资源丰富。药材来源于野生和栽培。

| 采收加工 | 瓜蒌：秋季果实成熟时，连果梗剪下，置通风处阴干。

瓜蒌子：秋季采摘成熟果实，剖开，取出种子，洗净，晒干。

瓜蒌皮：秋季采摘成熟果实，剖开，除去果瓤及种子，阴干。

| 药材性状 | 瓜蒌：本品呈类球形或宽椭圆形，长 7 ~ 10.5cm，直径 6 ~ 10cm。表面橙红色或橙黄色，皱缩或较光滑，先端有圆形的花柱残基，基部略尖，具残存的果梗。轻重不一，质脆，易破开，内表面黄白色，有红黄色丝络，果瓤橙黄色，黏稠，与多数种子黏结成团。具焦糖气，味微酸、甘。

瓜蒌子：本品呈扁平椭圆形，长 11 ~ 16mm，宽 8 ~ 10mm，厚约 2.5mm。表面棕褐色，沟纹明显而环边较宽，先端平截。

瓜蒌皮：本品常切成 2 至数瓣，边缘向内卷曲，长 6 ~ 12cm。外表面橙红色或橙黄色，皱缩，有的有残存果梗；内表面黄白色。质较脆，易折断。具焦糖气，味淡、微酸。

| 功能主治 | 瓜蒌：甘、微苦，寒。清热涤痰，宽胸散结，润燥滑肠。用于肺热咳嗽，痰浊黄稠，胸痹心痛，结胸痞满，乳痈，肺痈，肠痈肿痛，大便秘结。

瓜蒌子：甘，寒。润肺化痰，滑肠通便。用于燥咳痰黏，肠燥便秘。

瓜蒌皮：甘，寒。清化热痰，利气宽胸。用于痰热咳嗽，胸闷胁痛。

| 用法用量 | 瓜蒌：内服煎汤，9 ~ 15g。

瓜蒌子：内服煎汤，9 ~ 15g。

瓜蒌皮：内服煎汤，6 ~ 9g。

| 附　　注 | （1）本种的叶、雄花苞片及花的构造等均与中华栝楼相似，惟后者的植株较小，叶片常 3 ~ 7 深裂，几达基部，裂片线状披针形至倒披针形，稀菱形，

极稀再分裂；雄花的小苞片较小，通常长 5 ~ 16mm，宽 5 ~ 11mm，花萼裂片线形，种子棱线距边缘较远。

（2）本种喜温暖湿润气候，较耐寒，不耐干旱。宜选择向阳、土层深厚、疏松、肥沃的砂壤土栽培，不宜在低洼地或盐碱地栽培。

葫芦科 Cucurbitaceae 栝楼属 *Trichosanthes*

长萼栝楼 *Trichosanthes laceribractea* Hayata

| 药 材 名 | 长萼栝楼（药用部位：根、果实、种子）。

| 形态特征 | 攀缘草本。茎具纵棱及槽，无毛或疏被刚毛状短刺毛。单叶互生，叶片纸质，形状变化较大，近圆形或阔卵形，长 5 ~ 16（~ 19）cm，宽 4 ~ 15（~ 18）cm，常 3 ~ 7 浅裂至深裂，裂片三角形、卵形或菱状倒卵形，先端渐尖，基部收缩，边缘具波状齿或再浅裂，最外侧裂片耳状，上表面深绿色，密被刚毛状短刺毛，后变为鳞片状白色糙点，背面淡绿色，沿各级脉被刚毛状短刺毛，掌状脉 5 ~ 7；叶柄长 1.5 ~ 9cm，具纵条纹，被刚毛状短刺毛，后为白色糙点。卷须二至三歧。花雌雄异株。雄花总状花序腋生，总梗粗壮，长 10 ~ 23cm，被毛或疏被短刚毛，具纵棱及槽；小苞片阔卵形，内凹，长 2.5 ~ 4cm，宽近于长，先端长渐尖，边缘具长细裂片；花梗长

长萼栝楼

5 ~ 6mm；花萼筒狭线形，长约 5cm，先端扩大，直径 12 ~ 15mm，基部及中部宽约 2mm，裂片卵形，长 10 ~ 13mm，宽约 7mm，直伸，先端渐尖，边缘具狭锐尖齿；花冠白色，裂片倒卵形，长 2 ~ 2.5cm，宽 12 ~ 15mm，先端钝圆，基部楔形，边缘具纤细长流苏；花药柱长约 12mm，药隔被淡褐色柔毛。雌花单生，花梗长 1.5 ~ 2cm，被微柔毛，基部具 1 线状披针形苞片，长约 2cm，边缘具齿裂；花萼筒圆柱状，长约 4cm，直径约 5mm，萼齿线形，长 1 ~ 1.3cm，全缘；花冠同雄花；子房卵形，长约 1cm，直径约 7mm，无毛。果实球形至卵球形，直径 5 ~ 8cm，成熟时橙黄色至橙红色，平滑；种子长方形或长椭圆形，长 10 ~ 14mm，宽 5 ~ 8mm，厚 4 ~ 5mm，灰褐色，两端钝圆或平截。花期 7 ~ 8 月，果期 9 ~ 10 月。

| 生境分布 | 生于海拔 200 ~ 1020m 的山谷密林中或山坡路旁。分布于重庆城口、南川、黔江、垫江等地。

| 资源情况 | 野生资源稀少。药材主要来源于野生。

| 采收加工 | 秋、冬季采挖根，洗净，切段，干燥。秋季果实成熟时，连果梗剪下，置通风处阴干。秋季采摘成熟果实，剖开，取出种子，洗净，晒干。

| 功能主治 | 根，生津止渴，降火润燥。果实，甘、苦，寒；润肺，化痰，散结，滑肠。用于痰热咳嗽，结胸，消渴，便秘。种子，用于燥咳痰黏，肠燥便秘。

| 用法用量 | 内服煎汤，9 ~ 15g。外用适量，研末撒；或调敷。

| 附　　注 | 市场上常将本种的根作为天花粉和葛根的混淆品。

葫芦科 Cucurbitaceae 栝楼属 *Trichosanthes*

中华栝楼 *Trichosanthes rosthornii* Harms

| 药 材 名 | 瓜蒌（药用部位：果实。别名：野苦瓜、杜瓜、药瓜）、瓜蒌子（药用部位：种子。别名：瓜蒌仁、栝楼仁、瓜米）、瓜蒌皮（药用部位：果皮。别名：栝楼壳、瓜壳）。

| 形态特征 | 攀缘藤本。块根条状，肥厚，淡灰黄色，具横瘤状突起。茎具纵棱及槽，疏被短柔毛，有时具鳞片状白色斑点。叶片纸质，阔卵形至近圆形，长（6 ~ ）8 ~ 12（ ~ 20）cm，宽（5 ~ ）7 ~ 11（ ~ 16）cm，3 ~ 7 深裂，通常 5 深裂，几达基部，裂片线状披针形、披针形至倒披针形，先端渐尖，边缘具尖头状短细齿，或偶尔具 1 ~ 2 粗齿，叶基心形，弯缺深 1 ~ 2cm，上表面深绿色，疏被短硬毛，背面淡绿色，无毛，密具颗粒状突起；掌状脉 5 ~ 7，上面凹陷，被短柔毛，背面凸起，侧脉弧曲，网结，细脉网状；叶柄长 2.5 ~ 4cm，具纵

中华栝楼

条纹，疏被微柔毛。卷须二至三歧。花雌雄异株。雄花单生，或为总状花序，或两者并生；单花花梗长可达 7cm，总花梗长 8 ~ 10cm，先端具花 5 ~ 10；小苞片菱状倒卵形，长 6 ~ 14mm，宽 5 ~ 11mm，先端渐尖，中部以上具不规则钝齿，基部渐狭，被微柔毛；小花梗长 5 ~ 8mm；花萼筒狭喇叭形，长 2.5 ~ 3（~ 3.5）cm，先端直径约 7mm，中下部直径约 3mm，被短柔毛，裂片线形，长约 10mm，基部宽 1.5 ~ 2mm，先端尾状渐尖，全缘，被短柔毛；花冠白色，裂片倒卵形，长约 15mm，宽约 10mm，被短柔毛，先端具丝状长流苏；花药柱长圆形，长 5mm，直径 3mm，花丝长 2mm，被柔毛。雌花单生，花梗长 5 ~ 8cm，被微柔毛；花萼筒圆筒形，长 2 ~ 2.5cm，直径 5 ~ 8mm，被微柔毛，裂片、花冠同雄花；子房椭圆形，长 1 ~ 2cm，直径 5 ~ 10mm，被微柔毛。果实球形或椭圆形，长 8 ~ 11cm，直径 7 ~ 10cm，光滑，无毛，成熟时果皮及果瓤均呈橙黄色，果梗长 4.5 ~ 8cm；种子卵状椭圆形，扁平，长 15 ~ 18mm，宽 8 ~ 9mm，厚 2 ~ 3mm，褐色，距边缘稍远处具 1 圈明显的棱线。花期 6 ~ 8 月，果期 8 ~ 10 月。

| **生境分布** | 生于海拔 400 ~ 1850m 的山谷密林中、山坡灌丛中或草丛中。分布于重庆黔江、彭水、巫山、綦江、忠县、武隆、丰都、奉节、永川、沙坪坝等地。

| **资源情况** | 野生资源丰富。药材来源于野生和栽培。

| **采收加工** | 瓜蒌：秋季果实成熟时，连果梗剪下，置通风处阴干。

瓜蒌子：秋季采摘成熟果实，剖开，取出种子，洗净，晒干。

瓜蒌皮：秋季采摘成熟果实，剖开，除去果瓤及种子，阴干。

| **药材性状** | 瓜蒌：本品呈类球形或宽椭圆形，长 7 ~ 11cm，直径 6 ~ 10cm。表面橙红色或橙黄色，皱缩或较光滑，先端有圆形的花柱残基，基部略尖，具残存的果梗。轻重不一，质脆，易破开，内表面黄白色，有红黄色丝络，果瓤橙黄色，黏稠，与多数种子黏结成团。具焦糖气，味微酸、甘。

瓜蒌子：本品呈扁平椭圆形，长 15 ~ 18mm，宽 8 ~ 9mm，厚约 2.5mm。表面棕褐色，沟纹明显而环边较宽。先端平截。

瓜蒌皮：本品常切成 2 至数瓣，边缘向内卷曲，长 6 ~ 12cm。外表面橙红色或橙黄色，皱缩，有的有残存果梗；内表面黄白色。质较脆，易折断。具焦糖气，味淡、微酸。

|功能主治| 瓜蒌：甘、微苦，寒。归肺、胃、大肠经。清热涤痰，宽胸散结，润燥滑肠。用于肺热咳嗽，痰浊黄稠，胸痹心痛，结胸痞满，乳痈，肺痈，肠痈肿痛，大便秘结。

瓜蒌子：甘，寒。归肺、胃、大肠经。润肺化痰，滑肠通便。用于燥咳痰黏，肠燥便秘。

瓜蒌皮：甘，寒。归肺、胃经。清化热痰，利气宽胸。用于痰热咳嗽，胸闷胁痛。

|用法用量| 瓜蒌：内服煎汤，9 ~ 15g。

瓜蒌子：内服煎汤，9 ~ 15g。

瓜蒌皮：内服煎汤，6 ~ 9g。

瓜蒌、瓜蒌子、瓜蒌皮：不宜与川乌、制川乌、草乌、制草乌、附子同用。

|附　　注| 本种喜温暖湿润气候，较耐寒，不耐干旱。宜选择向阳、土层深厚、疏松、肥沃的砂壤土栽培，不宜在低洼地或盐碱地栽培。

葫芦科 Cucurbitaceae 马㼎儿属 *Zehneria*

钮子瓜 *Zehneria maysorensis* (Wight et Arn.) Arn

药材名 钮子瓜（药用部位：全草或根。别名：土瓜、野黄瓜、老鼠拉冬瓜）。

形态特征 草质藤本。茎、枝细弱，伸长，有沟纹，多分枝，无毛或稍被长柔毛。叶柄长 2 ~ 5cm；叶膜质，宽卵形或稀三角状卵形，长、宽均为 3 ~ 10cm，不裂或 3 ~ 5 浅裂，脉掌状。卷须单一。雌雄同株。雄花常 3 ~ 9 成近头状或伞房状花序，花序梗纤细，长 1 ~ 4cm；雄花梗长 1 ~ 2mm；萼筒宽钟状，长 2mm，无毛或被微柔毛，裂片窄三角形，长 0.5mm；花冠白色，裂片卵形或卵状长圆形，长 2 ~ 2.5mm；雄蕊 3，2 枚 2 室，1 枚 1 室，有时全部 2 室。雌花单生，稀几朵生于花序梗先端，极稀雌雄同序。果实球形或卵形，直径 1 ~ 1.4cm，浆果状，无毛；种子卵状长圆形，扁，平滑，边缘稍拱起。花期 4 ~ 8 月，果期 8 ~ 11 月。

钮子瓜

| 生境分布 | 生于海拔 250 ~ 1000m 的村旁或山地路旁灌丛中。分布于重庆潼南、九龙坡、合川、沙坪坝、彭水、南川、北碚等地。

| 资源情况 | 野生资源稀少。药材主要来源于野生，外销内用。

| 采收加工 | 夏、秋季采收，洗净，鲜用或晒干。

| 功能主治 | 甘，平。清热，镇痉，解毒，通淋。用于发热，惊厥，头痛，咽喉肿痛，疮疡肿毒，淋证。

| 用法用量 | 内服煎汤，10 ~ 15g。外用适量，鲜品捣敷。

| 附　　注 | 在 FOC 中，本种的拉丁学名被修订为 *Zehneria bodinieri* (H. Léveillé) W. J. de Wilde & Duyfjes。

千屈菜科 Lythraceae 水苋菜属 *Ammannia*

水苋菜 *Ammannia baccifera* L.

水苋菜

药材名

水苋菜（药用部位：全草。别名：仙桃草、水灵丹、节节花）。

形态特征

一年生草本，无毛，高 10 ~ 50cm。茎直立，多分枝，带淡紫色，稍呈四棱形，具狭翅。叶生于下部的对生，生于上部的或侧枝的有时略呈互生，长椭圆形、矩圆形或披针形，生于茎上的长可达 7cm，生于侧枝的较小，长 6 ~ 15mm，宽 3 ~ 5mm，先端短尖或钝形，基部渐狭，侧脉不明显，近无柄。花数朵组成腋生的聚伞花序或花束，结实时稍疏松，几无总花梗，花梗长 1.5mm；花极小，长约 1mm，绿色或淡紫色；花萼蕾期钟形，先端平面呈四方形，裂片 4，正三角形，短于萼筒的 2 ~ 3 倍，结实时半球形，包围蒴果的下半部，无棱，附属体折叠状或小齿状；通常无花瓣；雄蕊通常 4，贴生于萼筒中部，与花萼裂片等长或较短；子房球形，花柱极短或无花柱。蒴果球形，紫红色，直径 1.2 ~ 1.5mm，中部以上不规则周裂；种子极小，形状不规则，近三角形，黑色。花期 8 ~ 10 月，果期 9 ~ 12 月。

| 生境分布 | 生于潮湿地或水田中。分布于重庆长寿、丰都、铜梁、武隆、秀山、南川、大足、江津、荣昌等地。

| 资源情况 | 野生资源稀少。药材来源于野生，亦有少量栽培。

| 采收加工 | 夏季采收，洗净，切碎，鲜用或晒干。

| 功能主治 | 苦、涩，微寒。散瘀止血，除湿解毒。用于跌打损伤，内外伤出血，骨折，风湿痹痛，蛇咬伤，痈疮肿毒，疥癣。

| 用法用量 | 内服煎汤，3 ~ 9g；或浸酒；或研末。外用适量，捣敷；或研末撒。

| 附　　注 | 本种喜温暖湿润气候，不耐干旱。栽培以向阳、土壤肥沃的潮湿地为宜。

千屈菜科 Lythraceae 紫薇属 *Lagerstroemia*

川黔紫薇 *Lagerstroemia excelsa* (Dode) Chun ex S. Lee et L. Lau

川黔紫薇

| 药 材 名 |

川黔紫薇（药用部位：树皮）。

| 形态特征 |

落叶大乔木，高 20 ~ 30m，胸径可达 1m。树皮灰褐色，呈薄片状剥落。叶对生，膜质，椭圆形或阔椭圆形，长 7 ~ 13cm，宽 3.5 ~ 5cm，先端突然收缩，阔短尖，基部钝形，两边不等大，边缘波状，上面暗绿色，无毛，下面被柔毛，后来除沿叶脉外其余变无毛；侧脉 7 ~ 9 对，稀达 11 对，纤细，在两面均凸起，近边缘处分叉而互相连接，网状脉在两面均凸起；叶柄长 4 ~ 8mm，扁，被短柔毛。圆锥花序长 11 ~ 30cm，宽 3 ~ 8cm，分枝具 4 棱，密被灰褐色星状柔毛；花多而密，细小，簇生状；花（5 ~ ）6 基数，花芽近球形，被柔毛；花萼长 2mm，有不明显的脉纹 12，初被星状短柔毛，后变无毛，裂片三角形，与萼筒近等长，内面被毛，先端具 1 增厚的小尖头，附属体细小，直立；花瓣黄白色，阔三角状矩圆形，基部偏斜，具长 1 ~ 1.2mm 的爪；雄蕊 6，着生于萼筒近基部，长约 6mm，花药圆形；子房球形，无毛，5 ~ 6 室，花柱长 5.5mm。蒴果球状卵形，长 3.5 ~ 5mm，

6 裂；种子长不超过 3mm。花期 4 月，果期 7 月。

| **生境分布** | 生于海拔 400 ~ 1300m 的山谷密林中。分布于重庆南川、云阳、开州、武隆、长寿、秀山、酉阳等地。

| **资源情况** | 野生资源稀少。药材来源于野生。

| **采收加工** | 夏、秋季老树干皮脱落时收集，干燥。

| **功能主治** | 活血散瘀，止血消肿。

| **用法用量** | 内服煎汤，适量。外用适量，研末调敷；或煎汤洗。

千屈菜科 Lythraceae 紫薇属 *Lagerstroemia*

紫薇 *Lagerstroemia indica* L.

| 药 材 名 | 紫薇皮（药用部位：树皮）、紫薇叶（药用部位：叶）、紫薇花（药用部位：花）。

| 形态特征 | 落叶灌木或小乔木，高可达 7m。树皮平滑，灰色或灰褐色；枝干多扭曲，小枝纤细，具 4 棱，略呈翅状。叶互生或有时对生，纸质，椭圆形、阔矩圆形或倒卵形，长 2.5 ~ 7cm，宽 1.5 ~ 4cm，先端短尖或钝形，有时微凹，基部阔楔形或近圆形，无毛或下面沿中脉被微柔毛；侧脉 3 ~ 7 对，小脉不明显；无柄或叶柄很短。花淡红色或紫色、白色，直径 3 ~ 4cm，常组成 7 ~ 20cm 的顶生圆锥花序；花梗长 3 ~ 15mm，中轴及花梗均被柔毛；花萼长 7 ~ 10mm，外面平滑无棱，但鲜时萼筒有微凸起短棱，两面无毛，裂片 6，三角形，直立，无附属体；花瓣 6，皱缩，长 12 ~ 20mm，具长爪；雄

紫薇

蕊 36 ~ 42，外面 6 着生于花萼上，远较其余的长；子房 3 ~ 6 室，无毛。蒴果椭圆状球形或阔椭圆形，长 1 ~ 1.3cm，幼时绿色至黄色，成熟时或干燥时呈紫黑色，室背开裂；种子有翅，长约 8mm。花期 6 ~ 9 月，果期 9 ~ 12 月。

| 生境分布 | 生于海拔 1700m 以下的肥沃湿润土壤，或栽培于公园、路边。重庆各地均有分布。

| 资源情况 | 栽培资源较丰富。药材主要来源于栽培。

| 采收加工 | 紫薇皮：夏、秋季老树干皮脱落时采收，干燥。

紫薇叶：春、夏季采收，洗净，鲜用或晒干。

紫薇花：5 ~ 8 月采摘，晒干。

| 药材性状 | 紫薇皮：本品呈不规则卷筒状或半卷筒状，长 4 ~ 20cm，厚约 1mm，宽 0.5 ~ 2cm。外表面灰棕色，具细纵皱纹；内表面黄棕色，光滑。质轻脆，易碎。气微，味淡、微涩。

紫薇叶：本品纸质，完整者展平后呈椭圆形、倒卵形或长椭圆形，长 2.5 ~ 7cm，宽 1.5 ~ 4cm，先端短尖或钝形，有时微凹，基部阔楔形或近圆形，无毛或下面沿中脉有微柔毛；侧脉 3 ~ 7 对。气微，味淡。

紫薇花：本品多皱缩成团，直径约 3cm，淡红紫色；花萼绿色，长约 1cm，先端 6 浅裂，宿存；花瓣 6，下部有细长的爪，瓣面近圆球形而呈皱波状，边缘有不规则缺刻；雄蕊多数，生于萼筒基部，外轮 6，花丝较长。气微，味淡。

| 功能主治 | 紫薇皮：苦，平。归肝经。清热解毒，散风止痒。用于咽喉肿痛，疮痈，皮肤瘙痒。

紫薇叶：苦、涩，寒。归肝、脾、大肠经。清热解毒，凉血止血。用于痈疮肿毒，乳痈，痢疾，湿疹，外伤出血。

紫薇花：苦、微酸，寒。归肝、脾、肺经。清热解毒，凉血止血。用于带下，肺痨咯血，小儿惊风，小儿胎毒，疮疖痈疽，疥癣。

| 用法用量 | 紫薇皮：内服煎汤，6 ~ 12g。

紫薇叶：内服煎汤，10 ~ 15g。外用适量，煎汤洗；或鲜品捣敷。

紫薇花：内服煎汤，10 ~ 15g。外用适量，研末调敷；或煎汤洗。

| 附　　注 | 本种喜温暖湿润气候，最适生长温度约 30℃，稍耐旱，耐修剪。对土壤要求不严，以向阳和质地深厚、肥沃的砂壤土栽培为宜。

千屈菜科 Lythraceae 千屈菜属 *Lythrum*

千屈菜 *Lythrum salicaria* L.

千屈菜

| 药 材 名 |

千屈菜（药用部位：地上部分。别名：对叶莲、鸡骨草、大钓鱼竿）。

| 形态特征 |

多年生草本。根茎横卧于地下，粗壮。茎直立，多分枝，高 30 ~ 100cm，全株青绿色，略被粗毛或密被绒毛，枝通常具 4 棱。叶对生或 3 叶轮生，披针形或阔披针形，长 4 ~ 6（~ 10）cm，宽 8 ~ 15mm，先端钝或短尖，基部圆形或心形，有时略抱茎，全缘，无柄。花组成小聚伞花序，簇生，花梗及总梗极短，因此花枝全形似 1 大型穗状花序；苞片阔披针形至三角状卵形，长 5 ~ 12mm；花萼筒长 5 ~ 8mm，有纵棱 12，稍被粗毛，裂片 6，三角形；附属体针状，直立，长 1.5 ~ 2mm；花瓣 6，红紫色或淡紫色，倒披针状长椭圆形，基部楔形，长 7 ~ 8mm，着生于萼筒上部，有短爪，稍皱缩；雄蕊 12，6 长 6 短，伸出萼筒之外；子房 2 室，花柱长短不一。蒴果扁圆形。

| 生境分布 |

生于河岸、湖畔、溪沟边或潮湿草地。分布于重庆巫溪、南川、开州、万州、北碚等地。

| 资源情况 | 野生资源稀少。药材主要来源于野生，亦有少量栽培。

| 采收加工 | 夏、秋季采收，除去杂质，晒干。

| 药材性状 | 本品茎近方形，多分枝，长 3 ~ 100cm，直径 0.2 ~ 0.4cm；表面棕褐色至灰棕色；质坚硬，易折断，断面纤维性，中空。叶对生，狭披针形，多皱缩卷曲，易破碎。有的可见顶生复总状花序，花淡紫色或已结果。全体被白色柔毛或无毛。气微，味淡、微涩。

| 功能主治 | 苦，寒。归大肠、肝经。清热解毒，破血通经。用于湿热泄泻，痢疾，瘀滞经闭，便血，外伤出血等。

| 用法用量 | 内服煎汤，10 ~ 30g。

| 附　　注 | 本种喜温暖、光照充足、通风良好的环境，喜水湿，比较耐寒。

千屈菜科 Lythraceae 节节菜属 *Rotala*

节节菜 *Rotala indica* (Willd.) Koehne

|药 材 名| 水马齿苋（药用部位：全草。别名：碌耳草、水泉）。

|形态特征| 一年生草本。多分枝，节上生根，茎常略具 4 棱，基部常匍匐，上部直立或稍披散。叶对生，无柄或近无柄，倒卵状椭圆形或矩圆状倒卵形，长 4 ~ 17mm，宽 3 ~ 8mm，侧枝上的叶长仅约 5mm，先端近圆形或钝形而有小尖头，基部楔形或渐狭，下面叶脉明显，边缘呈软骨质。花小，长不及 3mm，通常组成腋生的长 8 ~ 25mm 的穗状花序，稀单生；苞片叶状，矩圆状倒卵形，长 4 ~ 5mm，小苞片 2，极小，线状披针形，长约为花萼之半或稍过之；萼筒管状钟形，膜质，半透明，长 2 ~ 2.5mm，裂片 4，披针状三角形，先端渐尖；花瓣 4，极小，倒卵形，长不及萼裂片之半，淡红色，宿存；雄蕊 4；子房椭圆形，先端狭，长约 1mm，花柱丝状，长为子房之半或近相等。

节节菜

蒴果椭圆形，稍有棱，长约 1.5mm，常 2 瓣裂。花期 9 ~ 10 月，果期 10 月至翌年 4 月。

｜生境分布｜

生于水田边或沟边潮湿处。重庆各地均有分布。

｜资源情况｜

野生资源丰富。药材主要来源于野生。

｜采收加工｜

夏、秋季采收，洗净，晒干或鲜用。

｜功能主治｜

酸、苦，凉。清热解毒，止泻。用于疮疖肿毒，小儿泄泻。

｜用法用量｜

外用适量，鲜品捣敷。

千屈菜科 Lythraceae 节节菜属 *Rotala*

圆叶节节菜 *Rotala rotundifolia* (Buch.-Ham. ex Roxb.) Koehne

药材名 水豆瓣（药用部位：全草。别名：水苋菜、水泉、水指甲）。

形态特征 一年生草本，各部无毛。根茎细长，匍匐地上。茎单一或稍分枝，直立，丛生，高 5 ~ 30cm，带紫红色。叶对生，无柄或具短柄，近圆形、阔倒卵形或阔椭圆形，长 5 ~ 10mm，有时可达 20mm，宽 3.5 ~ 5mm，先端圆形，基部钝形，或无柄时近心形，侧脉 4 对，纤细。花单生苞片内，组成顶生稠密的穗状花序，花序长 1 ~ 4cm，每株 1 ~ 3，有时 5 ~ 7；花极小，长约 2mm，几无梗；苞片叶状，卵形或卵状矩圆形，约与花等长，小苞片 2，披针形或钻形，约与萼筒等长；萼筒阔钟形，膜质，半透明，长 1 ~ 1.5mm，裂片 4，三角形，裂片间无附属体；花瓣 4；倒卵形，淡紫红色，长约为花萼裂片的 2 倍；雄蕊 4；子房近梨形，长约 2mm，花柱长为子房的 1/2，柱头盘状。

圆叶节节菜

蒴果椭圆形，3 ~ 4 瓣裂。花果期 12 月至翌年 6 月。

| 生境分布 | 生于低海拔地区水田边或潮湿处。重庆各地均有分布。

| 资源情况 | 野生资源丰富。药材来源于野生。

| 采收加工 | 夏、秋季采收，洗净，鲜用或晒干或烘干。

| 功能主治 | 甘、淡，凉。清热利湿，消肿解毒。用于痢疾，淋病，水臌，急性肝炎，痈肿疮毒，牙龈肿痛，痔肿，乳痈，急性脑膜炎，急性咽喉炎，月经不调，痛经，烫火伤。

| 用法用量 | 内服煎汤，15 ~ 30g；或鲜品绞汁。外用适量，鲜品捣敷；或研末撒；或煎汤洗。

| 附　　注 | 本种喜温暖潮湿气候，忌干旱。对土壤要求不严，以肥沃、疏松的砂壤土或腐殖质土壤栽培为宜。

菱科 Trapaceae 菱属 *Trapa*

菱 *Trapa bispinosa* Roxb.

|药 材 名| 菱角（药用部位：果肉。别名：菱实、水菱、沙角）、菱粉（药材来源：果肉捣汁澄出的淀粉）、菱壳（药用部位：果皮）、菱蒂（药用部位：果柄）、菱叶（药用部位：叶）、菱茎（药用部位：茎）。

|形态特征| 一年生浮水草本。根二型；着泥根细铁丝状，着生于水底水中；同化根羽状细裂，裂片丝状。茎柔弱分枝。叶二型；浮水叶互生，聚生于主茎或分枝茎的先端，呈旋叠状镶嵌排列在水面成莲座状的菱盘，叶片菱圆形或三角状菱圆形，长 3.5 ~ 4cm，宽 4.2 ~ 5cm，表面深亮绿色，无毛，背面灰褐色或绿色，主、侧脉在背面稍凸起，密被淡灰色或棕褐色短毛，脉间有棕色斑块，叶边缘中上部具不整齐的圆凹齿或锯齿，边缘中下部全缘，基部楔形或近圆形，叶柄中上部膨大不明显，长 5 ~ 17cm，被棕色或淡灰色短毛；沉水叶小，早落。花小，单生叶腋，两性；萼筒 4 深裂，外面被淡黄色短毛；

菱

花瓣 4，白色；雄蕊 4；具半下位子房，心皮 2，2 室，每室具 1 倒生胚珠，仅 1 室胚珠发育；花盘鸡冠状。果实三角状菱形，高 2cm，宽 2.5cm，表面被淡灰色长毛，2 肩角直伸或斜举，肩角长约 1.5cm，刺角基部不明显粗大，腰角位置无刺角，丘状突起不明显，果喙不明显，果颈高 1mm，直径 4 ~ 5mm，内具 1 白色种子。花期 5 ~ 10 月，果期 7 ~ 11 月。

| 生境分布 | 生于池塘、湖泊的浅水中。分布于重庆垫江、南川、永川、巴南、城口、巫溪、巫山等地。

| 资源情况 | 野生资源较少。药材主要来源于野生。

| 采收加工 | 菱角：8 ~ 9 月采收，鲜用或晒干。

菱粉：果实成熟后采收，去壳，取其果肉，捣汁，澄出淀粉，晒干。

菱壳：8 ~ 9 月收集果皮，鲜用或晒干。

菱蒂：采摘果实时取其果柄，鲜用或晒干。

菱叶：夏季采收，鲜用或晒干。

菱茎：夏季开花时采收，鲜用或晒干。

| 功能主治 | 菱角：甘，凉。归脾、胃经。健脾益胃，除烦止渴，解毒。用于脾虚泄泻，暑热烦渴，消渴，饮酒过度，痢疾。

菱粉：甘，凉。健脾养胃，清暑解毒。用于脾虚乏力，暑热烦渴，消渴。

菱壳：涩，平。涩肠止泻，止血，敛疮，解毒。用于泄泻，痢疾，胃溃疡，便血，脱肛，痔疮，疔疮。

菱蒂：微苦，平。解毒散结。用于胃溃疡，疣赘。

菱叶：甘，凉。清热解毒。用于小儿走马牙疳，疮肿。

菱茎：甘，凉。清热解毒。用于胃溃疡，疣赘，疮毒。

| 用法用量 | 菱角：内服煎汤，9 ~ 15g，大剂量可用 60g；或生食。清暑热、除烦渴，宜生用；补脾益胃，宜熟用。

菱粉：内服沸水冲，10 ~ 30g。

菱壳：内服煎汤，15 ~ 30g，大剂量可用 60g。外用适量，烧存性，研末调敷；或煎汤洗。

菱蒂：内服煎汤，鲜品 30 ~ 45g。外用适量，鲜品擦拭或捣汁涂。

菱叶：内服煎汤，6 ~ 15g，鲜品加倍。外用适量，研末搽；或鲜品捣敷。

菱茎：内服煎汤，鲜品 30 ~ 45g。外用适量，捣敷、搽。

| 附　　注 | 在 FOC 中，本种被修订为欧菱 *Trapa natans* L.。

桃金娘科 Myrtaceae 红千层属 *Callistemon*

红千层 *Callistemon rigidus* R. Br.

红千层

|药 材 名|

红千层（药用部位：枝叶）。

|形态特征|

小乔木。树皮坚硬，灰褐色；嫩枝有棱，初时被长丝毛，不久变无毛。叶片坚革质，线形，长 5 ~ 9cm，宽 3 ~ 6mm，先端尖锐，初时被丝毛，不久脱落，油腺点明显，干后凸起；中脉在两面均凸起，侧脉明显，边脉位于边上，凸起；叶柄极短。穗状花序生于枝顶；萼管略被毛，萼齿半圆形，近膜质；花瓣绿色，卵形，长 6mm，宽 4.5mm，有油腺点；雄蕊长 2.5cm，鲜红色，花药暗紫色，椭圆形；花柱比雄蕊稍长，先端绿色，其余红色。蒴果半球形，长 5mm，宽 7mm，先端平截，萼管口圆，果瓣稍下陷，3 爿裂开，果爿脱落；种子条状，长 1mm。花期 6 ~ 8 月。

|生境分布|

栽培于庭园、公园、路边。分布于重庆长寿、璧山、涪陵、南川、巴南、南岸等地。

|资源情况|

栽培资源一般。药材来源于栽培。

| **采收加工** | 全年均可采收，鲜用或晒干。

| **功能主治** | 辛，平。归肺经。祛风，化痰，消肿。用于感冒，咳喘，风湿痹痛，湿疹，跌打肿痛。

| **用法用量** | 内服煎汤，3 ~ 9g。外用适量，捣敷或研末敷；或煎汤洗。

| **附　　注** | 本种喜暖热气候，耐烈日酷暑，不耐寒，不耐阴。喜肥沃潮湿的酸性土壤，也能耐瘠薄干旱土壤。生长缓慢，萌芽力强，耐修剪，抗风。在北方只能盆栽于高温温室中。幼苗在本地可露地越冬，能耐 -10℃低温和 45℃高温，生长适温为 25℃左右，对水分要求不严，但在湿润条件下生长较快。

桃金娘科 Myrtaceae 桉属 *Eucalyptus*

赤桉 *Eucalyptus camaldulensis* Dehnh.

赤桉

| 药材名 |

洋草果（药用部位：果实）。

| 形态特征 |

大乔木，高 25m。树皮平滑，暗灰色，呈片状脱落，树干基部有宿存树皮；嫩枝圆形，最嫩部分略有棱。幼态叶对生，叶片阔披针形，长 6 ~ 9cm，宽 2.5 ~ 4cm；成熟叶片薄革质，狭披针形至披针形，长 6 ~ 30cm，宽 1 ~ 2cm，稍弯曲，两面有黑腺点；侧脉以 45° 角斜向上，边脉离叶缘 0.7mm；叶柄长 1.5 ~ 2.5cm，纤细。伞形花序腋生，有花 5 ~ 8，总梗圆形，纤细，长 1 ~ 1.5cm；花梗长 5 ~ 7mm；花蕾卵形，长 8mm；萼管半球形，长 3mm；帽状体长 6mm，近先端急剧收缩，尖锐；雄蕊长 5 ~ 7mm，花药椭圆形，纵裂。蒴果近球形，宽 5 ~ 6mm，果缘凸出 2 ~ 3mm，果瓣 4，有时为 3 或 5。花期 12 月至翌年 8 月。

| 生境分布 |

生于海拔 250m 以下的河流沿岸。分布于重庆荣昌等地。

| 资源情况 | 野生和栽培资源均较少。药材来源于栽培。

| 采收加工 | 果实成熟时采收，晒干。

| 药材性状 | 本品近球形，直径 5 ~ 6mm，果缘突出 2 ~ 3mm，果瓣 4（有时为 3 或 5）。干后呈棕绿色。气香，味微苦而辛。

| 功能主治 | 消积除疳。用于小儿疳积。

| 用法用量 | 内服煎汤，3 ~ 6g。

桃金娘科 Myrtaceae 桉属 *Eucalyptus*

柠檬桉 *Eucalyptus citriodora* Hook. f.

柠檬桉

药材名

柠檬桉叶（药用部位：叶）、柠檬桉果（药用部位：果实）、柠檬桉树脂（药材来源：树干上流出的黑褐色硬脂）。

形态特征

大乔木，高 28m，树干挺直。树皮光滑，灰白色或红灰色，大片状脱落。幼态叶片披针形，被腺毛，基部圆形，叶柄盾状着生；成熟叶片狭披针形，宽约 1cm，长 10 ~ 15cm，稍弯曲，两面有黑腺点，揉之有浓厚的柠檬气味；过渡性叶阔披针形，宽 3 ~ 4cm，长 15 ~ 18cm，叶柄长 1.5 ~ 3cm。圆锥花序腋生；花梗长 3 ~ 4mm，有 2 棱；花蕾长倒卵形，长 6 ~ 7mm；萼管长 5mm，上部宽 3mm；帽状体长 1.5mm，比萼管稍宽，先端圆，有 1 小尖凸；雄蕊长 6 ~ 7mm，排成 2 列，花药椭圆形，背部着生，药室平行。蒴果壶形，长 1 ~ 1.2cm，宽 8 ~ 10mm，果瓣藏于萼管内。花期 4 ~ 9 月。

生境分布

生于海拔 600m 以下的肥沃壤土。分布于重庆南川、北碚、大足、江津、永川、沙坪坝等地。

｜资源情况｜ 野生资源较少。药材主要来源于栽培。

｜采收加工｜ 柠檬桉叶：秋季晴天采收，阴干。

柠檬桉果：秋季果实成熟时采收，晒干。

柠檬桉树脂：全年均可采收。

｜药材性状｜ 柠檬桉叶：本品幼叶长圆形，长 7 ~ 15cm，宽 3 ~ 6cm，有腺毛，基部圆形；老叶卵状狭披针形，长 10 ~ 15cm，宽约 1cm，灰绿色，两面均无毛，对光或在放大镜下可见多数油点和散在的暗褐色腺鳞，先端渐尖，基部楔形，全缘。中脉两面凸起，侧脉多数，纤细，斜举，于近叶缘处汇合成 1 明显的边脉。叶柄稍扭曲，长 1 ~ 2cm，粗约 2mm。薄革质，质脆，易碎。揉之有柠檬香气，味苦、涩而辛。

｜功能主治｜ 柠檬桉叶：苦，温。消肿散毒。用于腹泻腹痛，痢疾，流行性感冒，流行性脑脊髓膜炎，风湿痹痛，麻疹，皮肤湿疹。

柠檬桉果：辛、苦，温。祛风解表，散寒止痛。用于风寒感冒，胃气痛，痧胀腹痛，消化不良。

柠檬桉树脂：辛，微温。解毒敛疮。用于创伤感染。

｜用法用量｜ 柠檬桉叶：内服煎汤，6 ~ 10g。外用适量，煎汤熏洗患处。

柠檬桉果：内服煎汤，3 ~ 9g。

柠檬桉树脂：外用适量，溶于乙醇或甘油外涂。

｜附　　注｜ 本种属阳性树种，喜温暖气候，在气温 18℃以上的地区都能正常生长，在 0℃以下易受冻害。有较强的耐旱力。对土壤要求不严，喜湿润、深厚和疏松的酸性土，在土层深厚、疏松、排水良好的红壤、砖红壤、红黄壤、黄壤和冲积土均生长良好。

桃金娘科 Myrtaceae 桉属 *Eucalyptus*

蓝桉 *Eucalyptus globulus* Labill.

| 药 材 名 | 桉叶（药用部位：叶。别名：桉树叶、蓝桉叶、羊草果叶）、桉树果（药用部位：果实。别名：洋草果、楠桉果、桉果）。

| 形态特征 | 大乔木。树皮灰蓝色，片状剥落；嫩枝略有棱。幼态叶对生，叶片卵形，基部心形，无柄，有白粉；成熟叶片革质，披针形，镰状，长 15 ~ 30cm，宽 1 ~ 2cm，两面被腺点；侧脉不很明显，以 35° ~ 40° 开角斜行，边脉离边缘 1mm；叶柄长 1.5 ~ 3cm，稍扁平。花大，宽 4mm，单生或 2 ~ 3 聚生叶腋内；无花梗或极短；萼管倒圆锥形，长 1cm，宽 1.3cm，表面有 4 凸起棱和小瘤突，被白粉；帽状体稍扁平，中部为圆锥状凸起，比萼管短，2 层，外层平滑，早落；雄蕊长 8 ~ 13mm，多列，花丝纤细，花药椭圆形；花柱长 7 ~ 8mm，粗大。蒴果半球形，有 4 棱，宽 2 ~ 2.5cm，果缘平而宽，

蓝桉

果瓣不凸出。

| 生境分布 | 栽培于山坡。分布于重庆铜梁、垫江、北碚、武隆、南川、南岸、江北、丰都、巴南、江津等地。

| 资源情况 | 栽培资源较丰富。药材主要来源于栽培。

| 采收加工 | 桉叶：全年均可采收，鲜用或晒干。

桉树果：果实成熟时采收，晒干。

| 药材性状 | 桉叶：本品完整者呈镰刀状披针形，革质，长 8 ~ 30cm；叶端尖，叶基不对称，全缘；叶柄较短，长 1 ~ 3cm，扁平而扭转。表面黄绿色，光滑，无毛，对光透视可见无数透明小点（油室）；羽状网脉末端于叶缘处联合成与叶缘平行的脉纹。揉之微有香气，味稍苦而凉。

| 功能主治 | 桉叶：辛、苦，寒。归肺、胃、脾、肝经。清热解毒，疏风解表，化痰理气，杀虫止痒。用于感冒头痛，痢疾，咳喘，腹泻，风湿痹痛，烫火伤，外伤出血，痈疮肿痛，湿疹。

桉树果：辛、苦，微温；有小毒。理气，健胃，截疟，止痒。用于食积，腹胀，疟疾，皮炎，癣疮。

| 用法用量 | 桉叶：内服煎汤，10 ~ 20g。外用适量，捣敷；或煎汤洗。

桉树果：内服煎汤，3 ~ 9g；或研末。外用适量，泡酒外涂。内服不宜过量。

| 附　　注 | 本种为喜光树种，喜冬无严寒、夏无酷暑的气候，能耐 -6℃短期低温。在疏松、肥沃、湿润的酸性或微碱性土壤中生长迅速，在钙质紫色土或瘠薄干燥的土壤中生长不良。

桃金娘科 Myrtaceae 桉属 *Eucalyptus*

桉 *Eucalyptus robusta* Smith

桉

|药材名|

桉叶（药用部位：叶。别名：桉树叶、蓝桉叶、羊草果叶）、大叶桉果（药用部位：果实）。

|形态特征|

密荫大乔木，高 20m。树皮宿存，深褐色，厚 2cm，稍软松，有不规则斜裂沟；嫩枝有棱。幼态叶对生，叶片厚革质，卵形，长 11cm，宽达 7cm，有柄；成熟叶卵状披针形，厚革质，不等侧，长 8 ~ 17cm，宽 3 ~ 7cm，侧脉多而明显，以 80° 开角缓斜走向边缘，两面均有腺点，边脉离边缘 1 ~ 1.5mm，叶柄长 1.5 ~ 2.5cm。伞形花序粗大，有花 4 ~ 8，总梗压扁，长不超过 2.5cm；花梗短，长不超过 4mm，有时较长，粗而扁平；花蕾长 1.4 ~ 2cm，宽 7 ~ 10mm；萼管半球形或倒圆锥形，长 7 ~ 9mm，宽 6 ~ 8mm；帽状体约与萼管同长，先端收缩成喙；雄蕊长 1 ~ 1.2cm，花药椭圆形，纵裂。蒴果卵状壶形，长 1 ~ 1.5cm，上半部略收缩，蒴口稍扩大，果瓣 3 ~ 4，深藏于萼管内。花期 4 ~ 9 月。

|生境分布|

栽培于山坡。重庆各地均有分布。

| 资源情况 |

栽培资源丰富。药材主要来源于栽培。

| 采收加工 |

桉叶：参见“蓝桉”条。
大叶桉果：春、秋季采收，晒干。

| 药材性状 |

桉叶：参见“蓝桉”条。

| 功能主治 |

桉叶：参见“蓝桉”条。
大叶桉果：苦，温；有小毒。截疟。用于疟疾。

| 用法用量 |

桉叶：参见“蓝桉”条。
大叶桉果：内服煎汤，1 ~ 3g；或烧存性，研末。

| 附　　注 |

本种喜光，喜湿，耐旱，耐热，畏寒，对低温敏感。大多数种植要求年平均温度 15℃以上，最冷月不低于 7℃。一般能生长在年降水量 500mm 的地区，年降水量超过 1000mm 生长较好。适宜生于酸性的红壤、黄壤和土层深厚的冲积土中，但在土层深厚、疏松、排水好的地方生长良好。主根深，抗风力强。多数根颈有木瘤，有贮藏养分和萌芽更新的作用。一般造林后 3 ~ 4 年即可开花结实。

桃金娘科 Myrtaceae 桉属 *Eucalyptus*

细叶桉 *Eucalyptus tereticornis* Smith

细叶桉

| 药 材 名 |

细叶桉叶（药用部位：叶）、细叶桉果（药用部位：果实）。

| 形态特征 |

大乔木，高 25m。树皮平滑，灰白色，长片状脱落，干基有宿存的树皮；嫩枝圆形，纤细，下垂。幼态叶片卵形至阔披针形，宽达 10cm；过渡型叶片阔披针形；成熟叶片狭披针形，长 10 ~ 25cm，宽 1.5 ~ 2cm，稍弯曲，两面有细腺点，侧脉以 45° 角斜向上，边脉离叶缘 0.7mm；叶柄长 1.5 ~ 2.5cm。伞形花序腋生，有花 5 ~ 8，总梗圆形，粗壮，长 1 ~ 1.5cm；花梗长 3 ~ 6mm；花蕾长卵形，长 1 ~ 1.3mm 或更长；萼管长 2.5 ~ 3mm，宽 4 ~ 5mm；帽状体长 7 ~ 10mm，渐尖；雄蕊长 6 ~ 9mm，花药长倒卵形，纵裂。蒴果近球形，宽 6 ~ 8mm，果缘凸出萼管 2 ~ 2.5mm，果瓣 4。

| 生境分布 |

生于海拔 1800m 以下地区，或栽培于山坡。分布于重庆璧山、长寿、涪陵、南川、綦江、巴南、南岸等地。

|资源情况|

栽培资源一般。药材来源于栽培。

|采收加工|

细叶桉叶：全年均可采收，阴干或鲜用。
细叶桉果：春、冬季采收，晒干。

|功能主治|

细叶桉叶：辛、微苦，平。归肺、胃、大肠经。宣肺发表，理气活血，解毒杀虫。用于感冒发热，咳喘痰嗽，脘腹胀痛，泻痢，钩端螺旋体病，跌打损伤，疮疡，丹毒，乳痈，疥疮，癣痒。
细叶桉果：苦、辛，微温。祛痰截疟。用于疟疾。

|用法用量|

细叶桉叶：内服煎汤，6 ~ 15g。外用适量，捣敷；或煎汤洗。
细叶桉果：内服煎汤，3 ~ 6g。

|附　　注|

本种喜光，对气候和土壤的适应性较强，耐高温干旱，且耐寒抗霜，在酸性、微酸性土壤及瘠薄的砂壤土中均能生长。

桃金娘科 Myrtaceae 白千层属 *Melaleuca*

白千层 *Melaleuca leucadendron* L.

| 药 材 名 | 白千层叶（药用部位：叶）、白千层油（药材来源：叶或枝提取的挥发油）、白千层皮（药用部位：树皮。别名：千层皮）。

| 形态特征 | 乔木，高 18m。树皮灰白色，厚而松软，呈薄层状剥落；嫩枝灰白色。叶互生，叶片革质，披针形或狭长圆形，长 4 ~ 10cm，宽 1 ~ 2cm，两端尖，基出脉 3 ~ 5（~ 7），多油腺点，香气浓郁；叶柄极短。花白色，密生于枝顶成穗状花序，长达 15cm，花序轴常被短毛；萼管卵形，长 3mm，被毛或无毛，萼齿 5，圆形，长约 1mm；花瓣 5，卵形，长 2 ~ 3mm，宽 3mm；雄蕊长约 1cm，常 5 ~ 8 成束；花柱线形，比雄蕊略长。蒴果近球形，直径 5 ~ 7mm。花期每年多次。

白千层

| 生境分布 | 生于较干的沙地上，或栽培于庭园。分布于重庆长寿、南川等地。

| 资源情况 | 野生和栽培资源均稀少。药材主要来源于栽培。

| 采收加工 | 白千层叶：全年均可采收，阴干。

白千层油：取叶或枝经水蒸气蒸馏得到的挥发油。

白千层皮：全年均可采收，洗净，晒干或鲜用。

| 功能主治 | 白千层叶：辛，凉。祛风解表，利湿止痒。用于感冒发热，风湿骨痛，腹痛泄泻，风疹，湿疹。

白千层油：辛，平。祛风通络，理气止痛，杀虫。用于风湿痹痛，拘挛麻木，脘腹胀痛，牙痛，头痛，疝气痛，跌打肿痛，疥疮。

白千层皮：淡，平。安神，解毒。用于失眠，多梦，神志不安，创伤化脓。

| 用法用量 | 白千层叶：内服煎汤，6 ~ 15g。外用适量，煎汤洗。

白千层油：内服，每次 1 ~ 3 滴。外用适量，涂擦。内服不宜过量。

白千层皮：内服煎汤，3 ~ 9g。外用适量，捣敷。

| 附　　注 | （1）在 FOC 中，本种的拉丁学名被修订为 *Melaleuca cajuputi* Powell subsp. *cumingiana* (Turczaninow) Barlow。

（2）本种喜温暖潮湿环境，要求阳光充足，适应性强，能耐干旱高温及瘠薄土壤，亦可耐轻霜及短期 0℃左右低温。对土壤要求不严。

桃金娘科 Myrtaceae 蒲桃属 *Syzygium*

蒲桃 *Syzygium jambos* (L.) Alston

| 药 材 名 | 蒲桃（药用部位：茎）、蒲桃叶（药用部位：叶）、蒲桃壳（药用部位：果皮）、蒲桃根皮（药用部位：根皮）、蒲桃种子（药用部位：种子）。

| 形态特征 | 乔木，高 10m。主干极短，广分枝；小枝圆形。叶片革质，披针形或长圆形，长 12 ~ 25cm，宽 3 ~ 4.5cm，先端长渐尖，基部阔楔形，叶面多透明细小腺点；侧脉 12 ~ 16 对，以 45° 开角斜向上，靠近边缘 2mm 处相结合成边脉，侧脉间隔 7 ~ 10mm，在下面明显凸起，网脉明显；叶柄长 6 ~ 8mm。聚伞花序顶生，有花数朵，总梗长 1 ~ 1.5mm，花梗长 1 ~ 2mm；花白色，直径 3 ~ 4cm；萼管倒圆锥形，长 8 ~ 10mm，萼齿 4，半圆形，长 6mm，宽 8 ~ 9mm；花瓣分离，阔卵形，长约 14mm；雄蕊长 2 ~ 2.8cm，花药长 1 ~ 5mm；花柱与雄蕊等长。果实球形，果皮肉质，直径 3 ~ 5cm，成熟时黄色，

蒲桃

有油腺点；种子 1 ~ 2，多胚。花期 3 ~ 4 月，果实 5 ~ 6 月。

| 生境分布 | 生于河边及河谷湿地。分布于重庆綦江、涪陵、垫江、荣昌、合川、北碚、渝中、巴南等地。

| 资源情况 | 栽培资源稀少。药材主要来源于栽培。

| 采收加工 | 蒲桃：全年均可采收，砍取后切成片、块，洗净，干燥。

蒲桃叶：全年均可采收，晒干或鲜用。

蒲桃壳：夏季果实分批成熟，采收成熟果实，除去种子，把果皮晒干或烘干。

蒲桃根皮：全年均可采挖，趁鲜剥取根皮，洗净，切段，鲜用或晒干。

蒲桃种子：夏季采收成熟果实，取出种子，晒干。

| 药材性状 | 蒲桃：本品为不规则的片、块，大小、长短不一。外皮灰褐色，密布无数浅纵沟纹及灰白色皮斑，刮去外皮后，露出红棕色或黄棕色皮部。质硬，不易折断，断面皮部红棕色或黄棕色，木部宽，呈暗黄色，生长轮处颜色较深，纵断面纹理顺直，纤维性。气无，味微甘、涩。

蒲桃壳：本品呈不规则卷缩块状，长 2 ~ 3.5cm，宽 1 ~ 2cm。表面棕红色或棕褐色，有细微皱纹；内表面浅黄棕色。果皮厚约 1mm，中心有干枯花柱，长 0.5 ~ 1cm；干时质脆，潮时质韧。气微，味甘、微涩。

| 功能主治 | 蒲桃：甘、涩、微辛，微温。归肺、脾、胃、大肠经。温中散寒，降逆止呕，温肺止咳。用于胃寒呃逆，肺虚寒咳。

蒲桃叶：苦，寒。归心经。清热解毒。用于口舌生疮，疮疡，痘疮。

蒲桃壳：甘、微酸，温。归脾、肺经。暖胃健脾，温肺止咳，破血消肿。用于胃寒呃逆，脾虚泄泻，久痢，肺虚寒嗽，疽瘤。

蒲桃根皮：苦、微涩，凉；有毒。凉血解毒。用于泄泻，痢疾，外伤出血。

蒲桃种子：甘、微酸，凉。归胃、脾经。健脾，止泻。用于脾虚泄泻，久痢，糖尿病。

| 用法用量 | 蒲桃：内服煎汤，15 ~ 30g。

蒲桃叶：外用适量，煎汤含漱、洗；或研末搽。

蒲桃壳：内服煎汤，6 ~ 15g；或浸酒。

蒲桃根皮：内服煎汤，6 ~ 15g。外用适量，捣敷；或研粉撒。

蒲桃种子：内服煎汤，3 ~ 9g。

| 附　　注 | 本种喜温暖潮湿气候，在阳光充足或高温多雨季节生长良好。种植宜选择土层深厚、湿润而肥沃的砂壤土。

石榴科 Punicaceae 石榴属 *Punica*

石榴 *Punica granatum* L.

| 药 材 名 | 石榴皮（药用部位：果皮。别名：石榴壳、安石榴酸实壳、酸石榴皮）、石榴叶（药用部位：叶）。

| 形态特征 | 落叶灌木或乔木，通常高 3 ~ 5m，稀达 10m。枝顶常成尖锐长刺，幼枝具棱角，无毛，老枝近圆柱形。叶通常对生，纸质，矩圆状披针形，长 2 ~ 9cm，先端短尖、钝尖或微凹，基部短尖至稍钝形，上面光亮，侧脉稍细密；叶柄短。花大，1 ~ 5 生于枝顶；萼筒长 2 ~ 3cm，通常红色或淡黄色，裂片略外展，卵状三角形，长 8 ~ 13mm，外面近先端有 1 黄绿色腺体，边缘有小乳突；花瓣通常大，红色、黄色或白色，长 1.5 ~ 3cm，宽 1 ~ 2cm，先端圆形；花丝无毛，长达 13mm；花柱长超过雄蕊。浆果近球形，直径 5 ~ 12cm，通常呈淡黄褐色或淡黄绿色，有时白色，稀暗紫色；种子多数，钝角形，红色至乳白色，外种皮肉质。

石榴

| 生境分布 | 生于向阳山坡或庭园等处。重庆各地均有分布。

| 资源情况 | 栽培资源稀少。药材主要来源于栽培。

| 采收加工 | 石榴皮：秋季果实成熟后收集果皮，晒干。
石榴叶：春、秋季采收，及时晒干。

| 药材性状 | 石榴皮：本品呈不规则片状或瓢状，大小不一，厚 1.5 ~ 3mm。外表面红棕色、棕黄色或暗棕色，略有光泽，粗糙，有多数疣状凸起，有的有凸起的筒状宿萼及粗短果梗或果梗痕；内表面黄色或红棕色，有隆起呈网状的果蒂残痕。质硬而脆，断面黄色，略显颗粒状。无臭，味苦、涩。
石榴叶：本品多卷缩，叶柄短。完整者展平后呈全缘长椭圆状披针形，长 3 ~ 9cm，宽 1 ~ 2cm，先端尖或微凹，基部渐狭，叶两面灰绿色或墨绿色，侧脉细密。质脆。气微，味涩。

| 功能主治 | 石榴皮：酸、涩，温。归大肠经。涩肠止泻，止血，驱虫。用于久泻，久痢，便血，脱肛，崩漏，带下，虫积腹痛。
石榴叶：酸、涩，温。归心、大肠经。收敛止泻，解毒杀虫，活血化瘀。用于泄泻，痘风疮，癞疮，跌打损伤，高脂血症。

| 用法用量 | 石榴皮：内服煎汤，3 ~ 9g。
石榴叶：内服煎汤，10 ~ 30g。

| 附　　注 | 本种喜温暖向阳环境，耐旱、耐寒，也耐瘠薄，不耐涝和荫蔽。对土壤要求不严，但以排水良好的夹砂土栽培为宜。

野牡丹科 Melastomataceae 野海棠属 *Bredia*

心叶野海棠 *Bredia esquirolii* (Lévl.) Lauener var. *cordata* (H. L. Li) C. Chen

| 药 材 名 | 心叶野海棠（药用部位：带根全株。别名：鸡窝红麻、向天葫芦、红水麻叶）。

| 形态特征 | 亚灌木，高约 20cm，稀达 50cm。茎圆柱形，具分枝，小枝被微柔毛，幼时钝四棱形；与叶柄、花梗、花萼均密被柔毛及腺毛。叶片坚纸质，通常较小，卵形或长圆状卵形，先端渐尖，基部心形，长 3 ~ 6cm，宽 1.7 ~ 3.5cm，边缘具细锯齿，齿尖具刺尖，具微柔毛状缘毛，基出脉 7，近边缘的 2 条不甚明显，叶面被极疏糙伏毛，背面被微柔毛，以脉上为多且明显；叶面基出脉及侧脉平整，背面脉均隆起，细脉不明显；叶柄长 1 ~ 3cm。聚伞花序顶生，花较小，有花 3 ~ 7；花萼钟状漏斗形，花萼管长约 5mm，裂片线状披针形，长约 3mm，两面被微柔毛，边缘具腺毛；花瓣红色或紫红色，卵形，

心叶野海棠

一侧偏斜，先端急尖，外面上半部被微柔毛，花瓣长约 6mm，宽约 6mm；雄蕊 4 长 4 短，长者长约 11mm，花药线状披针形，微弯，长约 7mm，药隔下延成柄，长约 1.5mm，短者长约 10mm，花药披针形，长约 5mm，基部具小瘤，药隔下延成短距；子房半下位，卵形；先端具膜质冠，冠缘具啮蚀状细齿，具腺点。花期 6 ~ 8 月，果期 9 ~ 10 月。

| 生境分布 | 生于海拔 600m 的山坡林下湿润的地方或林缘草丛中。分布于重庆綦江、巴南、北碚、江津等地。

| 资源情况 | 野生资源稀少。药材主要来源于野生。

| 采收加工 | 夏季采收，洗净，晒干或鲜用。

| 功能主治 | 辛、微苦，凉。化痰止咳，活血止血。用于咳嗽，手脚麻木，血痢，鼻衄，胃出血，月经不调，崩漏，带下，外伤出血。

| 用法用量 | 内服煎汤，15 ~ 30g；或泡酒。外用适量，捣或研末敷。忌辛燥食物。

| 附　　注 | 在 FOC 中，本种被修订为赤水野海棠 *Bredia esquirolii* (Lévl.) Lauener。

野牡丹科 Melastomataceae 异药花属 *Fordiophyton*

异药花 *Fordiophyton faberi* Stapf

| 药 材 名 | 酸猴儿（药用部位：叶）。

| 形态特征 | 草本或亚灌木，高 30 ~ 80cm。茎四棱形，有槽，无毛，不分枝。叶片膜质，通常同一个节上的叶，大小差别较大，广披针形至卵形，稀披针形，先端渐尖，基部浅心形，稀近楔形，长 5 ~ 14.5cm，宽 2 ~ 5cm，边缘具不甚明显的细锯齿，基出脉 5，叶面被紧贴的微柔毛；基出脉微凸，侧脉不明显，背面几无毛或被极不明显的微柔毛及白色小腺点，基出脉明显隆起，侧脉及细脉不明显；叶柄长 1.5 ~ 4.3cm，常被白色小腺点，仅先端与叶片连接处被短刺毛。不明显的聚伞花序或伞形花序，顶生，总梗长 1 ~ 3cm，无毛，基部有 1 对叶，常早落；伞梗基部具 1 圈覆瓦状排列的苞片，苞片广卵形或近圆形，通常带紫红色，透明，长约 1cm；花萼长漏斗形，具 4 棱，

异药花

长 1.4 ~ 1.5cm，被腺毛及白色小腺点，具 8 脉，其中 4 脉明显，裂片长三角形或卵状三角形，先端钝，长约 4.5mm，被疏腺毛及白色小腺点，具腺毛状缘毛；花瓣红色或紫红色，长圆形，先端偏斜，具腺毛状小尖头，长约 1.1cm，外面被紧贴的疏糙伏毛及白色小腺点；雄蕊长者花丝长约 1.1cm，花药线形，长约 1.5cm，弯曲，基部呈羊角状伸长，短者花丝长约 7mm，花药长圆形，长约 3mm，基部不呈羊角状；子房先端具膜质冠，冠檐具缘毛。蒴果倒圆锥形，顶孔 4 裂，最大处直径约 5mm；宿存萼与蒴果同形，具不明显的纵肋 8，无毛，膜质冠伸出萼外，4 裂。花期 8 ~ 9 月，果期 6 月。

| 生境分布 | 生于海拔 600 ~ 1100m 的林下、沟边或路边灌丛中、岩石上潮湿处。分布于重庆綦江、北碚、江津、南川、巴南、铜梁、永川、荣昌等地。

| 资源情况 | 野生资源稀少。药材来源于野生。

| 采收加工 | 夏季采收，鲜用或晒干。

| 药材性状 | 本品多皱缩破碎，完整者展开后呈卵形至椭圆状披针形，长 7 ~ 14cm，宽 2.5 ~ 5cm，边缘有细锯齿，主脉 5 ~ 7，横支脉不明显，上面疏生短糙伏毛，下面无毛，有长柄；上表面呈黄绿色，下表面呈深绿色。

| 功能主治 | 苦、辛，凉。祛风除湿，清肺解毒。用于风湿热痹，肺热咳嗽，漆疮。

| 用法用量 | 内服煎汤，6 ~ 15g。外用适量，煎汤洗或捣敷。

野牡丹科 Melastomataceae 异药花属 *Fordiophyton*

肥肉草 *Fordiophyton fordii* (Oliv.) Krass.

肥肉草

|药 材 名|

肥肉草（药用部位：全草。别名：酸杆、福笛木、羊刀尖）。

|形态特征|

草本或亚灌木，高 30 ~ 60（~ 100）cm。茎四棱形，常具槽，棱上常具狭翅，无毛，通常不分枝。叶片膜质，通常在同一节上的1 对叶，大小差别较大，广披针形至卵形，或椭圆形，先端渐尖，基部浅心形至圆形，长 6 ~ 10（~ 17）cm，宽 3 ~ 5（~ 7）cm，边缘具细锯齿，齿尖被刺毛，基出脉 5（~ 7），叶面无毛或有时于基出脉行间被极疏的细糙伏毛；基出脉平整，侧脉不明显，背面无毛，密布白色小腺点，脉隆起；叶柄长 2 ~ 6cm，肉质，具槽，边缘具狭翅，与叶片连接处多少被刺毛。由聚伞花序组成圆锥花序，顶生，长 12 ~ 20cm，总梗长 6 ~ 15cm，无毛，四棱形；总苞片扁圆形或广卵形，膜质，长 1 ~ 1.8cm，宽 1.2 ~ 2cm，无毛，具白色小腺点，早落；花梗长 5 ~ 15mm，四棱形，密被腺毛；苞片倒卵形或椭圆形，长约 1cm，宽 5mm，膜质，被腺毛及白色小腺点，具腺毛状缘毛；花萼长约 1.3cm，具 4 棱，被腺毛及白色小

腺点，裂片长圆形，先端圆形，长约 5mm，具腺毛状缘毛，其余无毛或被极疏的腺毛，具白色小腺点；花瓣白色带红色、淡红色、红色或紫红色，倒卵状长圆形，先端圆形，具 1 腺毛尖头，长约 12mm，宽约 5mm，无毛；雄蕊长者长约 24mm，花药线形，基部钝，无瘤，长约 14mm，药隔微膨大成小距，短者长约 8mm，花药卵形，长约 3mm，基部无瘤，药隔不延长；子房先端具膜质冠，冠檐具缘毛。蒴果倒圆锥形，具 4 棱，最大处直径 4 ~ 5mm，长 6 ~ 10mm，顶孔 4 裂；宿存萼与果实同形，檐部缢缩，无毛，具白色小腺点。花期 6 ~ 9 月，果期 8 ~ 11 月。

| **生境分布** | 生于海拔 540 ~ 1700m 的山谷疏、密林下阴湿处或山坡草地土质肥厚地。分布于重庆璧山、永川、綦江、北碚等地。

| **资源情况** | 野生资源一般。药材主要来源于野生。

| **采收加工** | 夏、秋季采收，晒干或鲜用。

| **功能主治** | 甘、苦，凉。清热利湿，凉血消肿。用于痢疾，腹泻，吐血，痔血。

| **用法用量** | 内服煎汤，6 ~ 15g。外用适量，煎汤洗。

| **附　　注** | 在 FOC 中，本种被修订为异药花 *Fordiophyton faberi* Stapf。

野牡丹科 Melastomataceae 野牡丹属 *Melastoma*

地菍 *Melastoma dodecandrum* Lour.

| 药 材 名 | 地菍（药用部位：全草。别名：地稔、铺地菍、山地菍）、地菍果（药用部位：果实）、地菍根（药用部位：根）。

| 形态特征 | 小灌木，长 10 ~ 30cm。茎匍匐上升，逐节生根，分枝多，披散，幼时被糙伏毛，以后无毛。叶坚纸质，卵形或椭圆形，先端急尖，基部广楔形，长 1 ~ 4cm，宽 0.8 ~ 2（~ 3）cm，全缘或具密浅细锯齿，基出脉 3 ~ 5，叶面通常仅边缘被糙伏毛，有时基出脉行间被 1 ~ 2 行疏糙伏毛，背面仅沿基部脉上被极疏糙伏毛，侧脉互相平行；叶柄长 2 ~ 6mm，有时长达 15mm，被糙伏毛。聚伞花序，顶生，有花（1 ~）3，基部有叶状总苞 2，通常较叶小；花梗长 2 ~ 10mm，被糙伏毛，上部具苞片 2；苞片卵形，长 2 ~ 3mm，宽约 1.5mm，具缘毛，背面被糙伏毛；花萼管长约 5mm，被糙伏毛，

地菍

毛基部膨大成圆锥状，有时 2 ~ 3 簇生，裂片披针形，长 2 ~ 3mm，被疏糙伏毛，边缘具刺毛状缘毛，裂片间具 1 小裂片，较裂片小且短；花瓣淡紫红色至紫红色，菱状倒卵形，上部略偏斜，长 1.2 ~ 2cm，宽 1 ~ 1.5cm，先端有 1 束刺毛，被疏缘毛；雄蕊长者药隔基部延伸，弯曲，末端具 2 小瘤，花丝较伸延的药隔略短，短者药隔不伸延，药隔基部具 2 小瘤；子房下位，先端具刺毛。果实坛状球形，平截，近先端略缢缩，肉质，不开裂，长 7 ~ 9mm，直径约 7mm；宿存萼被疏糙伏毛。花期 5 ~ 7 月，果期 7 ~ 9 月。

| 生境分布 | 生于海拔 1250m 以下的山坡矮草丛中。分布于重庆秀山、江津、南川、石柱、酉阳等地。

| 资源情况 | 野生资源稀少。药材主要来源于野生。

| 采收加工 | 地菍：全年均可采收，洗净，晒干。

地菍果：7 ~ 9 月果实成熟时分批采收，晒干。

地菍根：8 ~ 12 月采挖，洗净，切碎，晒干或鲜用。

| 药材性状 | 地菍：本品多切段。根细小而弯曲；表面灰白色或黄白色，光滑或有细皱纹，栓皮剥落后呈淡红色；质坚硬，不易折断，断面淡红棕色，略显放射状纹理，中心有红棕色小髓。枝近无毛或被疏粗毛。叶对生，卵形、倒卵形或椭圆形，长 1 ~ 3cm，宽 0.8 ~ 2cm；先端短尖，基部浑圆；表面黄绿色或暗黄绿色，有主脉 3 ~ 5，上面边缘和背脉上被疏粗毛；叶柄长 2 ~ 4mm；质脆，易破碎。花、果少见。气微，味微甘、酸、涩。

| 功能主治 | 地菍：甘、酸、涩，凉。归肝、脾、胃、大肠经。清热化湿，祛瘀止痛，收敛止血。用于痛经，产后腹痛，崩漏，带下，痢疾便血，痈肿疔疮。

地菍果：甘，温。归肾、肝、脾经。补肾养血，止血安胎。用于肾虚精亏，腰膝酸软，血虚萎黄，气虚乏力，月经过多，崩漏，胎动不安，阴挺，脱肛。

地菍根：苦、微甘，平。归肝、脾、肺经。活血，止血，利湿解毒。用于痛经，难产，产后腹痛，胞衣不下，崩漏，带下，咳嗽，吐血，痢疾，黄疸，淋痛，久疟，风湿痛，牙痛，瘰疬，疝气，跌仆劳伤，毒蛇咬伤。

| 用法用量 | 地菍：内服煎汤，9 ~ 15g。外用适量，煎汤洗或捣敷。

地菍果：内服煎汤，10 ~ 30g；或浸酒。

地菍根：内服煎汤，9 ~ 15g，鲜品加倍；或捣汁。外用适量，煎汤洗；或捣敷。

| 附　　注 | 本种喜温暖湿润气候，稍耐旱。一般土壤均能种植，低洼积水地不宜栽培。

野牡丹科 Melastomataceae 野牡丹属 *Melastoma*

展毛野牡丹 *Melastoma normale* D. Don

展毛野牡丹

|药材名|

大金香炉（药用部位：根、叶。别名：假豆稔、豹牙郎、石老虎）。

|形态特征|

灌木，高 0.5 ~ 1m，稀 2 ~ 3m。茎钝四棱形或近圆柱形，分枝多，密被平展的长粗毛及短柔毛，毛常为褐紫色，长不过 3mm。叶片坚纸质，卵形至椭圆形或椭圆状披针形，先端渐尖，基部圆形或近心形，长 4 ~ 10.5cm，宽 1.4 ~ 3.5（~ 5）cm，全缘，基出脉 5，叶面密被糙伏毛；基出脉下凹，侧脉不明显，背面密被糙伏毛及密短柔毛，基出脉隆起，侧脉微隆起，细脉不明显；叶柄长 5 ~ 10mm，密被糙伏毛。伞房花序生于分枝先端，具花 3 ~ 7（~ 10），基部具叶状总苞片 2；苞片披针形至钻形，长 2 ~ 5mm，密被糙伏毛；花梗长 2 ~ 5mm，密被糙伏毛，毛扁平，边缘流苏状，有时分枝，裂片披针形，稀卵状披针形，与萼管等长或较萼管略长，先端渐尖，里面上部、外面及边缘被鳞片状糙伏毛及短柔毛，裂片间具 1 小裂片；花瓣紫红色，倒卵形，长约 2.7cm，先端圆形，仅具缘毛；雄蕊长者药隔基部伸长，末端 2 裂，常弯曲，短者药隔不伸长，花药基部两侧各具 1 小瘤；子房半下位，密被糙伏毛，先端具 1 圈密刚毛。蒴果坛状球形，先端平截，宿存萼与果实贴生，长 6 ~ 8mm，直径 5 ~ 7mm，密被鳞片状糙伏毛。花期春季至夏初，果期秋季。

| 生境分布 | 生于海拔 250 ~ 1400m 的开朗山坡灌丛中或疏林下。分布于重庆大足、南岸、璧山、忠县、涪陵、秀山、江津、长寿、永川、合川、潼南、铜梁、九龙坡、北碚、巴南、沙坪坝、荣昌等地。

| 资源情况 | 野生资源丰富。药材来源于野生。

| 采收加工 | 全年均可采挖根，洗净，切片，晒干。6 ~ 7 月采收叶，鲜用或晒干。

| 药材性状 | 本品根为不规则的块片，大小、厚薄不一。外皮浅棕红色或棕褐色，平坦，有浅的纵沟纹。皮薄，厚 0.5 ~ 2mm，易脱落，脱落处呈浅棕色，有细密弯曲的纵纹。质硬而致密，不易折断，断面浅黄棕色或浅棕色，中部颜色较深。气微，味涩。

| 功能主治 | 苦、涩，凉。行气利湿，化瘀止血，解毒。用于脘腹胀痛，肠炎，痢疾，肝炎，淋浊，咯血，吐血，衄血，便血，月经过多，痛经，带下，疝气痛，血栓性脉管炎，疮疡溃烂，带状疱疹，跌打肿痛。

| 用法用量 | 内服煎汤，9 ~ 15g；或浸酒。外用适量，捣敷、绞汁涂或研末敷。孕妇慎用。

| 附　　注 | （1）在 FOC 中，本种被修订为野牡丹 *Melastoma malabathricum* Linnaeus。

（2）本种喜温暖、阴湿环境。在土质疏松、富含腐殖质而湿润的壤土，并有一定的荫蔽条件下栽培较为适宜。

野牡丹科 Melastomataceae 金锦香属 *Osbeckia*

假朝天罐 *Osbeckia crinita* Benth. ex C. B. Clarke

| 药 材 名 | 仰天钟（药用部位：全草。别名：倒灌草、天罐子、七孔莲）、仰天钟根（药用部位：根。别名：朝天罐根）。

| 形态特征 | 灌木，高 0.2 ~ 1.5m，稀达 2.5m。茎四棱形，被疏或密平展的刺毛，有时从基部或从上部分枝。叶片坚纸质，长圆状披针形、卵状披针形至椭圆形，先端急尖至近渐尖，基部钝或近心形，长 4 ~ 9cm，稀达 13cm，宽 2 ~ 3.5cm，稀达 5cm，全缘，具缘毛，两面被糙伏毛；基出脉 5，叶面脉上无毛，背面仅脉上被糙伏毛；叶柄长 2 ~ 10（~ 15）mm，密被糙伏毛。总状花序，顶生，或每节有花 2，常仅 1 发育，或由聚伞花序组成圆锥花序；苞片 2，卵形，长约 4mm，具刺毛状缘毛，背面无毛或被疏糙伏毛；花梗短或几无；花萼长约 2cm，具多轮刺毛状的长柄星状毛，毛长达 2.5mm，裂片 4，线状披

假朝天罐

针形或钻形，长约 8mm；花瓣 4，紫红色，倒卵形，先端圆形，长约 1.5cm，具缘毛；雄蕊 8，分离，常偏向一侧，花丝与花药等长，花药具长喙，药隔基部微膨大，向前微伸，向后呈短距；子房卵形，4 室，先端有刚毛 20 ~ 22，上部被疏硬毛。蒴果卵形，4 纵裂；宿存萼坛形，近中部缢缩，先端平截，长 1.1 ~ 1.6（~ 1.8）cm，上部常具毛脱落后的斑痕，下部密被多轮刺毛状的有柄星状毛。花期 8 ~ 11 月，果期 10 ~ 12 月。

| 生境分布 | 生于海拔 300 ~ 2300m 的山坡向阳草地、矮灌丛中、山谷溪边、林缘湿润处。分布于重庆彭水、石柱、南川、江津等地。

| 资源情况 | 野生资源稀少。药材主要来源于野生。

| 采收加工 | 仰天钟：春季采收，鲜用或切段晒干。

仰天钟根：秋后采收，洗净，鲜用或切片晒干。

| 药材性状 | 仰天钟根：本品根头膨大，呈不规则团块状，先端有茎的残基。根呈长圆锥形或圆柱形，略弯曲，直径 1 ~ 3cm；表面浅棕黄色至黄棕色，粗糙，粗皮多已脱落，或残留部分呈薄片状。质坚硬，不易折断，断面黄白色，可见环纹或不规则条纹。气微，味酸、涩。

| 功能主治 | 仰天钟：甘、涩、微苦，平。归肺、肾、肝经。敛肺益肾，活血止血。用于久咳，虚喘，体虚头痛，风湿痹痛，淋浊，泻痢，便血，血崩，月经不调，带下，跌打瘀肿，外伤出血，烫火伤。

仰天钟根：苦、涩，微寒。清热解毒，调经止血。用于热痢，水泻，淋痛，水肿，肝炎，胆囊炎，风湿痛，咳喘，劳嗽，咯血，便血，崩漏，月经不调，经闭，带下，疮疡，痔疮。

| 用法用量 | 仰天钟：内服煎汤，6 ~ 15g；泡酒或研末。外用适量，煎汤洗、漱口；捣敷或研末敷。孕妇禁用。

仰天钟根：内服煎汤，6 ~ 15g；泡酒。外用适量，煎汤洗；研末或捣敷。

| 附　　注 | （1）在 FOC 中，本种被修订为星毛金锦香 *Osbeckia stellata* Buchanan-Hamilton ex Kew Gawler。

（2）本种喜温暖湿润气候，温度 25 ~ 28℃、湿度大的环境最适合其生长。对土壤要求不严，但以土层疏松、肥沃的壤土为好。

野牡丹科 Melastomataceae 金锦香属 *Osbeckia*

朝天罐 *Osbeckia opipara* C. Y. Wu et C. Chen.

| 药 材 名 | 罐子草（药用部位：枝叶。别名：仰天罐、高脚红缸、线鸡脚）、倒罐子根（药用部位：根）。

| 形态特征 | 灌木，高 0.3 ~ 1（~ 1.2）m。茎四棱形或稀六棱形，被平贴的糙伏毛或上升的糙伏毛。叶对生或有时 3 枚轮生；叶片坚纸质，卵形至卵状披针形，先端渐尖，基部钝或圆形，长 5.5 ~ 11.5cm，宽 2.3 ~ 3cm，全缘，具缘毛，两面除被糙伏毛外，尚密被微柔毛及透明腺点，基出脉 5；叶柄长 0.5 ~ 1cm，密被平贴糙伏毛。稀疏的聚伞花序组成圆锥花序，顶生，长 7 ~ 22cm 或更长；花萼长约 2.3cm，外面除被多轮的刺毛状有柄星状毛外，尚密被微柔毛，裂片 4，长三角形或卵状三角形，长约 1.1cm；花瓣深红色至紫色，卵形，长约 2cm；雄蕊 8，花药具长喙，药隔基部微膨大，末端具刺毛 2；子房先端具 1 圈短刚

朝天罐

毛，上半部被疏微柔毛。蒴果长卵形，为宿存萼所包；宿存萼长坛状，中部略上缢缩，长 1.4（～2）cm，被刺毛状有柄星状毛。花果期 7～9 月。

| 生境分布 | 生于海拔 750～1600m 的山坡、山谷、水边、路旁、疏林中或灌丛中。重庆各地均有分布。

| 资源情况 | 野生资源稀少。药材主要来源于野生。

| 采收加工 | 罐子草：全年均可采收，切段，晒干。

倒罐子根：秋后采挖，洗净，切片，晒干。

| 药材性状 | 罐子草：本品茎四棱形，被粗毛；表面棕褐色，直径 1～6mm。叶对生；椭圆状披针形，长 5～10cm，宽 2～3cm，先端渐尖，全缘，基部钝或近心形，深褐色，两面均被粗毛。圆锥花序顶生，或紧缩为伞房式；小苞片卵形；花瓣 4，浅紫色。

倒罐子根：本品根头膨大，呈不规则团块状，直径 1.3～3.5cm，上方有 1 至数个茎基痕。根呈长圆锥形或圆柱形，直径 0.4～3cm，常弯曲，有分枝。表面浅棕黄色或暗褐色，栓皮翘起部分呈薄片状，脱落处露出细密的纵皱纹。质坚硬，不易折断，横切面皮部褐色，木部黄白色，有时可见同心性环纹和放射纹。气微，味涩。

| 功能主治 | 罐子草：苦、甘，平。清热利湿，止血调经。用于湿热泻痢，淋痛，久咳，劳嗽，咯血，月经不调，带下。

倒罐子根：甘、微苦，平。止血，解毒。用于咯血，痢疾，咽喉痛。

| 用法用量 | 罐子草：内服煎汤，9～15g。

倒罐子根：内服煎汤，6～15g；或泡酒。

| 附　　注 | 在 FOC 中，本种被修订为星毛金锦香 *Osbeckia stellata* Buchanan-Hamilton ex Kew Gawler。

野牡丹科 Melastomataceae 肉穗草属 *Sarcopyramis*

肉穗草 *Sarcopyramis bodinieri* Lévl. et Vant.

| 药 材 名 | 肉穗草（药用部位：全草。别名：家阿麻）。

| 形态特征 | 小草本，纤细，高 5 ~ 12cm。具匍匐茎，无毛。叶片纸质，卵形或椭圆形，先端钝或急尖，基部钝、圆形或近楔形，长 1.2 ~ 3cm，宽 0.8 ~ 2cm，边缘具疏浅波状齿，齿间具小尖头，基出脉 3 ~ 5，叶面被疏糙伏毛；基出脉微隆起，侧脉不明显，绿色或紫绿色，有时沿基出脉及侧脉呈黄白色，背面通常无毛，有时沿侧脉被极少糙伏毛，通常呈紫红色，极稀为绿色，基出脉与侧脉隆起；叶柄长 3 ~ 11mm，无毛，具狭翅。聚伞花序，顶生，有花 1 ~ 3，稀 5，基部具 2 叶状苞片；苞片通常为倒卵形，被毛，总梗长 0.5 ~ 3（~ 4）cm，花梗长 1 ~ 3mm，常呈四棱形，棱上具狭翅；花萼长约 3mm，具 4 棱，棱上有狭翅，先端增宽而成垂直的长方形裂片，裂片背部具刺状尖

肉穗草

头，有时边缘微羽状分裂；花瓣紫红色至红色，宽卵形，略偏斜，长 3 ~ 4mm，先端急尖；雄蕊内向，花药黄色，近顶孔开裂，药隔基部伸延成短距，距上弯，长为药室的 1/2 左右；子房坛状，先端具膜质冠，冠檐具波状齿。蒴果通常白绿色，杯形，具 4 棱，膜质冠长出萼 1 倍；宿存萼与花时无异。花期 5 ~ 7 月，果期 10 ~ 12 月或翌年 1 月。

| 生境分布 | 生于海拔 700 ~ 1000m 的山谷密林下、阴湿处或石缝间。分布于重庆北碚、彭水、奉节、丰都、永川、江津、忠县、璧山等地。

| 资源情况 | 野生资源一般。药材来源于野生。

| 采收加工 | 春、夏季采收，洗净，切碎，晒干。

| 功能主治 | 甘、涩，凉。清热利湿，消肿解毒。用于热毒血痢，暑湿泄泻，肺热咳嗽，目赤肿痛，吐血，疔疮肿毒，外伤红肿，毒蛇咬伤。

| 用法用量 | 内服煎汤，15 ~ 30g；或泡酒。

野牡丹科 Melastomataceae 肉穗草属 *Sarcopyramis*

楮头红 *Sarcopyramis nepalensis* Wall.

|药 材 名| 楮头红（药用部位：全草。别名：风槙斗草、卫环草）。

|形态特征| 直立草本，高 10 ~ 30cm。茎四棱形，肉质，无毛，上部分枝。叶膜质，广卵形或卵形，稀近披针形，先端渐尖，基部楔形或近圆形，微下延，长（2 ~ ）5 ~ 10cm，宽（1 ~ ）2.5 ~ 4.5cm，边缘具细锯齿；基出脉 3 ~ 5，叶面被疏糙伏毛，基出脉微凹，侧脉微隆起，背面被微柔毛或几无毛，基出脉、侧脉隆起；叶柄长（0.8 ~ ）1.2 ~ 2.8cm，具狭翅。聚伞花序，生于分枝先端，有花 1 ~ 3，基部具 2 叶状苞片；苞片卵形，近无柄；花梗长 2 ~ 6mm，四棱形，棱上具狭翅；花萼长约 5mm，四棱形，棱上有狭翅，裂片先端平截，具流苏状长缘毛；花瓣粉红色，倒卵形，先端平截，偏斜，另一侧具小尖头，长约 7mm；雄蕊等长，花丝向下渐宽，花药长为花丝的 1/2，药隔

楮头红

基部下延成极短的距或微凸起，距长为药室长的 1/4 ~ 1/3，上弯；子房先端具膜质冠，冠缘浅波状，微 4 裂。蒴果杯形，具 4 棱，膜质冠伸出花萼 1 倍；宿存萼及裂片与花时同。花期 8 ~ 10 月，果期 9 ~ 12 月。

| 生境分布 | 生于海拔 500 ~ 1400m 的密林下阴湿处或溪边。分布于重庆丰都、铜梁、云阳、江津、綦江、沙坪坝等地。

| 资源情况 | 野生资源一般。药材来源于野生。

| 采收加工 | 秋季采收，鲜用或晒干。

| 药材性状 | 本品多干燥皱缩，长约 15cm。茎四棱形，直径 1 ~ 2mm，无毛；表面红色或棕色，偶有白色斑点。叶对生，多皱缩破碎，黄色或黄绿色，椭圆形或狭卵形，长 2 ~ 6.1cm，宽 1 ~ 3.3cm，基部浅心形，边缘有细齿及缘毛。聚伞花序顶生，花紫色，直径约 1.5cm；萼筒杯状，裂片 4。气微，味酸。

| 功能主治 | 苦、甘，微寒。归肺、肝经。清热平肝，利湿解毒。用于肺热咳嗽，头目眩晕，耳鸣，耳聋，目赤羞明，肝炎，风湿痹痛，跌打伤肿，蛇头疔，无名肿毒。

| 用法用量 | 内服煎汤，25 ~ 50g；或炖肉。

| 附　　注 | 在 FOC 中，本种被修订为楮头红 *Sarcopyramis napalensis* Wallich。

柳叶菜科 Onagraceae 露珠草属 *Circaea*

高山露珠草 *Circaea alpina* L.

高山露珠草

|药材名|

高山露珠草（药用部位：全草。别名：就就草、咀儿草）。

|形态特征|

粗壮草本，高 3 ~ 50cm，无毛，或茎上被短镰状毛、花序上被腺毛。根茎先端有块茎状加厚。叶形变异极大，自狭卵状菱形或椭圆形至近圆形，长 1 ~ 11cm，宽 0.7 ~ 5.5（~ 8）cm，基部狭楔形至心形，先端急尖至短渐尖，边缘近全缘至具尖锯齿。顶生总状花序长 12（~ 17）cm，花梗与花序轴垂直或花梗上升或直立，基部有时有 1 刚毛状小苞片；花芽无毛，稀近无毛；花萼无或短，最长达 0.6mm，萼片白色或粉红色，稀紫红色，或只先端淡紫色，矩圆状椭圆形、卵形、阔卵形或三角状卵形，长 0.8 ~ 2mm，宽 0.6 ~ 1.3mm，无毛，先端钝圆或微呈乳突状，伸展或微反曲；花瓣白色，狭倒三角形、倒三角形、倒卵形至阔倒卵形，长 0.5 ~ 2mm，宽 0.6 ~ 1.9mm，先端无凹缺至凹达花瓣的中部，花瓣裂片圆形至截形，稀呈细圆齿状；雄蕊直立或上升，稀伸展，与花柱等长或略长于花柱；蜜腺不明显，藏于花管内。果实棒状至倒卵状，长 1.6 ~ 2.7mm，直径

0.5 ~ 1.2mm，基部平滑地渐狭向果梗，1 室，具种子 1，表面无纵沟，但果梗延伸部分有浅槽；成熟果实连果梗长 3.5 ~ 7.8mm。

| 生境分布 | 生于海拔 1800 ~ 2500m 的山地溪边或疏林下。分布于重庆开州、涪陵、南川等地。

| 资源情况 | 野生资源稀少。药材主要来源于野生。

| 采收加工 | 7 ~ 8 月采收，晒干。

| 功能主治 | 甘、苦，微寒。养心安神，消食，止咳，解毒，止痒。用于心悸，失眠，多梦，疳积，咳嗽，疮疡脓肿，湿疣，癣痒。

| 用法用量 | 内服煎汤，6 ~ 15g；或研末。外用适量，捣敷；或煎汤洗。

柳叶菜科 Onagraceae 露珠草属 *Circaea*

露珠草 *Circaea cordata* Royle

| 药 材 名 | 牛泷草（药用部位：全草。别名：夜抹光、三角叶）。

| 形态特征 | 粗壮草本，高 20 ~ 150cm，被平伸的长柔毛、镰状外弯的曲柔毛和先端头状或棒状的腺毛，毛被通常较密。根茎不具块茎。叶狭卵形至宽卵形，中部叶长 4 ~ 11（~ 13）cm，宽 2.3 ~ 7（~ 11）cm，基部常心形，有时阔楔形至阔圆形或截形，先端短渐尖，边缘具锯齿至近全缘。单总状花序顶生，或基部具分枝，长 2 ~ 20cm；花梗长 0.7 ~ 2mm，与花序轴垂直生或在花序先端簇生，被毛，基部有 1 极小的刚毛状小苞片；花芽或多或少被直或微弯稀具钩的长毛；花管长 0.6 ~ 1mm；萼片卵形至阔卵形，长 2 ~ 3.7mm，宽 1.4 ~ 2mm，白色或淡绿色，开花时反曲，先端钝圆形；花瓣白色，倒卵形至阔倒卵形，长 1 ~ 2.4mm，宽 1.2 ~ 3.1mm，先端倒心形，凹缺深至

露珠草

花瓣长度的 1/2 ~ 2/3，花瓣裂片阔圆形；雄蕊伸展，略短于花柱或与花柱近等长；蜜腺不明显，全部藏于花管之内。果实斜倒卵形至透镜形，长 3 ~ 3.9mm，直径 1.8 ~ 3.3mm，2 室，具种子 2，背面压扁，基部斜圆形或斜截形，边缘及子房室之间略显木栓质增厚，但不具明显的纵沟；成熟果实连果梗长 4.4 ~ 7mm。花期 6 ~ 8 月，果期 7 ~ 9 月。

| 生境分布 | 生于排水良好的落叶林。分布于重庆丰都、巫山、彭水、綦江、石柱、武隆、北碚、垫江、巫溪等地。

| 资源情况 | 野生资源一般。药材主要来源于野生，亦有少量栽培。

| 采收加工 | 秋季采收，鲜用或晒干。

| 功能主治 | 苦、辛，微寒。清热解毒，止血生肌。用于疮痈肿毒，疥疮，外伤出血。

| 用法用量 | 内服煎汤，6 ~ 12g。外用适量，捣敷；或研末调敷。

| 附　　注 | 本种喜阴凉湿润环境。栽培以含腐殖质多而肥沃的壤土为宜。

柳叶菜科 Onagraceae 露珠草属 *Circaea*

谷蓼 *Circaea erubescens* Franch. et Sav.

| 药 材 名 | 谷蓼（药用部位：全株）。

| 形态特征 | 多年生草本，高 10 ~ 120cm，无毛。根茎上无块茎。叶披针形至卵形，稀阔卵形，长 2.5 ~ 10cm，宽 1 ~ 6cm，基部阔楔形至圆形或截形，稀近心形，先端短渐尖，边缘具锯齿。顶生总状花序不分枝或基部分枝，长 2 ~ 20cm；花梗与花序轴垂直，基部通常无刚毛状小苞片，如有小苞片，则通常于果实成熟前脱落；花芽无毛；花管长 0.5 ~ 0.8mm；萼片矩圆状椭圆形至披针形，长 0.6 ~ 2.5mm，宽 0.8 ~ 1.2mm，红色至紫红色，先端渐尖，开花时反曲；花瓣狭倒卵状菱形至阔倒卵状菱形或倒卵形，长 0.8 ~ 1.7mm，宽 0.7 ~ 1mm，粉红色，先端凹缺至花瓣长度的 1/10 ~ 1/5；花瓣裂片具细圆齿或具小的二级裂片；雄蕊短于花柱；蜜腺伸出花管之外。果实长

谷蓼

1.7 ~ 3.2mm，直径 1.2 ~ 2.1mm，2 室，具种子 2，倒卵形至阔卵形，略呈背向压扁，基部平滑地渐狭向果梗，纵沟不明显，但果实上有 1 狭槽至果梗之延伸部分；成熟果实连果梗长 6 ~ 12mm。花期 6 ~ 9 月，果期 7 ~ 9 月。

| 生境分布 | 生于砾石河谷或渗水隙缝、山涧路边或土层深厚、肥沃的温带落叶林中。分布于重庆彭水、酉阳、万州、忠县、武隆、南川等地。

| 资源情况 | 野生资源稀少。药材主要来源于野生。

| 采收加工 | 夏、秋季采收，晒干。

| 功能主治 | 苦、辛，寒。清热解毒，化瘀止血。用于无名肿毒，疮疔，刀伤出血，疥癣。

| 用法用量 | 内服煎汤，适量。

柳叶菜科 Onagraceae 露珠草属 *Circaea*

南方露珠草 *Circaea mollis* Sieb. et Zucc.

南方露珠草

|药 材 名|

南方露珠草（药用部位：全草或根。别名：拐子菜、辣椒七、白辣蓼草）。

|形态特征|

多年生草本，高25 ~ 150cm，被镰状弯曲毛。根茎不具块茎。叶狭披针形、阔披针形至狭卵形，长3 ~ 16cm，宽2 ~ 5.5cm，基部楔形，稀圆形，先端狭渐尖至近渐尖，近全缘至边缘具锯齿。顶生总状花序常于基部分枝，稀为单总状花序，长1.5 ~ 4cm，甚至达20cm，生于侧枝先端的总状花序通常不分枝；花梗与花序轴垂直，基部不具或稀具1极小的刚毛状小苞片，花梗常被毛，花芽无毛或被曲的和直的、先端头状和棒状的腺毛；花管长0.5 ~ 1mm；萼片长1.6 ~ 2.9mm，宽1 ~ 1.5mm，淡绿色或带白色，开花时伸展或略反曲，先端短渐尖至钝圆或微呈乳突状；花瓣白色，阔倒卵形，长0.7 ~ 1.8mm，宽1 ~ 2.6mm，先端下凹至花瓣长度的1/4 ~ 1/2；雄蕊开花时通常直伸，短于或偶尔等于、稀长于花柱；蜜腺明显，凸出花管之外。果实狭梨形至阔梨形或球形，长2.6 ~ 3.5mm，直径2 ~ 3.2mm，基部凹凸不平地、不对称地渐狭至果梗，果实2室，

具种子 2，纵沟极明显；果梗常明显反曲，成熟果实连梗长 5 ~ 7mm。花期 7 ~ 9 月，果期 8 ~ 10 月。

| 生境分布 | 生于落叶阔叶林中。分布于重庆城口、巫溪、巫山、奉节、万州、酉阳、黔江、彭水、秀山、南川、江津、长寿、璧山、北碚等地。

| 资源情况 | 野生资源一般。药材主要来源于野生。

| 采收加工 | 夏、秋季采收全草，鲜用或晒干。秋季采挖根，除去地上部分，洗净泥土，鲜用或晒干。

| 功能主治 | 辛、苦，平。祛风除湿，活血消肿，清热解毒。用于风湿痹痛，跌打瘀肿，乳痈，瘰疬，疮肿，无名肿毒，毒蛇咬伤。

| 用法用量 | 内服煎汤，3 ~ 9g；或绞汁。外用适量，捣敷。

柳叶菜科 Onagraceae 柳叶菜属 *Epilobium*

毛脉柳叶菜 *Epilobium amurense* Hausskn.

| 药 材 名 | 毛脉柳叶菜（药用部位：全草。别名：柳叶菜、兴安柳叶菜、小柳叶菜）。

| 形态特征 | 多年生直立草本，秋季自茎基部生出短的肉质多叶的根出条，伸长后有时成莲座状芽，稀成匍匐枝条。茎高（10 ~ ）20 ~ 50（ ~ 80）cm，直径 1.5 ~ 4mm，不分枝或有少数分枝，上部被曲柔毛和腺毛，中、下部甚至上部有时常有明显的毛棱线，其余无毛，稀全株无毛。叶对生，花序上的互生，近无柄或茎下部的有很短的叶柄，卵形，有时长圆状披针形，长 2 ~ 7cm，宽 0.5 ~ 2.5cm，先端锐尖，有时近渐尖或钝形，基部圆形或宽楔形，边缘每边有 6 ~ 25 锐齿；侧脉每侧 4 ~ 6，下面常隆起，脉上与边缘被曲柔毛，其余无毛。花序直立，有时初期稍下垂，常被曲柔毛与腺毛；花在芽时近直立；花蕾

毛脉柳叶菜

椭圆状卵形，长 1.5 ~ 2.4mm，常疏被曲柔毛与腺毛；子房长 1.5 ~ 2.8mm，被曲柔毛与腺毛；花管长 0.6 ~ 0.9mm，直径 1.5 ~ 1.8mm，喉部有 1 环长柔毛；萼片披针状长圆形，长 3.5 ~ 5mm，宽 0.8 ~ 1.9mm，疏被曲柔毛，在基部接合处腋间有 1 束毛；花瓣白色、粉红色或玫瑰紫色，倒卵形，长 5 ~ 10mm，宽 2.4 ~ 4.5mm，先端凹缺深 0.8 ~ 1.5mm；花药卵状，长 0.4 ~ 0.7mm，宽 0.3 ~ 0.4mm；外轮花丝长 2.8 ~ 4mm，内轮花丝长 1.2 ~ 2.8mm；花柱长 2 ~ 4.7mm，有时近基部疏生长毛；柱头近头状，长 1 ~ 1.5mm，直径 1 ~ 1.3mm，先端近平，开花时围以外轮花药或稍伸出。蒴果长 1.5 ~ 7cm，疏被柔毛至无毛，果梗长 0.3 ~ 1.2cm；种子长圆状倒卵形，长 0.8 ~ 1mm，宽 0.3 ~ 0.4mm，深褐色，先端近圆形，具不明显短喙，表面具粗乳突，种缨污白色，长 6 ~ 9mm，易脱落。花期（5 ~）7 ~ 8 月，果期（6 ~）8 ~ 10（~ 12）月。

| 生境分布 | 生于海拔 700 ~ 2500m 的溪边、沼泽地、草坡、林缘。分布于重庆城口、开州、巫溪、巫山、奉节、万州、丰都、秀山、武隆、南川、长寿等地。

| 资源情况 | 野生资源稀少。药材来源于野生。

| 采收加工 | 7 ~ 8 月采收，晒干或鲜用。

| 功能主治 | 苦、涩，平。收敛固脱。用于月经过多，带下赤白，久痢，久泻。

| 用法用量 | 内服煎汤，6 ~ 15g。

| 附　　注 | 本分类群的茎粗细与高矮、叶形、花色等变异很大，其主要区别在于茎有明显的 2 条毛棱线，萼片之间基部有 1 束密毛，柱头头状，先端常近平截等。以花白色为特征命名的 *Epilobium laetum* Wall. ex Hausskn.（来源于喜马拉雅尼泊尔较低海拔标本）及以植株细小特征命名的 *Epilobium tenue* Komarov（来源于朝鲜标本）都是本分类群的变种，应予以归并。

柳叶菜科 Onagraceae 柳叶菜属 *Epilobium*

柳兰 *Epilobium angustifolium* L.

柳兰

|药材名|

柳兰（药用部位：全草或根茎、种缨。别名：红筷子、山麻条、遍山红）。

|形态特征|

多年生粗壮草本，直立，丛生。根茎广泛匍匐于表土层，长达 2m，直径达 2cm，木质化，自茎基部生出强壮的越冬根出条。茎高 20 ~ 130cm，直径 2 ~ 10mm，不分枝或上部分枝，圆柱形，无毛，下部多少木质化，表皮撕裂状脱落。叶螺旋状互生，稀近基部对生，无柄，茎下部叶近膜质，披针状长圆形至倒卵形，长 0.5 ~ 2cm，常枯萎，褐色，中上部叶近革质，线状披针形或狭披针形，长（3 ~ ）7 ~ 14（ ~ 19）cm，宽（0.3 ~ ）0.7 ~ 1.3（ ~ 2.5）cm，先端渐狭，基部钝圆或有时宽楔形，上面绿色或淡绿色，两面无毛，近全缘或具稀疏浅小齿，稍微反卷；侧脉常不明显，每侧 10 ~ 25，近平展或稍上斜出至近边缘处网结。花序总状，直立，长 5 ~ 40cm，无毛；苞片下部的叶状，长 2 ~ 4cm，上部的很小，三角状披针形，长不及 1cm；花芽时下垂，开放时直立展开；花蕾倒卵状，长 6 ~ 12mm，直径 4 ~ 6mm；子房淡红色或紫红色，长 0.6 ~ 2cm，被贴

生灰白色柔毛；花梗长 0.5 ~ 1.8cm；花管缺；花盘深 0.5 ~ 1mm，直径 2 ~ 4mm；萼片紫红色，长圆状披针形，长 6 ~ 15mm，宽 1.5 ~ 2.5mm，先端渐狭渐尖，被灰白色柔毛；花瓣粉红色至紫红色，稀白色，稍不等大，上面 2 枚较大，倒卵形或狭倒卵形，长 9 ~ 15（~ 19）mm，宽 3 ~ 9（~ 11）mm，全缘或先端具浅凹缺；花药长圆形，长 2 ~ 2.5mm，初期红色，开裂时变紫红色，产生带蓝色花粉，花粉粒常 3 孔，直径平均 67.7μm，花丝长 7 ~ 14mm；花柱长 8 ~ 14mm，开放时强烈反折，后恢复直立，下部被长柔毛；柱头白色，4 深裂，裂片长圆状披针形，长 3 ~ 6mm，宽 0.6 ~ 1mm，上面密生小乳突。蒴果长 4 ~ 8cm，密被贴生白灰色柔毛，果梗长 0.5 ~ 1.9cm；种子狭倒卵形，长 0.9 ~ 1mm，直径 0.35 ~ 0.45mm，先端短渐尖，具短喙，褐色，表面近光滑但具不规则的细网纹，种缨丰富，长 10 ~ 17mm，灰白色，不易脱落。花期 6 ~ 9 月，果期 8 ~ 10 月。

| 生境分布 | 生于海拔 1500 ~ 2500m 的山地林缘或亚高山草甸中。分布于重庆巫溪、城口、巫山、万州、开州等地。

| 资源情况 | 野生资源稀少。药材来源于野生。

| 采收加工 | 夏、秋季采收，晒干或鲜用。

| 功能主治 | 全草，利水渗湿，理气消胀，活血调经。用于水肿，泄泻，食积胀满，月经不调，乳汁不通，阴囊肿大，疮疹痒痛。种缨，敛疮止血。用于刀伤，出血。根茎，活血祛瘀，接骨，止痛。用于跌打伤肿，骨折，风湿痹痛，痛经。

| 用法用量 | 内服煎汤，15 ~ 30g。外用适量，捣敷。

| 附　　注 | （1）在 FOC 中，本种的拉丁学名被修订为 *Chamerion angustifolium* (Linnaeus) Holub。

（2）本种为喜光植物，喜凉爽湿润气候，不耐炎热，耐寒性强，稍耐阴。适生于湿润、肥沃、腐殖质丰富的土壤。在土壤肥沃、排水良好地方生长旺盛。

柳叶菜科 Onagraceae 柳叶菜属 *Epilobium*

沼生柳叶菜 *Epilobium palustre* L.

| 药 材 名 | 沼生柳叶菜（药用部位：全草。别名：独木牛、水湿柳叶菜）。

| 形态特征 | 多年生直立草本。自茎基部底下或地上生出纤细的越冬匍匐枝，长5～50cm，稀疏的节上生成对的叶，顶生肉质鳞芽，次年鳞叶变褐色，生于茎基部。茎高（5～）15～70cm，直径0.5～5.5mm，不分枝或分枝；有时中部叶腋有退化枝，圆柱形，无棱线，周围被曲柔毛，有时下部近无毛。叶对生，花序上的互生，近线形至狭披针形，长1.2～7cm，宽0.3～1.2（～1.9）cm，先端锐尖或渐尖，有时稍钝，基部近圆形或楔形，全缘或边缘每边有5～9不明显浅齿；侧脉每侧3～5，不明显，下面脉上与边缘疏生曲柔毛或近无毛；叶柄缺或稀长1～3mm。花序花前直立或稍下垂，密被曲柔毛，有时混生腺毛；花近直立；花蕾椭圆状卵形，长2～3mm，直

沼生柳叶菜

径 1.8 ~ 2.2mm；子房长 1.6 ~ 2.5（~ 3）cm，密被曲柔毛与稀疏的腺毛；花柄长 0.8 ~ 1.5cm；花管长 1 ~ 1.2mm，直径 1.3 ~ 2mm，喉部近无毛或有 1 圈稀疏的毛；萼片长圆状披针形，长 2.5 ~ 4.5mm，宽 1 ~ 1.2mm，先端锐尖，密被曲柔毛与腺毛；花瓣白色至粉红色或玫瑰紫色，倒心形，长（3 ~）5 ~ 7（~ 9）mm，宽 2 ~ 3（~ 4.5）mm，先端凹缺深 0.8 ~ 1mm；花药长圆状，长 0.4 ~ 0.6mm，宽 0.2 ~ 0.4mm；花丝外轮长 2 ~ 2.8mm，内轮的长 1.2 ~ 1.5mm；花柱长 1.4 ~ 3.8mm，直立，无毛，柱头棍棒状至近圆柱形，长 1 ~ 1.8mm，直径 0.4 ~ 0.7mm，开花时稍伸出外轮花药。蒴果长 3 ~ 9cm，被曲柔毛，果梗长 1 ~ 5cm；种子棱形至狭倒卵形，长（1.1 ~）1.3 ~ 2.2mm，直径 0.38 ~ 0.55mm，先端具长喙，长 0.08 ~ 0.3mm，褐色，表面具细小乳突，种缨灰白色或褐黄色，长 6 ~ 9mm，不易脱落。花期 6 ~ 8 月，果期 8 ~ 9 月。

| 生境分布 | 生于湖塘、沼泽、河谷、溪沟旁、亚高山与高山草地湿润处。分布于重庆涪陵、南川、巫山等地。

| 资源情况 | 野生资源稀少。药材主要来源于野生。

| 采收加工 | 8 ~ 9 月采收，洗净，晒干。

| 功能主治 | 苦，凉。疏风清热，解毒利咽，止咳，利湿。用于风热咳嗽，音哑，咽喉肿痛，肺热咳嗽，水肿，淋痛，湿热泻痢，风湿热痹，疮痈，毒虫咬伤。

| 用法用量 | 内服煎汤，6 ~ 20g；或捣汁。外用适量，捣敷；或煎汤洗。

| 附　　注 | 本种喜光、喜凉爽湿润气候，因此，栽培时要注意多浇水，这样有利于植株生长发育。宜选择排水良好、肥沃、湿润的土壤栽培，因而须定期施肥及浇水。

柳叶菜科 Onagraceae 柳叶菜属 *Epilobium*

小花柳叶菜 *Epilobium parviflorum* Schreber

| 药 材 名 | 水虾草（药用部位：全草。别名：野合香、山芝麻、棒棒草）、水虾草根（药用部位：根。别名：地母怀胎草根）。

| 形态特征 | 多年生粗壮草本，直立。秋季自茎基部生出地上生的越冬莲座状叶芽。茎长 18 ~ 100（~ 160）cm，直径 3 ~ 10mm，在上部常分枝，周围混生长柔毛与短腺毛，下部被伸展的灰色长柔毛，同时叶柄下延的棱线多少明显。叶对生，茎上部叶互生，狭披针形或长圆状披针形，长 3 ~ 12cm，宽 0.5 ~ 2.5cm，先端近锐尖，基部圆形，边缘每侧具 15 ~ 60 不等距的细牙齿，两面被长柔毛，侧脉每侧 4 ~ 8；叶柄近无或长 1 ~ 3mm。总状花序直立，常分枝；苞片叶状；花直立，花蕾长圆状倒卵球形，长 3 ~ 5mm，直径 2 ~ 3mm；子房长 1 ~ 4cm，密被直立短腺毛，有时混生少数长柔毛；花梗长 0.3 ~ 1cm；花管

小花柳叶菜

长 1 ~ 1.9mm，直径 1.3 ~ 2.5mm，在喉部有 1 圈长毛；萼片狭披针形，长 2.5 ~ 6mm，背面隆起呈龙骨状，被腺毛与长柔毛；花瓣粉红色至鲜玫瑰紫红色，稀白色，宽倒卵形，长 4 ~ 8.5mm，宽 3 ~ 4.5mm，先端凹缺深 1 ~ 3.5mm；雄蕊长圆形，长 0.5 ~ 1.3mm，直径 0.35 ~ 0.6mm，花丝外轮长 2.6 ~ 6mm，内轮长 1.2 ~ 3.5mm；花柱直立，长 2.6 ~ 6mm，白色至粉红色，无毛；柱头 4 深裂，裂片长圆形，长 1 ~ 1.8mm，初时直立，后下弯，与雄蕊近等长。蒴果长 3 ~ 7cm，被毛同子房上的，果梗长 0.5 ~ 1.8cm；种子倒卵状球形，长 0.8 ~ 1.1mm，直径 0.4 ~ 0.5mm，先端圆形，具很不明显的喙，褐色，表面具粗乳突，种缨长 5 ~ 9mm，深灰色或灰白色，易脱落。花期 6 ~ 9 月，果期 7 ~ 10 月。

| 生境分布 | 生于海拔 350 ~ 2500m 的山区河谷、溪流、湖泊湿润地或向阳荒坡草地。分布于重庆黔江、忠县、涪陵、丰都、綦江、江津、垫江、城口、巫山、万州、酉阳、彭水、秀山、南川等地。

| 资源情况 | 野生资源一般。药材来源于野生。

| 采收加工 | 水虾草：秋季采收，鲜用或晒干。

水虾草根：秋季采挖，洗净，切片，晒干或鲜用。

| 功能主治 | 水虾草：辛、淡，寒。散风止咳，清热止泻。用于感冒发热，咳嗽，暑热水泻，疔疮肿毒。

水虾草根：辛、苦，平。祛风除湿，舒筋活血。用于风湿痹痛，劳伤腰痛，跌打骨折，赤白带下。

| 用法用量 | 水虾草：内服煎汤，10 ~ 30g。外用适量，捣敷。

水虾草根：内服煎汤，6 ~ 15g；或泡酒。外用适量，捣敷。

柳叶菜科 Onagraceae 柳叶菜属 *Epilobium*

长籽柳叶菜 *Epilobium pyrricholophum* Franch. et Savat.

长籽柳叶菜

药材名

心胆草（药用部位：全草。别名：日本柳叶菜、水朝阳花、小对经草）。

形态特征

多年生草本。自茎基部生出纤细的越冬匍匐枝条，其节上叶小，近圆形，近全缘，先端钝形。茎高 25 ~ 80cm，直径 2.5 ~ 7mm，圆柱状，常多分枝，或在小型植株上不分枝，周围密被曲柔毛与腺毛。叶对生，花序上的互生，排列密，长过节间，近无柄，卵形至宽卵形，茎上部叶有时披针形，长 2 ~ 5cm，宽 0.5 ~ 2cm，先端锐尖或下部的近钝形，基部钝或圆形，有时近心形，边缘每边具 7 ~ 15 锐锯齿；侧脉每侧 4 ~ 6，下面隆起，两面尤脉上被曲柔毛，茎上部的还混生腺毛。花序直立，密被腺毛与曲柔毛；花直立；花蕾狭卵状，长 4 ~ 8mm，直径 2.5 ~ 5mm；子房长 1.5 ~ 3cm，密被腺毛；花梗长 0.4 ~ 0.7cm；花管长 1 ~ 1.2cm，直径 1.8 ~ 3mm，喉部有 1 圈白色长毛；萼片披针状长圆形，长 4 ~ 7mm，宽 1 ~ 1.2mm，被曲柔毛与腺毛；花瓣粉红色至紫红色，倒卵形至倒心形，长 6 ~ 8mm，宽 3 ~ 4.5mm，先端凹缺深 1 ~ 1.4mm；花药卵状，长 0.7 ~

1.3mm，宽 0.3 ~ 0.6mm；花丝外轮长 2.5 ~ 3.5mm，内轮长 1.8 ~ 2.5mm；花柱直立，长 2.8 ~ 4mm，无毛，柱头棍棒状或近头状，高 2 ~ 3mm，直径 1 ~ 2.3mm，稍高出外轮雄蕊或近等高。蒴果长 3.5 ~ 7cm，被腺毛，果梗长 0.7 ~ 1.5cm；种子狭倒卵形，长 1.5 ~ 1.8mm，直径 0.35 ~ 0.5mm，先端渐尖，具 1 明显长约 0.1mm 的喙，褐色，表面具细乳突，种缨红褐色，长 7 ~ 12mm，常宿存。花期 7 ~ 9 月，果期 8 ~ 11 月。

| 生境分布 | 生于海拔 150 ~ 1770m 的林下沟边或沼泽地。分布于重庆黔江、丰都、南川、奉节、万州、石柱等地。

| 资源情况 | 野生资源稀少。药材主要来源于野生。

| 采收加工 | 夏、秋季采收，洗净，晒干或鲜用。

| 药材性状 | 本品根茎上生多数须根。叶对生，上部互生，近无柄，完整者呈卵形或卵状披针形，长约 5cm，宽约 2cm，先端钝尖，边缘具不规则疏齿。花单生茎顶叶腋。蒴果线状长圆柱形，长达 6cm。种子长椭圆形，长约 1.5mm，先端具 1 簇淡棕黄色种缨。气微，味微苦。

| 功能主治 | 苦、辛，凉。清热利湿，止血安胎，解毒消肿。用于痢疾，吐血，咯血，便血，月经过多，胎动不安，痈疮疖肿，烫火伤，跌打伤肿，外伤出血。

| 用法用量 | 内服煎汤，5 ~ 15g。外用适量，捣敷；或研粉调敷；或取种子冠毛敷。

柳叶菜科 Onagraceae 丁香蓼属 *Ludwigia*

假柳叶菜 *Ludwigia epilobioides* Maxim.

| 药 材 名 | 假柳叶菜（药用部位：全草或根）。

| 形态特征 | 一年生粗状直立草本。茎高30～150cm，四棱形，带紫红色，多分枝，无毛或被微柔毛。叶狭椭圆形至狭披针形，长（2～）3～10cm，宽（0.5～）0.7～2cm，先端渐尖，基部狭楔形；侧脉每侧8～13，两面隆起，在近边缘彼此环结，但不明显，脉上疏被微柔毛；叶柄长4～13mm；托叶很小，卵状三角形，长约1.5mm。萼片4～5（～6），三角状卵形，长2～4.5mm，宽0.6～2.8mm，先端渐尖，被微柔毛；花瓣黄色，倒卵形，长2～2.5mm，宽0.8～1.2mm，先端圆形，基部楔形；雄蕊与萼片同数，花丝长0.5～1mm；花药宽长圆状，长约0.5mm，开花时以单花粉直接授在柱头上；花柱粗短，长1～0.5mm；柱头球形，直径0.6～0.8mm，先端微凹；

假柳叶菜

花盘无毛。蒴果近无梗，长 1 ~ 2.8cm，直径 1.2 ~ 2mm，初时具 4 ~ 5 棱，表面瘤状隆起，成熟时淡褐色，内果皮增厚变硬成木栓质，表面变平滑，使果实呈圆柱形，每室有 1 或 2 列稀疏嵌于内果皮的种子；果皮薄，成熟时不规则开裂；种子狭卵球形，稍歪斜，长 0.7 ~ 1.4mm，直径 0.3 ~ 0.4mm，先端具钝突尖，基部偏斜，淡褐色，表面具红褐色纵条纹，其间有横向的细网纹；种脊不明显。花期 8 ~ 10 月，果期 9 ~ 11 月。

| **生境分布** | 生于湖、塘、稻田、溪边等湿润处。分布于重庆綦江、黔江、云阳、涪陵、长寿、江津、垫江、北碚、城口、巫溪、巫山、奉节、南川等地。

| **资源情况** | 野生资源一般。药材来源于野生。

| **功能主治** | 全草，清热解毒，利尿通淋，化瘀止血。用于肺热咳嗽，咽喉肿痛，目赤肿痛，湿热泻痢，黄疸，淋痛，水肿，带下，吐血，尿血，肠风便血，疔肿，疥疮，跌打伤肿，外伤出血，蛇虫，狂犬咬伤。根，清热利尿，消肿生肌。用于急性肾炎，刀伤。

| **用法用量** | 内服煎汤，适量。外用适量，捣敷。

柳叶菜科 Onagraceae 丁香蓼属 *Ludwigia*

丁香蓼 *Ludwigia prostrata* Roxb.

丁香蓼

| 药材名 |

丁香蓼（药用部位：全草。别名：丁子蓼、红豇豆、喇叭草）、丁香蓼根（药用部位：根）。

| 形态特征 |

一年生直立草本。茎高 25 ~ 60cm，直径 2.5 ~ 4.5mm，下部圆柱形，上部四棱形，常淡红色，近无毛，多分枝，小枝近水平开展。叶狭椭圆形，长 3 ~ 9cm，宽 1.2 ~ 2.8cm，先端锐尖或稍钝，基部狭楔形，在下部骤变窄；侧脉每侧 5 ~ 11，至近边缘渐消失，两面近无毛或幼时脉上疏生微柔毛；叶柄长 5 ~ 18mm，稍具翅；托叶几乎全退化。萼片 4，三角状卵形至披针形，长 1.5 ~ 3mm，宽 0.8 ~ 1.2mm，疏被微柔毛或近无毛；花瓣黄色，匙形，长 1.2 ~ 2mm，宽 0.4 ~ 0.8mm，先端近圆形，基部楔形；雄蕊 4，花丝长 0.8 ~ 1.2mm，花药扁圆形，宽 0.4 ~ 0.5mm，开花时以四合花粉直接授在柱头上；花柱长约 1mm；柱头近卵形或球形，直径约 0.6mm；花盘围以花柱基部，稍隆起，无毛。蒴果四棱形，长 1.2 ~ 2.3cm，直径 1.5 ~ 2mm，淡褐色，无毛，成熟时迅速不规则室背开裂；果梗长 3 ~ 5mm。种子呈 1 列横卧于每室内，里生，卵形，长0.5～0.6mm，直径约0.3mm，先端稍偏斜，具小尖头，表面有横条排成的棕褐色纵横条纹；种脊线形，长约0.4mm。花期6～7月，果期8～9月。

| 生境分布 | 生于海拔100～700m的稻田、河滩、溪谷旁湿处。分布于重庆潼南、秀山等地。

| 资源情况 | 野生资源稀少。药材来源于野生。

| 采收加工 | 丁香蓼：夏、秋季采收，除去杂质，干燥。
丁香蓼根：秋季采挖，洗净，晒干或鲜用。

| 药材性状 | 丁香蓼：本品全株光滑，无毛，长0.2～1m，直径0.2～0.8cm。主根明显，多分枝。茎基部平卧或斜升，节上多根；上部多分枝，有棱角约5，暗紫色或棕绿色；易折断，断面灰白色，中空。单叶互生，多皱缩，完整者展平后呈披针形，全缘，先端渐尖，基部渐狭，长4～7cm，宽1～2cm。花1～2，腋生，无梗；花萼、花瓣均4～5裂，萼宿存，花瓣椭圆形，先端钝圆，基部窄或呈短爪状，早落。蒴果条状四棱形，直立或弯曲，紫红色，先端具宿萼。种子细小，光滑，棕黄色。气微，味咸、微苦。

| 功能主治 | 丁香蓼：苦，凉。归肺、肝、胃、膀胱经。清热解毒，利湿消肿。用于肠炎，痢疾，病毒性肝炎，肾炎水肿，膀胱炎，痔疮，带下。
丁香蓼根：苦，凉。清热利尿，消肿生肌。用于急性肾炎，刀伤。

| 用法用量 | 丁香蓼：内服煎汤，10～15g。
丁香蓼根：内服煎汤，9～15g。外用适量，捣敷。

柳叶菜科 Onagraceae 月见草属 *Oenothera*

月见草 *Oenothera biennis* L.

月见草

| 药 材 名 |

月见草（药用部位：根。别名：山芝麻、夜来香）、月见草油（药材来源：种子的脂肪油）、月见草子（药用部位：成熟种子）。

| 形态特征 |

直立二年生粗壮草本，基生莲座叶丛紧贴地面。茎高 50 ~ 200cm，不分枝或分枝，被曲柔毛与伸展长毛（毛的基部疱状），在茎枝上端常混生有腺毛。基生叶倒披针形，长 10 ~ 25cm，宽 2 ~ 4.5cm，先端锐尖，基部楔形，边缘疏生不整齐的浅钝齿，侧脉每侧 12 ~ 15，两面被曲柔毛与长毛，叶柄长 1.5 ~ 3cm；茎生叶椭圆形至倒披针形，长 7 ~ 20cm，宽 1 ~ 5cm，先端锐尖至短渐尖，基部楔形，边缘每边有 5 ~ 19 稀疏钝齿，侧脉每侧 6 ~ 12，每边两面被曲柔毛与长毛，尤茎上部叶的下面与叶缘常混生有腺毛，叶柄长不及 15mm。花序穗状，不分枝，或在主序下面具次级侧生花序；苞片叶状，芽时长及花的 1/2，长大后椭圆状披针形，自下向上由大变小，近无柄，长 1.5 ~ 9cm，宽 0.5 ~ 2cm，果时宿存；花蕾锥状长圆形，长 1.5 ~ 2cm，直径 4 ~ 5mm，先端具长约 3mm 的喙；花管长 2.5 ~ 3.5cm，直径

1 ~ 1.2mm，黄绿色或开花时带红色，被混生的柔毛、伸展的长毛与短腺毛；花后脱落；萼片绿色，有时带红色，长圆状披针形，长 1.8 ~ 2.2cm，下部宽大处 4 ~ 5mm，先端骤缩成尾状，长 3 ~ 4mm，在芽时直立，彼此靠合，开放时自基部反折，但又在中部上翻，毛被同花管；花瓣黄色，稀淡黄色，宽倒卵形，长 2.5 ~ 3cm，宽 2 ~ 2.8cm，先端微凹缺；花丝近等长，长 10 ~ 18mm；花药长 8 ~ 10mm，花粉约 50% 发育；子房绿色，圆柱形，具 4 棱，长 1 ~ 1.2cm，直径 1.5 ~ 2.5mm，密被伸展长毛与短腺毛，有时混生曲柔毛；花柱长 3.5 ~ 5cm，伸出花管部分长 0.7 ~ 1.5cm；柱头围以花药，开花时花粉直接授在柱头裂片上，裂片长 3 ~ 5mm。蒴果锥状圆柱形，向上变狭，长 2 ~ 3.5cm，直径 4 ~ 5mm，直立，绿色，毛被同子房，但渐变稀疏，具明显的棱；种子在果实中呈水平状排列，暗褐色，棱形，长 1 ~ 1.5mm，直径 0.5 ~ 1mm，具棱角，各面具不整齐洼点。

| 生境分布 | 生于开旷荒坡路旁，或栽培于庭园。分布于重庆潼南、南川、巴南、北碚、江津等地。

| 资源情况 | 野生和栽培资源均稀少。药材主要来源于栽培。

| 采收加工 | 月见草：秋季采挖，除去泥土，晒干。

月见草油：7 ~ 8 月果实成熟时采收果实，晒干，压碎并筛去果壳，收集种子，用 CO_2 超临界萃取等方法提取脂肪油。

月见草子：夏末、秋季果实成熟时，剪（割）果序或全株拔起，晒干，压或敲打，收集种子，除去杂质。

| 药材性状 | 月见草子：本品呈类三角形、半圆形或不规则形，长 1.1 ～ 1.5mm，宽 0.5 ～ 1mm。种皮红褐色、棕褐色至深褐色，表面呈粗颗粒状，不平坦，具锐棱角，各棱角具隆起的细棱线；种脐不明显；胚乳黄白色，富油性。质较脆，手捻外皮易脱落。种子遇水有黏液。气微，味淡。

| 功能主治 | 月见草：甘、苦，温。祛风湿，强筋骨。用于风寒湿痹，筋骨酸软。

月见草油：苦、微辛，平。活血通络，息风平肝，消肿敛疮。用于胸痹心痛，中风偏瘫，虚风内动，小儿多动，风湿麻痛，腹痛泄泻，痛经，狐惑，疮疡，湿疹。

月见草子：甘，温。归心、肾、脾经。祛风湿，强筋骨，化浊降脂。用于风湿痹证，筋骨疼痛，痰浊湿盛所致肥胖症。

| 用法用量 | 月见草：内服煎汤，5 ～ 15g。

月见草油：制成胶丸、软胶囊等内服，每次 1 ～ 2g，每日 2 ～ 3 次。

月见草子：内服煎汤，5 ～ 15g。

| 附　　注 | 本种生性强健，耐寒，耐瘠薄，喜光照，忌积涝。耐酸耐旱，对土壤要求不严，一般中性、微碱性或微酸性土及排水良好、疏松的土壤上均能生长，但在土壤太湿处，根部易得病。

柳叶菜科 Onagraceae 月见草属 *Oenothera*

粉花月见草 *Oenothera rosea* L'Her. ex Ait.

粉花月见草

|药 材 名|

粉花月见草（药用部位：根）。

|形态特征|

多年生草本。具粗大主根（直径达 1.5cm）。茎常丛生，上升，长 30 ~ 50cm，多分枝，被曲柔毛，上部幼时密生、有时混生长柔毛，下部常紫红色。基生叶紧贴地面，倒披针形，长 1.5 ~ 4cm，宽 1 ~ 1.5cm，先端锐尖或钝圆，自中部渐狭或骤狭，并不规则羽状深裂下延至柄，叶柄淡紫红色，长 0.5 ~ 1.5cm，开花时基生叶枯萎；茎生叶灰绿色，披针形或长圆状卵形，长 3 ~ 6cm，宽 1 ~ 2.2cm，先端下部的钝状锐尖，中、上部的锐尖至渐尖，基部宽楔形并骤缩下延至柄，边缘具齿突，基部细羽状裂，侧脉 6 ~ 8 对，两面被曲柔毛，叶柄长 1 ~ 2cm。花单生茎、枝顶部叶腋，近早晨日出时开放；花蕾绿色，锥状圆柱形，长 1.5 ~ 2.2cm，先端萼齿紧缩成喙；花管淡红色，长 5 ~ 8mm，被曲柔毛；萼片绿色，带红色，披针形，长 6 ~ 9mm，宽 2 ~ 2.5mm，先端萼齿长 1 ~ 1.5mm，背面被曲柔毛，开花时反折再向上翻；花瓣粉红色至紫红色，宽倒卵形，长 6 ~ 9mm，宽 3 ~ 4mm，先端钝圆，具 4 ~ 5 对羽状脉；

花丝白色至淡紫红色，长 5 ~ 7mm；花药粉红色至黄色，长圆状线形，长约 3mm，花粉约 50% 发育；子房花期狭椭圆状，长约 8mm，连同花梗长 6 ~ 10mm，密被曲柔毛；花柱白色，长 8 ~ 12mm，伸出花管部分长 4 ~ 5mm；柱头红色，围以花药，裂片长约 2mm，花粉直接授在裂片上。蒴果棒状，长 8 ~ 10mm，直径 3 ~ 4mm，具 4 纵翅，翅间具棱，先端具短喙，果梗长 6 ~ 12mm；种子每室多数，近横向簇生，长圆状倒卵形，长 0.7 ~ 0.9mm，直径 0.3 ~ 0.5mm。花期 4 ~ 11 月，果期 9 ~ 12 月。

| **生境分布** | 生于海拔 1000 ~ 2000m 的荒地草地、沟边半阴处。分布于重庆武隆等地。

| **资源情况** | 野生资源较少。药材主要来源于栽培。

| **采收加工** | 秋季采挖，除去泥土，晒干。

| **功能主治** | 消炎。用于高血压。

| **用法用量** | 内服煎汤，适量。外用适量，捣敷。

柳叶菜科 Onagraceae 月见草属 *Oenothera*

黄花月见草 *Oenothera glazioviana* Mich.

| 药 材 名 | 月见草油（药材来源：种子的脂肪油）。

| 形态特征 | 直立二年生至多年生草本。具粗大主根。茎高 70 ~ 150cm，直径 6 ~ 20mm，不分枝或分枝，常密被曲柔毛与疏生伸展长毛（毛基红色疱状），在茎枝上部常密混生短腺毛。基生叶莲座状，倒披针形，长 15 ~ 25cm，宽 4 ~ 5cm，先端锐尖或稍钝，基部渐狭并下延为翅，边缘自下向上有远离的浅波状齿，侧脉 5 ~ 8 对，白色或红色，上部深绿色至亮绿色，两面被曲柔毛与长毛，叶柄长 3 ~ 4cm；茎生叶螺旋状互生，狭椭圆形至披针形，自下向上变小，长 5 ~ 13cm，宽 2.5 ~ 3.5cm，先端锐尖或稍钝，基部楔形，边缘疏生远离的齿突，侧脉 8 ~ 12 对，毛被同基生叶，叶柄长 2 ~ 15mm，向上变短。花序穗状，生于茎枝先端，密生曲柔毛、长毛与短腺毛；苞片卵形至

黄花月见草

披针形，无柄，长 1 ~ 3.5cm，宽 5 ~ 12mm，毛被同花序上的；花蕾锥状披针形，斜展，长 2.5 ~ 4cm，直径 5 ~ 7mm，先端具长约 6mm 的喙；花管长 3.5 ~ 5cm，直径 1 ~ 1.3mm，疏被曲柔毛、长毛与腺毛；萼片黄绿色，狭披针形，长 3 ~ 4cm，宽 5 ~ 6mm，先端尾状，彼此靠合，开花时反折，毛被同花管，但较密；花瓣黄色，宽倒卵形，长 4 ~ 5cm，宽 4 ~ 5.2cm，先端钝圆或微凹；花丝近等长，长 1.8 ~ 2.5cm；花药长 10 ~ 12mm，花粉约 50% 发育；子房绿色，圆柱形，具 4 棱，长 8 ~ 12mm，直径 1.5 ~ 2mm，毛被同萼片；花柱长 5 ~ 8cm，伸出花管部分长 2 ~ 3.5cm；柱头开花时伸出花药，裂片长 5 ~ 8mm。蒴果锥状圆柱形，向上变狭，长 2.5 ~ 3.5cm，直径 5 ~ 6mm，具纵棱与红色的槽，毛被同子房，但较稀疏；种子棱形，长 1.3 ~ 2mm，直径 1 ~ 1.5mm，褐色，具棱角，各面具不整齐洼点，有约一半败育。花期 5 ~ 10 月，果期 8 ~ 12 月。

| 生境分布 | 生于开旷荒地、田园路边，或栽培于公园等。分布于重庆荣昌、北碚等地。

| 资源情况 | 野生和栽培资源均稀少。药材主要来源于栽培。

| 采收加工 | 7 ~ 8 月果实成熟时采收果实，晒干，压碎并筛去果壳，收集种子，用 CO_2 超临界萃取等方法提取脂肪油。

| 功能主治 | 苦、微辛、微甘，平。活血通络，息风平肝，消肿敛疮。用于胸痹心痛，中风偏瘫，虚风内动，小儿多动，风湿麻痛，腹痛泄泻，痛经，狐惑，疮疡，湿疹。

| 用法用量 | 制成胶丸、软胶囊等内服，每次 1 ~ 2g，每日 2 ~ 3 次。

| 附　　注 | 本种源于栽培或野化于欧洲的一个杂交种，1860 年由英国传布至各国园艺栽培。本种最早的名称是 1868 年 Marlius（1875）根据 Glaziou 采自巴西的栽培材料命名的，后迅速传布全球，并逸出野化。

柳叶菜科 Onagraceae 月见草属 *Oenothera*

待宵草 *Oenothera stricta* Ledeb. et Link

| 药 材 名 | 待霄草（药用部位：根）。

| 形态特征 | 直立或外倾一年生或二年生草本。具主根。茎不分枝或自莲座状叶丛斜生出分枝，高 30 ~ 100cm，被曲柔毛与伸展长毛，上部混生腺毛。基生叶狭椭圆形至倒线状披针形，长 10 ~ 15cm，宽 0.8 ~ 1.2cm，先端渐狭锐尖，基部楔形，边缘具远离浅齿，两面及边缘被曲柔毛与长柔毛；茎生叶无柄，绿色，长 6 ~ 10cm，宽 5 ~ 8mm，由下向上渐小，先端渐狭锐尖，基部心形，边缘每侧有 6 ~ 10 齿突，两面被曲柔毛，中脉及边缘被长柔毛，侧脉不明显。花序穗状，花疏生茎及枝中部以上叶腋；苞片叶状，卵状披针形至狭卵形，长 2 ~ 3cm，宽 4 ~ 7mm，先端锐尖，基部心形，边缘疏生齿突或全缘，两面被曲柔毛与腺毛，中脉与边缘被长毛；花蕾绿色或黄绿色，

待宵草

直立，长圆形或披针形，长 1.5 ~ 3cm，直径达 7mm，先端具直立或叉开的萼齿，长 2 ~ 3mm，密被曲柔毛、腺毛与疏生长毛；花管长 2.5 ~ 4.5cm；萼片黄绿色，披针形，长 1.5 ~ 2.5cm，宽 4 ~ 6mm，开花时反折；花瓣黄色，基部具红斑，宽倒卵形，长 1.5 ~ 2.7cm，宽 1.2 ~ 2.2cm，先端微凹；花丝长 1.5 ~ 2cm，花药长 7 ~ 11mm，花粉约 50% 发育；子房长 1.3 ~ 2cm；花柱长 3.5 ~ 6.5cm，伸出花管部分长 1.5 ~ 2cm；柱头围以花药，裂片长 3 ~ 5mm，花粉直接授在裂片上。蒴果圆柱形，长 2.5 ~ 3.5cm，直径 3 ~ 4mm，被曲柔毛与腺毛；种子在果实内斜伸，宽椭圆形，无棱角，长 1.4 ~ 1.8mm，直径 0.5 ~ 0.7mm，褐色，表面具整齐洼点。花期 4 ~ 10 月，果期 6 ~ 11 月。

| 生境分布 | 栽培于公园等。分布于重庆巫山、云阳、万州、石柱等地。

| 资源情况 | 栽培资源稀少。药材主要来源于栽培。

| 采收加工 | 秋季采挖，除去泥土，晒干。

| 功能主治 | 辛、微苦，微寒。疏风清热，平肝明目，祛风舒筋。用于风热感冒，咽喉肿痛，目赤，雀目，风湿痹痛。

| 用法用量 | 内服煎汤，6 ~ 15g。

| 附　　注 | 本种喜阳光，喜温暖气候。宜在肥沃而排水良好的砂壤土中栽培。

小二仙草科 Haloragidaceae 小二仙草属 *Haloragis*

小二仙草 *Haloragis micrantha* (Thunb.) R. Br. ex Sieb. et Zucc.

小二仙草

| 药 材 名 |

小二仙草（药用部位：全草。别名：豆瓣草、女儿红、沙生草）。

| 形态特征 |

多年生陆生草本，高 5 ~ 45cm。茎直立或下部平卧，具纵槽，多分枝，多少粗糙，带赤褐色。叶对生，卵形或卵圆形，长 6 ~ 17mm，宽 4 ~ 8mm，基部圆形，先端短尖或钝，边缘具稀疏锯齿，通常两面无毛，淡绿色，背面带紫褐色，具短柄；茎上部叶有时互生，逐渐缩小而变为苞片。花序为顶生圆锥花序，由纤细的总状花序组成；花两性，极小，直径约 1mm，基部具 1 苞片与 2 小苞片；萼筒长 0.8mm，4 深裂，宿存，绿色，裂片较短，三角形，长 0.5mm；花瓣 4，淡红色，比萼片长 2 倍；雄蕊 8，花丝短，长 0.2mm，花药线状椭圆形，长 0.3 ~ 0.7mm；子房下位，2 ~ 4 室。坚果近球形，小形，长 0.9 ~ 1mm，宽 0.7 ~ 0.9mm，有 8 纵钝棱，无毛。花期 4 ~ 8 月，果期 5 ~ 10 月。

| 生境分布 |

生于荒山草丛中。分布于重庆垫江、忠县、大足、九龙坡、江津、丰都、永川、云阳、

涪陵、璧山、南川、长寿、綦江、奉节、铜梁、巫溪、南岸、梁平、巴南、荣昌、沙坪坝等地。

|资源情况| 野生资源丰富。药材主要来源于野生，亦有少量栽培。

|采收加工| 夏季采收，洗净，鲜用或晒干。

|功能主治| 苦、涩，凉。归肺、大肠、膀胱、肝经。止咳平喘，清热利湿，调经活血。用于咳嗽，哮喘，热淋，便秘，痢疾，月经不调，跌损骨折，疔疮，乳痈，烫火伤，毒蛇咬伤。

|用法用量| 内服煎汤，10 ~ 20g，鲜品 20 ~ 60g；或捣、绞汁。外用适量，干品研末调敷；或鲜品捣散。

|附　　注| （1）在 FOC 中，本种的拉丁学名被修订为 *Gonocarpus micranthus* Thunberg。

（2）本种喜温暖湿润气候。生长适温 25 ~ 28℃，以肥沃、潮湿砂土或砂壤土栽种为宜，黏土不宜栽培。

小二仙草科 Haloragidaceae 狐尾藻属 *Myriophyllum*

穗状狐尾藻 *Myriophyllum spicatum* L.

| 药 材 名 | 聚藻（药用部位：全草。别名：水藻、水蕴、鳃草）。

| 形态特征 | 多年生沉水草本。根茎发达，在水底泥中蔓延，节部生根。茎圆柱形，长 1 ~ 2.5m，分枝极多。叶常 5 轮生（或 4 ~ 6 轮生、或 3 ~ 4 轮生），长 3.5cm，丝状全细裂，裂片约 13 对，细线形，长 1 ~ 1.5cm；叶柄极短或不存在。花两性、单性或杂性，雌雄同株，单生苞片状叶腋内，常 4 朵轮生，由多数花排成近裸颓的顶生或腋生穗状花序，长 6 ~ 10cm，生于水面上；如为单性花，则上部为雄花，下部为雌花，中部有时为两性花，基部有 1 对苞片，其中 1 片稍大，广椭圆形，长 1 ~ 3mm，全缘或呈羽状齿裂；雄花萼筒广钟状，先端 4 深裂，平滑，花瓣 4，阔匙形，凹陷，长 2.5mm，先端圆形，粉红色，雄蕊 8，花药长椭圆形，长 2mm，淡黄色，无花梗；雌花萼筒管状，

穗状狐尾藻

4深裂，花瓣缺，或不明显，子房下位、4室，花柱4，很短，偏于一侧，柱头羽毛状，向外反转，具4胚珠，大苞片矩圆形，全缘或有细锯齿，较花瓣为短，小苞片近圆形，边缘有锯齿。分果广卵形或卵状椭圆形，长2～3mm，具纵深沟4，沟缘表面光滑。花期从春季到秋季陆续开放，4～9月陆续结果。

| 生境分布 | 生于池塘、河沟、沼泽中。重庆各地均有分布。

| 资源情况 | 野生资源丰富。药材主要来源于野生。

| 采收加工 | 4～10月，隔2个月采收1次，每次采收池塘中的1/2，鲜用、晒干或烘干。

| 功能主治 | 甘、淡，寒。清热，凉血，解毒。用于热病烦渴，赤白痢，丹毒，疮疖，烫火伤。

| 用法用量 | 内服煎汤，鲜品15～30g；或捣汁。外用适量，鲜品捣敷。

小二仙草科 Haloragidaceae 狐尾藻属 *Myriophyllum*

狐尾藻 *Myriophyllum verticillatum* L.

| 药 材 名 | 狐尾藻（药用部位：全草。别名：轮叶狐尾藻、布拉狐尾、粉绿狐尾藻）。

| 形态特征 | 多年生粗壮沉水草本。根茎发达，在水底泥中蔓延，节部生根。茎圆柱形，长 20 ~ 40cm，多分枝。叶通常 4 轮生，或 3 ~ 5 轮生；水中叶较长，长 4 ~ 5cm，丝状全裂，无叶柄，裂片 8 ~ 13 对，互生，长 0.7 ~ 1.5cm；水上叶互生，披针形，较强壮，鲜绿色，长约 1.5cm，裂片较宽。秋季于叶腋中生出棍棒状冬芽而越冬。苞片羽状、篦齿状分裂。花单性、雌雄同株或杂性，单生水上叶叶腋内，每轮有 4 花，花无柄，比叶片短；雌花生于水上茎下部叶腋中，萼片与子房合生，先端 4 裂，裂片较小，长不到 1mm，卵状三角形，花瓣 4，舟状，早落，雌蕊 1，子房广卵形，4 室，柱头 4 裂，裂

狐尾藻

片三角形，花瓣 4，椭圆形，长 2 ~ 3mm，早落；雄花雄蕊 8，花药椭圆形，长 2mm，淡黄色，花丝丝状，开花后伸出花冠外。果实广卵形，长 3mm，具 4 浅槽，先端具残存的萼片及花柱。

| 生境分布 | 生于池塘、河沟、沼泽中。分布于重庆长寿、南川等地。

| 资源情况 | 野生资源稀少。药材主要来源于野生。

| 采收加工 | 全年均可采收。

| 功能主治 | 清热解毒。用于痢疾，热毒疖肿，丹毒，烫火伤。

| 用法用量 | 内服煎汤，鲜品 15 ~ 30g；或捣汁。外用适量，鲜品捣敷。

| 附　　注 | 本种在微碱性的土壤中生长良好。喜温暖湿润、阳光充足环境，不耐寒，入冬后地上部分逐渐枯死，以根茎在泥中越冬。

杉叶藻科 Hippuridaceae 杉叶藻属 *Hippuris*

杉叶藻 *Hippuris vulgaris* L.

杉叶藻

| 药 材 名 |

杉叶藻（药用部位：全草）。

| 形态特征 |

多年生水生草本，全株光滑无毛。茎直立，多节，常带紫红色，高 8 ~ 150cm，上部不分枝，下部合轴分枝，有匍匐白色或棕色肉质根茎，节上生多数纤细棕色须根，生于泥中。叶条形，轮生，二型，无柄，（4 ~ ）8 ~ 10（ ~ 12）轮生。沉水中的根茎粗大，圆柱形，直径 3 ~ 5mm，茎中具多孔隙贮气组织，白色或棕色，节上生多数须根；叶线状披针形，长 1.5 ~ 2.5cm，宽 1 ~ 1.5mm，全缘，较弯曲细长，柔软脆弱，茎中部叶最长，向上或向下渐短。露出水面的根茎较沉水叶根茎细小，节间亦短，节间长 5 ~ 15mm，直径 3 ~ 5mm，表面平滑，茎中空隙少而小；叶条形或狭长圆形，长 1.5 ~ 2.5（ ~ 6）cm，宽 1 ~ 1.5cm，无柄，全缘，与深水叶相比稍短而挺直，羽状脉不明显，先端有一半透明，易断离成二叉状扩大的短锐尖。花细小，两性，稀单性，无梗，单生叶腋；花萼与子房大部分合生，呈卵状椭圆形，花萼全缘，常带紫色；无花盘；雄蕊 1，生于子房上略偏一侧；花丝细，常短于花柱，被疏毛或无毛，花药红色，椭圆形，“个”字形着生，先端常靠在花药背部两药室之间，2 裂，长约 1mm；子房下位，椭圆形，长不到 1mm，1 室，内有 1 倒生胚珠，胚珠有 1 单层珠被，珠孔完全闭合，有珠柄，花柱宿存，针状，稍长于花丝，被疏毛；雌蕊先熟，主要为风媒传粉。果实小坚果状，卵状椭圆形，长 1.2 ~ 1.5mm，直径约 1mm，表面平滑，无毛，外果皮薄，内果皮厚而硬，不开裂，内有种子 1，外种皮具胚乳。花期 4 ~ 9 月，果期 5 ~ 10 月。

| 生境分布 | 生于海拔 240 ~ 1500m 的池沼、湖泊、溪流、江河两岸浅水或稻田中。重庆各地均有分布。

| 资源情况 | 野生资源丰富。药材主要来源于野生。

| 采收加工 | 夏、秋季采收，晒干或鲜用。

| 功能主治 | 清热解毒。

| 用法用量 | 内服煎汤，适量。外用适量，捣敷。

八角枫科 Alangiaceae 八角枫属 *Alangium*

八角枫 *Alangium chinense* (Lour.) Harms

| 药 材 名 | 八角枫（药用部位：侧根、细须根。别名：白龙须、白金条、白筋条）、八角枫叶（药用部位：叶。别名：大风药叶）、八角枫花（药用部位：花。别名：牛尾巴花）。

| 形态特征 | 落叶乔木或灌木，高 3 ~ 5m，稀达 15m，胸径 20cm。小枝略呈"之"字形，幼枝紫绿色，无毛或被稀疏柔毛；冬芽锥形，生于叶柄的基部内，鳞片细小。叶纸质，近圆形或椭圆形、卵形，先端短锐尖或钝尖，基部两侧常不对称，一侧微向下扩张，另一侧向上倾斜，阔楔形、截形，稀近心形，长 13 ~ 19（~ 26）cm，宽 9 ~ 15（~ 22）cm，不分裂或 3 ~ 7（~ 9）裂，裂片短锐尖或钝尖，叶上面深绿色，无毛，下面淡绿色，除脉腋被丛状毛外，其余部分近无毛；基出脉 3 ~ 5（~ 7），呈掌状，侧脉 3 ~ 5 对；叶

八角枫

柄长 2.5 ~ 3.5cm，紫绿色或淡黄色，幼时被微柔毛，后无毛。聚伞花序腋生，长 3 ~ 4cm，被稀疏微柔毛，有 7 ~ 30（~ 50）花，花梗长 5 ~ 15mm；小苞片线形或披针形，长 3mm，常早落；总花梗长 1 ~ 1.5cm，常分节；花冠圆筒形，长 1 ~ 1.5cm；花萼长 2 ~ 3mm，先端分裂为 5 ~ 8 齿状萼片，长 0.5 ~ 1mm，宽 2.5 ~ 3.5mm；花瓣 6 ~ 8，线形，长 1 ~ 1.5cm，宽 1mm，基部粘合，上部开花后反卷，外面被微柔毛，初为白色，后变黄色；雄蕊和花瓣同数而近等长，花丝略扁，长 2 ~ 3mm，被短柔毛，花药长 6 ~ 8mm，药隔无毛，外面有时有褶皱；花盘近球形；子房 2 室，花柱无毛，疏生短柔毛，柱头头状，常 2 ~ 4 裂。核果卵圆形，长 5 ~ 7mm，直径 5 ~ 8mm，幼时绿色，成熟后黑色，先端有宿存萼齿和花盘，种子 1。花期 5 ~ 7 月和 9 ~ 10 月，果期 7 ~ 11 月。

| 生境分布 | 生于海拔 250 ~ 2200m 的山地或疏林中。分布于重庆黔江、垫江、綦江、大足、潼南、彭水、长寿、酉阳、奉节、石柱、万州、秀山、永川、江津、城口、丰都、璧山、南川、涪陵、忠县、云阳、武隆、开州、铜梁、巫溪、北碚、巫山、梁平、巴南、荣昌、合川等地。

| 资源情况 | 栽培资源丰富。药材主要来源于栽培。

| 采收加工 | 八角枫：夏、秋季采挖，除去泥沙，晒干。

八角枫叶：夏季采收，鲜用或晒干研粉。

八角枫花：5 ~ 7 月采收，晒干。

| 药材性状 | 八角枫：本品侧根呈圆柱形，略波状弯曲，长短不一，直径 2 ~ 8mm；有分枝，可见须根痕；表面灰黄色至棕黄色，栓皮显纵裂纹或剥落；质坚脆，断面不平坦，纤维性，黄白色。细须根着生于侧根中下部，纤长，略弯曲，有分枝，长 20 ~ 40cm，直径约 2mm；表面黄棕色，具细纵纹，有的外皮纵裂；质硬而脆，断面黄白色，粉性。气微，味淡。

| 功能主治 | 八角枫：辛、苦，温；有毒。归肝经。祛风除湿，舒筋活络，散瘀止痛。用于风湿痹痛，四肢麻木，跌打损伤。

八角枫叶：苦、辛，平；有小毒。归肝、肾经。化瘀接骨，解毒杀虫。用于跌打瘀肿，骨折，疮肿，乳痈，乳头皲裂，漆疮，疥癣，刀伤出血。

八角枫花：辛，平；有小毒。归肝、胃经。散风，理气，止痛。用于头风头痛，胸腹胀痛。

|用法用量| 八角枫：内服煎汤，须根 1.5 ~ 3g，侧根 3 ~ 6g；或泡酒服（一般宜饭后服）。外用适量，煎汤洗患处。内服不宜过量，小儿及体虚者慎用，孕妇忌服。

八角枫叶：外用适量，鲜品捣敷；煎汤洗；研末撒。

八角枫花：内服煎汤，3 ~ 10g；或研末。

|附　　注| 本种为阳性树，稍耐阴，对土壤要求不严，喜肥沃、疏松、湿润的土壤，具一定耐寒性，萌芽力强，耐修剪，根系发达，适应性强。

八角枫科 Alangiaceae 八角枫属 *Alangium*

稀花八角枫 *Alangium chinense* (Lour.) Harms subsp. *pauciflorum* Fang

| 药 材 名 | 稀花八角枫（药用部位：根）。

| 形态特征 | 本种与原亚种八角枫的区别在于为纤细的灌木或小乔木；叶较小，卵形，先端锐尖，常不分裂，稀 3（～ 5）微裂，长 6 ～ 9cm，宽 4 ～ 6cm；花较稀少，每花序仅 3 ～ 6 花，花瓣、雄蕊均 8，花丝被白色疏柔毛。

| 生境分布 | 生于海拔 500 ～ 1800m 杂木林中。分布于重庆彭水、涪陵、酉阳、南川、巴南、城口、巫溪、奉节等地。

| 资源情况 | 野生资源稀少。药材主要来源于野生。

稀花八角枫

| **采收加工** | 夏、秋季采挖，洗净，切片，晒干。

| **功能主治** | 祛风除湿，舒筋活血。用于风湿痹痛，四肢麻木，跌打损伤。

| **用法用量** | 内服煎汤，适量。外用适量，捣敷。

八角枫科 Alangiaceae 八角枫属 *Alangium*

深裂八角枫 *Alangium chinense* (Lour.) Harms subsp. *triangulare* (Wanger.) Fang

| 药 材 名 | 深裂八角枫（药用部位：根）。

| 形态特征 | 本种与原亚种八角枫的区别在于叶基部三角形或近圆形，常 3 ~ 5 深裂，裂片披针形或近卵形，凹缺深达于叶片中部。

| 生境分布 | 生于海拔 1200 ~ 1600m 的丛林中或林边。分布于重庆城口、南川、开州、武隆等地。

| 资源情况 | 栽培资源稀少。药材主要来源于栽培。

| 采收加工 | 夏、秋季采挖，洗净，切片，晒干。

| 功能主治 | 祛风除湿，舒筋活血。用于风湿痹痛，四肢麻木，跌打损伤。

深裂八角枫

| **用法用量** | 内服煎汤，适量。外用适量，捣敷。

八角枫科 Alangiaceae 八角枫属 *Alangium*

小花八角枫 *Alangium faberi* Oliv.

| 药 材 名 | 小花八角枫（药用部位：根、叶。别名：九牛造、伪八角枫、狭叶八角枫）。

| 形态特征 | 落叶灌木，高 1 ~ 4m。树皮平滑，灰褐色或深褐色；小枝纤细，近圆柱形，淡绿色或淡紫色，幼时被紧贴的粗伏毛，其后近无毛；冬芽圆锥状卵圆形，鳞片卵形，外面被黄色短柔毛。叶薄纸质至膜质，不裂或掌状 3 裂，不分裂者矩圆形或披针形，先端渐尖或尾状渐尖，基部倾斜，近圆形或心形，通常长 7 ~ 12cm，稀达 19cm，宽 2.5 ~ 3.5cm，上面绿色，幼时被稀疏小硬毛，叶脉上较密，下面淡绿色，幼时被粗伏毛，老后均几无毛；主脉和 6 ~ 7 侧脉均在上面微现，在下面显著；叶柄长 1 ~ 1.5cm，稀达 2.5cm，近圆柱形，疏生淡黄色粗伏毛。聚伞花序短而纤细，长 2 ~ 2.5cm，被淡黄色

小花八角枫

粗伏毛，有 5 ~ 10 花，稀达 20 花；总花梗长 5 ~ 8mm，花梗长 5 ~ 8mm；苞片三角形，早落；花萼近钟形，外面被粗伏毛，裂片 7，三角形，长 1 ~ 1.5mm；花瓣 5 ~ 6，线形，长 5 ~ 6mm，宽 1mm，外面被紧贴的粗伏毛，内面疏生柔毛，开花时向外反卷；雄蕊 5 ~ 6，和花瓣近等长，花丝长 2mm，微扁，下部与花瓣合生，先端宽扁，被长柔毛，其余部分无毛，花药长 4 ~ 6mm，基部被刺毛状硬毛；花盘近球形；子房 1 室，花柱无毛，柱头近球形。核果近卵圆形或卵状椭圆形，长 6.5 ~ 10mm，直径 4mm，幼时绿色，成熟时淡紫色，先端有宿存萼齿。花期 6 月，果期 9 月。

| 生境分布 | 生于海拔 200 ~ 1300m 以下的疏林中。分布于重庆垫江、石柱、合川、潼南、云阳、璧山、涪陵、丰都、忠县、江津、开州、沙坪坝等地。

| 资源情况 | 栽培资源一般。药材主要来源于栽培。

| 采收加工 | 夏、秋季采收，根洗净，切片，晒干；叶，鲜用。

| 功能主治 | 辛、苦，微温。归肝、胃经。祛风除湿，活血止痛。用于风湿痹痛，胃脘痛，跌打损伤。

| 用法用量 | 内服煎汤，6 ~ 15g。外用适量，捣敷；或研末调敷。

八角枫科 Alangiaceae 八角枫属 *Alangium*

异叶八角枫 *Alangium faberi* Oliv. var. *heterophyllum* Yang.

| 药 材 名 | 异叶八角枫（药用部位：根、茎）。

| 形态特征 | 本种与原变种小花八角枫的区别在于叶或其裂片较窄而长，通常为线状披针形，长 10 ~ 20cm，宽 1 ~ 2cm，通常长 14cm，宽 1.5cm，基部近圆形，微倾斜，边缘微呈波状，叶柄长短变异很大，通常长 5 ~ 50mm；雄蕊药隔背面密被硬毛。

| 生境分布 | 生于低海拔土质较瘠薄的疏林中。分布于重庆垫江、彭水、丰都、酉阳、云阳、涪陵、忠县、长寿、巴南、城口、巫溪、奉节、北碚等地。

| 资源情况 | 野生资源稀少。药材主要来源于野生。

异叶八角枫

| **采收加工** | 夏、秋季采收，洗净，切片，晒干。

| **功能主治** | 祛风除湿，活血散瘀。用于风湿痹痛，四肢麻木，跌打损伤。

| **用法用量** | 内服煎汤，适量。外用适量，捣敷。

八角枫科 Alangiaceae 八角枫属 *Alangium*

瓜木 *Alangium platanifolium* (Sieb. et Zucc.) Harms

| 药 材 名 | 八角枫（药用部位：须根、支根）、八角枫花（药用部位：花）。

| 形态特征 | 落叶灌木或小乔木，高 5 ~ 7m。树皮平滑，灰色或深灰色；小枝纤细，近圆柱形，常稍弯曲，略呈“之”字形，当年生枝淡黄褐色或灰色，近无毛；冬芽圆锥状卵圆形，鳞片三角状卵形，覆瓦状排列，外面被灰色短柔毛。叶纸质，近圆形，稀阔卵形或倒卵形，先端钝尖，基部近心形或圆形，长 11 ~ 13（~ 18）cm，宽 8 ~ 11（~ 18）cm，不分裂或稀分裂，分裂者裂片钝尖或锐尖至尾状锐尖，深仅达叶片长度的 1/4 ~ 1/3，稀 1/2，边缘呈波状或钝锯齿状，上面深绿色，下面淡绿色，两面除沿叶脉或脉腋幼时被长柔毛或疏柔毛外，其余部分近无毛；主脉 3 ~ 5，由基部生出，常呈掌状，侧脉 5 ~ 7 对，和主脉相交成锐角，均在叶上面显

瓜木

著，下面微凸起，小叶脉仅在下面显著；叶柄长 3.5 ~ 5（~ 10）cm，圆柱形，稀上面稍扁平或略呈沟状，基部粗壮，向先端逐渐细弱，被稀疏的短柔毛或无毛。聚伞花序生于叶腋，长 3 ~ 3.5cm，通常有 3 ~ 5 花；总花梗长 1.2 ~ 2cm，花梗长 1.5 ~ 2cm，几无毛，花梗上有线形小苞片 1，长 5mm，早落，外面被短柔毛；花萼近钟形，外面被稀疏短柔毛，裂片 5，三角形，长、宽均约 1mm；花瓣 6 ~ 7，线形，紫红色，外面被短柔毛，近基部较密，长 2.5 ~ 3.5cm，宽 1 ~ 2mm，基部粘合，上部开花时反卷；雄蕊 6 ~ 7，较花瓣短，花丝略扁，长 8 ~ 14mm，微被短柔毛，花药长 1.5 ~ 2.1cm，药隔内面无毛，外面无毛或被疏柔毛；花盘肥厚，近球形，无毛，微现裂痕；子房 1 室，花柱粗壮，长 2.6 ~ 3.6cm，无毛，柱头扁平。核果长卵圆形或长椭圆形，长 8 ~ 12mm，直径 4 ~ 8mm，先端有宿存的花萼裂片，被短柔毛或无毛，有种子 1。花期 3 ~ 7 月，果期 7 ~ 9 月。

| 生境分布 | 生于海拔 2000m 以下土质比较疏松、肥沃的向阳山坡或疏林中。分布于重庆秀山、酉阳、彭水、丰都、铜梁、垫江、涪陵、南川、长寿、忠县、江津、云阳、奉节、石柱、巫溪、巫山、梁平、沙坪坝等地。

| 资源情况 | 栽培资源丰富。药材来源于栽培。

| 采收加工 | 八角枫：全年均可采挖，除去泥沙，分别洗净，晒干。

八角枫花：参见“八角枫”条。

| 药材性状 | 八角枫：本品须根纤长，略弯曲，有分枝，长 10 ~ 30cm，直径 0.04 ~ 0.15cm；表面黄棕色或灰褐色，具细纵纹，有的外皮纵裂；质硬而脆，断面黄白色；气微，味淡或微甘、辛。支根呈圆柱形，略波状弯曲，长短不一，直径 0.2 ~ 1cm，有分枝，可见须根痕；表面灰黄色至棕黄色，栓皮纵裂；质坚硬，折断面不平坦，纤维性，黄白色；气微，味淡、微辛。

| 功能主治 | 八角枫：辛、苦，温；有毒。归肝、肾、心经。祛风除湿，舒筋活络，散瘀止痛。用于风湿痹痛，四肢麻木，跌打损伤。

八角枫花：参见“八角枫”条。

| 用法用量 | 八角枫：内服煎汤，须根 1 ~ 3g，支根 3 ~ 6g；或泡酒服。本品毒性较大，毒性成分易溶于脂肪，故不宜与肉共煮，以防中毒。不宜过量服用或长期服用。孕妇禁服。老、弱、幼及心肺功能不全者慎用。

八角枫花：参见“八角枫”条。

蓝果树科 Nyssaceae 喜树属 *Camptotheca*

喜树 *Camptotheca acuminata* Decne.

| 药 材 名 | 喜树果（药用部位：果实）、喜树（药用部位：根、根皮。别名：旱莲、水桐树、天梓树）、喜树叶（药用部位：叶）、喜树皮（药用部位：树皮）。

| 形态特征 | 落叶乔木，高超过 20m。树皮灰色或浅灰色，纵裂成浅沟状；小枝圆柱形，平展，当年生枝紫绿色，被灰色微柔毛，多年生枝淡褐色或浅灰色，无毛，有很稀疏的圆形或卵形皮孔；冬芽腋生，锥状，有 4 对卵形的鳞片，外面被短柔毛。叶互生，纸质，矩圆状卵形或矩圆状椭圆形，长 12 ~ 28cm，宽 6 ~ 12cm，先端短锐尖，基部近圆形或阔楔形，全缘，上面亮绿色，幼时脉上被短柔毛，其后无毛，下面淡绿色，疏生短柔毛，叶脉上更密；中脉在上面微下凹，在下面凸起，侧脉 11 ~ 15 对，在上面显著，在下面略凸起；叶柄

喜树

长 1.5 ~ 3cm，上面扁平或略呈浅沟状，下面圆形，幼时被微柔毛，其后几无毛。头状花序近球形，直径 1.5 ~ 2cm，常由 2 ~ 9 头状花序组成圆锥花序，顶生或腋生，通常上部为雌花序，下部为雄花序；总花梗圆柱形，长 4 ~ 6cm，幼时被微柔毛，其后无毛；花杂性，同株；苞片 3，三角状卵形，长 2.5 ~ 3mm，内外两面均被短柔毛；花萼杯状，5 浅裂，裂片齿状，边缘睫毛状；花瓣 5，淡绿色，矩圆形或矩圆状卵形，先端锐尖，长 2mm，外面密被短柔毛，早落；花盘显著，微裂；雄蕊 10，外轮 5 较长，常长于花瓣，内轮 5 较短；花丝纤细，无毛，花药 4 室；子房在两性花中发育良好，下位，花柱无毛，长 4mm，先端通常分 2 枝。翅果矩圆形，长 2 ~ 2.5cm，先端具宿存花盘，两侧具窄翅，幼时

绿色，干燥后黄褐色，着生成近球形的头状果序。花期 5 ~ 7 月，果期 9 月。

| 生境分布 | 生于海拔 1000m 以下的林边或溪边。分布于重庆北碚、綦江、万州、南岸、垫江、潼南、秀山、大足、彭水、江津、合川、奉节、涪陵、石柱、长寿、酉阳、云阳、丰都、城口、永川、黔江、铜梁、璧山、南川、九龙坡、开州、忠县、武隆、巫溪、梁平、巴南、沙坪坝、荣昌等地。

| 资源情况 | 栽培资源丰富。药材主要来源于栽培。

| 采收加工 | 喜树果：秋季采收，干燥。

喜树：全年均可采收，但以秋季为好，除去外层粗皮，晒干或烘干。

喜树叶：夏、秋季采收，鲜用。

喜树皮：全年均可采收，剥取树皮，切碎，晒干。

| 药材性状 | 喜树果：本品呈长椭圆形，长 2 ~ 2.5cm，宽 0.5 ~ 0.7cm，先端平截，有柱头残基；基部变狭，可见着生在花盘上的椭圆形凹点痕，两边有翅。表面棕色至棕黑色，微有光泽，有纵皱纹，有时可见数条角棱和黑色斑点。质韧，不易折断，断面纤维性，内有种子 1，干缩成细条状。气微，味苦。

| 功能主治 | 喜树果：苦、辛，寒；有毒。归脾、胃、肝经。清热解毒，散结消癥。用于食管癌，贲门癌，胃癌，肠癌，肝癌，白血病，牛皮癣，疮疡。

喜树：苦、辛，寒；有毒。清热解毒，散结消癥。用于食管癌，贲门癌，胃癌，

肠癌，肝癌，白血病，牛皮癣，疮肿。

喜树叶：苦，寒；有毒。清热解毒，祛风止痒。用于痈疮疖肿，牛皮癣。

喜树皮：苦，寒；有小毒。活血解毒，祛风止痒。用于牛皮癣。

|用法用量| 喜树果：内服煎汤，3 ~ 9g；或研末吞服；或制剂用。内服不宜过量。

喜树：内服煎汤，9 ~ 15g；或研末吞服；或制成针剂、片剂。内服不宜过量。

喜树叶：外用适量，鲜品捣敷；或煎汤洗。

喜树皮：内服煎汤，15 ~ 30g。外用适量，煎汤洗；或煎汤，浓缩，调涂。

|附　　注| 本种喜温暖湿润气候，不耐严寒和干燥，对土壤酸碱度要求不严，在酸性、中性、碱性土壤中均能生长，在石灰岩风化的钙质土壤和板页岩形成的微酸性土壤中生长良好，但在土壤肥力较差的粗砂土、石砾土、干燥瘠薄的薄层石质山地中生长不良。萌芽率强，较耐水湿，在湿润的河滩沙地、河湖堤岸以及地下水位较高的渠道埂边生长都较旺盛。

蓝果树科 Nyssaceae 珙桐属 *Davidia*

珙桐 *Davidia involucrata* Baill.

| 药 材 名 | 山白果根（药用部位：根。别名：水梨子、水冬瓜、水梨）、山白果（药用部位：果皮）。

| 形态特征 | 落叶乔木，高 15 ~ 20m，稀达 25m，胸径约 1m。树皮深灰色或深褐色，常裂成不规则的薄片而脱落；幼枝圆柱形，当年生枝紫绿色，无毛，多年生枝深褐色或深灰色；冬芽锥形，具 4 ~ 5 对卵形鳞片，常呈覆瓦状排列。叶纸质，互生，无托叶，常密集于幼枝先端，阔卵形或近圆形，常长 9 ~ 15cm，宽 7 ~ 12cm，先端急尖或短急尖，具微弯曲的尖头，基部心形或深心形，边缘有三角形而尖端锐尖的粗锯齿，上面亮绿色，初被很稀疏的长柔毛，渐老时无毛，下面密被淡黄色或淡白色丝状粗毛；中脉和 8 ~ 9 对侧脉均在上面显著，在下面凸起；叶柄圆柱形，长 4 ~ 5cm，稀达 7cm，幼时被

珙桐

稀疏短柔毛。两性花与雄花同株，由多数的雄花与 1 雌花或两性花成近球形的头状花序，直径约 2cm，着生于幼枝的先端，两性花位于花序的先端，雄花环绕其周围；基部具纸质、矩圆状卵形或矩圆状倒卵形花瓣状的苞片 2 ~ 3，长 7 ~ 15cm，稀达 20cm，宽 3 ~ 5cm，稀达 10cm，初淡绿色，继变为乳白色，后变为棕黄色而脱落；雄花无花萼及花瓣，有雄蕊 1 ~ 7，长 6 ~ 8mm，花丝纤细，无毛，花药椭圆形，紫色；雌花或两性花具下位子房，6 ~ 10 室，与花托合生，子房的先端具退化的花被及短小的雄蕊，花柱粗壮，分成 6 ~ 10 枝，柱头向外平展，每室有 1 胚珠，常下垂。果实为长卵圆形核果，长 3 ~ 4cm，直径 15 ~ 20mm，紫绿色，具黄色斑点，外果皮很薄，中果皮肉质，内果皮骨质，具沟纹，种子 3 ~ 5；果梗粗壮，圆柱形。花期 4 月，果期 10 月。

| 生境分布 | 生于海拔 1500 ~ 2200m 润湿的常绿阔叶、落叶阔叶混交林中。分布于重庆巫山、酉阳、彭水、南川、巫溪等地。

| 资源情况 | 野生资源稀少。药材主要来源于野生。

| 采收加工 | 山白果根：全年均可采收，洗净，切段，晒干。

山白果：9 ~ 10 月果实成熟时采收，鲜用。

| 功能主治 | 山白果根：收敛止血，止泻。用于多种出血，泄泻。

山白果：苦，凉。清热解毒。用于痈肿疮毒。

| 用法用量 | 山白果根：内服煎汤，3 ~ 9g；或研末。外用适量，研末敷。

山白果：外用适量，鲜品捣敷。

| 附　　注 | 本种喜中性或微酸性腐殖质深厚的土壤，在干燥多风、日光直射之处生长不良，不耐瘠薄，不耐干旱。幼苗生长缓慢，喜阴湿，成年树喜光。栽培宜选择土层较厚、含有大量砾石碎片坡积物的、基岩为沙岩、板岩和页岩的山地黄壤和山地黄棕壤。

蓝果树科 Nyssaceae 珙桐属 *Davidia*

光叶珙桐 *Davidia involucrata* Baill. var. *vilmoriniana* (Dode) Wanger.

| **药 材 名** | 光叶珙桐（药用部位：根）。

| **形态特征** | 本种与原变种珙桐的区别在于叶下面常无毛或幼时叶脉上被很稀疏的短柔毛及粗毛，有时下面被白霜。

| **生境分布** | 生于海拔 1500 ~ 2200m 的混交林中，常与珙桐混生。分布于重庆巫山、酉阳、彭水、南川、北碚、巫溪、奉节等地。

| **资源情况** | 野生资源稀少。药材主要来源于野生。

| **采收加工** | 全年均可采挖，洗净，切段，晒干。

| **功能主治** | 收敛止血，止泻。用于多种出血，泄泻。

| **用法用量** | 内服煎汤，3 ~ 9g；或研末。外用适量，研末敷。

光叶珙桐

蓝果树科 Nyssaceae 蓝果树属 *Nyssa*

蓝果树 *Nyssa sinensis* Oliv.

| 药材名 | 蓝果树（药用部位：根）。

| 形态特征 | 落叶乔木，高超过 20m。树皮淡褐色或深灰色，粗糙，常裂成薄片脱落；小枝圆柱形，无毛，当年生枝淡绿色，多年生枝褐色，皮孔显著，近圆形；冬芽淡紫绿色，锥形，鳞片覆瓦状排列。叶纸质或薄革质，互生，椭圆形或长椭圆形，稀卵形或近披针形，长 12 ~ 15cm，宽 5 ~ 6cm，稀达 8cm，先端短急锐尖，基部近圆形，边缘略呈浅波状，上面无毛，深绿色，干燥后深紫色，下面淡绿色，被很稀疏的微柔毛；中脉和 6 ~ 10 对侧脉均在上面微现，在下面显著；叶柄淡紫绿色，长 1.5 ~ 2cm，上面稍扁平或微呈沟状，下面圆形。花序伞形或短总状，总花梗长 3 ~ 5cm，幼时微被长疏毛，其后无毛；花单性；雄花着生于叶已脱落的老枝上，花梗长 5mm，

蓝果树

花萼裂片细小，花瓣早落，窄矩圆形，较花丝短，雄蕊 5 ~ 10，生于肉质花盘的周围；雌花生于具叶的幼枝上，基部有小苞片，花梗长 1 ~ 2mm，花萼裂片近全缘，花瓣鳞片状，长约 1.5mm，花盘垫状，肉质，子房下位，和花托合生，无毛或基部微被粗毛。核果矩圆状椭圆形或长倒卵状圆形，稀长卵圆形，微扁，长 1 ~ 1.2cm，宽 6mm，厚 4 ~ 5mm，幼时紫绿色，成熟时深蓝色，后变深褐色，常 3 ~ 4，果梗长 3 ~ 4mm，总果梗长 3 ~ 5cm；种子外壳坚硬，骨质，稍扁，有 5 ~ 7 纵沟纹。花期 4 月下旬，果期 9 月。

| 生境分布 | 生于海拔 300 ~ 1700m 的山谷或溪边潮湿混交林中。分布于重庆綦江、丰都、城口、奉节、南川等地。

| 资源情况 | 野生资源稀少。药材主要来源于野生。

| 采收加工 | 全年均可采挖，除去外层粗皮，晒干或烘干。

| 功能主治 | 抗癌。用于多种恶性肿瘤。

| 用法用量 | 内服煎汤，适量。

| 附　　注 | 本种喜温暖湿润气候，耐干旱，耐瘠薄，生长快。长势旺盛，耐寒性强，在 −18℃ 时仍生长旺盛。抗雪压能力强。根系发达，能穿入石缝中生长，根的萌芽能力强。

山茱萸科 Cornaceae 桃叶珊瑚属 *Aucuba*

斑叶珊瑚 *Aucuba albo-punctifolia* Wang

| 药 材 名 | 斑叶珊瑚（药用部位：叶）。

| 形态特征 | 常绿灌木，高 1 ~ 2m，稀为小乔木，高 6（~ 7）m。幼枝绿色，老枝黑褐色。叶厚纸质或近革质，倒卵形，稀长圆形，长 2.5 ~ 8cm，稀 16cm，宽 2 ~ 4.5cm，上面亮绿色，具白色及淡黄色斑点，下面淡绿色，具小乳突状突起，两面均无毛，基部楔形或近圆形，先端锐尖，长约 5mm；叶上面脉微下凹，下面凸出；叶柄长 7 ~ 20mm，幼时散生细伏毛，后无毛。花序为顶生圆锥花序，花深紫色，较稀疏；花梗贴生短毛。果实卵圆形，成熟后亮红色，长约 9mm，直径约 6mm，种子 1。花期 3 ~ 4 月，果期至翌年 4 月。

斑叶珊瑚

| **生境分布** | 生于海拔 1450 ~ 2150m 的林中。分布于重庆城口、南川、开州、武隆等地。

| **资源情况** | 野生资源稀少。药材主要来源于野生。

| **采收加工** | 全年均可采收，鲜用或晒干。

| **功能主治** | 清热解毒，消炎止血。用于烫火伤，痔疮，跌打损伤，外伤出血。

| **用法用量** | 外用适量，捣敷。

| **附　　注** | 在 FOC 中，本种的拉丁学名被修订为 *Aucuba albopunctifolia* F. T. Wang。

山茱萸科 Cornaceae 桃叶珊瑚属 *Aucuba*

窄斑叶珊瑚 *Aucuba albo-punctifolia* Wang var. *angustula* Fang et Soong

窄斑叶珊瑚

| 药 材 名 |

窄斑叶珊瑚（药用部位：叶）。

| 形态特征 |

本种与原变种斑叶珊瑚的区别在于叶窄而长，常为窄披针形，长 11 ~ 15cm，宽 1.5 ~ 3cm，叶面常具白色或淡黄色不规则斑点。

| 生境分布 |

生于海拔 1300 ~ 2100m 的林下。分布于重庆开州、石柱、黔江、南川等地。

| 资源情况 |

野生资源稀少。药材主要来源于野生。

| 采收加工 |

全年均可采收，鲜用或晒干。

| 功能主治 |

清热解毒，消炎止血。用于烫火伤，痔疮，跌打损伤，外伤出血。

| 用法用量 |

外用适量，捣敷。

| 附　　注 | 在 FOC 中，本种的拉丁学名被修订为 *Aucuba albopunctifolia* F. T. Wang var. *angustula* W. P. Fang et T. P. Soong。

山茱萸科 Cornaceae 桃叶珊瑚属 *Aucuba*

桃叶珊瑚 *Aucuba chinensis* Benth.

| 药 材 名 | 天脚板（药用部位：叶）、天脚板果（药用部位：果实）、天脚板根（药用部位：根）。

| 形态特征 | 常绿小乔木或灌木，高 3 ~ 6（~ 12）m。小枝粗壮，二歧分枝，绿色，光滑；皮孔白色，长椭圆形或椭圆形，较稀疏；叶痕大，显著。冬芽球状，鳞片 4 对，交互对生，外轮较短，卵形，其余为阔椭圆形，内 2 轮外侧先端被柔毛。叶革质，椭圆形或阔椭圆形，稀倒卵状椭圆形，长 10 ~ 20cm，宽 3.5 ~ 8cm，先端锐尖或钝尖，基部阔楔形或楔形，稀两侧不对称，边缘微反卷，常具 5 ~ 8 对锯齿或腺状齿，有时为粗锯齿，上面深绿色，下面淡绿色；中脉在上面微显著，下面凸出，侧脉 6 ~ 8（~ 10）对，稀与中脉相交近于直角；叶柄长 2 ~ 4cm，粗壮，光滑。圆锥花序顶生，花序梗被柔毛；雄

桃叶珊瑚

花序长 5cm 以上；雄花绿色（2 月）、紫红色（《海南植物志》），花萼先端 4 齿裂，无毛或被疏柔毛，花瓣 4，长圆形或卵形，长 3 ~ 4mm，宽 2 ~ 2.5mm，外侧被疏毛或无毛，先端具短尖头，雄蕊 4，长约 3mm，着生于花盘外侧，花药黄色，2 室，花盘肉质，微 4 棱，花梗长约 3mm，被柔毛，苞片 1，披针形，长 3mm，外侧被疏柔毛；雌花序较雄花序短，长 4 ~ 5cm，花萼及花瓣近于雄花，子房圆柱形，花柱粗壮，柱头头状，微偏斜，花盘肉质，微 4 裂；花下具 2 小苞片，披针形，长 4 ~ 6mm，边缘具睫毛，花下具关节，被柔毛。幼果绿色，成熟时鲜红色，圆柱形或卵形，长 1.4 ~ 1.8cm，直径 8 ~ 10（~ 12）mm，萼片、花柱及柱头均宿存于核果上端。花期 1 ~ 2 月，果熟期达翌年 2 月，常与一年生、二年生果序同存于枝上。

| 生境分布 | 生于海拔 1000m 以下的常绿阔叶林中。分布于重庆丰都、忠县等地。

| 资源情况 | 野生资源稀少。药材主要来源于野生。

| 采收加工 | 天脚板：全年均可采收，晒干或烘干，亦可鲜用。

天脚板果：夏、秋季果实成熟时采摘，晒干或鲜用。

天脚板根：全年均可采收，洗净，鲜用或晒干。

| 功能主治 | 天脚板：苦，凉。清热解毒，消肿止痛。用于痈疽肿毒，痔疮，烫火伤，冻伤，跌打损伤。

天脚板果：苦，凉。活血定痛，解毒消肿。用于跌打损伤，骨折，痈疽，痔疮，烫火伤。

天脚板根：苦、辛，温。祛风除湿，活血化瘀。用于风湿痹痛，跌打瘀肿。

| 用法用量 | 天脚板：内服煎汤，9 ~ 15g。外用适量，捣敷；或绞汁搽；或研末调涂。

天脚板果：内服煎汤，9 ~ 15g；或浸酒。外用适量，捣敷。

天脚板根：内服煎汤，9 ~ 15g。外用适量，捣敷；或煎汤洗。

| 附　　注 | 本种喜凉爽湿润环境，植株生长适温 25 ~ 28℃，稍耐寒。以土层深厚、质地疏松、腐殖质丰富的土壤栽培为宜。

山茱萸科 Cornaceae 桃叶珊瑚属 *Aucuba*

喜马拉雅珊瑚 *Aucuba himalaica* Hook. f. et Thoms.

| 药 材 名 | 西藏桃叶珊瑚根（药用部位：根。别名：紫竹根）、西藏桃叶珊瑚叶（药用部位：叶。别名：软叶罗伞）、西藏桃叶珊瑚果（药用部位：果实）。

| 形态特征 | 常绿小乔木或灌木，高 3 ~ 6（~ 8）m，胸径 5 ~ 10cm。当年生枝被柔毛，老枝具白色皮孔，长圆形，叶痕显著。叶羊皮纸质或薄革质，椭圆形、长椭圆形，稀长圆状披针形，长 10 ~ 15（~ 20）cm，宽 3 ~ 5（~ 7）cm，先端急尖或渐尖，尾长 1 ~ 1.5cm，边缘 1/3 以上具 7 ~ 9 对细锯齿；叶脉在上面显著下凹，下面凸出，被粗毛，侧脉未达叶缘即网连；叶柄长 2 ~ 3cm，被粗毛。雄花序为总状圆锥花序，生于小枝先端，长 8 ~ 10（~ 13）cm，各部分均为紫红色，幼时密被柔毛，柔毛上段略为紫红色；花梗长 2 ~ 2.5mm，被柔毛；

喜马拉雅珊瑚

萼片小，微 4 圆裂，被柔毛，花瓣 4，长卵形，长 3 ~ 3.5mm，宽 2mm，先端尖尾长 1.5 ~ 2mm；雄蕊 4，长 1 ~ 2.5mm，花丝粗壮；花盘肉质，微 4 裂。雌花序为圆锥花序，长 3 ~ 5cm，密被粗毛及红褐色柔毛，各部分均为紫红色；萼片及花瓣与雄花相似；子房下位，被粗毛，花柱粗壮，柱头微 2 裂，花下具关节及 2 小苞片。幼果绿色，被疏毛，成熟后深红色，卵状长圆形，长 1 ~ 1.2cm，花柱及柱头宿存于果实先端。花期 3 ~ 5 月，果期 10 月至翌年 5 月。

| 生境分布 | 生于海拔 1500 ~ 2300m 的亚热带常绿阔叶林或常绿落叶阔叶混交林中。分布于重庆城口、巫山、巫溪、奉节、酉阳、南川、江津等地。

| 资源情况 | 野生资源稀少。药材主要来源于野生。

| 采收加工 | 西藏桃叶珊瑚根：全年均可采收，洗净，切片，鲜用或晒干。

西藏桃叶珊瑚叶：全年均可采收，鲜用或晒干。

西藏桃叶珊瑚果：10 月至翌年 5 月果实成熟时采摘，晒干。

| 功能主治 | 西藏桃叶珊瑚根：辛、苦，温。祛风湿，通经络。用于风湿骨痛，腰痛，跌打损伤。

西藏桃叶珊瑚叶：苦，凉。归肝经。清热解毒，消肿止血。用于烫火伤，痔疮，跌打损伤，外伤出血。

西藏桃叶珊瑚果：微苦、涩，平。祛湿止带。用于赤白带下。

| 用法用量 | 西藏桃叶珊瑚根：内服煎汤，9 ~ 15g。外用适量，捣敷；或煎汤洗。

西藏桃叶珊瑚叶：外用适量，捣敷。

西藏桃叶珊瑚果：内服煎汤，3 ~ 9g。

山茱萸科 Cornaceae 桃叶珊瑚属 *Aucuba*

长叶珊瑚 *Aucuba himalaica* Hook. f. et Thoms. var. *dolichophylla* Fang et Soong

| 药 材 名 | 长叶珊瑚果（药用部位：果实）。

| 形态特征 | 本种与原变种喜马拉雅珊瑚的区别在于叶片窄披针形或披针形，长 9 ~ 18cm，宽 1.5 ~ 3.5cm，下面无毛或仅中脉被短柔毛，边缘具 4 ~ 7 对细锯齿。

| 生境分布 | 生于海拔 1000m 左右的常绿阔叶林下。分布于重庆涪陵、城口、石柱、武隆、秀山、南川、北碚、合川等地。

| 资源情况 | 野生资源稀少。药材主要来源于野生。

| 采收加工 | 果实成熟时采摘，晒干。

长叶珊瑚

| **功能主治** | 辛、苦，平。祛风除湿，通络止痛。用于风湿痹痛，跌打肿痛。

| **用法用量** | 内服煎汤，9 ~ 15g。

山茱萸科 Cornaceae 桃叶珊瑚属 *Aucuba*

倒披针叶珊瑚 *Aucuba himalaica* Hook. f. et Thoms. var. *oblanceolata* Fang et Soong

| **药 材 名** | 倒披针叶珊瑚（药用部位：全株）。

| **形态特征** | 本种与原变种喜马拉雅珊瑚的区别在于叶片较厚，常为倒披针形，长 11 ~ 17cm，宽 3 ~ 5cm，先端急尖，尖尾长 1.5 ~ 3cm，基部楔形，叶下面密被短柔毛；雌花序长、宽均为 4 ~ 5.5cm。

| **生境分布** | 生于海拔约 700 ~ 2200m 的林中。分布于重庆南川等地。

| **资源情况** | 野生资源稀少。药材主要来源于野生。

| **采收加工** | 全年均可采收，鲜用或晒干。

| **功能主治** | 清热解毒，消炎止血。用于烫火伤，痔疮，跌打损伤，外伤出血。

倒披针叶珊瑚

| **用法用量** | 外用适量，捣敷。

山茱萸科 Cornaceae 桃叶珊瑚属 *Aucuba*

倒心叶珊瑚 *Aucuba obcordata* (Rehd.) Fu*

药材名 倒心叶桃叶珊瑚（药用部位：叶）。

形态特征 常绿灌木或小乔木，高 1 ~ 4m。叶厚纸质，稀近于革质，常为倒心形或倒卵形，长（4 ~ ）8 ~ 14cm，宽（2 ~ ）4.5 ~ 8cm，先端截形或倒心形，具长 1.5 ~ 2cm 的急尖尾，基部窄楔形；上面侧脉微下凹，下面凸出，边缘具缺刻状粗锯齿；叶柄被粗毛。雄花序为总状圆锥序，长 8 ~ 9cm，花较稀疏，紫红色，花瓣先端具尖尾，雄蕊花丝粗壮；雌花序短圆锥状，长 1.5 ~ 2.5cm，花瓣近于雄花花瓣。果实较密集，卵圆形，长 1.2cm，直径 7mm。花期 3 ~ 4 月，果期 11 月以后。

倒心叶珊瑚

| **生境分布** | 生于海拔 700 ~ 2100m 的林中。分布于重庆城口、巫山、奉节、南川、永川等地。

| **资源情况** | 野生资源稀少。药材主要来源于野生。

| **采收加工** | 全年均可采收，鲜用或晒干。

| **功能主治** | 苦、微辛，平。活血调经，解毒消肿。用于痛经，月经不调，跌打损伤，烫火伤。

| **用法用量** | 内服煎汤，6 ~ 15g。外用适量，捣敷。

山茱萸科 Cornaceae 灯台树属 *Bothrocaryum*

灯台树 *Bothrocaryum controversum* (Hemsl.) Pojark.

| 药 材 名 | 灯台树（药用部位：树皮、根皮、叶。别名：六角树、鸡肜皮、乌芽树）、灯台树果（药用部位：果实）。

| 形态特征 | 落叶乔木，高 6 ~ 15m，稀达 20m。树皮光滑，暗灰色或带黄灰色；枝开展，圆柱形，无毛或疏生短柔毛，当年生枝紫红绿色，二年生枝淡绿色，有半月形的叶痕和圆形皮孔；冬芽顶生或腋生，卵圆形或圆锥形，长 3 ~ 8mm，无毛。叶互生，纸质，阔卵形、阔椭圆状卵形或披针状椭圆形，长 6 ~ 13cm，宽 3.5 ~ 9cm，先端凸尖，基部圆形或急尖，全缘，上面黄绿色，无毛，下面灰绿色，密被淡白色平贴短柔毛；中脉在上面微凹陷，下面凸出，微带紫红色，无毛，侧脉 6 ~ 7 对，弓形内弯，在上面明显，下面凸出，无毛；叶柄紫红绿色，长 2 ~ 6.5cm，无毛，上面有浅沟，下面圆形。伞房状聚

灯台树

伞花序，顶生，宽 7 ~ 13cm，稀被浅褐色平贴短柔毛；总花梗淡黄绿色，长 1.5 ~ 3cm；花小，白色，直径 8mm；花萼裂片 4，三角形，长约 0.5mm，长于花盘，外侧被短柔毛；花瓣 4，长圆状披针形，长 4 ~ 4.5mm，宽 1 ~ 1.6mm，先端钝尖，外侧疏生平贴短柔毛；雄蕊 4，着生于花盘外侧，与花瓣互生，长 4 ~ 5mm，稍伸出花外，花丝线形，白色，无毛，长 3 ~ 4mm，花药椭圆形，淡黄色，长约 1.8mm，2 室，"丁"字形着生；花盘垫状，无毛，厚约 0.3mm；花柱圆柱形，长 2 ~ 3mm，无毛，柱头小，头状，淡黄绿色；子房下位，花托椭圆形，长 1.5mm，直径 1mm，淡绿色，密被灰白色贴生短柔毛；花梗淡绿色，长 3 ~ 6mm，疏被贴生短柔毛。核果球形，直径 6 ~ 7mm，成熟时紫红色至蓝黑色；核骨质，球形，直径 5 ~ 6mm，略有 8 肋纹，先端有 1 方形孔穴；果梗长 2.5 ~ 4.5mm，无毛。花期 5 ~ 6 月，果期 7 ~ 8 月。

| 生境分布 | 生于海拔 250 ~ 2600m 的常绿阔叶林或针阔叶混交林中。分布于重庆黔江、璧山、大足、秀山、潼南、彭水、长寿、江津、合川、綦江、万州、城口、酉阳、铜梁、石柱、南川、武隆、忠县、北碚、开州、永川、梁平、荣昌等地。

| 资源情况 | 野生资源丰富。药材来源于野生。

| 采收加工 | 灯台树：树皮或根皮定植 10 年以上收获。5 ~ 6 月，剥取树皮或根皮，晒干。全年均可采收叶，晒干或鲜用。

灯台树果：夏、秋季果实成熟时采摘，晒干。

| 功能主治 | 灯台树：微苦，凉。清热平肝，消肿止痛。用于头痛，眩晕，咽喉肿痛，关节酸痛，跌打损伤。

灯台树果：苦，凉。清热解毒，润肠通便，驱蛔。用于肝炎，肠燥便秘，蛔虫病。

| 用法用量 | 灯台树：内服煎汤，6 ~ 15g；或研末；或浸酒。外用适量，捣敷。

灯台树果：内服煎汤，3 ~ 10g。

| 附　　注 | （1）在 FOC 中，本种的拉丁学名被修订为 *Cornus controversa* Hemsley；灯台树属被修订为山茱萸属 *Cornus*。

（2）本种喜温和凉爽湿润气候。怕高温，耐寒。以土层深厚、含腐殖质丰富而排水良好的壤土栽培为宜。

山茱萸科 Cornaceae 山茱萸属 *Cornus*

川鄂山茱萸 *Cornus chinensis* Wanger.

川鄂山茱萸

药材名

川鄂山茱萸（药用部位：果实）。

形态特征

落叶乔木，高 4 ~ 8m。树皮黑褐色；枝对生，幼时紫红色，密被贴生灰色短柔毛，老时褐色，无毛；冬芽顶生及腋生，密被黄褐色短柔毛，花芽近球形，先端凸尖，叶芽狭圆锥形。叶对生，纸质，卵状披针形至长圆状椭圆形，长 6 ~ 11cm，宽 2.8 ~ 5.5cm，先端渐尖，基部楔形或近圆形，全缘，上面绿色，近于无毛，下面淡绿色，微被灰白色贴生短柔毛，脉腋有明显灰色丛毛；中脉在上面明显，下面凸起，侧脉 5 ~ 6 对，弓形内弯；叶柄细圆柱形，长 1 ~ 1.5（~ 2.5）cm，上面有浅沟，下面圆形，嫩时微被贴生短柔毛，老后近于无毛。伞形花序侧生，总苞片 4，纸质至革质，阔卵形或椭圆形，长 6.5 ~ 7mm，宽 4 ~ 6.5mm，两侧均被贴生短柔毛，开花后脱落；总花梗紫褐色，长 5 ~ 12mm，微被贴生短柔毛；花两性，先于叶开放，有香味；花萼裂片 4，三角状披针形，长 0.7mm；花瓣 4，披针形，黄色，长 4mm；雄蕊 4，与花瓣互生，长 16mm，花丝短，紫色，无毛，花药近球形，2 室；花盘垫状，明显；子房

下位，花托钟形，长约 1mm，被灰色短柔毛，花柱圆柱形，长 1 ~ 1.4mm，无毛，柱头截形；花梗纤细，长 8 ~ 9mm，被淡黄色长毛。核果长椭圆形，长 6 ~ 8（~ 10）mm，直径 3.4 ~ 4mm，紫褐色至黑色；核骨质，长椭圆形，长约 7.5mm，有几条肋纹。花期 4 月，果期 9 月。

| 生境分布 | 生于海拔 750 ~ 2500m 的林缘或森林中。分布于重庆酉阳、长寿、巫山、南川、万州、石柱、城口、巫溪等地。

| 资源情况 | 野生资源稀少。药材主要来源于野生。

| 采收加工 | 秋季果实成熟时分批采摘，将鲜果置沸水中煮 10 ~ 15min，捞出浸入冷水，趁热挤出种子，取果肉晒干或烘干。

| 功能主治 | 酸、涩，微温。归肝、肾经。补肝益肾，收敛固脱。用于肝肾亏虚，头晕目眩，耳聋耳鸣，腰膝酸软，遗精，尿频，体虚多汗。

| 用法用量 | 内服煎汤，3 ~ 15g；或入丸、散。素有湿热、郁火及小便不利者禁服。

山茱萸科 Cornaceae 山茱萸属 *Cornus*

山茱萸 *Cornus officinalis* Sieb. et Zucc.

| 药 材 名 | 山茱萸（药用部位：成熟果肉。别名：蜀枣、肉枣、枣皮）。

| 形态特征 | 落叶乔木或灌木，高 4 ~ 10m。树皮灰褐色；小枝细圆柱形，无毛或稀被贴生短柔毛；冬芽顶生及腋生，卵形至披针形，被黄褐色短柔毛。叶对生，纸质，卵状披针形或卵状椭圆形，长 5.5 ~ 10cm，宽 2.5 ~ 4.5cm，先端渐尖，基部宽楔形或近圆形，全缘，上面绿色，无毛，下面浅绿色，稀被白色贴生短柔毛，脉腋密生淡褐色丛毛；中脉在上面明显，下面凸起，近于无毛，侧脉 6 ~ 7 对，弓形内弯；叶柄细圆柱形，长 0.6 ~ 1.2cm，上面有浅沟，下面圆形，稍被贴生疏柔毛。伞形花序生于枝侧，总苞片 4，卵形，厚纸质至革质，长约 8mm，带紫色，两侧略被短柔毛，开花后脱落；总花梗粗壮，长约 2mm，微被灰色短柔毛；花小，两性，先叶开放；花萼裂片 4，

山茱萸

阔三角形，与花盘等长或稍长，长约 0.6mm，无毛；花瓣 4，舌状披针形，长 3.3mm，黄色，向外反卷；雄蕊 4，与花瓣互生，长 1.8mm，花丝钻形，花药椭圆形，2 室；花盘垫状，无毛；子房下位，花托倒卵形，长约 1mm，密被贴生疏柔毛，花柱圆柱形，长 1.5mm，柱头截形；花梗纤细，长 0.5 ~ 1cm，密被疏柔毛。核果长椭圆形，长 1.2 ~ 1.7cm，直径 5 ~ 7mm，红色至紫红色；核骨质，狭椭圆形，长约 12mm，有几条不整齐的肋纹。花期 3 ~ 4 月，果期 9 ~ 10 月。

| 生境分布 | 生于海拔 400 ~ 1500m 的林缘或森林中。分布于重庆秀山、丰都、城口、黔江、云阳、酉阳、南川、开州、垫江、石柱、巫山等地。

| 资源情况 | 栽培资源较丰富。药材主要来源于栽培。

| 采收加工 | 秋末冬初果皮变红时采收果实，用文火烘或置沸水中略烫后，及时除去果核，干燥。

| 药材性状 | 本品呈不规则片状或囊状，长 1 ~ 1.5cm，宽 0.5 ~ 0.7cm。表面紫红色至紫黑色，皱缩，有光泽。先端有的有圆形宿萼痕，基部有果梗痕。质柔软。气微，味酸、涩、微苦。

| 功能主治 | 酸、涩，微温。归肝、肾经。补益肝肾，涩精固脱。用于眩晕耳鸣，腰膝酸痛，阳痿遗精，遗尿尿频，崩漏带下，大汗虚脱，内热消渴。

| 用法用量 | 内服煎汤，6 ~ 12g。

| 附 注 | 本种为暖温带阳性树种，生长适温为 20 ~ 30℃，超过 35℃则生长不良。抗寒性强，可耐短暂的 −18℃低温，较耐阴但又喜充足的光照，通常在山坡中下部地段、阴坡、阳坡、谷地以及河两岸等地均生长良好。栽培宜选择排水良好、富含有机质、肥沃的砂壤土。黏土要混入适量河沙，增加排水及透气性能。

山茱萸科 Cornaceae 四照花属 *Dendrobenthamia*

尖叶四照花 *Dendrobenthamia angustata* (Chun) Fang

| 药 材 名 | 野荔枝（药用部位：叶、花。别名：山荔枝）、野荔枝果（药用部位：果实）。

| 形态特征 | 常绿乔木或灌木，高 4 ~ 12m。树皮灰色或灰褐色，平滑；幼枝灰绿色，被白色贴生短柔毛，老枝灰褐色，近于无毛；冬芽小，圆锥形，密被白色细毛。叶对生，革质，长圆状椭圆形，稀卵状椭圆形或披针形，长 7 ~ 9（~ 12）cm，宽 2.5 ~ 4.2（~ 5）cm，先端渐尖形，具尖尾，基部楔形或宽楔形，稀钝圆形，上面深绿色，嫩时被白色细伏毛，老后无毛，下面灰绿色，密被白色贴生短柔毛；中脉在上面明显，下面微凸起，侧脉通常 3 ~ 4 对，弓形内弯，有时脉腋簇生白色细毛；叶柄细圆柱形，长 8 ~ 12mm，嫩时被细毛，渐老则近于无毛。头状花序球形，约由 55 ~ 80（~ 95）花聚集而成，直径 8mm；总

尖叶四照花

苞片 4，长卵形至倒卵形，长 2.5 ～ 5cm，宽 9 ～ 22mm，先端渐尖或微凸尖形，基部狭窄，初为淡黄色，后变为白色，两面微被白色贴生短柔毛；总花梗纤细，长 5.5 ～ 8cm，密被白色细伏毛；花萼管状，长 0.7mm，上部 4 裂，裂片钝圆或钝尖，有时截形，外侧被白色细伏毛，内侧上半部密被白色短柔毛；花瓣 4，卵圆形，长 2.8mm，宽 1.5mm，先端渐尖，基部狭窄，下面被白色贴生短柔毛；雄蕊 4，较花瓣短，花丝长 1.5mm，花药椭圆形，长约 1mm；花盘环状，略 4 浅裂，长约 0.4mm；花柱长约 1mm，密被白色丝状毛。果序球形，直径 2.5cm，成熟时红色，被白色细伏毛；总果梗纤细，长 6 ～ 10.5cm，紫绿色，微被毛。花期 6 ～ 7 月，果期 10 ～ 11 月。

| 生境分布 | 生于海拔 700 ～ 1650m 的密林内或混交林中。分布于重庆黔江、丰都、酉阳、南川、忠县、武隆、奉节、垫江、巴南、城口、巫溪、云阳、合川等地。

| 资源情况 | 野生资源较丰富。药材主要来源于野生。

| 采收加工 | 野荔枝：全年均可采收叶，鲜用或晒干。6 ～ 7 月采收开放花朵，干燥。
野荔枝果：秋季果实成熟时采摘，除去种子，取果肉鲜用或干燥。

| 功能主治 | 野荔枝：涩、苦，平。清热解毒，收敛止血。用于痢疾，外伤出血，骨折。
野荔枝果：苦、甘，凉。清热利湿，驱蛔，止血。用于湿热黄疸，蛔虫病，外伤出血。

| 用法用量 | 野荔枝：内服煎汤，9 ～ 15g。外用适量，鲜品捣敷；或研末调敷。
野荔枝果：内服煎汤，30 ～ 60g。外用适量，捣敷。

| 附　　注 | （1）在 FOC 中，本种的拉丁学名被修订为 *Cornus elliptica* (Pojarkova) Q. Y. Xiang et Boufford；四照花属被修订为山茱萸属 *Cornus*。
（2）本种喜阴湿，耐寒。种植宜选择疏松、肥沃、排水良好的土壤。

山茱萸科 Cornaceae 四照花属 *Dendrobenthamia*

绒毛尖叶四照花 *Dendrobenthamia angustata* (Chun) Fang var. *mollis* (Rehd.) Fang

| 药材名 | 绒毛尖叶四照花（药用部位：叶、花、果实）。

| 形态特征 | 本种与原变种尖叶四照花的区别在于嫩枝、叶片下面及总苞外侧均被有茸毛。

| 生境分布 | 生于海拔 1050 ~ 2100m 的森林中。分布于重庆开州、武隆、南川等地。

| 资源情况 | 野生资源稀少。药材主要来源于野生。

| 采收加工 | 全年均可采收叶，鲜用或晒干。6 ~ 7 月采摘开放的花，干燥。秋季果实成熟时采摘果实，除去种子，取果肉，鲜用或干燥。

| 功能主治 | 行气。

绒毛尖叶四照花

| **用法用量** | 内服煎汤，适量。

| **附　　注** | 在 FOC 中，本种被修订为尖叶四照花 *Cornus elliptica* (Pojarkova) Q. Y. Xiang et Boufford；四照花属被修订为山茱萸属 *Cornus*。

山茱萸科 Cornaceae 四照花属 *Dendrobenthamia*

头状四照花 *Dendrobenthamia capitata* (Wall.) Hutch.

| 药 材 名 | 鸡嗉子果（药用部位：果实。别名：野荔枝、山荔枝、鸡嗉果）、鸡嗉子叶（药用部位：叶。别名：野荔枝叶）、鸡嗉子根（药用部位：根。别名：野荔枝根）。

| 形态特征 | 常绿乔木，稀灌木，高 3 ~ 15m，稀达 20m。树皮褐色或灰黑色，纵裂；幼枝灰绿色，被白色贴生短柔毛，老枝灰褐色，毛被稀疏；冬芽小，圆锥形，密被白色细毛。叶对生，薄革质或革质，长圆状椭圆形或长圆状披针形，长 5.5 ~ 11cm，宽 2 ~ 3.4（~ 4）cm，先端凸尖，有时具短尖尾，基部楔形或宽楔形，上面亮绿色，被白色贴生短柔毛，下面灰绿色，密被白色较粗的贴生短柔毛；中脉在上面稍明显，下面隆起，侧脉 4（~ 5）对，弓形内弯，在上面稍下凹，下面凸起，脉腋通常有孔穴，无毛或被白色须状毛；

头状四照花

叶柄圆柱形，长 1 ~ 1.4cm，密被白色贴生短柔毛，上面有浅沟，下面圆形。头状花序球形，为超过 100 朵绿色花聚集而成，直径 1.2cm；总苞片 4，白色，倒卵形或阔倒卵形，稀近圆形，长 3.5 ~ 6.2cm，宽 1.5 ~ 5cm，先端凸尖，基部狭窄，两面微被贴生短柔毛；花萼管状，长约 1.2mm，先端 4 裂，裂片齿形，外侧密被白色细毛及少数褐色毛，内侧被白色短柔毛；花瓣 4，长圆形，长 3 ~ 4mm，下面被白色贴生短柔毛；雄蕊 4，花丝纤细，长约 3mm，花药椭圆形，长近 0.8mm；花盘环状，略有 4 浅裂；子房下位，花柱圆柱形，长 1.5mm，密被白色丝状毛。果序扁球形，直径 1.5 ~ 2.4cm，成熟时紫红色；总果梗粗壮，圆柱形，长（1.5 ~ ）4 ~ 6（ ~ 8）cm，幼时被粗毛，渐老则毛被稀疏或无毛。花期 5 ~ 6 月，果期 9 ~ 10 月。

| 生境分布 | 生于海拔 800 ~ 2500m 的混交林中。分布于重庆巫山、巫溪、开州、南川等地。

| 资源情况 | 野生资源稀少。药材主要来源于野生。

| 采收加工 | 鸡嗉子果：秋季采摘，除去果柄，拣净，晒干。

鸡嗉子叶：全年均可采收，鲜用或晒干。

鸡嗉子根：全年均可采收，洗净，晒干。

| 功能主治 | 鸡嗉子果：甘、苦，平。杀虫消积，清热解毒，利水消肿。用于蛔虫病，食积，肺热咳嗽，肝炎，腹水。

鸡嗉子叶：苦、涩，平。消积杀虫，清热解毒，利水消肿。用于食积，小儿疳积，虫积腹痛，肝炎，腹水，烫火伤，外伤出血，疮疡。

鸡嗉子根：微苦、涩，凉。清热，止泻。用于湿热痢疾，泄泻。

| 用法用量 | 鸡嗉子果：内服煎汤，6 ~ 15g。

鸡嗉子叶：内服煎汤，6 ~ 15g；或研末。外用适量，研末撒或调搽；或煎汤洗；或捣敷。

鸡嗉子根：内服煎汤，10 ~ 15g，大剂量可用 30g。

| 附　　注 | 在 FOC 中，本种的拉丁学名被修订为 *Cornus capitata* Wallich；四照花属被修订为山茱萸属 *Cornus*。

山茱萸科 Cornaceae 四照花属 *Dendrobenthamia*

大型四照花 *Dendrobenthamia gigantea* (Hand.-Mazz.) Fang

| 药 材 名 | 大型四照花（药用部位：树皮）。

| 形态特征 | 常绿小乔木，高 4 ~ 5m。树皮灰褐色；小枝圆柱形，幼枝紫色或紫绿色，近于无毛，老枝灰绿色或灰色；冬芽尖圆锥形，长 2.5 ~ 2.8mm，密被淡黄白色细伏毛。叶对生，亚革质至厚革质，倒卵形，稀阔椭圆形，长 8.5 ~ 16cm，宽 3.8 ~ 7.5cm，先端尾状急尖，长 6 ~ 16mm，基部楔形或宽楔形，全缘，上面鲜绿色，有光泽，下面淡绿色，嫩时在两面均被白色贴生短柔毛，老时无毛；中脉在上面显著，下面凸出，侧脉通常 4 对，弓形内弯，在上面有时微凹陷，下面隆起，脉腋无毛或有时被少数粗毛；叶柄圆柱形，长 1 ~ 1.5cm，初被贴生短柔毛，后即无毛。头状花序球形，为超过 60 朵花聚集而成，直径 1.3 ~ 1.6cm；总苞片 4，

大型四照花

白色，阔倒卵形或近圆形，长 4cm，宽 3 ~ 4.2cm，先端凸尖，长 2 ~ 3mm，两面均近无毛；花萼管状，长 1.3mm，上部 4 裂，稀 5 裂，裂片钝圆形，先端有时凹缺，外侧被白色贴生短柔毛，内侧无毛；花瓣 4，卵状披针形，长 4.2mm，宽约 1.1mm，基部狭窄，上面无毛，下面被白色贴生短柔毛；雄蕊 4，花丝纤细，长 4mm，花药椭圆形，黄色，长 1.2mm；花盘褥状，厚约 0.6mm，略 4 浅裂；花柱圆柱形，长约 1.5mm，微被白色贴生短柔毛，柱头小；总花梗圆柱形，长 2 ~ 9.5cm，无毛。果序球形，直径 2.4cm，成熟时黄红色，近无毛；总果梗粗壮，长 8 ~ 9cm，无毛。花期 4 ~ 5 月，果期 7 月。

| 生境分布 | 生于海拔 750 ~ 1700m 的常绿阔叶林下或灌丛中。分布于重庆南川等地。

| 资源情况 | 野生资源稀少。药材主要来源于野生。

| 采收加工 | 全年均可采收，鲜用或晒干。

| 功能主治 | 祛风除湿，行水利胆。

| 用法用量 | 内服煎汤，适量。

| 附　　注 | 在 FOC 中，本种的拉丁学名被修订为 *Cornus hongkongensis* Hemsley subsp. *gigantea* (Handel-Mazzetti) Q. Y. Xiang；四照花属被修订为山茱萸属 *Cornus*。

山茱萸科 Cornaceae 四照花属 *Dendrobenthamia*

四照花 *Dendrobenthamia japonica* (DC.) Fang var. *chinensis* (Osborn) Fang

| 药 材 名 | 四照花（药用部位：叶、花）、四照花皮（药用部位：树皮、根皮）、四照花果（药用部位：果实）。

| 形态特征 | 落叶小乔木。小枝纤细，幼时淡绿色，微被灰白色贴生短柔毛，老时暗褐色。叶对生，纸质或厚纸质，卵形或卵状椭圆形，长 5.5 ~ 12cm，宽 3.5 ~ 7cm，先端渐尖，有尖尾，基部宽楔形或圆形，全缘或边缘有明显细齿，上面绿色，疏生白色细伏毛，下面粉绿色，被白色贴生短柔毛，脉腋被黄色绢状毛；中脉在上面明显，下面凸出，侧脉 4 ~ 5 对，在上面稍明显或微凹，在下面微隆起；叶柄细圆柱形，长 5 ~ 10mm，被白色贴生短柔毛，上面有浅沟，下面圆形。头状花序球形，由 40 ~ 50 花聚集而成；总苞片 4，白色，卵形或卵状披针形，先端渐尖，两面近于无毛；总花梗纤细，被白色贴生短

四照花

柔毛；花小，花萼管状，上部 4 裂，裂片钝圆形或钝尖形，外侧被白色细毛，内侧被 1 圈褐色短柔毛；花瓣和雄蕊未详；花盘垫状；子房下位，花柱圆柱形，密被白色粗毛。果序球形，成熟时红色，微被白色细毛；总果梗纤细，长 5.5 ~ 6.5cm，近无毛。

| 生境分布 | 生于海拔 920 ~ 2590m 的山地或溪边杂木林中。分布于重庆黔江、城口、忠县、彭水、长寿、巫山、石柱、奉节、酉阳、垫江、南川、江津、武隆、开州、巫溪、巴南等地。

| 资源情况 | 野生资源丰富。药材主要来源于野生，亦有少量栽培。

| 采收加工 | 四照花：夏、秋季采摘，鲜用或晒干。

四照花皮：全年均可采收，洗净，切片，晒干。

四照花果：秋季采摘，晒干。

| 功能主治 | 四照花：苦、涩，凉。清热解毒，收敛止血。用于痢疾，肝炎，烫火伤，外伤出血。

四照花皮：苦、涩，平。清热解毒。用于痢疾，肺热咳嗽。

四照花果：甘、苦，平。驱蛔，消积。用于蛔虫腹痛，饮食积滞。

| 用法用量 | 四照花：内服煎汤，9 ~ 15g。外用适量，捣敷；研末撒或调敷。

四照花皮：内服煎汤，9 ~ 15g，大剂量可用 30 ~ 60g。

四照花果：内服煎汤，6 ~ 15g。

| 附　　注 | （1）在 FOC 中，本种的拉丁学名被修订为 *Cornus kousa* F. Buerger ex Hance subsp. *chinensis* (Osborn) Q. Y. Xiang；四照花属被修订为山茱萸属 *Cornus*。

（2）本种喜阴湿，能耐寒。种植宜选择疏松、肥沃、排水良好的土壤。

山茱萸科 Cornaceae 四照花属 *Dendrobenthamia*

多脉四照花 *Dendrobentha miamultinervosa* (Pojark.) Fang

| 药 材 名 | 多脉四照花（药用部位：树皮、叶、花）。

| 形态特征 | 落叶小乔木或灌木，高 4 ~ 8（~ 15）m。树皮黑褐色；幼枝绿色或带紫绿色，微被白色贴生短柔毛，老枝灰紫色或灰褐色，无毛，有散生淡白色椭圆形皮孔；冬芽顶生，狭圆锥形，长 3mm，疏被白色细伏毛。叶对生，纸质，粗糙，长椭圆形或卵状椭圆形，长 6 ~ 13cm，宽 3 ~ 6cm，先端渐尖，基部楔形，有时下延，不对称，全缘或边缘有不明显波状齿，上面深绿色，疏被白色细伏毛，下面淡绿色，被较密的白色贴生短柔毛；中脉在上面微凹陷，下面凸出，侧脉 6（~ 7）对，弓形内弯，在上面稍明显，下面凸起；叶柄细圆柱形，长 8 ~ 18mm，疏被白色贴生短柔毛，上面有浅沟，下面圆形。头状花序球形，由 27 ~ 45 花聚集而成，直径 1cm；总苞片 4，白色

多脉四照花

或黄白色，阔卵形或椭圆形，长 3 ~ 4.5cm，宽 1.8 ~ 2.8cm，先端渐尖或凸尖，基部骤然狭窄，上面疏被白色贴生短柔毛；花小，花萼管状，长约 0.8mm，绿色，上部 4 裂，裂片尖齿形或钝圆形，外侧被白色和褐色细毛，内侧被黄褐色短柔毛；花瓣 4，长圆形，长 2.5mm，宽 1mm，下面被白色贴生短柔毛；雄蕊 4，伸出花外，花丝长 1.8mm，无毛，花药椭圆形，黑色，长约 0.9mm；花盘褥状，厚约 0.5mm，无毛；子房下位，花柱粗壮，长 1.3mm，下半部被白色粗毛，柱头截形。果序球形，直径 1.2 ~ 1.6cm，成熟时红色；总果梗纤细，长 7.2 ~ 10cm，淡黄绿色，近无毛。花期 5 ~ 6 月，果期 10 ~ 11 月。

| 生境分布 | 生于海拔 900 ~ 2300m 的森林中。分布于重庆开州、武隆、南川、合川等地。

| 资源情况 | 野生资源稀少。药材主要来源于野生。

| 采收加工 | 全年均可采收树皮、叶，花期内采收花，鲜用或晒干。

| 功能主治 | 树皮、叶，消肿止痛。花，利胆，杀虫。

| 用法用量 | 内服煎汤，适量。外用适量，捣敷。

| 附　　注 | 在 FOC 中，本种的拉丁学名被修订为 *Cornus multinervosa* (Pojarkova) Q. Y. Xiang；四照花属被修订为山茱萸属 *Cornus*。

山茱萸科 Cornaceae 青荚叶属 *Helwingia*

中华青荚叶 *Helwingia chinensis* Batal.

中华青荚叶

| 药 材 名 |

叶上珠（药用部位：叶、果实。别名：大部参、叶上花、叶上果）、叶上果根（药用部位：根。别名：叶上花根）、青荚叶茎髓（药用部位：茎髓）。

| 形态特征 |

常绿灌木，高 1 ～ 2m。树皮深灰色或淡灰褐色；幼枝纤细，紫绿色。叶革质或近革质，稀厚纸质，线状披针形或披针形，长 4 ～ 15cm，宽 4 ～ 20mm，先端长渐尖，基部楔形或近圆形，边缘具稀疏腺状锯齿，叶面深绿色，下面淡绿色；侧脉 6 ～ 8 对，在上面不显，下面微显；叶柄长 3 ～ 4cm；托叶纤细。雄花 4 ～ 5 成伞形花序，生于叶面中脉中部或幼枝上段，花 3 ～ 5 基数；花萼小，花瓣卵形，长 2 ～ 3mm，花梗长 2 ～ 10mm；雌花 1 ～ 3 生于叶面中脉中部，花梗极短；子房卵圆形，柱头 3 ～ 5 裂。果实具分核 3 ～ 5，长圆形，直径 5 ～ 7mm，幼时绿色，成熟后黑色；果梗长 1 ～ 2mm。花期 4 ～ 5 月，果期 8 ～ 10 月。

| 生境分布 |

生于海拔 850 ～ 2600m 的林下。分布于重

庆黔江、奉节、彭水、城口、武隆、石柱、巫山、开州、巫溪、忠县、云阳、南川、江津等地。

| 资源情况 | 野生资源较丰富。药材主要来源于野生。

| 采收加工 | 叶上珠：夏季或初秋叶片未枯黄前，将果实连叶采摘，鲜用或晒干。

叶上果根：全年均可采收，洗净，切片，晒干。

青荚叶茎髓：秋季割下枝条，截断，趁鲜用木棍顶出茎髓，理直，晒干。

| 药材性状 | 叶上珠：本品叶呈长椭圆形，长 4 ~ 15cm，宽 0.4 ~ 2cm。先端尖尾状，边缘有疏锯齿，叶脉上有的可见黑褐色果实。革质。

| 功能主治 | 叶上珠：苦、辛，平。祛风除湿，活血解毒。用于感冒咳嗽，风湿痹痛，胃痛，痢疾，便血，月经不调，跌打瘀肿，骨折，痈疖疮毒，毒蛇咬伤。

叶上果根：辛、微甘，平。止咳平喘，活血通络。用于久咳虚喘，劳伤腰痛，风湿痹痛，跌打肿痛，胃痛，月经不调，产后腹痛。

青荚叶茎髓：通乳。用于乳少，乳汁不畅。

| 用法用量 | 叶上珠：内服煎汤，9 ~ 15g。外用适量，鲜品捣敷。

叶上果根：内服煎汤，6 ~ 15g；或泡酒。外用适量，鲜品捣敷。

青荚叶茎髓：内服煎汤，3 ~ 9g。

| 附　　注 | 在 FOC 中，本种被修订为青荚叶科 Helwingiaceae 青荚叶属 *Helwingia*。

山茱萸科 Cornaceae 青荚叶属 *Helwingia*

小叶青荚叶 *Helwingia chinensis* Batal. var. *microphylla* Fang et Soong

| 药 材 名 | 小叶青荚叶（药用部位：根、叶、果实）。

| 形态特征 | 本种与原变种中华青荚叶的区别在于叶片较短小，常呈狭披针形，长 2 ~ 6（~ 7）cm，宽 3 ~ 8（~ 10）mm；雄花花梗长 5 ~ 14mm。

| 生境分布 | 生于海拔 1000 ~ 1400m 的林中。分布于重庆巫溪、巫山、南川、武隆等地。

| 资源情况 | 野生资源稀少。药材主要来源于野生。

| 采收加工 | 全年均可采挖根，洗净，切片，晒干。夏季或初秋叶片枯黄前，连叶采摘果实，晒干或鲜用。

小叶青荚叶

| 功能主治 | 舒筋活络，化瘀调经。用于跌打损伤，骨折，风湿关节痛，胃痛，痢疾，月经不调。外用于烫火伤，痈肿疮毒，蛇咬伤。

| 用法用量 | 内服煎汤，适量。

| 附　　注 | （1）在 FOC 中，本种被修订为青荚叶科 Helwingiaceae 青荚叶属 *Helwingia* 中华青荚叶 *Helwingia chinensis* Batal.。

（2）种植宜选择背风遮阴、土质肥沃、排水良好的地块。

山茱萸科 Cornaceae 青荚叶属 *Helwingia*

西域青荚叶 *Helwingia himalaica* Hook. f. et Thoms. ex C. B. Clarke

| 药 材 名 | 叶上珠（药用部位：叶、果实。别名：大部参、叶上花、叶上果）、叶上果根（药用部位：根。别名：叶上花根）、青荚叶茎髓（药用部位：茎髓）。

| 形态特征 | 常绿灌木，高 2 ~ 3m。幼枝细瘦，黄褐色。叶厚纸质，长圆状披针形、长圆形，稀倒披针形，长 5 ~ 11（~ 18）cm，宽 2.5 ~ 4（~ 5）cm，先端尾状渐尖，基部阔楔形，边缘具腺状细锯齿；侧脉 5 ~ 9 对，上面微凹陷，下面微凸出；叶柄长 3.5 ~ 7cm；托叶长约 2mm，常 2 ~ 3 裂，稀不裂。雄花绿色带紫色，常 14 朵呈密伞花序，4 基数，稀 3 基数，花梗细瘦，长 5 ~ 8mm；雌花 3 ~ 4 基数，柱头 3 ~ 4 裂，向外反卷。果实常 1 ~ 3 生于叶面中脉上，近球形，长 6 ~ 9mm，直径 6 ~ 8mm；果梗长 1 ~ 2mm。花期 4 ~ 5 月，果期 8 ~ 10 月。

西域青荚叶

| **生境分布** | 生于海拔 800 ~ 2200m 的林中。分布于重庆綦江、丰都、忠县、石柱、涪陵、酉阳、南川、奉节等地。

| **资源情况** | 野生资源较丰富。药材主要来源于野生，亦有少量栽培。

| **采收加工** | 叶上珠：参见“中华青荚叶”条。
叶上果根：参见“中华青荚叶”条。
青荚叶茎髓：参见“中华青荚叶”条。

| **药材性状** | 叶上珠：本品叶呈长椭圆形，长 5 ~ 18cm，宽 2.5 ~ 5cm。先端尾状渐尖，主脉上有的可见红色核果，表面具棱。叶片较厚。

| **功能主治** | 叶上珠：参见“中华青荚叶”条。
叶上果根：参见“中华青荚叶”条。
青荚叶茎髓：参见“中华青荚叶”条。

| **用法用量** | 叶上珠：参见“中华青荚叶”条。
叶上果根：参见“中华青荚叶”条。
青荚叶茎髓：参见“中华青荚叶”条。

| **附　　注** | （1）在 FOC 中，本种被修订为青荚叶科 Helwingiaceae 青荚叶属 *Helwingia*。
（2）本种喜阴凉湿润气候，怕强光和干旱。以疏松、肥沃的腐殖质土壤栽培为宜。

山茱萸科 Cornaceae 青荚叶属 *Helwingia*

青荚叶 *Helwingia japonica* (Thunb.) Dietr.

| 药 材 名 | 叶上珠（药用部位：叶、果实。别名：大部参、叶上花、叶上果）、叶上果根（药用部位：根。别名：叶上花根）、青通草（药用部位：茎髓）。

| 形态特征 | 落叶灌木，高 1 ~ 2m。幼枝绿色，无毛，叶痕显著。叶纸质，卵形、卵圆形，稀椭圆形，长 3.5 ~ 9（~ 18）cm，宽 2 ~ 6（~ 8.5）cm，先端渐尖，极稀尾状渐尖，基部阔楔形或近圆形，边缘具刺状细锯齿；叶上面亮绿色，下面淡绿色；中脉及侧脉在上面微凹陷，下面微凸出；叶柄长 1 ~ 5（~ 6）cm；托叶线状分裂。花淡绿色，3 ~ 5 基数，花萼小；花瓣长 1 ~ 2mm，镊合状排列；雄花 4 ~ 12，呈伞形或密伞花序，常着生于叶上面中脉的 1/3 ~ 1/2 处，稀着生于幼枝上部，花梗长 1 ~ 2.5mm，雄蕊 3 ~ 5，生于花盘内侧；

青荚叶

雌花 1 ~ 3，着生于叶上面中脉的 1/3 ~ 1/2 处，花梗长 1 ~ 5mm，子房卵圆形或球形，柱头 3 ~ 5 裂。浆果幼时绿色，成熟后黑色，分核 3 ~ 5。花期 4 ~ 5 月，果期 8 ~ 9 月。

| 生境分布 | 生于海拔 1200 ~ 2300m 的林中。分布于重庆黔江、万州、城口、彭水、酉阳、秀山、奉节、綦江、忠县、石柱、南川、武隆、北碚、巫溪、巫山、梁平等地。

| 资源情况 | 野生资源较丰富。药材主要来源于野生，亦有少量栽培。

| 采收加工 | 叶上珠：参见“中华青荚叶”条。
叶上果根：参见“中华青荚叶”条。
小通草：参见“中国旌节花”条。

| 药材性状 | 叶上珠：本品叶呈卵状或卵状椭圆形，长 3 ~ 12cm，宽 1.5 ~ 8cm。先端渐尖，基部楔形，边缘有细锯齿，有的上表面主脉处可见球形黑褐色的果实，具 3 ~ 5 棱；下表面主脉明显。质较脆。气微，味微涩。
小通草：本品表面有浅纵条纹。质较硬，捏之不易变形。水浸后无黏滑感。

| 功能主治 | 叶上珠：参见“中华青荚叶”条。
叶上果根：参见“中华青荚叶”条。
小通草：参见“中国旌节花”条。

| 用法用量 | 叶上珠：参见“中华青荚叶”条。
叶上果根：参见“中华青荚叶”条。
小通草：参见“中国旌节花”条。

| 附　　注 | （1）在 FOC 中，本种被修订为青荚叶科 Helwingiaceae 青荚叶属 *Helwingia*。
（2）本种喜阴凉湿润气候，耐寒，怕强光和干旱。以疏松、肥沃的腐殖质土壤栽培为宜。

山茱萸科 Cornaceae 青荚叶属 *Helwingia*

白粉青荚叶 *Helwingia japonica* (Thunb.) Dietr var. *hypoleuca* Hemsl. ex Rehd.

| 药 材 名 | 青通草（药用部位：萌发枝条的茎髓。别名：小通草）、白背青荚叶（药用部位：叶）。

| 形态特征 | 本变种与原变种青荚叶的区别在于叶下面被白粉，常呈灰白色或粉绿色。

| 生境分布 | 生于海拔 1200 ~ 2700m 林下。分布于重庆城口、巫溪、奉节、南川、秀山等地。

| 资源情况 | 野生资源稀少。药材主要来源于野生。

| 采收加工 | 青通草：秋季割下枝条，截断，趁鲜用木棍顶出茎髓，理直，晒干。白背青荚叶：春、夏季采收，鲜用或晒干。

白粉青荚叶

| 功能主治 | 青通草：甘、苦，凉。清热利尿，通乳。用于热淋涩痛，小便不利，乳汁不下。
白背青荚叶：苦，凉。清热利湿，活血解毒。用于水肿，热淋，便血，疮肿，跌打瘀肿。

| 用法用量 | 青通草：内服煎汤，3 ~ 6g。
白背青荚叶：内服煎汤，6 ~ 15g。外用适量，鲜品捣敷。

| 附　　注 | 在 FOC 中，本种被修订为青荚叶科 Helwingiaceae 青荚叶属 *Helwingia*。

山茱萸科 Cornaceae 青荚叶属 *Helwingia*

峨眉青荚叶 *Helwingia omeiensis* (Fang) Hara et Kuros.

| 药 材 名 | 峨眉青荚叶（药用部位：全株或根、果实、叶）。

| 形态特征 | 常绿小乔木或灌木，高 3 ~ 4（~ 8）m。幼枝绿色。叶片革质，倒卵状长圆形、长圆形，稀倒披针形，长 9 ~ 15cm，宽 3 ~ 5cm，先端急尖或渐尖，具 1 ~ 1.5cm 的尖尾，基部楔形，边缘除近基部 1/3 处全缘外，其余均具腺状锯齿，叶上面深绿色，干后橄榄色，下面淡绿色，干后有淡黄褐色斑纹；叶脉在上面不显，下面微显；叶柄长 1 ~ 5cm；托叶 2，线状披针形或钻形。雄花多数簇生，常 5 ~ 20（~ 30）朵成密伞花序或伞形花序；花紫白色，3 ~ 5 基数，小花梗长 3 ~ 7mm；雌花 1 ~ 4（~ 6），为伞形花序，小花梗长 2 ~ 4mm；花绿色，柱头 3 ~ 4（~ 5）裂；子房 3 ~ 4（~ 5）室。浆果成熟后黑色，常具分核 3 ~ 4（~ 5），长椭圆形，长 9mm。花期 3 ~ 4 月，果期 7 ~ 8 月。

峨眉青荚叶

| 生境分布 | 生于海拔 600 ~ 1700m 的林中。分布于重庆城口、开州、南川等地。

| 资源情况 | 野生资源稀少。药材主要来源于野生。

| 采收加工 | 全年均可采收全株，鲜用或晒干。全年均可采挖根，洗净，切片，晒干。夏季或初秋叶片枯黄前，连叶采摘果实，晒干或鲜用。

| 功能主治 | 根、全株，活血化瘀，清热解毒。用于水肿，小便淋痛，尿急尿痛，乳汁较少或不下。叶，清热除湿。果实，用于胃痛。

| 用法用量 | 内服煎汤，适量。

| 附　　注 | 本种地插适宜选择背风遮阴、土质肥沃、排水良好的地块。

山茱萸科 Cornaceae 梾木属 *Swida*

红椋子 *Swida hemsleyi* (Schneid. et Wanger.) Sojak

红椋子

|药材名|

红椋子（药用部位：树皮）。

|形态特征|

灌木或小乔木，高 2 ~ 3.5（~ 5）m。树皮红褐色或黑灰色；幼枝红色，略有 4 棱，被贴生短柔毛；老枝紫红色至褐色，无毛，有圆形黄褐色皮孔；冬芽顶生和腋生，狭圆锥形，长 3 ~ 8mm，疏被白色短柔毛。叶对生，纸质，卵状椭圆形，长 4.5 ~ 9.3cm，宽 1.8 ~ 4.8cm，先端渐尖或短渐尖，基部圆形，稀宽楔形，有时两侧不对称，边缘微波状，上面深绿色，被贴生短柔毛，下面灰绿色，微粗糙，密被白色贴生短柔毛及乳头状突起，沿叶脉被灰白色及浅褐色短柔毛；中脉在上面凹下，下面凸起，侧脉 6 ~ 7 对，弓形内弯，在上面凹下，下面凸出，脉腋多少被灰白色及浅褐色丛毛，细脉网状，在上面稍凹下，下面略明显；叶柄细长，长 0.7 ~ 1.8cm，淡红色，幼时被灰色及浅褐色贴生短柔毛，上面有浅沟，下面圆形。伞房状聚伞花序顶生，微扁平，宽 5 ~ 8cm，被浅褐色短柔毛；总花梗长 3 ~ 4cm，被淡红褐色贴生短柔毛；花小，白色，直径 6mm；花萼裂片 4，卵状至长圆状舌形，长 2.5 ~ 4mm，宽 1.1 ~ 1.6mm；

雄蕊4，与花瓣互生，长4～6.5mm，伸出花外，花丝线形，白色，无毛，花药2室，卵状长圆形，浅蓝色至灰白色，“丁”字形着生，长1～1.5mm；花盘垫状，无毛或略被小柔毛，边缘波状，厚0.3～0.4mm；花柱圆柱形，长1.8～3mm，稀被贴生短柔毛，柱头盘状扁头形，稍宽于花柱，略有4浅裂，子房下位，花托倒卵形，长0.8～1.2mm，宽0.7～1mm，密被灰色及浅褐色贴生短柔毛；花梗细圆柱形，长1～5mm，被浅褐色短柔毛。核果近球形，直径4mm，黑色，疏被贴生短柔毛；核骨质，扁球形，直径2.3mm，高2mm，有不明显的肋纹8。花期6月，果期9月。

|生境分布| 生于海拔1350～2790m的溪边或杂木林中。分布于重庆城口、石柱、奉节、开州、巫溪、南川等地。

|资源情况| 野生资源稀少。药材主要来源于野生。

|采收加工| 春、夏季剥取树皮，晒干。

|功能主治| 辛，平。祛风止痛，舒筋活络。用于风湿痹痛，劳伤腰腿痛，肢体瘫痪。

|用法用量| 内服煎汤，3～9g；或浸酒。

|附　　注| （1）在FOC中，本种的拉丁学名被修订为*Cornus hemsleyi* C. K. Schneider et Wangerin；梾木属被修订为山茱萸属*Cornus*。

（2）本种喜阴凉湿润气候，怕强光、干旱。以疏松、肥沃的腐殖质土壤栽培为宜。

山茱萸科 Cornaceae 梾木属 *Swida*

梾木 *Swida macrophylla* (Wall.) Sojak

梾木

|药材名|

椋子木（药用部位：心材。别名：冬青果、丁木树、灯台树）、白对节子叶（药用部位：叶）、丁榔皮（药用部位：树皮。别名：松杨木皮）、梾木根（药用部位：根）。

|形态特征|

乔木，高 3 ~ 15m，稀达 20 ~ 25m。树皮灰褐色或灰黑色；幼枝粗壮，灰绿色，有棱角，微被灰色贴生短柔毛，不久变为无毛，老枝圆柱形，疏生灰白色椭圆形皮孔及半环形叶痕；冬芽顶生或腋生，狭长圆锥形，长 4 ~ 10mm，密被黄褐色短柔毛。叶对生，纸质，阔卵形或卵状长圆形，稀近椭圆形，长 9 ~ 16cm，宽 3.5 ~ 8.8cm，先端锐尖或短渐尖，基部圆形，稀宽楔形，有时稍不对称，边缘略有波状小齿，上面深绿色，幼时疏被平贴小柔毛，后近无毛，下面灰绿色，密被或有时疏被白色平贴短柔毛，沿叶脉被淡褐色平贴小柔毛；中脉在上面明显，下面凸出，侧脉 5 ~ 8 对，弓形内弯，在上面明显，下面稍凸起；叶柄长 1.5 ~ 3cm，淡黄绿色，老后变无毛，上面有浅沟，下面圆形，基部稍宽，略呈鞘状。伞房状聚伞花序顶生，宽 8 ~ 12cm，疏被短柔毛；总花梗红色，长 2.4 ~ 4cm；花白色，有香味，直

径 8 ～ 10mm；花萼裂片 4，宽三角形，稍长于花盘，外侧疏被灰色短柔毛，长 0.4 ～ 0.5mm；花瓣 4，质地稍厚，舌状长圆形或卵状长圆形，长 3 ～ 5mm，宽 0.9 ～ 1.8mm，先端钝尖或短渐尖，上面无毛，背面被贴生小柔毛；雄蕊 4，与花瓣等长或稍伸出花外，花丝略粗，线形，长 2.5 ～ 5mm，花药倒卵状长圆形，2 室，长 1.3 ～ 2mm，"丁"字形着生；花盘垫状，无毛，边缘波状，厚 0.3 ～ 0.4mm；花柱圆柱形，长 2 ～ 4mm，略被贴生小柔毛，先端粗壮而略呈棍棒形，柱头扁平，略有浅裂；子房下位，花托倒卵形或倒圆锥形，直径约 1.2mm，密被灰白色平贴短柔毛；花梗圆柱形，长 0.3 ～ 4（～ 5）mm，疏被灰褐色短柔毛。核果近球形，直径 4.5 ～ 6mm，成熟时黑色，近无毛；核骨质，扁球形，直径 3 ～ 4mm，两侧各有 1 浅沟及 6 脉纹。花期 6 ～ 7 月，果期 8 ～ 9 月。

| 生境分布 | 生于海拔 800 ～ 2700m 的山谷林中或溪沟边。分布于重庆万州、潼南、奉节、巫山、巫溪、彭水、武隆、城口、北碚、开州、梁平、巴南等地。

| 资源情况 | 野生资源丰富。药材主要来源于野生，亦有少量栽培。

| 采收加工 | 椋子木：全年均可采收。

白对节子叶：春、夏季采收，晒干。

丁榔皮：全年均可采收，剥取树皮，切段，晒干。

梾木根：秋后采收，洗净，切片，晒干。

| 功能主治 | 椋子木：甘、咸，平。活血止痛，养血安胎。用于跌打骨折，瘀血肿痛，血虚萎黄，胎动不安。

白对节子叶：苦、辛，平。祛风通络，疗疮止痒。用于风湿痛，中风，疮疡，风疹。

丁榔皮：苦、平。祛风通络，利湿止泻。用于筋骨疼痛，肢体瘫痪，痢疾，水泻腹痛。

梾木根：甘、微苦，凉。清热平肝，活血通络。用于头痛，眩晕，咽喉肿痛，关节酸痛。

| 用法用量 | 椋子木：内服煎汤，3 ～ 10g，或泡酒。

白对节子叶：内服煎汤，9 ～ 15g；或泡酒。外用适量，煎汤洗。

丁榔皮：内服煎汤，6 ～ 15g。

梾木根：内服煎汤，6 ～ 15g；或泡酒；或研细粉。

| 附　　注 | （1）在 FOC 中，本种的拉丁学名被修订为 *Cornus macrophylla* Wallich；梾木属被修订为山茱萸属 *Cornus*。

（2）本种喜阴湿，能耐寒。种植宜选择疏松、肥沃、排水良好的土壤。

山茱萸科 Cornaceae 梾木属 *Swida*

小梾木 *Swida paucinervis* (Hance) Sojak

| 药 材 名 | 穿鱼藤（药用部位：根、枝叶。别名：茶头接筋叶、疏脉山茱萸、大穿鱼草）。

| 形态特征 | 落叶灌木，高 1 ~ 3m，稀达 4m。树皮灰黑色，光滑；幼枝对生，绿色或带紫红色，略具 4 棱，被灰色短柔毛，老枝褐色，无毛；冬芽顶生及腋生，圆锥形至狭长形，长 2.5 ~ 8mm，被疏生短柔毛。叶对生，纸质，椭圆状披针形、披针形，稀长圆状卵形，长 4 ~ 9cm，稀达 10cm，宽 1 ~ 2.3（~ 3.8）cm，先端钝尖或渐尖，基部楔形，全缘，上面深绿色，散生平贴短柔毛，下面淡绿色，被较少灰白色的平贴短柔毛或近无毛；中脉在上面稍凹陷，下面凸出，被平贴短柔毛，侧脉通常 3 对，稀 2 对或 4 对，平行斜伸或在近边缘处弓形内弯，在上面明显，下面稍凸起；叶柄长 5 ~ 15mm，黄绿色，被贴生灰

小梾木

色短柔毛，上面有浅沟，下面圆形。伞房状聚伞花序顶生，被灰白色贴生短柔毛，宽 3.5 ~ 8cm；总花梗圆柱形，长 1.5 ~ 4cm，略有棱角，密被贴生灰白色短柔毛；花小，白色至淡黄白色，直径 9 ~ 10mm；花萼裂片 4，披针状三角形至尖三角形，长 1mm，长于花盘，淡绿色，外侧被紧贴的短柔毛；花瓣 4，狭卵形至披针形，长 6mm，宽 1.8mm，先端急尖，质地稍厚，上面无毛，下面被贴生短柔毛；雄蕊 4，长 5mm，花丝淡白色，长 4mm，无毛，花药长圆卵形，2 室，淡黄白色，长 2.4mm，"丁"字形着生；花盘垫状，略有浅裂，厚约 0.2mm；子房下位，花托倒卵形，长 2mm，直径 1.6mm，密被灰白色平贴短柔毛，花柱棍棒形，长 3.5mm，淡黄白色，近无毛，柱头小，截形，略有 3（~ 4）小突起；花梗细，圆柱形，长 2 ~ 9mm，被灰色及少数褐色贴生短柔毛。核果圆球形，直径 5mm，成熟时黑色；核近球形，骨质，直径约 4mm，有 6 不明显的肋纹。花期 6 ~ 7 月，果期 10 ~ 11 月。

| 生境分布 | 生于海拔 200 ~ 1100m 的河岸旁或溪边灌丛中。分布于重庆綦江、彭水、万州、秀山、云阳、涪陵、忠县、黔江、武隆、奉节、开州、巫溪等地。

| 资源情况 | 野生资源丰富。药材主要来源于野生，亦有少量栽培。

| 采收加工 | 全年均可采收，枝叶或根洗净，鲜用或切段晒干。

| 功能主治 | 苦、辛，凉。清热解表，解毒疗疮。用于感冒头痛，风湿热痹，腹泻，跌打骨折，外伤出血，热毒疮肿，烫火伤。

| 用法用量 | 内服煎汤，6 ~ 15g；或浸酒。外用适量，鲜品捣敷；或研末撒；或煎汤洗。

| 附　　注 | （1）在 FOC 中，本种的拉丁学名被修订为 *Cornus quinquenervis* Franchet；梾木属被修订为山茱萸属 *Cornus*。

（2）本种喜阴湿，能耐寒。种植宜选择疏松、肥沃、排水良好的土壤。

山茱萸科 Cornaceae 梾木属 *Swida*

灰叶梾木 *Swida poliophylla* (Schneid. et Wanger.) Sojak

| 药 材 名 | 灰叶梾木（药用部位：全株）。

| 形态特征 | 落叶灌木或小乔木，通常高 1.5 ~ 8m，稀达 10m。树皮浅褐色；幼枝略有棱角，紫红绿色，密被短柔毛，老枝蔗红色，无毛，有微凸椭圆形皮孔；冬芽长圆锥形，长 4 ~ 11mm，密被黄褐色及灰色短柔毛。叶对生，纸质，卵状椭圆形，稀长椭圆形，长 6 ~ 11.5（~ 13）cm，宽 2 ~ 7cm，先端凸尖或渐尖，基部近圆形，稀阔楔形至楔形，全缘或边缘微波状反卷，上面深绿色，疏生卷曲毛，下面灰绿色，密被乳头状突起及卷曲毛，尤以沿中脉为多；中脉在上面明显或微凹下，下面凸出，侧脉 7 ~ 8 对，稀 6 对或 9 对，弓形内弯，在上面微凹下，下面凸起；叶柄红色，长 1 ~ 2.5cm，被黄褐色短柔毛，上面有浅沟，下面圆形。顶生伞房状聚伞花序，微凸，长

灰叶梾木

2.5 ~ 4.5cm，宽 4 ~ 9cm，稀被黄褐色短柔毛；总花梗圆柱形，长 3.5 ~ 5.5cm，稀被短柔毛；花白色，直径 7 ~ 8mm；花萼裂片 4，披针形，长 0.4 ~ 0.5mm，长于花盘，外侧被短柔毛；花瓣 4，舌状长圆形或卵状披针形，长 3.2 ~ 3.5mm，宽 1 ~ 1.5mm，先端尖，上面无毛，下面被贴生短柔毛；雄蕊 4，着生于花盘外侧，伸出花外，长 4.2 ~ 5mm，花丝线形，白色，长 3.5 ~ 4.3mm，无毛，花药长圆形，2 室，长 1.3 ~ 1.5mm，浅蓝色至灰色，“丁”字形着生；花盘垫状，无毛；花柱圆柱形，长 2 ~ 3mm，白色，稀被白色贴生短柔毛，柱头盘状，较花柱略宽，有时稍具浅裂，子房下位，花托倒卵形，长约 1.4mm，直径 1.1mm，被淡褐色及灰白色贴生短柔毛；花梗圆柱形，长 1 ~ 6mm，密被浅褐色短柔毛。核果球形，直径 5 ~ 6mm，成熟时黑色，微被贴生短柔毛；核骨质，近卵圆形，长 3 ~ 3.2mm，宽 2.8 ~ 3.5mm，有 8 脉纹。花期 6 月，果期 10 月。

| 生境分布 | 生于海拔 1200 ~ 2600m 的密林或杂木林中。分布于重庆巫溪、城口、南川、武隆、沙坪坝等地。

| 资源情况 | 野生资源稀少。药材主要来源于野生。

| 采收加工 | 全年均可采收，切段，晒干。

| 功能主治 | 清热解表。用于感冒头痛。

| 用法用量 | 内服煎汤，适量。

| 附　　注 | 在 FOC 中，本种的拉丁学名被修订为 *Cornus schindleri* Wangerin subsp. *poliophylla* (C. K. Schneider et Wangerin) Q. Y. Xiang；梾木属被修订为山茱萸属 *Cornus*。

山茱萸科 Cornaceae 梾木属 *Swida*

毛梾 *Swida walteri* (Wanger.) Sojak

| 药 材 名 | 毛梾枝叶（药用部位：枝叶。别名：癞树叶）。

| 形态特征 | 落叶乔木，高 6 ~ 15m。树皮厚，黑褐色，纵裂而又横裂成块状；幼枝对生，绿色，略有棱角，密被贴生灰白色短柔毛，老后黄绿色，无毛；冬芽腋生，扁圆锥形，长约 1.5mm，被灰白色短柔毛。叶对生，纸质，椭圆形、长圆状椭圆形或阔卵形，长 4 ~ 12（~ 15.5）cm，宽 1.7 ~ 5.3（~ 8）cm，先端渐尖，基部楔形，有时稍不对称，上面深绿色，稀被贴生短柔毛，下面淡绿色，密被灰白色贴生短柔毛；中脉在上面明显，下面凸出，侧脉 4（~ 5）对，弓形内弯，在上面稍明显，下面凸起；叶柄长（0.8 ~）3.5cm，幼时被短柔毛，后渐无毛，上面平坦，下面圆形。伞房状聚伞花序顶生，花密，宽 7 ~ 9cm，被灰白色短柔毛；总花梗长 1.2 ~ 2cm；花白色，有香味，

毛梾

直径 9.5mm；花萼裂片 4，绿色，齿状三角形，长约 0.4mm，与花盘近等长，外侧被黄白色短柔毛；花瓣 4，长圆状披针形，长 4.5 ~ 5mm，宽 1.2 ~ 1.5mm，上面无毛，下面被贴生短柔毛；雄蕊 4，无毛，长 4.8 ~ 5mm，花丝线形，微扁，长 4mm，花药淡黄色，长圆卵形，2 室，长 1.5 ~ 2mm，"丁"字形着生；花盘明显，垫状或腺体状，无毛；花柱棍棒形，长 3.5mm，被稀疏的贴生短柔毛，柱头小，头状，子房下位，花托倒卵形，长 1.2 ~ 1.5mm，直径 1 ~ 1.1mm，密被灰白色贴生短柔毛；花梗细圆柱形，长 0.8 ~ 2.7mm，被稀疏短柔毛。核果球形，直径 6 ~ 7（~ 8）mm，成熟时黑色，近无毛；核骨质，扁圆球形，直径 5mm，高 4mm，有不明显的肋纹。花期 5 月，果期 9 月。

| 生境分布 | 生于海拔 750 ~ 2600m 的杂木林或密林下。分布于重庆巫溪、开州等地。

| 资源情况 | 野生资源稀少。药材主要来源于野生。

| 采收加工 | 春、夏季采收，鲜用或晒干。

| 功能主治 | 解毒敛疮。用于漆疮。

| 用法用量 | 外用适量，鲜品捣涂；或煎汤洗；或研末撒。

| 附　　注 | 在 FOC 中，本种的拉丁学名被修订为 *Cornus walteri* Wangerin；梾木属被修订为山茱萸属 *Cornus*。

山茱萸科 Cornaceae 鞘柄木属 *Toricellia*

角叶鞘柄木 *Toricellia angulata* Oliv.

|药 材 名| 水冬瓜根（药用部位：根、根皮。别名：接骨丹根）、水冬瓜叶（药用部位：叶。别名：接骨丹叶）、水冬瓜花（药用部位：花。别名：接骨丹花）。

|形态特征| 落叶灌木或小乔木，高 2.5 ~ 8m。树皮灰色；老枝黄灰色，有长椭圆形皮孔及半环形叶痕，髓部宽，白色。叶互生，膜质或纸质，阔卵形或近圆形，长 6 ~ 15cm，宽 5.5 ~ 15.5cm，有裂片 5 ~ 7，近基部裂片较小；掌状叶脉 5 ~ 7，达于叶缘，在两面均凸起，无毛，网脉不明显；叶柄长 2.5 ~ 8cm，绿色，无毛，基部扩大成鞘包于枝上。总状圆锥花序顶生，下垂，雄花序长 5 ~ 30cm，密被短柔毛；雄花萼管倒圆锥形，裂片 5，齿状，花瓣 5，长圆状披针形，长 1.8mm，先端钩状内弯，雄蕊 5，与花瓣互生，花丝短，无毛，花药长圆形，

角叶鞘柄木

2 室，花盘垫状，圆形，中间有 3 枚退化花柱，花梗纤细，长 2mm，被疏生短柔毛，近基部有 2 长披针形的小苞片，长 0.3 ~ 1.3mm；雌花序较长，常达 35cm，但花较稀疏，花萼管状钟形，无毛，裂片 5，披针形，不整齐，长 0.8 ~ 1.2mm，先端有疏生纤毛，无花瓣及雄蕊，子房倒卵形，3 室，与花萼管合生，无毛，长 1.2mm，柱头微曲，下延，花梗细圆柱形，有小苞片 3，大小不整齐，长 1 ~ 2.5mm。果实核果状，卵形，直径 4mm，花柱宿存。花期 4 月，果期 6 月。

| 生境分布 | 生于海拔 950 ~ 1310m 的林缘或溪边。分布于重庆云阳、武隆、巫溪、巫山、奉节、城口、开州、万州、南川等地。

| 资源情况 | 野生资源稀少。药材主要来源于野生。

| 采收加工 | 水冬瓜根：秋后采收，洗净，鲜用或切片晒干。
水冬瓜叶：春、夏季采收，晒干。
水冬瓜花：春季花开时采收，阴干。

| 功能主治 | 水冬瓜根：辛、微苦，微温。祛风除湿，活血接骨。用于风湿关节痛，跌打瘀肿，骨折，经闭。
水冬瓜叶：微苦，凉。清热解毒，利湿。用于咽喉肿痛，肺热咳喘，热淋，泄泻。
水冬瓜花：甘、微苦，平。破血通经，止咳平喘。用于瘀血经闭，久咳，哮喘。

| 用法用量 | 水冬瓜根：内服煎汤，6 ~ 15g；或泡酒。外用适量，捣敷。孕妇慎服。
水冬瓜叶：内服煎汤，9 ~ 15g。外用适量，研末吹喉。
水冬瓜花：内服煎汤，6 ~ 15g。孕妇慎服。

| 附　　注 | 在 FOC 中，本种被修订为鞘柄木科 Toricelliaceae 鞘柄木属 *Toricellia*，本种的拉丁学名被修订为 *Toricellia angulata* Oliv.。

山茱萸科 Cornaceae 鞘柄木属 *Toricellia*

有齿鞘柄木 *Toricellia angulata* Oliv. var. *intermedia* (Harms) Hu

| 药 材 名 | 水冬瓜根皮（药用部位：根皮）。

| 形态特征 | 本种与原变种角叶鞘柄木的区别在于叶片的裂片边缘有牙齿状锯齿。

| 生境分布 | 生于海拔 700 ～ 1700m 的林下。分布于重庆巫溪、奉节、开州、南川等地。

| 资源情况 | 野生资源稀少。药材主要来源于野生。

| 采收加工 | 冬季采挖根，剥取根皮，洗净，晒干。

| 药材性状 | 本品呈卷曲筒状或半筒状，也有双筒状和不规则碎片，长短不一。

有齿鞘柄木

外表面黄棕色或红棕色，有纵向扭曲的纵沟及横向长圆形皮孔；内表面紫黑色或紫棕色，有纵纹。质脆，易折断，断面不平坦，断面外层黄色，内层紫黑色。气辛，味微苦、麻。

| 功能主治 | 辛、微苦，平。活血祛瘀，舒筋接骨。用于哮喘，瘀血劳伤，骨折，跌打损伤。

| 用法用量 | 内服煎汤，10 ~ 15g。外用适量，捣敷；或研末吹喉。

五加科 Araliaceae 五加属 *Acanthopanax*

细柱五加 *Acanthopanax gracilistylus* W. W. Smith

| 药 材 名 | 五加皮（药用部位：根皮。别名：刺五加、南五加皮、五谷皮）、五加叶（药用部位：叶）、五加果（药用部位：果实。别名：南五加果）。

| 形态特征 | 灌木，高 2 ~ 3m。枝灰棕色，软弱而下垂，蔓生状，无毛，节上通常疏生反曲扁刺。叶有小叶 5，稀 3 ~ 4，在长枝上互生，在短枝上簇生；叶柄长 3 ~ 8cm，无毛，常有细刺；小叶片膜质至纸质，倒卵形至倒披针形，长 3 ~ 8cm，宽 1 ~ 3.5cm，先端尖至短渐尖，基部楔形，两面无毛或沿脉疏生刚毛，边缘有细钝齿；侧脉 4 ~ 5 对，两面均明显，下面脉腋间被淡棕色簇毛，网脉不明显；几无小叶柄。伞形花序单个、稀 2 个腋生，或顶生在短枝上，直径约 2cm，有花多数；总花梗长 1 ~ 2cm，结实后延长，无毛；花梗细长，长 6 ~

细柱五加

10mm，无毛；花黄绿色；花萼近全缘或边缘有 5 小齿；花瓣 5，长圆状卵形，先端尖，长 2mm；雄蕊 5，花丝长 2mm；子房 2 室；花柱 2，细长，离生或基部合生。果实扁球形，长约 6mm，宽约 5mm，黑色；宿存花柱长 2mm，反曲。花期 4 ~ 8 月，果期 6 ~ 10 月。

| 生境分布 | 生于灌丛、林缘、山坡路旁或村落中。分布于重庆黔江、垫江等地。

| 资源情况 | 野生资源稀少。药材主要来源于野生。

| 采收加工 | 五加皮：夏、秋季采收（须栽培 4 年以上），采挖根部，除去须根，刮皮，抽去木心，烘干或晒干。

五加叶：全年均可采收，鲜用或晒干。

五加果：秋季果实成熟后采收，晒干。

| 功能主治 | 五加皮：辛、苦、微甘，温。祛风湿，补肝肾，强筋骨，活血脉。用于风寒湿痹，腰膝疼痛，筋骨痿软，小儿行迟，体虚羸弱，跌打损伤，骨折，水肿，脚气，阴下湿痒。

五加叶：辛，平。散风除湿，活血止痛，清热解毒。用于皮肤风湿，跌打肿痛，疝痛，丹毒。

五加果：甘、微苦，温。补肝肾，强筋骨。肝肾亏虚，小儿行迟，筋骨痿软。

| 用法用量 | 五加皮：内服煎汤，6 ~ 9g，鲜品加倍；或浸酒；或入丸、散。外用适量，煎汤熏洗；或研末敷。

五加叶：内服煎汤，6 ~ 15g；或研末；或浸酒。外用适量，研末调敷；或鲜品捣敷。

五加果：内服煎汤，6 ~ 12g；或入丸、散。

| 附　　注 | 在《中国药典》2015 版中“五加皮”为 *Acanthopanax gracilistylus* W. W. Smith，但在 FOC 中，细柱五加的拉丁学名为 *Eleutherococcus nodiflorus* (Dunn) S. Y. Hu，五加属的拉丁学名被修订为 *Eleutherococcus*。FOC 将原属于 *A. gracilistylus* W. W. Smith 种下的变种短毛五加 *A. gracilistylus* var. *pubescens* (Pampanin) Li、柔毛五加 *A. gracilistylus* var. *villosulus* (Harms) Li、糙毛五加 *A. gracilistylus* var. *nodiflorus* (Dunn) 和大叶五加 *A. gracilistylus* var. *major* Hoo 并入 *Eleutherococcus nodiflorus* (Dunn) S. Y. Hu，*Acanthopanax gracilistylus* W. W. Smith 作为异名。

五加科 Araliaceae 五加属 *Acanthopanax*

藤五加 *Acanthopanax leucorrhizus* (Oliv.) Harms

| 药材名 | 藤五加（药用部位：茎皮、根皮）。

| 形态特征 | 灌木，高 2 ~ 4m，有时蔓生状。枝无毛，节上有刺 1 至数个或无刺，稀节间散生多数倒刺；刺细长，基部不膨大，下向。叶有小叶 5，稀 3 ~ 4；叶柄长 5 ~ 10cm 或更长，先端有时有小刺，无毛；小叶片纸质，长圆形至披针形，或倒披针形，稀倒卵形，先端渐尖，稀尾尖，基部楔形，长 6 ~ 14cm，宽 2.5 ~ 5cm，两面均无毛，边缘有锐利重锯齿；侧脉 6 ~ 10 对，两面隆起而明显，网脉不明显；小叶柄长 3 ~ 15mm。伞形花序单个顶生，或数个组成短圆锥花序，直径 2 ~ 4cm，有花多数；总花梗长 2 ~ 8cm，稀更长；花梗长 1 ~ 2cm；花绿黄色；花萼无毛，边缘有 5 小齿；花瓣 5，长卵形，长约 2mm，开花时反曲；雄蕊 5，花丝长 2mm；子房 5 室，花柱全

藤五加

部合生成柱状。果实卵球形，有5棱，直径5 ~ 7mm；宿存花柱短，长1 ~ 1.2mm。花期6 ~ 8月，果期8 ~ 10月。

| 生境分布 | 生于丛林中。分布于重庆石柱、奉节、城口、南川、丰都、秀山、巫山、巫溪、开州等地。

| 资源情况 | 野生资源稀少。药材主要来源于野生。

| 采收加工 | 全年均可采收茎皮，洗净，晒干。秋季采挖根，洗净，剥取根皮，晒干。

| 功能主治 | 辛、微苦，温。祛风湿，通经络，强筋骨。用于风湿痹痛，拘挛麻木，腰膝酸软，半身不遂，跌打损伤，水肿，皮肤湿痒，阴囊湿肿。

| 用法用量 | 内服煎汤，9 ~ 15g；或浸酒。外用适量，煎汤洗；或捣敷。

| 附　　注 | 在FOC中，本种的拉丁学名被修订为 *Eleutherococcus leucorrhizus* Oliver；五加属的拉丁学名被修订为 *Eleutherococcus*。

五加科 Araliaceae 五加属 *Acanthopanax*

糙叶藤五加 *Acanthopanax leucorrhizus* (Oliv.) Harms var. *fulvescens* Harms ex Rehd.

| **药 材 名** | 毛五加皮（药用部位：茎皮。别名：红毛五加皮、刺五甲、刺甲皮）。

| **形态特征** | 本种与原变种藤五加的区别在于小叶片边缘有锐利锯齿，稀重锯齿状，上面被糙毛，下面脉上被黄色短柔毛，小叶柄密生黄色短柔毛。

| **生境分布** | 生于森林或灌木林中。分布于重庆武隆、南川、城口、开州等地。

| **资源情况** | 野生资源稀少。药材主要来源于野生。

| **采收加工** | 5 ~ 6 月砍取一年生枝条，截成长 70cm 左右的段，用木棒轻轻敲打，使皮与木心分离，抽去木心，取茎皮，晒干。

| **药材性状** | 本品呈不规则筒状，有的呈片状，长 8 ~ 15cm，厚约 2mm。外表

糙叶藤五加

面灰褐色，有纵皱纹，皮孔横裂，灰白色或黄白色；内表面灰黄色或淡黄色，有细纵纹。体轻，质脆，断面不平坦，灰白色。气微香，味微苦、辛而涩。

| 功能主治 | 辛、苦，温。归肝、肾经。祛风湿，强筋骨，活血止痛。用于风湿痹痛，拘挛麻木，腰膝酸软，足膝无力，跌打损伤，阴囊湿疹。

| 用法用量 | 内服煎汤，9 ~ 15g；或泡酒。外用适量，煎汤洗。阴虚火旺者慎服。

| 附　　注 | 在 FOC 中，本种的拉丁学名被修订为 *Eleutherococcus leucorrhizus* Oliver var. *fulvescens* (Harms et Rehder) Nakai；五加属的拉丁学名被修订为 *Eleutherococcus*。

五加科 Araliaceae 五加属 *Acanthopanax*

蜀五加 *Acanthopanax setchuenensis* Harms

| 药材名 | 蜀五加（药用部位：根皮。别名：五加皮）。

| 形态特征 | 灌木，高达 4m。枝无刺或节上有 1 至数个刺；刺细长，针状，基部不膨大。叶通常有小叶 3，稀 4 ~ 5；叶柄长 3 ~ 12cm；小叶片革质，长圆状椭圆形至长圆状卵形，先端短渐尖、渐尖至尾尖状，基部宽楔形至近圆形，长 5 ~ 12cm，宽 2 ~ 6cm，上面深绿色，下面灰白色，两面均无毛，边缘全缘、疏生齿牙状锯齿或不整齐细锯齿；侧脉约 8 对，上面不及下面明显，网脉不甚明显；小叶柄长 3 ~ 10mm，无毛。伞形花序单个顶生，或数个组成短圆锥状花序，直径约 3cm，有花多数；总花梗长 3 ~ 10cm；花梗长 0.5 ~ 2cm；花白色；花萼无毛，边缘有 5 小齿；花瓣 5，三角状卵形，长约 2mm，开花时反曲；雄蕊 5，花丝长 2 ~ 2.5mm；子房 5 室，花

蜀五加

柱全部合生成柱状。果实球形，有 5 棱，直径 6 ~ 8mm，黑色，宿存花柱长 1 ~ 1.2mm。花期 5 ~ 8 月，果期 8 ~ 10 月。

| 生境分布 | 生于海拔 1000 ~ 2790m 的灌丛中。分布于重庆城口、巫溪、巫山、南川、武隆等地。

| 资源情况 | 野生资源稀少。药材主要来源于野生。

| 采收加工 | 秋季挖根，洗净，除去须根，趁鲜剥取根皮，切段，晒干。

| 功能主治 | 辛、微苦，温。祛风除湿，舒经活络，止咳平喘。用于风湿痹痛，筋骨痿软，拘挛麻木，瘫痪，小儿麻痹，水肿，皮肤湿痒，咳嗽，哮喘。

| 用法用量 | 内服煎汤，9 ~ 15g；或浸酒；或入丸、散。外用适量，捣敷。阴虚火旺者慎服。

| 附　　注 | 在 FOC 中，本种的拉丁学名被修订为 *Eleutherococcus leucorrhizus* Oliver var. *setchuenensis* (Harms) C. B. Shang et J. Y. Huang；五加属的拉丁学名被修订为 *Eleutherococcus*。

五加科 Araliaceae 五加属 *Acanthopanax*

细刺五加 *Acanthopanax setulosus* Franch.

| 药 材 名 | 细刺五加（药用部位：根）。

| 形态特征 | 灌木，高 3 ~ 5m。枝细弱，下垂，红棕色，节上通常有倒钩状刺 1 ~ 3，节间密生红棕色刚毛或无毛，有刺或无刺。叶有 5 小叶；叶柄长 3 ~ 8cm，无毛；小叶片纸质，长圆状卵形至长圆状倒卵形，长 2 ~ 5cm，宽 1 ~ 2cm，先端尖至短渐尖，基部狭尖，上面脉上散生刚毛，下面无毛，边缘中部以上呈细牙齿状；侧脉 3 ~ 4 对，两面明显，网脉不明显；无小叶柄。伞形花序单生短枝上，直径约 2.5cm，有花多数；总花梗长 2 ~ 3cm，密生刚毛，后刚毛脱落；花梗纤细，长 0.5 ~ 1cm，无毛；花萼无毛，边缘有 5 小齿；花瓣 5，卵状长圆形，长 2mm，开花时反曲；雄蕊 5，花丝长 2mm；子房 5 室；花柱 5，基部合生。果实球形，有 5 棱，黑色，直径 5mm。花期 7 月，果期 9 月。

细刺五加

| **生境分布** | 生于海拔约 2000m 的森林下。分布于重庆城口、巫溪等地。

| **资源情况** | 野生资源稀少。药材主要来源于野生。

| **采收加工** | 夏、秋季采收，剥取茎皮、根皮，晒干。

| **功能主治** | 祛风湿，强筋骨。用于风湿痹痛，腰肌劳损。

| **用法用量** | 内服煎汤，适量。外用适量，捣敷。

| **附　　注** | 在 FOC 中，本种的拉丁学名被修订为 *Eleutherococcus setulosus* (Franchet) S. Y. Hu；五加属的拉丁学名被修订为 *Eleutherococcus*。

五加科 Araliaceae 五加属 *Acanthopanax*

白簕 *Acanthopanax trifoliatus* (L.) Merr.

| 药 材 名 | 三加皮（药用部位：根、根皮。别名：刺五爪、三叶五加、香藤刺）、白簕枝叶（药用部位：嫩枝叶。别名：白茨叶、白簕远）、三加花（药用部位：花）。

| 形态特征 | 灌木，高 1 ~ 7m。枝软弱，铺散，常依持他物上升，老枝灰白色，新枝黄棕色，疏生下向刺；刺基部扁平，先端钩曲。叶有小叶 3，稀 4 ~ 5；叶柄长 2 ~ 6cm，有刺或无刺，无毛；小叶片纸质，稀膜质，椭圆状卵形至椭圆状长圆形，稀倒卵形，长 4 ~ 10cm，宽 3 ~ 6.5cm，先端尖至渐尖，基部楔形，两侧小叶片基部歪斜，两面无毛，或上面脉上疏生刚毛，边缘有细锯齿或钝齿；侧脉 5 ~ 6 对，明显或不甚明显，网脉不明显；小叶柄长 2 ~ 8mm，有时几无小叶柄。伞形花序 3 ~ 10，稀多至 20 组成顶生复伞形花序或圆锥花序，

白簕

直径 1.5 ~ 3.5cm，有花多数，稀少数；总花梗长 2 ~ 7cm，无毛；花梗细长，长 1 ~ 2cm，无毛；花黄绿色；花萼长约 1.5mm，无毛，边缘有 5 三角形小齿；花瓣 5，三角状卵形，长约 2mm，开花时反曲；雄蕊 5，花丝长约 3mm；子房 2 室；花柱 2，基部或中部以下合生。果实扁球形，直径约 5mm，黑色。花期 8 ~ 11 月，果期 9 ~ 12 月。

| 生境分布 | 生于村落、山坡路旁、林缘或灌丛中。分布于重庆黔江、长寿、綦江、万州、北碚、潼南、合川、石柱、奉节、丰都、云阳、忠县、铜梁、垫江、南川、涪陵、璧山、巫溪、城口、开州、武隆、江津、南岸、巴南、九龙坡、沙坪坝、荣昌等地。

| 资源情况 | 野生资源丰富。药材主要来源于野生。

| 采收加工 | 三加皮：9 ~ 10 月挖根，鲜用；或趁鲜剥取根皮，晒干。

白簕枝叶：全年均可采收，鲜用或晒干。

三加花：8 ~ 11 月采收，洗净，鲜用。

| 药材性状 | 本品根皮呈不规则筒状或片状，长 2 ~ 7.5cm，厚 0.5 ~ 1.5mm。外表面灰红棕色，有纵皱纹，皮孔类圆形或略横向延长；内表面灰褐色，有细纵纹。体轻，质脆，折断面不平坦。气微香，味微苦、辛而涩。

| 功能主治 | 三加皮：苦、辛，凉。清热解毒，祛风利湿，活血舒络。用于感冒发热，咽痛，头痛，咳嗽胸痛，胃脘疼痛，泄泻，痢疾，胁痛，黄疸，石淋，带下，风湿痹痛，腰腿酸痛，拘挛麻木，跌打骨折，痄腮，乳痈，疮疡肿毒，蛇虫咬伤。

白簕枝叶：苦、辛，微寒。清热解毒，活血消肿，除湿敛疮。用于感冒发热，咳嗽胸痛，痢疾，风湿痹痛，跌打损伤，骨折，刀伤，疮痈疔疖，口疮，湿疹，疥疮，毒虫咬伤。

三加花：解毒敛疮。用于漆疮。

| 用法用量 | 三加皮：内服煎汤，15 ~ 30g，大剂量可用 60g；或浸酒。外用适量，研末调敷；捣敷；或煎汤洗。

白簕枝叶：内服煎汤，9 ~ 30g；或开水泡服。外用适量，捣敷；或煎汤洗。

三加花：外用适量，煎汤洗。

| 附　　注 | 在 FOC 中，本种的拉丁学名被修订为 *Eleutherococcus trifoliatus* (Linnaeus) S. Y. Hu；五加属的拉丁学名被修订为 *Eleutherococcus*。

五加科 Araliaceae 楤木属 *Aralia*

楤木 *Aralia chinensis* L.

| 药 材 名 | 楤木（药用部位：根皮。别名：雀不站、破阳伞、刺老苞）、楤木叶（药用部位：叶。别名：吻头、树头菜）。

| 形态特征 | 灌木或乔木，高 2 ~ 5m，稀达 8m，胸径达 10 ~ 15cm。树皮灰色，疏生粗壮直刺；小枝通常淡灰棕色，被黄棕色绒毛，疏生细刺。叶为二回或三回羽状复叶，长 60 ~ 110cm；叶柄粗壮，长可达 50cm；托叶与叶柄基部合生，纸质，耳廓形，长 1.5cm 或更长，叶轴无刺或有细刺；羽片有小叶 5 ~ 11，稀 13，基部有小叶 1 对；小叶片纸质至薄革质，卵形、阔卵形或长卵形，长 5 ~ 12cm，稀长达 19cm，宽 3 ~ 8cm，先端渐尖或短渐尖，基部圆形，上面粗糙，疏生糙毛，下面被淡黄色或灰色短柔毛，脉上更密，边缘有锯齿，稀为细锯齿或不整齐粗重锯齿；侧脉 7 ~ 10 对，两面均明显，网脉在

楤木

上面不甚明显，下面明显；小叶无柄或有长3mm的叶柄，顶生小叶柄长2～3cm。圆锥花序大，长30～60cm；分枝长20～35cm，密生淡黄棕色或灰色短柔毛；伞形花序直径1～1.5cm，有花多数；总花梗长1～4cm，密生短柔毛；苞片锥形，膜质，长3～4mm，外面被毛；花梗长4～6mm，密生短柔毛，稀为疏毛；花白色，芳香；花萼无毛，长约1.5mm，边缘有5三角形小齿；花瓣5，卵状三角形，长1.5～2mm；雄蕊5，花丝长约3mm；子房5室；花柱5，离生或基部合生。果实球形，黑色，直径约3mm，有5棱；宿存花柱长1.5mm，离生或合生至中部。花期7～9月，果期9～12月。

| 生境分布 | 生于森林、灌丛或林缘路边。分布于重庆北碚、黔江、万州、綦江、璧山、南岸、忠县、大足、秀山、涪陵、江津、潼南、城口、长寿、合川、巫山、奉节、石柱、梁平、丰都、永川、铜梁、垫江、酉阳、南川、九龙坡、开州、云阳、武隆、巫溪、巴南、沙坪坝、荣昌等地。

| 资源情况 | 野生资源丰富。药材主要来源于野生。

| 采收加工 | 楤木：春、夏季采挖根，剥取根皮，除去杂质，干燥。

楤木叶：春、夏季采收，鲜用或晒干。

| 药材性状 | 楤木：本品呈卷筒状、槽状或平板状，长短不等，厚1～3mm。外表面灰褐色，粗糙，栓皮易成鳞片状剥落；内表面黄白色或灰黄色，有细纵纹。质脆，易折断，断面不平坦，纤维性。气微，味微甘而后苦、辛。

楤木叶：本品常皱缩破碎，小叶完整者卵形至卵状椭圆形，长5～14cm，先端渐尖，基部圆形、广楔形或微心形，边缘有粗牙齿或尖小锯齿，有时略呈波状；上面绿色，沿叶脉被刚毛或无毛，下面灰绿色，沿叶脉被短柔毛。叶轴长圆柱形，表面淡黄绿色，有稀疏锐刺，断面中央具类白色髓部。气微，味淡。

| 功能主治 | 楤木：健脾利水，祛风除湿，活血散瘀，接骨强筋。用于水肿，关节疼痛，跌打损伤，骨折，虚肿，劳伤。

楤木叶：利水消肿，解毒止痢。用于肾炎水肿，臌胀，腹泻，痢疾，疔疮肿毒。

| 用法用量 | 楤木：内服煎汤，6～9g。孕妇慎用。

楤木叶：内服煎汤，15～30g。外用适量，捣敷。

| 附　　注 | （1）在FOC中，本种被修订为黄毛楤木 *Aralia chinensis* L.。

（2）本种耐寒、耐旱，有一定适应能力，宜在向阳、疏松、肥沃的腐殖质土壤中种植。

五加科 Araliaceae 楤木属 *Aralia*

毛叶楤木 *Aralia chinensis* L. var. *dasyphylloides* Hand.-Mazz.

| 药 材 名 | 毛叶楤木（药用部位：根）。

| 形态特征 | 本种与原变种楤木的区别在于小叶片上面密生黄色粗毛，下面密生黄色粗绒毛，沿脉更密；果梗短，长 2 ~ 3mm。

| 生境分布 | 生于森林或灌丛中，山坡路旁也有生长。分布于重庆黔江、彭水、江津、酉阳、奉节、南川等地。

| 资源情况 | 野生资源稀少。药材主要来源于野生。

| 采收加工 | 9 ~ 10 月采挖，切段，晒干。

| 功能主治 | 祛风除湿，利尿。用于风湿关节痛，腰腿酸痛，肾虚水肿。

毛叶楤木

| 用法用量 | 内服煎汤，适量；或浸酒。外用适量，捣敷；或浸酒外涂。

| 附　　注 | 在 FOC 中，本种被修订为头序楤木 *Aralia dasyphylla* Miq.。

五加科 Araliaceae 楤木属 *Aralia*

棘茎楤木 *Aralia echinocaulis* Hand.-Mazz.

棘茎楤木

|药 材 名|

红楤木（药用部位：根、根皮。别名：红老虎刺、鸟不踏、红刺筒）。

|形态特征|

小乔木，高达 7m。小枝密生细长直刺，刺长 7 ~ 14mm。叶为二回羽状复叶，长 35 ~ 50cm 或更长；叶柄长 25 ~ 40cm，疏生短刺；托叶和叶柄基部合生，栗色；羽片有小叶 5 ~ 9，基部有小叶 1 对；小叶片膜质至薄纸质，长圆状卵形至披针形，长 4 ~ 11.5cm，宽 2.5 ~ 5cm，先端长渐尖，基部圆形至阔楔形，歪斜，两面均无毛，下面灰白色，边缘疏生细锯齿；侧脉 6 ~ 9 对，上面较下面明显，网脉在上面略下陷，下面略隆起，不甚明显；小叶无柄或几无柄。圆锥花序大，长 30 ~ 50cm，顶生；主轴和分枝被糠屑状毛，后毛脱落；伞形花序直径约 1.5cm，有花 12 ~ 20，稀 30；总花梗长 1 ~ 5cm；苞片卵状披针形，长 10mm；花梗长 8 ~ 30mm；小苞片披针形，长约 4mm；花白色；花萼无毛，边缘有 5 卵状三角形小齿；花瓣 5，卵状三角形，长约 2mm；雄蕊 5，花丝长约 4mm；子房 5 室；花柱 5，离生。果实球形，直径 2 ~ 3mm，

有 5 棱；宿存花柱长 1 ~ 1.5mm，基部合生。花期 6 ~ 8 月，果期 9 ~ 11 月。

| 生境分布 | 生于海拔 250 ~ 1000m 的杂木林或灌丛中。分布于重庆南川、奉节、云阳、开州、城口、巫山等地。

| 资源情况 | 野生资源稀少。药材主要来源于野生。

| 采收加工 | 全年或秋、冬季挖取根部，或剥取根皮，洗净，切片，鲜用或晒干。

| 功能主治 | 微苦、辛，平。祛风除湿，活血行气，解毒消肿。用于风湿痹痛，跌打肿痛，骨折，胃脘胀痛，疝气，崩漏，骨髓炎，痈疽，蛇咬伤。

| 用法用量 | 内服煎汤，9 ~ 15g；或泡酒。外用适量，捣敷。孕妇慎服。

| 附　　注 | 本种作为一种药食两用野生蔬菜，其特殊的口感已在民间颇具口碑。本种的叶和茎皮中各种营养成分含量均较高，从可食性及资源保护的角度，采食地上部分食用，不仅能满足市场需求，也不破坏资源，可以作为一种新型的药食两用蔬菜加以开发利用，以丰富食品种类，将资源优势转化为经济优势。

五加科 Araliaceae 楤木属 *Aralia*

龙眼独活 *Aralia fargesii* Franch.

| 药 材 名 | 九眼独活（药用部位：根、根茎。别名：川独活）。

| 形态特征 | 多年生草本。地下茎厚而长，有肉质纺锤根 1 ~ 2；地上茎高达 1m，有纵纹。叶长 30 ~ 50cm，茎上部者为一回或二回羽状复叶，下部者为二回或三回羽状复叶；叶柄无毛，长 5 ~ 15cm；托叶和叶柄基部合生，先端离生部分披针形，长约 5mm；羽片有小叶 3 ~ 5；小叶片膜质，阔卵形或长圆状卵形，长 8 ~ 15cm，宽 5 ~ 7cm，先端渐尖，基部心形，侧生小叶片基部歪斜，两面脉上被糙毛，下面沿脉被短柔毛，边缘有重锯齿；侧脉 5 ~ 6 对，两面明显，网脉上面不明显，下面明显；小叶柄长 0.5 ~ 3cm，无毛或被疏毛，顶生小叶柄长至 5cm。圆锥花序伞房状，基部有叶状总苞，顶生及腋生；分枝少数，伞房状或伞状排列，无毛或疏生糙毛；伞形花序在分枝

龙眼独活

上总状排列，直径 1 ～ 1.5cm，有花 10 ～ 20；总花梗长 1.5 ～ 6cm，无毛或被糙毛；苞片披针形，长 2 ～ 3mm；花梗长 2 ～ 5mm，密生糙毛；小苞片线形，长 1mm，早落；花紫色；花萼长 2mm，外面疏生糙毛，边缘有 5 三角形尖齿；花瓣 5，卵状三角形，长 2mm；雄蕊 5；子房 5 室；花柱 5，离生。果实近球形，长 5mm，有 5 棱。花期 7 ～ 8 月，果期 10 ～ 11 月。

| 生境分布 | 生于海拔 1800 ～ 2600m 的森林下或溪边。分布于重庆城口、石柱等地。

| 资源情况 | 野生资源稀少。药材主要来源于野生。

| 采收加工 | 秋后采收，洗净，切片，晒干。

| 功能主治 | 辛、苦，温。祛风除湿，舒经活络，和血止痛。用于风湿痹痛，腰膝酸痛，四肢痿痹，腰肌劳损，鹤膝风，手足扭伤疼痛，骨折，头风，头痛，牙痛。

| 用法用量 | 内服煎汤，3 ～ 12g；或浸酒。外用适量，煎汤洗；或研末调敷。

五加科 Araliaceae 楤木属 *Aralia*

柔毛龙眼独活 *Aralia henryi* Harms

| 药 材 名 | 九眼独活（药用部位：根、根茎）。

| 形态特征 | 多年生草本。根茎短。地上茎高 40 ~ 80cm，有纵纹，疏生长柔毛。叶为二回或三回羽状复叶，长 16 ~ 35cm；叶柄长 3 ~ 10cm，无毛或疏生长柔毛；托叶和叶柄基部合生，先端离生部分披针形，长约 5mm；羽片有 3 小叶；小叶片膜质，长圆状卵形，长 3.5 ~ 10cm，宽 2 ~ 6cm，先端长尾尖，基部钝形至浅心形，侧生小叶片基部歪斜，两面脉上疏生长柔毛，边缘有钝锯齿；侧脉 6 ~ 8 对，稍明显，网脉不明显；小叶柄长 3 ~ 5mm，顶生者长达 2cm。圆锥花序伞房状，顶生；花序轴被长柔毛，基部有叶状总苞；伞形花序有花 3 ~ 10；总花梗长 5 ~ 10mm；花梗短，长 2 ~ 3mm，丝状；花萼无毛，长 2.5mm，萼齿 5，长圆形，长约 1mm，先端钝圆；花瓣 5，阔三角状

柔毛龙眼独活

卵形，长约 1mm；雄蕊 5，长约 1mm；子房 5 室，稀 3 室；花柱 5，稀 3，离生。果实近球形，有 5 棱，直径约 3mm；宿存花柱长约 1mm，放射状，不外露；果梗丝状，长 5 ~ 10mm。花期 7 ~ 8 月，果期 9 ~ 11 月。

| 生境分布 | 生于海拔 1500 ~ 2300m 的森林下。分布于重庆巫山、涪陵、武隆、南川等地。

| 资源情况 | 野生资源稀少。药材主要来源于野生。

| 采收加工 | 春、秋季采挖，除去茎叶、泥土，晒干。

| 药材性状 | 本品根茎细小，长约 10cm，直径不及 1.3cm；表面褐色，具 8 ~ 15 个圆形凹穴，直径 0.4cm，深 0.2 ~ 0.3cm。根纤细，长约 2cm。气微，味微苦。

| 功能主治 | 辛、苦，微温。归肝、肾经。祛风除湿，通痹止痛。用于风寒湿痹，腰膝疼痛，少阴伏风疼痛。

| 用法用量 | 内服煎汤，3 ~ 9g。

五加科 Araliaceae 楤木属 *Aralia*

湖北楤木 *Aralia hupehensis* Hoo

湖北楤木

药材名

湖北楤木（药用部位：根。别名：刺包头、飞天蜈蚣）。

形态特征

灌木或乔木，高达 12m。小枝密生黄棕色绒毛，有刺；刺粗壮，长 3 ~ 6mm，密生黄棕色绒毛，基部膨大。叶为二回羽状复叶；托叶和叶柄基部合生，深棕色，先端离生部分披针形，长约 5mm；叶轴和羽片轴密生绒毛；羽片对生，有小叶 9，基部有小叶 1 对；小叶片纸质，卵形至长圆状卵形，长 8 ~ 13cm，宽 3 ~ 6cm，先端长渐尖或短渐尖，基部圆形，上面粗糙，脉上密生细糙毛，下面密生黄棕色绒毛，边缘有锯齿，齿有刺尖；侧脉约 8 对，隆起，明显，网脉明显；小叶无柄或有长 3mm 的柄，密生黄棕色绒毛。圆锥花序顶生，长 25 ~ 35cm，主轴短，长约 5cm；分枝 2 ~ 5，指状排列，长 10 ~ 20cm，密生黄棕色绒毛，至果实成熟时无毛；伞形花序在二级分枝上单个顶生，或另有 1 ~ 2 侧生伞形花序，直径约 1.5cm，有花 10 ~ 20；总花梗长 0.7 ~ 1.5cm，花梗长 2 ~ 4mm，均密生绒毛；苞片披针形，宿存，长 2 ~ 3mm，小苞片线形，长 1 ~ 2mm，边缘均被纤毛；

花白色；花萼无毛，长约 1.5mm，边缘有 5 三角形尖齿；花瓣 5，卵状三角形，长 2mm；雄蕊 5，花丝长 2mm；子房 5 室；花柱 5，离生，反曲。果实球形，直径约 4mm，黑色，有 5 棱。花期 7 月，果期 9 月。

| 生境分布 | 生于海拔 1200m 左右的北向山坡上。分布于重庆丰都、九龙坡、南川、长寿、垫江、巫山等地。

| 资源情况 | 野生资源一般。药材主要来源于野生，亦有栽培。

| 采收加工 | 秋、冬季采挖，洗净，切片，鲜用或晒干。

| 功能主治 | 辛、苦，微温。活血化瘀，利水消肿。用于跌打损伤，瘀血肿痛，骨折，水肿，小便不利。

| 用法用量 | 内服煎汤，3 ~ 10g；或浸酒。外用适量，捣烂，酒炒敷。

| 附　　注 | （1）在 FOC 中，本种被修订为楤木 *Aralia elata* (Miq.) Seem.。

（2）本种喜阴湿，耐寒，不耐干旱，不耐水涝，在阳光充足、土质肥沃地段生长良好。

五加科 Araliaceae 树参属 *Dendropanax*

树参 *Dendropanax dentiger* (Harms) Merr.

| 药 材 名 | 枫荷梨（药用部位：根、茎、树皮）。

| 形态特征 | 乔木或灌木，高 2 ~ 8m。叶片厚纸质或革质，密生粗大半透明红棕色腺点（在较薄的叶片才可以见到），叶形变异很大，不分裂叶片通常为椭圆形，稀长圆状椭圆形、椭圆状披针形、披针形或线状披针形，长 7 ~ 10cm，宽 1.5 ~ 4.5cm，有时更大，先端渐尖，基部钝形或楔形；分裂叶片倒三角形，掌状 2 ~ 3 深裂或浅裂，稀 5 裂，两面均无毛，全缘，或近先端处有不明显细齿 1 至数个，或有明显疏离的牙齿，基出脉 3，侧脉 4 ~ 6 对，网脉两面显著且隆起，有时上面稍下陷，有时下面较不明显；叶柄长 0.5 ~ 5cm，无毛。伞形花序顶生，单生或 2 ~ 5 聚生成复伞形花序，有花 20 以上，有时较少；总花梗粗壮，长 1 ~ 3.5cm；苞片卵形，早落；小苞片三角形，

树参

宿存；花梗长 5 ~ 7mm；花萼长 2mm，近全缘或边缘有 5 小齿；花瓣 5，三角形或卵状三角形，长 2 ~ 2.5mm；雄蕊 5，花丝长 2 ~ 3mm；子房 5 室；花柱 5，长不及 1mm，基部合生，先端离生。果实长圆状球形，稀近球形，长 5 ~ 6mm，有 5 棱，每棱又各有纵脊 3；宿存花柱长 1.5 ~ 2mm，在上部 1/3、1/2 或 2/3 处离生，反曲；果梗长 1 ~ 3cm。花期 8 ~ 10 月，果期 10 ~ 12 月。

| 生境分布 | 生于 100 ~ 1800m 的常绿阔叶林或灌丛中。分布于重庆秀山、南川、江津等地。

| 资源情况 | 野生资源稀少。药材主要来源于野生。

| 采收加工 | 秋、冬季采挖根部、砍取茎枝或剥取树皮，洗净，切片，鲜用或晒干。

| 药材性状 | 本品根呈圆柱形，稍弯曲或扭曲，多分枝，长 15 ~ 30cm，直径 0.5 ~ 2.5cm。表面浅棕黄色或浅灰棕色，有细纵皱纹，皮孔横向延长或类圆形。质坚脆，易折断，断面不平坦，皮部灰黄色，木部浅黄白色。气微香，味淡。

| 功能主治 | 甘、辛，温。祛风除湿，活血消肿。用于风湿痹痛，偏瘫，头痛，月经不调，跌打损伤，疮肿。

| 用法用量 | 内服煎汤，15 ~ 30g，大剂量可用 45g；或浸酒。外用适量，捣敷；或煎汤洗。孕妇慎用。

五加科 Araliaceae 掌叶树属 *Euaraliopsis*

假通草 *Euaraliopsis ciliata* (Dunn) Hutch.

| 药 材 名 | 假通草树皮（药用部位：树皮）。

| 形态特征 | 多刺灌木，高 2 ~ 4m。树皮棕色；枝密生绒毛，疏生基部宽扁的刺。叶片纸质，直径约 30cm，掌状 7 ~ 9 裂，稀 5 裂或 11 裂；裂片长约为全叶片的 3/4，长圆形或长圆状倒披针形，长 15 ~ 20cm，宽 8 ~ 12cm，先端渐尖，基部略狭，两面脉上均疏生刚毛，边缘有细尖锯齿；侧脉两面均明显，网脉不甚明显；叶柄长 25 ~ 35cm，疏生细刺，无毛或几无毛；托叶不明显。圆锥花序顶生，长 20 ~ 30cm；主轴及分枝密生刚毛，密生或疏生细长直刺；伞形花序直径 3 ~ 5cm，有花多数；总花梗长 2 ~ 5cm，密生刚毛；苞片披针形，长约 1cm，宿存；花梗长 1 ~ 1.5cm，密生刚毛；花白色；花萼被毛，长约 2.5mm，边缘有 5 小齿；花瓣 5，长圆状卵形，无

假通草

毛；雄蕊 5，花丝长 4 ~ 5mm；子房 2 室，花盘隆起；花柱合生成柱状，长约 1mm。果实卵球形或扁球形，直径 7 ~ 8mm，黑色，花盘直径 3 ~ 4mm，宿存花柱长约 1.5mm。花期 10 ~ 11 月，果期翌年 2 月。

| 生境分布 | 生于海拔 330 ~ 2200m 的郁闭或稀疏林中，山谷间向阳处也能生长。分布于重庆南川、江津等地。

| 资源情况 | 野生资源较少。药材来源于野生。

| 采收加工 | 秋、冬季剥取树皮，除去杂质，切片，鲜用或晒干。

| 功能主治 | 辛、微苦，平。祛风除湿，舒筋消肿。用于风湿痹痛，跌仆伤肿。

| 用法用量 | 内服煎汤，9 ~ 15g；或泡酒。外用适量，煎汤洗。

五加科 Araliaceae 常春藤属 *Hedera*

常春藤 *Hedera nepalensis* K. Koch var. *sinensis* (Tobl.) Rehd.

常春藤

| 药 材 名 |

常春藤（药用部位：茎、叶。别名：土鼓藤、龙鳞薜荔、尖叶薜荔）、常春藤子（药用部位：果实）。

| 形态特征 |

常绿攀缘灌木。茎长 3 ~ 20m，灰棕色或黑棕色，有气生根；一年生枝疏生锈色鳞片，鳞片通常有 10 ~ 20 辐射肋。叶片革质，在不育枝上通常为三角状卵形或三角状长圆形，稀三角形或箭形，长 5 ~ 12cm，宽 3 ~ 10cm，先端短渐尖，基部截形，稀心形，全缘或边缘 3 裂；花枝上的叶片通常为椭圆状卵形至椭圆状披针形，略歪斜而带菱形，稀卵形或披针形，极稀为阔卵形、圆卵形或箭形，长 5 ~ 16cm，宽 1.5 ~ 10.5cm，先端渐尖或长渐尖，基部楔形或阔楔形，稀圆形，全缘或有 1 ~ 3 浅裂，上面深绿色，有光泽，下面淡绿色或淡黄绿色，无毛或疏生鳞片，侧脉和网脉两面均明显；叶柄细长，长 2 ~ 9cm，有鳞片，无托叶。伞形花序单个顶生，或 2 ~ 7 总状排列或伞房状排列成圆锥花序，直径 1.5 ~ 2.5cm，有花 5 ~ 40；总花梗长 1 ~ 3.5cm，通常有鳞片；苞片小，三角形，长 1 ~ 2mm；花梗长 0.4 ~ 1.2cm；

花淡黄白色或淡绿白色，芳香；花萼密生棕色鳞片，长 2mm，近全缘；花瓣 5，三角状卵形，长 3 ~ 3.5mm，外面有鳞片；雄蕊 5，花丝长 2 ~ 3mm，花药紫色；子房 5 室；花盘隆起，黄色；花柱全部合生成柱状。果实球形，红色或黄色，直径 7 ~ 13mm；宿存花柱长 1 ~ 1.5mm。花期 9 ~ 11 月，果期翌年 3 ~ 5 月。

| 生境分布 | 生于海拔 200 ~ 2000m 的林缘树木、林下路旁、岩石或房屋墙壁上，庭园中也常栽培。重庆各地均有分布。

| 资源情况 | 野生和栽培资源均较丰富。药材来源于野生和栽培。

| 采收加工 | 常春藤：生长旺盛季节采收，切段，晒干；鲜品随采随用。

常春藤子：果实成熟时采收，晒干。

| 药材性状 | 常春藤：本品呈长圆柱形，弯曲，有分枝，直径 1 ~ 1.5cm。表面淡黄棕色或灰褐色，具纵皱纹和横长皮孔，一侧密生不定根。质坚硬，易折断，断面裂片状，皮部薄，灰绿色或棕色，木部宽，黄白色或淡棕色，髓明显。单叶互生，有长柄，长 7 ~ 9cm，叶片革质，稍卷折，二型，三角状卵形或长椭圆状卵形或披针形，全缘，少有 3 浅裂，叶面常有灰白色花纹。偶见黄绿色小花或黄色圆球形果实。气微，味微苦。

| 功能主治 | 常春藤：苦、辛，平。祛风，利湿，和血，解毒。用于风湿痹痛，瘫痪，口眼歪斜，衄血，月经不调，跌打损伤，咽喉肿痛，疥疮痈肿，肝炎，蛇虫咬伤。

常春藤子：甘、苦，温。补肝肾，强腰膝，行气止痛。用于体虚羸弱，腰膝酸软，血痹，脘腹冷痛。

| 用法用量 | 常春藤：内服煎汤，6 ~ 15g；或浸酒；或研末；或捣汁。外用适量，捣敷；或煎汤洗。

常春藤子：内服煎汤，3 ~ 9g；或浸酒。

五加科 Araliaceae 刺楸属 *Kalopanax*

刺楸 *Kalopanax septemlobus* (Thunb.) Koidz.

刺楸

药材名

刺楸皮（药用部位：树皮、根皮。别名：钉皮、川桐皮、海桐皮）、刺楸树根（药用部位：根、根皮。别名：刺根白皮、刺五加、鸟不宿根皮）、刺楸树茎（药用部位：茎）、刺楸树叶（药用部位：叶）。

形态特征

落叶乔木，高约10m，最高可达30m，胸径达70cm以上。树皮暗灰棕色；小枝淡黄棕色或灰棕色，散生粗刺；刺基部宽阔扁平，通常长5～6mm，基部宽6～7mm，在茁壮枝上的长达1cm以上，宽1.5cm以上。叶片纸质，在长枝上互生，在短枝上簇生，圆形或近圆形，直径9～25cm，稀达35cm，掌状5～7浅裂，裂片阔三角状卵形至长圆状卵形，长不及全叶片的1/2，茁壮枝上的叶片分裂较深，裂片长超过全叶片的1/2，先端渐尖，基部心形，上面深绿色，无毛或几无毛，下面淡绿色，幼时疏生短柔毛，边缘有细锯齿；放射状主脉5～7，两面均明显；叶柄细长，长8～50cm，无毛。圆锥花序大，长15～25cm，直径20～30cm；伞形花序直径1～2.5cm，有花多数；总花梗

细长，长 2 ~ 3.5cm，无毛；花梗细长，无关节，无毛或稍被短柔毛，长 5 ~ 12mm；花白色或淡绿黄色；花萼无毛，长约 1mm，边缘有 5 小齿；花瓣 5，三角状卵形，长约 1.5mm；雄蕊 5；花丝长 3 ~ 4mm；子房 2 室，花盘隆起；花柱合生成柱状，柱头离生。果实球形，直径约 5mm，蓝黑色；宿存花柱长 2mm。花期 7 ~ 10 月，果期 9 ~ 12 月。

| 生境分布 | 生于阳性森林、灌木林中或林缘，水湿丰富、腐植质较多的密林，向阳山坡，甚至岩质山地也能生长。分布于重庆黔江、垫江、万州、秀山、彭水、城口、奉节、酉阳、巫溪、忠县、开州、石柱、梁平等地。

| 资源情况 | 野生和栽培资源均较丰富。药材来源于野生和栽培。

| 采收加工 | 刺楸皮：全年均可采收，选取 15 ～ 20 年树龄、胸径 20cm 以上的植株，剥取树皮，洗净，晒干。

刺楸树根：夏末秋初采挖根，洗净，切片；或剥取根皮，切片，鲜用或晒干。

刺楸树茎：全年均可采收，洗净，切片，鲜用或晒干。

刺楸树叶：夏、秋季采收，多鲜用。

| 药材性状 | 刺楸皮：本品呈卷筒状或条块状，长宽不一，厚 0.1 ～ 0.2cm。栓皮粗糙，表面灰白色至灰棕色，有较深的纵裂纹及横向小裂纹，散生黄色圆点状皮孔，并有纵长的钉刺。钉刺长 1 ～ 3cm，宽 0.5 ～ 1cm，灰白色，有黑色斑点，先端尖锐或已磨成钝头，基部长圆形，钉刺有的脱落；内表面黄色或紫红色，光滑，有纵纹。质坚硬，折断面裂片状。气微，味苦。

刺楸树茎：本品呈圆柱形，长 10 ～ 20cm，直径 1cm。表面灰色至灰棕色，有黄棕色圆点状皮孔和淡棕色角状刺，刺尖锐，侧扁，基部扁而宽阔，呈长椭圆形，微有光泽。质坚硬，折断面木部纤维性或裂片状，中央可见白色髓部。气微，味淡。

| 功能主治 | 刺楸皮：辛、苦，凉。归肝、肾经。祛风除湿，通络止痛。用于腰膝、肩臂疼痛，皮肤湿疹。

刺楸树根：苦、辛，平。凉血散瘀，祛风除湿，解毒。用于肠风下血，风湿热痹，跌打损伤，骨折，周身浮肿，疮疡肿毒，痔疮，瘰疬。

刺楸树茎：辛，平。祛风除湿，活血止痛。用于风湿痹痛，胃脘痛。

刺楸树叶：辛、微甘，平。解毒消肿，祛风止痒。用于疮疡肿痛，破溃，风疹瘙痒，风湿痛，跌打肿痛。

| 用法用量 | 刺楸皮：内服煎汤，3 ~ 9g。外用适量。

刺楸树根：内服煎汤，9 ~ 15g；或浸酒。外用适量，捣敷；或煎汤洗。

刺楸树茎：内服煎汤，9 ~ 15g；或浸酒。外用适量，煎汤洗。

刺楸树叶：外用适量，煎汤洗；或捣烂，炒热敷。

| 附　　注 | 本种喜阴湿，耐寒，不耐干旱，不耐水涝，在阳光充足、土质肥沃地段生长良好。

五加科 Araliaceae 梁王茶属 *Nothopanax*

异叶梁王茶 *Nothopanax davidii* (Franch.) Harms ex Diels

| 药 材 名 | 异叶梁王茶（药用部位：茎皮、根皮、叶）。

| 形态特征 | 灌木或乔木，高 2 ~ 12m。叶为单叶，稀在同一枝上有 3 小叶的掌状复叶；叶柄长 5 ~ 20cm；叶片薄革质至厚革质，长圆状卵形至长圆状披针形，或三角形至卵状三角形，不分裂、掌状 2 ~ 3 浅裂或深裂，长 6 ~ 21cm，宽 2.5 ~ 7cm，先端长渐尖，基部阔楔形或圆形，有主脉 3，上面深绿色，有光泽，下面淡绿色，两面均无毛，边缘疏生细锯齿，有时为锐尖锯齿；侧脉 6 ~ 8 对，上面明显，下面不明显，网脉不明显；小叶片披针形，几无小叶柄。圆锥花序顶生，长达 20cm；伞形花序直径约 2cm，有花超过 10；总花梗长 1.5 ~ 2cm；花梗有关节，长 7 ~ 10mm；花白色或淡黄色，芳香；花萼无毛，长约 1.5mm，边缘有 5 小齿；花瓣 5，三角状卵形，长约 1.5mm；

异叶梁王茶

雄蕊 5，花丝长约 1.5mm；子房 2 室，花盘稍隆起；花柱 2，合生至中部，上部离生，反曲。果实球形，侧扁，直径 5 ~ 6mm，黑色；宿存花柱长 1.5 ~ 2mm。花期 6 ~ 8 月，果期 9 ~ 11 月。

| 生境分布 | 生于海拔 500 ~ 1800m 疏林或阳性灌木林中、林缘，路边或岩石山上也有生长。分布于重庆黔江、秀山、奉节、酉阳、城口、南川、涪陵、彭水、丰都、忠县、武隆、石柱、巫山、开州等地。

| 资源情况 | 野生资源较丰富。药材来源于野生。

| 采收加工 | 秋、冬季剥取茎皮或挖根剥取根皮，洗净，切片，鲜用或晒干。夏、秋季采叶，鲜用。

| 功能主治 | 苦、微辛，凉。祛风除湿，活血止痛。用于风湿痹痛，劳伤腰痛，跌打损伤，月经不调，骨折。

| 用法用量 | 内服煎汤，6 ~ 15g；或浸酒。外用适量，捣敷；或煎汤洗。

| 附　　注 | 在 FOC 中，本种的拉丁学名被修订为 *Metapanax davidii* (Franchet) J. Wen et Frodin；梁王茶属的拉丁学名被修订为 *Metapanax*。

五加科 Araliaceae 人参属 *Panax*

竹节参 *Panax japonicus* (T. Nees) C. A. Meyer

| 药 材 名 | 竹节参（药用部位：根茎。别名：白三七、明七、竹节人参）、竹节人参叶（药用部位：叶。别名：野三七叶）。

| 形态特征 | 多年生草本，高 50 ~ 80cm，或更高。根茎横卧，呈竹鞭状，肉质，肥厚，白色，结节间具凹陷茎痕。掌状复叶 3 ~ 5 轮生茎顶；叶柄长 8 ~ 11cm；小叶通常 5，叶片膜质，倒卵状椭圆形至长圆状椭圆形，长 5 ~ 18cm，宽 2 ~ 6.5cm，先端渐尖，稀长尖，基部楔形至近圆形，边缘具细锯齿或重锯齿，上面叶脉无毛或疏生刚毛，下面无毛或疏生密毛。伞形花序单生茎顶，有花 50 ~ 80 或更多，总花梗长 12 ~ 20cm，无毛或被疏短柔毛；花小，淡绿色，小花梗长约 10mm；花萼绿色，先端 5 齿，齿三角状卵形；花瓣 5，长卵形，覆瓦状排列；雄蕊 5，花丝较花瓣短；子房下位，2 ~ 5 室，花柱 2 ~ 5，

竹节参

中部以下联合，上部分离，果时外弯。核果状浆果，球形，成熟时红色，直径 5 ~ 7mm；种子 2 ~ 5，白色，三角状长卵形，长约 4.5mm。花期 5 ~ 6 月，果期 7 ~ 9 月。

| 生境分布 | 生于海拔 1800 ~ 2600m 的山谷阔叶林中。分布于重庆巫山、南川、城口、石柱等地。

| 资源情况 | 野生资源稀少。药材来源于野生和栽培。

| 采收加工 | 竹节参：9 ~ 10 月采挖，除去须根，洗净泥土，晒干或烘干。

竹节人参叶：秋季采收，鲜用或晒干。

| 药材性状 | 竹节参：本品略呈圆柱形，稍弯曲，有的具肉质侧根，长 5 ~ 22cm，直径 0.8 ~ 2.5cm。表面黄色或黄褐色，粗糙，有致密的纵皱纹及根痕。节明显，节间长 0.8 ~ 2cm，每节有 1 凹陷的茎痕。质硬，断面黄白色至淡黄棕色，黄色点状维管束排列成环。无臭，味苦后微甘。

| 功能主治 | 竹节参：甘、微苦，微温。归肝、脾、肺经。滋补强壮，散瘀止痛，止血祛痰。用于病后虚弱，劳嗽咯血，咳嗽痰多，跌打损伤。

竹节人参叶：苦、微甘，微寒。清热解暑，生津利咽。用于暑热伤津，口干舌燥，心烦神倦，咽痛音哑，虚火牙痛，脱发。

| 用法用量 | 竹节参：内服煎汤，6 ~ 9g。

竹节人参叶：内服煎汤，3 ~ 12g；或沸水泡。外用适量，煎汤洗；或鲜品捣敷。

五加科 Araliaceae 人参属 *Panax*

珠子参 *Panax japonicus* C. A. Mey. var. *major* (Burk.) C. Y. Wu et K. M. Feng

珠子参

药材名

珠儿参（药用部位：根茎。别名：钮子七、扣子七）、珠儿参叶（药用部位：叶）。

形态特征

多年生草本，高约 80cm。根茎串珠状，节间通常细长如绳；有时部分结节密生，呈竹鞭状。掌状复叶 3 ~ 5 轮生茎顶；叶柄长约 9mm；小叶通常 5，两侧的较小，小叶柄长 5 ~ 15mm，中央小叶片椭圆形或椭圆状卵形，长 10 ~ 13cm，宽 5 ~ 7cm，先端长渐尖，基部近圆形或楔形，边缘有细密锯齿，边缘及两面散生刺毛。伞形花序单一，有时其下生 1 至多个小伞形花序；花小，淡绿色；花萼先端有 5 尖齿；花瓣 5，卵状三角形，先端尖；雄蕊 5，花丝短；子房下位，花柱通常 2，分离。果实为核果状浆果，圆球形，成熟时鲜红色。花期 7 ~ 9 月，果期 9 ~ 10 月。

生境分布

生于海拔 1250 ~ 2350m 的山坡竹林下或杂木林中阴湿处。分布于重庆城口、开州、巫溪、巫山等地。

| **资源情况** | 野生资源较少。药材主要来源于野生。

| **采收加工** | 珠儿参：秋季采挖根茎，除去外皮及须根，干燥，或蒸透后干燥。

珠儿参叶：夏、秋季采收，鲜用或晒干。

| **功能主治** | 珠儿参：苦、甘，寒。清热养阴，散瘀止血，消肿止痛。用于热病烦渴，阴虚肺热咳嗽，咯血，吐血，衄血，便血，尿血，崩漏，外伤出血，跌仆伤肿，风湿痹痛，胃痛，月经不调，风火牙痛，咽喉肿痛，疮痈肿毒。

珠儿参叶：苦、微甘，微寒。清热解暑，生津润喉。用于热伤津液，烦渴，骨蒸劳热，风火牙痛，咽喉干燥，声音嘶哑。

| **用法用量** | 珠儿参：内服煎汤，3 ~ 15g；或入丸、散；或浸酒。外用适量，研末干掺或调涂；或浸酒擦；或鲜品捣敷。

珠儿参叶：内服煎汤，3 ~ 12g；或沸水泡。

| **附　　注** | 在 FOC 中，本种的拉丁学名被修订为 *Panax japonicus* (T. Nees) C. A. Meyer var. *major* (Burkill) C. Y. Wu et K. M. Feng。

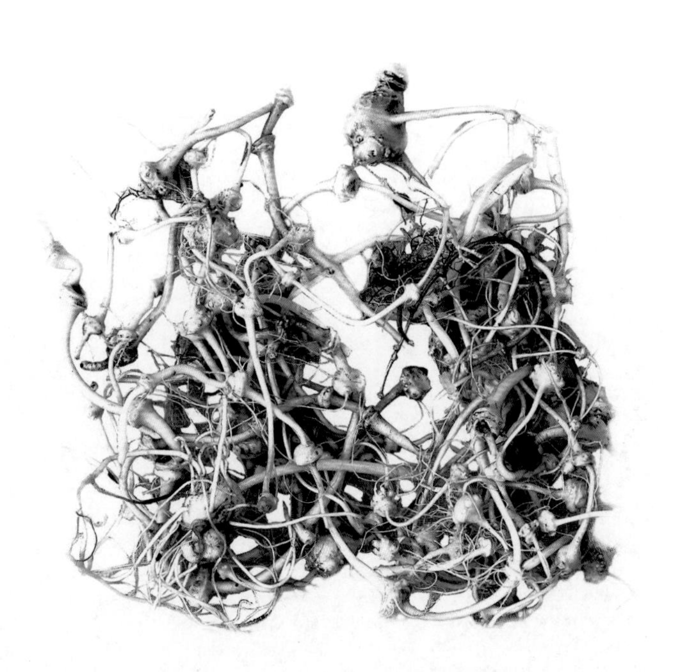

五加科 Araliaceae 人参属 *Panax*

羽叶三七 *Panax pseudo-ginseng* Wall. var. *bipinnatifidus* (Seem.) Li

| 药 材 名 | 珠子参（药用部位：根茎。别名：钮子七）。

| 形态特征 | 多年生草本。茎高 30 ～ 50cm。根茎细长，匍匐，多呈串珠疙瘩状，稀为竹节状。掌状复叶 3 ～ 6 轮生茎端；小叶 5 ～ 7，小叶柄可长达 2cm；小叶片薄膜质，长椭圆形，2 回羽状深裂，整齐或不整齐，长 5 ～ 9cm，宽 2 ～ 4cm，先端长渐尖，基部下延成楔形，上面脉疏生刚毛，下面通常无毛。伞形花序单生，其下稀有数个小伞形花序；花梗长 6 ～ 8cm，花小，淡绿色；花萼 5 齿裂，不明显；花瓣 5，覆瓦状排列；雄蕊 5；子房下位，2 室，稀 3 ～ 4 室，花柱 2，稀 3 ～ 4，分离或基部合生。核果浆果状，扁球形，成熟时红色，先端有黑点；种子 2 ～ 3。

羽叶三七

| **生境分布** | 生于海拔 1650 ~ 2340m 的林下。分布于重庆丰都、巫溪、南川、石柱等地。

| **资源情况** | 野生资源稀少。药材主要来源于野生。

| **采收加工** | 9 ~ 10 月挖取根茎，除去泥土和细根，晒干或烘干。

| **功能主治** | 微苦、甘，微温。化瘀止血，消肿定痛。用于咯血，吐血，衄血，尿血，便血，血痢，崩漏，外伤出血，月经不调，闭经，产后瘀血腹痛，跌打肿痛，劳伤腰痛，胸肋痛，胃脘痛，疮疡。

| **用法用量** | 内服煎汤，9 ~ 15g；或浸酒；或入丸、散。外用适量，研末敷。

| **附　　注** | 在 FOC 中，本种被修订为疙瘩七 *Panax japonicus* (T. Nees) C. A. Meyer var. *bipinnatifidus* (Seemann) C. Y. Wu & K. M. Feng。

五加科 Araliaceae 人参属 *Panax*

西洋参 *Panax quinquefolius* L.

| 药 材 名 | 西洋参（药用部位：根。别名：洋参、花旗人参、广东人参）。

| 形态特征 | 多年生草本，高 25 ~ 30cm。根肉质，纺锤形，时有分枝。茎圆柱形，具纵条纹。掌状复叶通常 3 ~ 4 轮生茎顶；叶柄压扁状，长 5 ~ 7cm；小叶通常 5，稀 7，下方 2 较小；小叶柄长 1 ~ 2cm；小叶片倒卵形、宽卵形或阔椭圆形，长 4 ~ 9cm，宽 2 ~ 5cm，先端急尾尖，基部下延，楔形，边缘具粗锯齿，上面叶脉被稀疏细刚毛。伞形花序单一，顶生，有 20 ~ 80 或更多小花集成圆球形，总花梗长 10 ~ 20cm，苞片卵形；花萼钟状，绿色，5 齿裂；花冠绿白色，5 瓣，长圆形；雄蕊 5，花丝基部稍扁；雌蕊 1，子房下位，2 室，花柱 2，上部分离，环状花盘，肉质。核果状浆果，扁球形，多数，集成头状，成熟时鲜红色。花期 5 ~ 6 月，果期 6 ~ 9 月。

西洋参

| 生境分布 | 栽培于林下。分布于重庆巫溪、万州、南川等地。

| 资源情况 | 栽培资源稀少，无野生资源。药材来源于栽培。

| 采收加工 | 秋季采挖，洗净，晒干或低温干燥。

| 药材性状 | 本品呈纺锤形、圆柱形或圆锥形，长 3 ~ 12cm，直径 0.8 ~ 2cm。表面浅黄褐色或黄白色，可见横向环纹和线形皮孔状突起，并有细密浅纵皱纹和须根痕。主根中下部有 1 至数条侧根，多已折断。有的上端有根茎（芦头），环节明显，茎痕（芦碗）圆形或半圆形，具不定根（艼）或已折断。体重，质坚实，不易折断，断面平坦，浅黄白色，略显粉性，皮部可见黄棕色点状树脂道，形成层环纹棕黄色，木部略呈放射状纹理。气微而特异，味微苦、甘。

| 功能主治 | 甘、微苦，凉。归心、肺、肾经。 补气养阴，清热生津。用于气虚阴亏，虚热烦倦，咳喘痰血，内热消渴，口燥咽干。

| 用法用量 | 3 ~ 6g，另煎兑服。不宜与藜芦同用。

五加科 Araliaceae 鹅掌柴属 *Schefflera*

狭叶鹅掌柴 *Schefflera angustifoliolata* C. N. Ho

| 药 材 名 | 狭叶鹅掌柴（药用部位：根、茎）。

| 形态特征 | 灌木或乔木。叶有小叶 8 ~ 11；叶柄长约 30cm，无毛；小叶片纸质，狭披针形、倒披针形或长圆状披针形，略呈镰刀状，长 12 ~ 18cm，宽 2 ~ 4cm，先端渐尖，基部楔形或钝形，稍歪斜，上面无毛，下面疏生星状绒毛，全缘，有时有锯齿；中脉两面微隆起，网脉不很明显；小叶柄长 1.5 ~ 8.5cm，中央的较长，两侧的较短，无毛。圆锥花序顶生，长达 40cm 以上，主轴和分枝幼时被星状绒毛，后毛渐脱，稀至无毛；伞形花序有花 15 ~ 30，十几个疏散排列在分枝上；总花梗长 1 ~ 3cm，被星状绒毛；苞片三角形，长 3 ~ 5mm，先端 2 裂，中脉延伸成芒状，外面幼时被毛，不久毛渐脱净；花梗长 2 ~ 3mm；小苞片很小，长约 1mm，被毛；花萼倒圆锥形，密

狭叶鹅掌柴

生星状绒毛，长约 1.5mm，边缘有 5 钝齿；花瓣 5，长约 2mm，无毛；雄蕊 5；子房 5 室；花柱合生成短柱，长 1mm；花盘隆起。花期 10 月。

| 生境分布 | 生于海拔 1150m 的溪边湿地。分布于重庆涪陵、南川等地。

| 资源情况 | 野生资源稀少。药材来源于野生。

| 采收加工 | 夏、秋季采收，晒干或鲜用。

| 功能主治 | 辛、苦，温。发散风寒，活血止痛。用于风寒感冒，风湿痹痛，脘腹胀痛，跌打肿痛，骨折，劳伤疼痛。

| 用法用量 | 内服煎汤，9 ~ 15g；或浸酒。外用适量，捣敷。

| 附　　注 | 在 FOC 中，本种被修订为星毛鸭脚木 *Schefflera minutistellata* Merr. ex Li。

五加科 Araliaceae 鹅掌柴属 *Schefflera*

短序鹅掌柴 *Schefflera bodinieri* (Lévl.) Rehd.

| 药 材 名 | 川黔鸭脚木（药用部位：茎皮、根皮）。

| 形态特征 | 灌木或小乔木，高 1 ～ 5m。小枝棕紫色或红紫色，被很快脱净的星状短柔毛。叶有小叶 6 ～ 9，稀 11；叶柄长 9 ～ 18cm，无毛；小叶片膜质、薄纸质或坚纸质，长圆状椭圆形、披针状椭圆形、披针形至线状披针形，长 11 ～ 15cm，宽 1 ～ 5cm，先端长渐尖，尖头有时镰刀状，基部阔楔形至钝形，两面均无毛，或下面被极稀疏白色星状短柔毛，边缘疏生细锯齿或波状钝齿，稀全缘；中脉仅下面隆起，侧脉 5 ～ 16 对，上面隐约可见，下面较清晰，网脉不明显；小叶柄长 0.2 ～ 6cm，中央的较长，两侧的较短，无毛。圆锥花序顶生，长不超过 15cm（稀长达 30cm），主轴和分枝被灰白色星状短柔毛，不久毛脱，稀变几无毛；伞形花序单个顶生或数个总状排列在分枝

短序鹅掌柴

上，有花约 20；苞片早落；总花梗长 1 ~ 2cm，花梗长 4 ~ 5mm，均疏生灰白色星状短柔毛；小苞片线状长圆形，长约 3mm，外面被毛，宿存；花白色；花萼长 2 ~ 2.5mm，被灰白色星状短柔毛，边缘有 5 齿；花瓣 5，长约 3mm，有羽状脉纹，外面被灰白色星状短柔毛，毛很快脱净；雄蕊 5，略露出于花瓣之外；子房 5 室；花柱合生成柱状，长约 1mm，结实时长至 2mm 以上；花盘略隆起。果实球形或近球形，几无毛，红色，直径 4 ~ 5mm；种子的胚乳稍呈嚼烂状。花期 11 月，果期翌年 4 月。

| 生境分布 | 生于海拔 400 ~ 1000m 的密林中。分布于重庆南川、秀山、江津等地。

| 资源情况 | 野生资源稀少。药材来源于野生。

| 采收加工 | 夏、秋季采收，剥取茎皮和根皮，晒干。

| 功能主治 | 微苦，平。祛风除湿，行气止痛。用于风湿痹痛，肾虚腰痛，胃痛，跌打损伤。

| 用法用量 | 内服煎汤，9 ~ 15g；或浸酒。

五加科 Araliaceae 鹅掌柴属 *Schefflera*

穗序鹅掌柴 *Schefflera delavayi* (Franch.) Harms ex Diels

| 药 材 名 | 大泡通(药用部位:根、根皮、枝条。别名:大通塔、柴厚朴、野巴戟)、大泡通叶(药用部位:叶。别名:牛嗓管叶、豆鼓叶、大豆豉叶)、大泡通皮(药用部位:茎皮。别名:枝子皮)。

| 形态特征 | 乔木或灌木,高 3 ~ 8m。小枝粗壮,幼时密生黄棕色星状绒毛,不久毛即脱净;髓白色,薄片状。叶有小叶 4 ~ 7;叶柄长 4 ~ 16cm,最长可至 70cm,幼时密生星状绒毛,成长后除基部外无毛;小叶片纸质至薄革质,稀革质,形状变化很大,椭圆状长圆形、卵状长圆形、卵状披针形或长圆状披针形,稀线状长圆形,长 6 ~ 20cm,最长可达 35cm,宽 2 ~ 8cm 或稍宽,先端急尖至短渐尖,基部钝形至圆形,有时截形,上面无毛,下面密生灰白色或黄棕色星状绒毛,老时变稀,全缘或边缘疏生不规则牙齿,有时有不规则缺刻或羽状分裂;中脉下面隆

穗序鹅掌柴

起，侧脉 8 ~ 12 对，有时多至 15 对以上，上面平坦或微隆起，下面稍隆起，网脉上面稍下陷，稀平坦，下面为绒毛掩盖而不明显；小叶柄粗壮，不等长，中央的较长，两侧的较短，被毛和叶柄一样。花无梗，密集成穗状花序，再组成长 40cm 以上的大圆锥花序；主轴和分枝幼时均密生星状绒毛，后毛渐脱稀；苞片及小苞片三角形，均密生星状绒毛；花白色；花萼长 1.5 ~ 2mm，疏生星状短柔毛，有 5 齿；花瓣 5，三角状卵形，无毛；雄蕊 5，花丝长约 3mm；子房 4 ~ 5 室；花柱合生成柱状，长不及 1mm，柱头不明显；花盘隆起。果实球形，紫黑色，直径约 4mm，几无毛；宿存花柱长 1.5 ~ 2mm，柱头头状。花期 10 ~ 11 月，果期翌年 1 月。

| 生境分布 | 生于海拔 500 ~ 1900m 山谷溪边的常绿阔叶林中，阴湿的林缘或疏林也能生长。分布于重庆黔江、彭水、綦江、石柱、秀山、涪陵、丰都、垫江、北碚、万州、酉阳、武隆、南川、江津、江北等地。

| 资源情况 | 野生资源较丰富。药材来源于野生。

| 采收加工 | 大泡通：全年均可采收，鲜用或晒干。

大泡通叶：全年均可采收，鲜用或晒干。

大泡通皮：全年均可采收，剥取茎皮，多为鲜用。

| 药材性状 | 大泡通：本品枝条灰棕色或灰褐色；表面有纵皱纹，有棕色点状皮孔及弧形叶柄痕；幼嫩枝密被灰棕色毛茸；折断面可见大型白色薄片状的髓。根皮多呈条片状；外表面灰褐色至暗褐色，有纵皱纹及灰白色栓皮和棕色点状皮孔，内表面色淡，有细纵纹；质硬，折断面纤维性。气微，味苦、涩。

| 功能主治 | 大泡通：微苦、涩，平。祛风活络，强筋健骨，行气止血。用于风湿痹痛，腰膝酸痛，跌打肿痛，胸胁、脘腹胀痛。

大泡通叶：苦、涩，微寒。祛风除湿，解毒敛疮。用于风疹，湿疹，皮炎，皮肤皲裂。

大泡通皮：苦、涩，微寒。祛风除湿，舒筋活络。用于风湿痹痛，跌打损伤，骨折。

| 用法用量 | 大泡通：内服煎汤，9 ~ 30g；或浸酒。外用适量，捣敷；或煎汤洗。

大泡通叶：外用适量，捣敷。

大泡通皮：内服煎汤，15 ~ 30g。

五加科 Araliaceae 鹅掌柴属 *Schefflera*

鹅掌柴 *Schefflera octophylla* (Lour.) Harms

| 药 材 名 | 鸭脚木皮（药用部位：根皮、茎皮。别名：西加皮、鸭脚皮、鸭脚木）、鸭脚木叶（药用部位：叶）、鸭脚木根（药用部位：根）。

| 形态特征 | 乔木或灌木，高 2 ~ 15m，胸径可达 30cm 以上。小枝粗壮，干时有皱纹，幼时密生星状短柔毛，不久毛渐脱稀。叶有小叶 6 ~ 9，最多至 11；叶柄长 15 ~ 30cm，疏生星状短柔毛或无毛；小叶片纸质至革质，椭圆形、长圆状椭圆形或倒卵状椭圆形，稀椭圆状披针形，长 9 ~ 17cm，宽 3 ~ 5cm，幼时密生星状短柔毛，后毛渐脱落，除下面沿中脉和脉腋间外均无毛，或全部无毛，先端急尖或短渐尖，稀圆形，基部渐狭，楔形或钝形，全缘，但在幼树时常有锯齿或羽状分裂；侧脉 7 ~ 10 对，下面微隆起，网脉不明显；小叶柄长 1.5 ~ 5cm，中央的较长，两侧的较短，疏生星状短柔毛至无毛。圆锥花序顶生，长 20 ~ 30cm，主轴和分枝幼时密生星状短柔毛，

鹅掌柴

后毛渐脱稀；分枝斜生，有总状排列的伞形花序几个至十几个，间或有单生花 1 ~ 2；伞形花序有花 10 ~ 15；总花梗纤细，长 1 ~ 2cm，被星状短柔毛；花梗长 4 ~ 5mm，被星状短柔毛；小苞片小，宿存；花白色；花萼长约 2.5mm，幼时有星状短柔毛，后变无毛，近全缘或边缘有 5 ~ 6 小齿；花瓣 5 ~ 6，开花时反曲，无毛；雄蕊 5 ~ 6，比花瓣略长；子房 5 ~ 7 室，稀 9 ~ 10 室；花柱合生成粗短的柱状；花盘平坦。果实球形，黑色，直径约 5mm，有不明显的棱；宿存花柱粗短，长 1mm 或稍短；柱头头状。花期 11 ~ 12 月，果期 12 月。

| 生境分布 | 生于海拔 100 ~ 2100m 的阳坡上，为热带、亚热带地区常绿阔叶林常见的植物，或栽培于庭园。分布重庆酉阳、江津、南川、綦江、黔江、武隆、永川、巴南等地。

| 资源情况 | 野生和栽培资源均较丰富。药材来源于野生和栽培。

| 采收加工 | 鸭脚木皮：全年均可采收，洗净，蒸透，切片，晒干。

鸭脚木叶：夏、秋季采收，多为鲜用。

鸭脚木根：夏、秋季采挖，洗净，切片，晒干。

| 药材性状 | 鸭脚木皮：本品呈长圆筒状或长方形板片状，长 30 ~ 50cm，厚 2 ~ 8mm。外表面灰白色至暗灰色，粗糙，常有地衣斑，有明显的类圆形或横向长圆形皮孔，有的可见叶柄痕；内表面灰黄色至灰棕色，光滑，具丝瓜络网纹。质疏松，木栓层易脱落，断面纤维性强，外层较脆，易折断，内层较韧，难折断，能层层剥离。气微香，味苦。

| 功能主治 | 鸭脚木皮：辛、苦，凉。清热解表，祛风除湿，舒筋活络。用于感冒发热，咽喉肿痛，烫火伤，无名肿毒，风湿痹痛，跌打损伤，骨折。

鸭脚木叶：辛、苦，凉。祛风除湿，解毒，活血。用于风热感冒，咽喉肿痛，斑疹发热，风疹瘙痒，风湿疼痛，湿疹，下肢溃疡，疮疡肿毒，烧伤，跌打损伤，骨折，刀伤出血。

鸭脚木根：淡、微苦，平。疏风清热，除湿通络。用于感冒发热，妇女热病夹经，风湿痹痛，跌打损伤。

| 用法用量 | 鸭脚木皮：内服煎汤，5 ~ 15g；或浸酒。外用适量，煎汤洗；或捣敷。

鸭脚木叶：内服煎汤，6 ~ 15g；或研末为丸。外用适量，捣汁涂；或酒炒敷。

鸭脚木根：内服煎汤，3 ~ 9g，鲜品加倍；或浸酒。外用适量，煎汤洗；或研末调敷；或捣敷。

| 附　　注 | 在 FOC 中，本种的拉丁学名被修订为 *Schefflera heptaphylla* (Linnaeus) Frodin。

五加科 Araliaceae 通脱木属 *Tetrapanax*

通脱木 *Tetrapanax papyrifer* (Hook.) K. Koch

通脱木

药材名

通草（药用部位：茎髓。别名：大通草、五加枫、通大根）、通花根（药用部位：根。别名：通草根、通打根）、通花花（药用部位：花。别名：马蔺花）、通脱木花上粉（药用部位：花粉）。

形态特征

常绿灌木或小乔木，高 1 ~ 3.5m，基部直径 6 ~ 9cm。树皮深棕色，略有皱裂；新枝淡棕色或淡黄棕色，有明显的叶痕和大形皮孔，幼时密生黄色星状厚绒毛，后毛渐脱落。叶大，集生茎顶；叶片纸质或薄革质，长 50 ~ 75cm，宽 50 ~ 70cm，掌状 5 ~ 11 裂，裂片通常为叶片全长的 1/3 或 1/2，稀至 2/3，倒卵状长圆形或卵状长圆形，通常再分裂为 2 ~ 3 小裂片，先端渐尖，上面深绿色，无毛，下面密生白色厚绒毛，全缘或边缘疏生粗齿，侧脉和网脉不明显；叶柄粗壮，长 30 ~ 50cm，无毛；托叶和叶柄基部合生，锥形，长 7.5cm，密生淡棕色或白色厚绒毛。圆锥花序长 50cm 或更长；分枝多，长 15 ~ 25cm；苞片披针形，长 1 ~ 3.5cm，密生白色或淡棕色星状绒毛；伞形花序直径 1 ~ 1.5cm，有花多数；总花梗长 1 ~ 1.5cm，

花梗长 3 ~ 5mm，均密生白色星状绒毛；小苞片线形，长 2 ~ 6mm；花淡黄白色；花萼长 1mm，全缘或近全缘，密生白色星状绒毛；花瓣 4，稀 5，三角状卵形，长 2mm，外面密生星状厚绒毛；雄蕊和花瓣同数，花丝长约 3mm；子房 2 室；花柱 2，离生，先端反曲。果实直径约 4mm，球形，紫黑色。花期 10 ~ 12 月，果期翌年 1 ~ 2 月。

| 生境分布 | 生于海拔 200 ~ 2000m 向阳肥厚的土壤上，有时栽培于庭园中。重庆各地均有分布。

| 资源情况 | 野生资源较丰富。药材来源于野生。

| 采收加工 | 通草：秋季选择生长 3 年以上植株，割取地上茎，切段，捅出髓心，理直，晒干。

通花根：秋季采挖，除去茎叶，洗净，切片，晒干。

通花花：采集花蕾，除去杂质，洗净，晒干。

通脱木花上粉：秋季开花时采收，晒干。

| 药材性状 | 通草：本品呈圆柱形，长 20 ~ 40cm，直径 1 ~ 2.5cm。表面白色或淡黄色，有浅纵沟纹。体轻，质松软，稍有弹性，易折断，断面平坦，显银白色光泽，中部有直径 0.3 ~ 0.5cm 的空心或半透明的薄膜，纵剖面呈梯状排列，实心者少见。气微，味淡。

| 功能主治 | 通草：甘、淡，微寒。归肺、胃经。清热利尿，通气下乳。用于湿热淋证，水肿尿少，乳汁不下。

通花根：淡、微苦，微寒。清热利水，行气消食，活血下乳。用于水肿，淋证，食积饱胀，痞块，风湿痹痛，月经不调，乳汁不下。

通花花：甘，平。疏肝行气。用于疝气。

通脱木花上粉：苦、辛，平。解毒散结，去腐生肌。用于痈肿，瘰疬，痔疮。

| 用法用量 | 通草：内服煎汤，3 ~ 5g。

通花根：内服煎汤，30 ~ 60g；或浸酒。外用适量，捣敷。

通花花：内服煎汤，30 ~ 60g。

通脱木花上粉：内服煎汤，2 ~ 5g；或入丸、散。外用适量，撒敷。

伞形科 Umbelliferae 当归属 *Angelica*

东当归 *Angelica acutiloba* (Sieb. et Zucc.) Kitagawa

| 药 材 名 | 东当归（药用部位：根。别名：当归、延边当早归、朝鲜当归）。

| 形态特征 | 多年生草本。根长 10 ~ 25cm，直径 1 ~ 2.5cm，有多数支根，似马尾状，外表皮黄褐色至棕褐色，气味浓香。茎充实，高 30 ~ 100cm，绿色，常带紫色，无毛，有细沟纹。叶 1 ~ 2 回三出羽状分裂，膜质，上表面亮绿色，脉上被疏毛，下表面苍白色，末回裂片披针形至卵状披针形，3 裂，长 2 ~ 9cm，宽 1 ~ 3cm，无柄或有短柄，先端渐尖至急尖，基部楔形或截形，边缘有尖锐锯齿；叶柄长 10 ~ 30cm，基部膨大成管状叶鞘，叶鞘边缘膜质；茎顶部的叶简化成长圆形叶鞘。复伞形花序，花序梗、伞辐、花柄无毛或被疏毛，花序梗长 5 ~ 20cm；总苞片 1 至数个，有时无，线状披针形或线形，长 1 ~ 2cm；小总苞片 5 ~ 8，线状披针形或线形，无毛，长 5 ~ 15mm，常比花

东当归

长；小伞花序有花约30；花白色；萼齿不明显；花瓣倒卵形至长圆形；子房无毛；花柱长为花柱基的3倍。果实狭长圆形，略扁压，长4～5mm，宽1～1.5mm，背棱线状，尖锐，侧棱狭翅状，较背棱宽，较果体狭，棱槽内有油管3～4，合生面油管4～8。花期7～8月，果期8～9月。

|生境分布| 生于土层深厚、肥沃、疏松、富含腐殖质的山地，或栽培于房前屋后。分布于重庆南川、开州等地。

|资源情况| 野生资源稀少。药材主要来源于栽培。

|采收加工| 秋季采挖，除去须根、茎叶和杂质，置室内先用微火熏，然后晾干。

|药材性状| 本品长10～18cm。根头及主根粗短，略呈圆柱形，长1.5～3cm，直径1.5～2cm；主根下端分出侧根5至10余条，外形弯曲，长短不一，长3～10cm，直径0.2～1cm。表面黄棕色或棕褐色，有不规则纵皱纹及横向椭圆形皮孔；主根先端平截，中央为凹陷的茎痕，表面有横纹。质脆，易折断，断面平坦，皮部白色或黄白色，有多数油室及裂隙，形成层环棕色，木部黄色或黄棕色，射线密集。具特殊芳香气，味甘而后微苦、辛。

|功能主治| 辛、甘，温。活血，调经止痛，润燥滑肠。用于血虚证，月经不调，痛经，经闭，产后腹痛，肠燥便秘。

|用法用量| 内服煎汤，10～30g。

伞形科 Umbelliferae 当归属 *Angelica*

当归 *Angelica sinensis* (Oliv.) Diels

当归

|药 材 名|

当归（药用部位：根。别名：干归、马尾当归、云归）。

|形态特征|

多年生草本，高 0.4 ~ 1m。根圆柱形，分枝，有多数肉质须根，黄棕色，有浓郁香气。茎直立，绿白色或带紫色，有纵深沟纹，光滑，无毛。叶 2 ~ 3 回三出羽状分裂，叶柄长 3 ~ 11cm，基部膨大成管状的薄膜质鞘，紫色或绿色；基生叶及茎下部叶卵形，长 8 ~ 18cm，宽 15 ~ 20cm；小叶片 3 对，下部的 1 对小叶柄长 0.5 ~ 1.5cm，近先端的 1 对无柄；末回裂片卵形或卵状披针形，长 1 ~ 2cm，宽 5 ~ 15mm，2 ~ 3 浅裂，边缘有缺刻状锯齿，齿端有尖头；叶下表面及边缘被稀疏的乳头状白色细毛；茎上部叶简化成囊状的鞘和羽状分裂的叶片。复伞形花序，花序梗长 4 ~ 7cm，密被细柔毛；伞辐 9 ~ 30；总苞片 2，线形，或无；小伞形花序有花 13 ~ 36；小总苞片 2 ~ 4，线形；花白色；花柄密被细柔毛；萼齿 5，卵形；花瓣长卵形，先端狭尖，内折；花柱短，花柱基圆锥形。果实椭圆形至卵形，长 4 ~ 6mm，宽 3 ~ 4mm，背棱线形，隆起，

侧棱成宽而薄的翅，与果体等宽或略宽，翅边缘淡紫色；棱槽内有油管 1，合生面油管 2。花期 6 ~ 7 月，果期 7 ~ 9 月。

| 生境分布 | 生于海拔 1500 ~ 2500m 的高山。分布于重庆巫溪、巫山、武隆、酉阳、南川、奉节等地。

| 资源情况 | 野生资源稀少。药材来源于栽培。

| 采收加工 | 多在生长 2 年后采收，10 月下旬挖取，抖净泥土，除去残留叶柄，待水分稍蒸发后扎把，搭棚熏干，先用湿柴火熏烟，使当归上色，至表皮呈赤红色，再用煤火或柴火熏干。

| 药材性状 | 本品略呈圆柱形，下部有支根 3 ~ 5 或更多，长 15 ~ 25cm。表面黄棕色至棕褐色，具纵皱纹和横长皮孔样凸起。根头（归头）直径 1.5 ~ 4cm，具环纹，上端圆钝，或具数个明显突出的根茎痕，有紫色或黄绿色的茎和叶鞘的残基；主根（归身）表面凹凸不平；支根（归尾）直径 0.3 ~ 1cm，上粗下细，多扭曲，有少数须根痕。质柔韧，断面黄白色或淡黄棕色，皮部厚，有裂隙和多数棕色点状分泌腔，木部色较淡，形成层环黄棕色。有浓郁的香气，味甘、辛、微苦。柴性大、干枯无油或断面呈绿褐色者不可供药用。

| 功能主治 | 甘、辛，温。归肝、心、脾经。补血活血，调经止痛，润肠通便。用于血虚萎黄，眩晕心悸，月经不调，经闭痛经，虚寒腹痛，风湿痹痛，跌打损伤，痈疽疮疡，肠燥便秘。

| 用法用量 | 内服煎汤，6 ~ 12g；或入丸、散；或浸酒；或熬膏。

伞形科 Umbelliferae 当归属 *Angelica*

金山当归 *Angelica valida* Diels

金山当归

药材名

乌当归（药用部位：根。别名：岩当归、差风、光头差风）。

形态特征

多年生草本，高 30 ~ 60cm。根圆锥形，表皮黑褐色至黄棕色，常易剥脱，长 8 ~ 15cm，直径 0.8 ~ 2cm。茎单生，近实心，稍带紫色，有细沟纹，光滑，无毛，仅上部被密短细毛。茎生叶为 2 回三出羽状复叶，叶柄长达 24cm；茎生叶为 1 ~ 2 回三出羽状复叶，宽卵形，长 10 ~ 20cm，宽 11 ~ 17cm；叶柄长 5 ~ 8cm，基部稍膨大成长管状叶鞘，半抱茎，鞘部开口，背面密生柔毛；茎顶部叶简化成鞘状，先端有 3 深裂的小叶片，末回裂片卵圆形或长圆形，近革质，有光泽，先端渐尖至长尖，基部钝圆，通常 1 ~ 2 深裂，无柄或有时有短柄，边缘具圆钝浅齿，两面沿叶脉密被刚毛。复伞形花序直径达 15cm；花序梗长 2 ~ 6cm；伞辐（23 ~ ）30 ~ 55；总苞片 1 ~ 3，早落；小伞形花序有花 30 ~ 40；小总苞片 8 ~ 10，钻形，有缘毛，比花柄长；花白色；无萼齿；花瓣倒心形，基部渐狭，先端有内凹的小舌片。果实椭圆形，长 4 ~ 5mm，宽 2 ~ 3mm，侧棱狭翅状，比果体狭，背棱线形，隆起；分生果棱槽内有油管 1，合生面油管 4。花期 7 ~ 8 月，果期 8 ~ 9 月。

| 生境分布 | 生于阴湿山坡草丛或石缝中。分布于重庆武隆、南川等地。

| 资源情况 | 野生资源较少。药材来源于野生。

| 采收加工 | 春、秋季未开花前采挖，洗净，晒干。

| 功能主治 | 微甘、辛，温。补血，活血，调经。用于血虚体弱，月经不调，痛经，崩漏。

| 用法用量 | 内服煎汤，6 ~ 15g。

伞形科 Umbelliferae 峨参属 *Anthriscus*

峨参 *Anthriscus sylvestris* (L.) Hoffm.

| 药 材 名 | 峨参（药用部位：根。别名：田七、金山田七、土白芷）、峨参叶（药用部位：叶）。

| 形态特征 | 二年生或多年生草本。茎较粗壮，高 0.6 ~ 1.5m，多分枝，近无毛或下部被细柔毛。基生叶有长柄，叶柄长 5 ~ 20cm，基部有长约 4cm、宽约 1cm 的鞘；叶片呈卵形，2 回羽状分裂，长 10 ~ 30cm，1 回羽片有长柄，卵形至宽卵形，长 4 ~ 12cm，宽 2 ~ 8cm，有 2 回羽片 3 ~ 4 对，2 回羽片有短柄，卵状披针形，长 2 ~ 6cm，宽 1.5 ~ 4cm，羽状全裂或深裂，末回裂片卵形或椭圆状卵形，有粗锯齿，长 1 ~ 3cm，宽 0.5 ~ 1.5cm，背面疏生柔毛；茎上部叶有短柄或无柄，基部呈鞘状，有时边缘被毛。复伞形花序直径 2.5 ~ 8cm，伞辐 4 ~ 15，不等长；小总苞片 5 ~ 8，卵形至披针形，先端尖锐，

峨参

反折，边缘有睫毛或近无毛；花白色，通常带绿色或黄色；花柱较花柱基长 2 倍。果实长卵形至线状长圆形，长 5 ～ 10mm，宽 1 ～ 1.5mm，光滑或疏生小瘤点，先端渐狭成喙状，合生面明显收缩，果柄先端常有 1 环白色小刚毛；分生果横剖面近圆形，油管不明显，胚乳有深槽。花果期 4 ～ 5 月。

| 生境分布 | 生于低山丘陵至海拔 2550m 的山坡林下、路旁、山谷溪边石缝中。分布于重庆城口、巫溪、巫山、南川、奉节、石柱等地。

| 资源情况 | 野生资源一般。药材来源于野生。

| 采收加工 | 峨参：秋后采挖，刮去粗皮，置沸水中略烫，干燥。
峨参叶：夏、秋季采收，鲜用或晒干。

| 药材性状 | 峨参：本品呈圆锥形，略弯曲，有的分叉，长 3 ～ 12cm，中部直径 1 ～ 2cm。先端有茎痕，侧面偶有疔疤，尾端渐细。表面黄棕色或灰褐色，有不规则纵皱纹，上部有环纹，下部可见凸起的横长皮孔。质坚实，断面黄白色或黄棕色，角质样。气微，味微辛、微麻。栽培品较粗壮，长 2 ～ 5cm，直径 1 ～ 3cm，部分有 2 ～ 5 个分叉或瘤状突起，环纹不甚明显，表面多呈灰黄色，半透明状。

| 功能主治 | 峨参：甘、辛，温。归脾、胃、肺经。益气健脾，活血止痛。用于脾虚腹胀，乏力食少，肺虚咳喘，体虚自汗，老人夜尿频数，气虚水肿，劳伤腰痛，头痛，痛经，跌打瘀肿。
峨参叶：甘、辛，平。止血，消肿。用于创伤出血，肿痛。

| 用法用量 | 峨参：内服煎汤，9 ～ 15g；或浸酒。外用适量，研末调敷。
峨参叶：外用适量，鲜品捣敷；干品研末撒或调敷。

| 附　　注 | 本种喜高寒潮湿环境，抗寒力强。宜选择中山或高山阴处和半阴处栽培，土壤以排水良好、富含腐殖质、肥沃、疏松的夹砂土中生长最好。

伞形科 Umbelliferae 芹属 *Apium*

旱芹 *Apium graveolens* L.

药材名 旱芹（药用部位：带根全草。别名：云弓、芹菜、南芹菜）。

形态特征 二年生或多年生草本，高 15 ~ 150cm，有强烈香气。根圆锥形，支根多数，褐色。茎直立，光滑，有少数分枝，并有棱角和直槽。根生叶有柄，叶柄长 2 ~ 26cm，基部略扩大成膜质叶鞘；叶片长圆形至倒卵形，长 7 ~ 18cm，宽 3.5 ~ 8cm，通常 3 裂达中部或 3 全裂，裂片近菱形，边缘有圆锯齿或锯齿，叶脉两面隆起；较上部的茎生叶有短柄，叶片阔三角形，通常分裂为 3 小叶，小叶倒卵形，中部以上边缘疏生钝锯齿以至缺刻。复伞形花序顶生或与叶对生，花序梗长短不一，有时缺少；通常无总苞片和小总苞片；伞辐细弱，3 ~ 16，长 0.5 ~ 2.5cm；小伞形花序有花 7 ~ 29，花柄长 1 ~ 1.5mm，萼齿小或不明显；花瓣白色或黄绿色，圆卵形，长约 1mm，宽 0.8mm，

旱芹

先端有内折的小舌片；花丝与花瓣等长或稍长于花瓣，花药卵圆形，长约0.4mm；花柱基扁压，花柱幼时极短，成熟时长约0.2mm，向外反曲。分生果圆形或长椭圆形，长约1.5mm，宽1.5 ~ 2mm，果棱尖锐，合生面略收缩；每棱槽内有油管1，合生面油管2，胚乳腹面平直。花期4 ~ 7月。

| 生境分布 | 生于向阳的砂壤土中，或栽培于菜地。重庆各地均有分布。

| 资源情况 | 栽培资源较丰富。药材来源于栽培。

| 采收加工 | 春、夏季采收，洗净，多为鲜用。

| 功能主治 | 甘、辛、微苦，寒。归肝、胃、肺经。平肝，清热，祛风，利水，止血，解毒。用于肝阳上亢所致眩晕，风热头痛，咳嗽，黄疸，小便淋痛，尿血，崩漏，带下，疮疡肿毒。

| 用法用量 | 内服煎汤，9 ~ 15g，鲜品30 ~ 60g；或绞汁；或入丸剂。外用适量，捣敷；或煎汤洗。

伞形科 Umbelliferae 柴胡属 *Bupleurum*

细柄柴胡 *Bupleurum gracilipes* Diels

细柄柴胡

| 药 材 名 |

细柄柴胡（药用部位：全草）。

| 形态特征 |

多年生草本，高 50 ~ 90cm。根圆锥形。茎从基部分枝，近直立，有纵槽纹。基部叶倒披针形，连同叶柄长 8 ~ 18cm，宽 1 ~ 1.4cm，先端略钝，基部狭窄成长叶柄，半抱茎；茎生叶倒披针形或狭长椭圆形，长 5 ~ 9cm，宽 0.7 ~ 1cm，先端略钝，有小短尖头，近无柄；叶背淡灰绿色，5 ~ 7 脉，近弧形，向叶背凸出，次级网脉不明显；上部叶渐变小，披针形，无柄。伞形花序有细长的花序梗，长 3 ~ 5cm；伞辐 2 ~ 3，细瘦而挺直，不等长，长 1 ~ 3cm；总苞片 3 ~ 5，椭圆形至卵形，不等大，长 3 ~ 7mm，宽 1 ~ 3mm，5 ~ 7 脉；小总苞片 4 ~ 5，阔卵形或倒卵状披针形，绿色，边缘透明，薄膜质，长 3 ~ 4mm，宽 2 ~ 2.5mm，超过开花期小伞，比果期小伞为短，3 ~ 5 脉，每小伞形花序有花 5 ~ 10，花柄长 1 ~ 1.5mm，果时延长至 2 ~ 3mm；花瓣淡黄色，长 0.5 ~ 0.75mm，近半圆形，上部略凹入，小舌片内折，近方形，中央有 1 明显的主脉；花柱基稍收缩，花柱短。果实长圆柱形，长

4mm，宽 1.5mm，褐色，被白粉，棱线形；每棱槽油管 3，显著，合生面 2 ～ 4。花期 6 ～ 7 月，果期 7 ～ 8 月。

| 生境分布 | 生于海拔 1400 ～ 1700m 的林下、沟边阴处。分布于重庆南川等地。

| 资源情况 | 野生资源稀少。药材主要来源于野生。

| 采收加工 | 秋季采收，切段，晒干。

| 功能主治 | 解热散火，平肝调经。

| 用法用量 | 内服煎汤，适量。

伞形科 Umbelliferae 柴胡属 *Bupleurum*

空心柴胡 *Bupleurum longicaule* Wall. ex DC. var. *franchetii* de Boiss.

空心柴胡

药 材 名

空心柴胡（药用部位：全草）。

形态特征

多年生草本。茎高 50 ~ 100cm，通常单生，挺直，中空；嫩枝常带紫色，节间长，叶稀少。基部叶狭长圆状披针形，长 10 ~ 19cm，宽 7 ~ 15mm，先端尖，下部稍窄抱茎，无明显的柄，9 ~ 13 脉；中部基生叶狭长椭圆形，13 ~ 17 脉；序托叶狭卵形至卵形，先端急尖或圆，基部无耳。总苞片 1 ~ 2，不等大或早落；小伞直径 8 ~ 15mm，有花 8 ~ 15。果实长 3 ~ 3.5mm，宽 2 ~ 2.2mm，有浅棕色狭翼。

生境分布

生于海拔 1400 ~ 2700m 的山地林缘或路旁。分布于重庆城口、巫溪、巫山、奉节、开州、云阳、万州等地。

资源情况

野生资源一般。药材来源于野生。

| 采收加工 | 9 月下旬至 10 月上旬采挖根部，抖去泥土，把残茎除净以备加工。

| 功能主治 | 苦，寒。和解退热，疏肝解郁，升举阳气。用于外感，半表半里证，急性黄疸性肝炎，慢性肝炎，早期肝硬化，急性胆囊炎，胆道感染，胆道蛔虫病，急性胰腺炎，肋间神经痛，脱肛，胃下垂，子宫脱垂，月经不调，疟疾。

| 用法用量 | 内服煎汤，3 ~ 9g。

伞形科 Umbelliferae 柴胡属 *Bupleurum*

竹叶柴胡 *Bupleurum marginatum* Wall. ex DC.

竹叶柴胡

| 药 材 名 |

竹叶柴胡（药用部位：全草）。

| 形态特征 |

多年生高大草本。根木质化，直根发达，外皮深红棕色，纺锤形，有细纵皱纹及稀疏的小横突起，长 10 ~ 15cm，直径 5 ~ 8mm，根的先端常有一段红棕色地下茎，木质化，长 2 ~ 10cm，有时扭曲缩短，与根较难区分。茎高 50 ~ 120cm，绿色，硬挺，基部常木质化，带紫棕色，茎上有淡绿色粗条纹，实心。叶鲜绿色，背面绿白色，革质或近革质，叶缘软骨质，较宽，白色；下部叶与中部叶同形，长披针形或线形，长 10 ~ 16cm，宽 6 ~ 14mm，先端急尖或渐尖，有硬尖头，长达 1mm，基部微收缩抱茎，脉 9 ~ 13，向叶背显著凸出，淡绿白色；茎上部叶同形，但逐渐缩小，7 ~ 15 脉。复伞形花序很多，顶生花序往往短于侧生花序；直径 1.5 ~ 4cm；伞辐 3 ~ 4（~ 7），不等长，长 1 ~ 3cm；总苞片 2 ~ 5，很小，不等大，披针形或小如鳞片，长 1 ~ 4mm，宽 0.2 ~ 1mm，1 ~ 5 脉；小伞形花序直径 4 ~ 9mm；小总苞片 5，披针形，短于花柄，长 1.5 ~ 2.5mm，宽 0.5 ~ 1mm，先端渐尖，有小凸尖头，基部不收缩，1 ~ 3 脉，有白色膜质边缘，小伞形花序有花（6 ~ ）8 ~ 10（ ~ 12），直径 1.2 ~ 1.6mm；花瓣浅黄色，先端反折处较平而不凸起，小舌片较大，方形；花柄长 2 ~ 4.5mm，较粗，花柱基厚盘状，宽于子房。果实长圆形，长 3.5 ~ 4.5mm，宽 1.8 ~ 2.2mm，棕褐色，棱狭翼状；每棱槽中油管 3，合生面 4。花期 6 ~ 9 月，果期 9 ~ 11 月。

| 生境分布 | 生于海拔 750 ~ 2300m 的山坡草地或林下。分布于重庆城口、巫山、开州、巫溪等地。

| 资源情况 | 野生资源一般。药材主要来源于栽培。

| 采收加工 | 秋季采收，洗净，干燥。

| 功能主治 | 疏风退热，疏肝升阳。用于感冒发热，寒热往来，疟疾，胸胁胀痛，月经不调，脱肛，阴挺。

| 用法用量 | 内服煎汤，3 ~ 10g。

伞形科 Umbelliferae 柴胡属 *Bupleurum*

小柴胡

Bupleurum tenue Buch.-Ham. ex D. Don

小柴胡

| 药 材 名 |

小柴胡（药用部位：全草）。

| 形态特征 |

二年生草本，高 20 ~ 80cm。根细瘦，木质化，淡土黄色，入土很浅。茎基部近木质化，带紫褐色，下部往往大量分枝成丛生状，很少单生，分枝细而质坚，斜升展开，再分生小枝。叶小，长圆状披针形或线形，长 3 ~ 8cm，宽 4 ~ 8mm，先端钝或圆，有小凸尖头，基部略收缩，抱茎，无柄，7 ~ 9 脉，沿小脉边缘和末端均有棕黄色油脂积聚；分枝上的叶更短小，形状相似。伞形花序小而多；花序梗细长，长 2 ~ 3.5cm，有棱角；伞辐 2 ~ 5，线形，不等长，6 ~ 13mm，挺直，结果时稍延长；总苞片 2 ~ 4，披针形或长椭圆形，不等大，长 3 ~ 6mm，宽 1 ~ 2mm，先端锐尖，基部渐狭，5 ~ 7 脉，支脉末端也有棕黄色油脂凝集；小总苞片 5，披针形或椭圆形，同大，草质，长 3 ~ 4mm，宽 1 ~ 1.5mm，先端渐尖，有小凸尖头，3 脉，长略超过小伞形花序或与之等长；小伞形花序多数，直径 1 ~ 1.3mm，花 3 ~ 5，花柄长 0.5 ~ 1.5mm；花瓣近圆形，上端内折，小舌片近长方形，每小伞形花序通常有发育

果 3，其余多不发育。果实广卵圆形或椭圆形，长 2.5mm，宽 1.5mm，棕色，棱粗而显著，淡黄色；分生果横切面五角形，棱呈三角形；每棱槽油管 1，合生面 2；胚乳腹面平坦。花果期 9 ~ 10 月。

| 生境分布 | 生于海拔 600 ~ 1950m 的向阳山坡草丛或干燥荒坡上。分布于重庆城口、巫溪、南川、綦江、江津、永川、万州、石柱等地。

| 资源情况 | 野生资源稀少。药材主要来源于野生。

| 采收加工 | 夏、秋季花初开时采收，除去泥沙，干燥。

| 功能主治 | 苦，凉。解表和里，退热，升阳，解郁。用于感冒发热，寒热往来，疟疾，胸肋胀痛，月经不调，子宫脱垂，脱肛。

| 用法用量 | 内服煎汤，3 ~ 9g。

| 附　　注 | 在 FOC 中，本种的拉丁学名被修订为 *Bupleurum hamiltonii* N. P. Balakrishnan。

伞形科 Umbelliferae 积雪草属 *Centella*

积雪草 *Centella asiatica* (L.) Urban

| 药 材 名 | 积雪草（药用部位：全草。别名：连钱草、地钱草、马蹄草）。

| 形态特征 | 多年生草本。茎匍匐，细长，节上生根。叶片膜质至草质，圆形、肾形或马蹄形，长 1 ~ 2.8cm，宽 1.5 ~ 5cm，边缘有钝锯齿，基部阔心形，两面无毛或在背面脉上疏生柔毛；掌状脉 5 ~ 7，两面隆起，脉上部分叉；叶柄长 1.5 ~ 27cm，无毛或上部被柔毛，基部叶鞘透明，膜质。伞形花序梗 2 ~ 4，聚生于叶腋，长 0.2 ~ 1.5cm，被毛或无；苞片通常 2，很少 3，卵形，膜质，长 3 ~ 4mm，宽 2.1 ~ 3mm；每一伞形花序有花 3 ~ 4，聚集成头状，花无柄或有 1mm 长的短柄；花瓣卵形，紫红色或乳白色，膜质，长 1.2 ~ 1.5mm，宽 1.1 ~ 1.2mm；花柱长约 0.6mm；花丝短于花瓣，与花柱等长。果实两侧扁压，圆球形，基部心形至平截形，长 2.1 ~ 3mm，宽 2.2 ~ 3.6mm，每侧

积雪草

有纵棱数条，棱间有明显的小横脉，网状，表面被毛或平滑。花果期 4 ~ 10 月。

| 生境分布 | 生于海拔 200 ~ 1900m 的阴湿草地或水沟边。重庆各地均有分布。

| 资源情况 | 野生资源丰富。药材主要来源于野生，亦有少量栽培。

| 采收加工 | 夏、秋季采收，除去泥沙，晒干。

| 药材性状 | 本品常卷缩成团。根圆柱形，长 2 ~ 4cm，直径 1 ~ 1.5mm；表面浅黄色或灰黄色。茎细长弯曲；黄棕色，有细纵皱纹，节上常着生须状根。叶片多皱缩破碎，完整者展平后呈近圆形或肾形，直径 1 ~ 4cm，灰绿色，边缘有粗钝齿；叶柄长 3 ~ 6cm，扭曲。伞形花序腋生，短小。双悬果扁圆形，有明显隆起的纵棱及细网纹；果梗甚短。气微，味淡。

| 功能主治 | 苦、辛，寒。归肝、脾、肾经。清热利湿，解毒消肿。用于湿热黄疸，中暑腹泻，血淋，痈肿疮毒，跌打损伤。

| 用法用量 | 内服煎汤，15 ~ 30g。

| 附　　注 | 本种喜温暖潮湿环境，栽培以半日照或遮阴处为佳，忌阳光直射。对土壤要求不严，以疏松、排水良好的栽培土为佳，或用水直接栽培。最适水温 22 ~ 28℃，耐阴，耐湿，稍耐旱，适应性强，生性强健，种植容易，繁殖迅速，水陆皆可。以分株法或扦插法繁殖为主，多在每年 3 ~ 5 月进行，保持栽培土湿润，1 ~ 2 周即可发根，亦可采用播种法进行育苗。

伞形科 Umbelliferae 川明参属 *Chuanminshen*

川明参 *Chuanminshen violaceum* Sheh et Shan

| 药 材 名 | 川明参（药用部位：根。别名：明参、明沙参、土明参）。

| 形态特征 | 多年生草本，高 30 ~ 150cm。根颈细长，埋于土中；根圆柱形，长 7 ~ 30cm，直径 0.6 ~ 1.5cm，通常不分枝，顶部稍细，有横向环纹突起，稍粗糙，其余表面细致平坦，黄白色至黄棕色；断面白色，富淀粉质，味甜。茎直立，单一或数茎，圆柱形，直径 2.5 ~ 5mm，多分枝，有纵长细条纹轻微凸起，上部粉绿色，基部带紫红色。基生叶多数，呈莲座状，具长柄，叶柄长 6 ~ 18cm，基部有宽阔叶鞘抱茎，叶鞘带紫色，边缘膜质；叶片阔三角状卵形，长 6 ~ 20cm，宽 4 ~ 14cm，2 ~ 3 回三出羽状分裂，1 回羽片 3 ~ 4 对，下部羽片具长柄，向上柄渐短至无柄，长卵形，2 回羽片 1 ~ 2 对，羽片具短柄或无柄，卵形，末回裂片卵形或长卵形，先端渐尖，基部楔

川明参

形或圆形，不规则 2 ~ 3 裂或呈锯齿状分裂，长 2 ~ 3cm，宽 0.6 ~ 2cm，上表面绿色，下表面粉绿色，光滑，无毛；茎上部叶很少，具长柄，2 回羽状分裂，叶片小；至先端叶更小，无柄，叶片 3 裂，裂片线形，细小。复伞形花序多分枝，花序梗粗壮，伞形花序直径 3 ~ 10cm，无总苞片或仅 1 ~ 2，线形，薄膜质，伞辐 4 ~ 8，不等长，长 0.5 ~ 8cm；小总苞片无或 1 ~ 3，线形，长约 4mm，宽约 0.3mm，膜质；花瓣长椭圆形，小舌片细长内曲，暗紫红色、浅紫色或白色，中脉显著；萼齿显著，狭长三角形或线形，花柱长为花柱基的 2 ~ 2.5 倍，向下弯曲。分生果卵形或长卵形，长 5 ~ 7mm，宽 2 ~ 4mm，暗褐色，背腹扁压，背棱和中棱线形凸起，侧棱稍宽并增厚；棱槽内有油管 2 ~ 3，合生面油管 4 ~ 6；胚乳腹面平直。花期 4 ~ 5 月，果期 5 ~ 6 月。

| 生境分布 | 生于山坡草丛中或沟边、林缘路旁。分布于重庆开州、南川等地。

| 资源情况 | 野生资源稀少。药材主要来源于栽培。

| 采收加工 | 4 ~ 5 月采挖，除去泥沙及须根，洗净，刮去外皮或粗糠壳，搓至色白，漂净，置沸水中煮烫至透心，取出，干燥。

| 药材性状 | 本品呈长圆柱形或长纺锤形，略扭曲，长 7 ~ 30cm，直径 0.5 ~ 1.5cm。表面黄白色或淡黄棕色，较光泽，可见不规则纵沟及微细皱纹，散在棕色或淡棕色细长横向皮孔样痕迹。质坚硬，易折断，断面淡黄色或淡黄白色，半透明，有角质样光泽，皮部约占半径的 1/2，有 2 ~ 3 白色断续同心环纹，可见淡黄棕色小油点，木部有放射状纹理；较粗者一侧常不规则开裂。气微，味淡，嚼之发黏。

| 功能主治 | 甘、微苦，凉。归肺、肝经。滋阴补肺，健脾。用于肺热咳嗽，热病伤阴。

| 用法用量 | 内服煎汤，6 ~ 15g。风寒咳嗽者慎服。

| 附　　注 | 本种喜凉爽、湿润气候，较能耐寒，不耐高温。宜在土层深厚、疏松、肥沃、排水良好的砂壤土或壤土中栽培。

伞形科 Umbelliferae 蛇床属 *Cnidium*

蛇床 *Cnidium monnieri* (L.) Cuss.

| 药 材 名 | 蛇床子（药用部位：果实。别名：野茴香、野胡萝卜子、蛇米）。

| 形态特征 | 一年生草本，高 10 ~ 60cm。根圆锥形，较细长。茎直立或斜上，多分枝，中空，表面具深条棱，粗糙。下部叶具短柄，叶鞘短宽，边缘膜质；上部叶叶柄全部鞘状，叶片卵形至三角状卵形，长 3 ~ 8cm，宽 2 ~ 5cm，2 ~ 3 回三出羽状全裂，羽片卵形至卵状披针形，长 1 ~ 3cm，宽 0.5 ~ 1cm，先端常略呈尾状，末回裂片线形至线状披针形，长 3 ~ 10mm，宽 1 ~ 1.5mm，具小尖头，边缘及脉上粗糙。复伞形花序直径 2 ~ 3cm；总苞片 6 ~ 10，线形至线状披针形，长约 5mm，边缘膜质，具细睫毛；伞辐 8 ~ 20，不等长，长 0.5 ~ 2cm，棱上粗糙；小总苞片多数，线形，长 3 ~ 5mm，边缘具细睫毛；小伞形花序具花 15 ~ 20，萼齿无；花瓣白色，先端具内折小舌片；

蛇床

花柱基略隆起，花柱长 1 ~ 1.5mm，向下反曲。分生果长圆状，长 1.5 ~ 3mm，宽 1 ~ 2mm，横剖面近五角形，主棱 5，均扩大成翅；每棱槽内油管 1，合生面油管 2；胚乳腹面平直。花期 4 ~ 7 月，果期 6 ~ 10 月。

| 生境分布 | 生于田边、路旁、草地或河边湿地。重庆各地均有分布。

| 资源情况 | 野生资源稀少。药材主要来源于野生，亦有少量栽培。

| 采收加工 | 夏、秋季果实成熟时采收，除去杂质，晒干。

| 药材性状 | 本品为双悬果，呈椭圆形，长 2 ~ 3mm，直径约 2mm。表面灰黄色或灰褐色，先端有 2 枚向外弯曲的柱基，基部偶有细梗。分果的背面有薄而凸起的纵棱 5，接合面平坦，有 2 条棕色略凸起的纵棱线。果皮松脆，揉搓易脱落，种子细小，灰棕色，显油性。气香，味辛，有麻舌感。

| 功能主治 | 辛、苦，温；有小毒。归肾经。燥湿祛风，温肾壮阳，杀虫止痒。用于阴痒带下，湿疹瘙痒，湿痹腰痛，肾虚阳痿，宫冷不孕。

| 用法用量 | 内服煎汤，3 ~ 10g。外用适量，多煎汤熏洗；或研末调敷。

| 附　　注 | 种植应选向阳的缓坡地和排水良好的砂壤土或黏壤土，不宜选择低洼地、易积水的地方。

伞形科 Umbelliferae 芫荽属 *Coriandrum*

芫荽 *Coriandrum sativum* L.

|药 材 名| 芫荽子（药用部位：果实）、胡荽（药用部位：全草）、芫荽茎（药用部位：茎梗。别名：芫荽棋）。

|形态特征| 一年生或二年生，有强烈气味的草本，高 20 ~ 100cm。根纺锤形，细长，有多数纤细的支根。茎圆柱形，直立，多分枝，有条纹，通常光滑。根生叶有柄，叶柄长 2 ~ 8cm，叶片 1 或 2 回羽状全裂，羽片广卵形或扇形半裂，长 1 ~ 2cm，宽 1 ~ 1.5cm，边缘有钝锯齿、缺刻或深裂；上部茎生叶 3 回以至多回羽状分裂，末回裂片狭线形，长 5 ~ 10mm，宽 0.5 ~ 1mm，先端钝，全缘。伞形花序顶生或与叶对生，花序梗长 2 ~ 8cm；伞辐 3 ~ 7，长 1 ~ 2.5cm；小总苞片 2 ~ 5，线形，全缘；小伞形花序有孕花 3 ~ 9，花白色或带淡紫色；萼齿通常大小不等，小的卵状三角形，大的长卵形；花瓣

芫荽

倒卵形，长 1 ~ 1.2mm，宽约 1mm，先端有内凹的小舌片，辐射瓣长 2 ~ 3.5mm，宽 1 ~ 2mm，通常全缘，有 3 ~ 5 脉；花丝长 1 ~ 2mm，花药卵形，长约 0.7mm；花柱幼时直立，果实成熟时向外反曲。果实圆球形，背面主棱及相邻的次棱明显，胚乳腹面内凹；油管不明显，或有 1 个位于次棱的下方。花果期 4 ~ 11 月。

| 生境分布 | 栽培于菜园。重庆各地均有分布。

| 资源情况 | 栽培资源丰富。药材来源于栽培。

| 采收加工 | 芫荽子：秋季采收，晒干。

胡荽：春季采收，洗净，晒干。

芫荽茎：春季采收，洗净，晒干。

| 药材性状 | 芫荽子：本品呈类圆球形，直径 2.5 ~ 3.5mm。表面淡黄棕色，有明显的纵棱及不甚明显的波状弯曲纵脊线各 10 条，两者相间排列，先端残存短小柱基及萼齿，基部偶有小果柄。分果半球形，接合面略凹陷。气香，味辛。

胡荽：本品多卷缩成团，茎、叶枯绿色，干燥茎直径约 1mm，叶多脱落或破碎，完整者 1 ~ 2 回羽状分裂。根呈须状或长圆锥形，表面类白色。具浓烈的特殊香气，味淡、微涩。

芫荽茎：本品呈圆柱形，直径 1 ~ 4mm，多分枝。表面草黄色，下部茎色稍深，光滑，有纵条纹。

| 功能主治 | 芫荽子：辛，平。发表透疹。用于麻疹初起，透发不畅，发热无汗。

胡荽：辛，温。发表透疹，消食开胃，止痛解毒。用于风寒感冒，麻疹，痘疹透发不畅，食积，脘腹胀痛，呕恶，头痛，牙痛，脱肛，丹毒，疮肿初起，蛇伤。

芫荽茎：辛，温。宽中健胃，透疹。用于胸脘胀闷，消化不良，麻疹不透。

| 用法用量 | 芫荽子：内服煎汤，3 ~ 9g。

胡荽：内服煎汤，9 ~ 15g，鲜品 15 ~ 30g；或捣汁。外用适量，煎汤洗；或捣敷。疹出已透，或虽未透出而热毒壅滞，非风寒外束者禁服。

芫荽茎：内服煎汤，3 ~ 9g。外用适量，煎汤喷涂。

| 附　　注 | 本种能耐 -1 ~ 2℃的低温，适宜生长温度为 17 ~ 20℃，超过 20℃生长缓慢，超过 30℃则停止生长。对土壤要求不严，但土壤结构好、保肥保水性能强、有机质含量高的土壤有利于生长。

伞形科 Umbelliferae 鸭儿芹属 *Cryptotaenia*

鸭儿芹 *Cryptotaenia japonica* Hassk.

|药 材 名| 鸭儿芹（药用部位：茎、叶。别名：三叶芹、水白芷、大鸭脚板）、鸭儿芹果（药用部位：果实）、鸭儿芹根（药用部位：根）。

|形态特征| 多年生草本，高 20 ~ 100cm。主根短，侧根多数，细长。茎直立，光滑，有分枝，表面有时略带淡紫色。基生叶或上部叶有柄，叶柄长 5 ~ 20cm，叶鞘边缘膜质；叶片三角形至广卵形，长 2 ~ 14cm，宽 3 ~ 17cm，通常为 3 小叶；中间小叶片呈菱状倒卵形或心形，长 2 ~ 14cm，宽 1.5 ~ 10cm，先端短尖，基部楔形；两侧小叶片斜倒卵形至长卵形，长 1.5 ~ 13cm，宽 1 ~ 7cm，近无柄，所有小叶片边缘有不规则尖锐重锯齿，表面绿色，背面淡绿色，两面叶脉隆起，最上部茎生叶近无柄，小叶片呈卵状披针形至窄披针形，边缘有锯齿。复伞形花序呈圆锥状，花序梗不等长；总苞片 1，呈线形或钻形，

鸭儿芹

长 4 ~ 10mm，宽 0.5 ~ 1.5mm；伞辐 2 ~ 3，不等长，长 5 ~ 35mm；小总苞片 1 ~ 3，长 2 ~ 3mm，宽不及 1mm；小伞形花序有花 2 ~ 4；花柄极不等长；萼齿细小，呈三角形；花瓣白色，倒卵形，长 1 ~ 1.2mm，宽约 1mm，先端有内折的小舌片；花丝短于花瓣，花药卵圆形，长约 0.3mm；花柱基圆锥形，花柱短，直立。分生果线状长圆形，长 4 ~ 6mm，宽 2 ~ 2.5mm，合生面略收缩，胚乳腹面近平直；每棱槽内有油管 1 ~ 3，合生面油管 4。花期 4 ~ 5 月，果期 6 ~ 10 月。

｜生境分布｜ 生于海拔 200 ~ 2400m 的山地、山沟或林下较阴湿地区。分布于重庆黔江、綦江、万州、丰都、垫江、大足、秀山、城口、潼南、南岸、江津、彭水、长寿、合川、酉阳、奉节、石柱、巫山、云阳、永川、铜梁、璧山、巫溪、南川、涪陵、武隆、开州、忠县、北碚、梁平、巴南、沙坪坝、九龙坡、荣昌等地。

｜资源情况｜ 野生资源丰富。药材主要来源于野生。

｜采收加工｜ 鸭儿芹：夏、秋季采收，割取茎叶，鲜用或晒干。

鸭儿芹果：7 ~ 10 月采收成熟的果序，除去杂质，洗净，晒干。

鸭儿芹根：夏、秋季采挖，除去茎叶，洗净，晒干备用。

｜功能主治｜ 鸭儿芹：辛、苦，平。祛风止咳，利湿解毒，化瘀止痛。用于感冒咳嗽，肺痈，淋痛，疝气，月经不调，风火牙痛，目赤翳障，痈疽疮肿，皮肤瘙痒，跌打肿痛，蛇虫咬伤。

鸭儿芹果：辛，温。消积顺气。用于食积腹胀。

鸭儿芹根：辛，温。发表散寒，止咳化痰，活血止痛。用于风寒感冒，咳嗽，跌打肿痛。

｜用法用量｜ 鸭儿芹：内服煎汤，15 ~ 30g。外用适量，捣敷；或研末撒；或煎汤洗。

鸭儿芹果：内服煎汤，3 ~ 9g；或研末。

鸭儿芹根：内服煎汤，9 ~ 30g；或研末。

｜附　　注｜ 本种以种子繁殖，宜选择土壤肥沃、有机质丰富、结构疏松、排灌良好、相对潮润但不黏重、土壤呈微酸性的立地条件进行整地作床。

伞形科 Umbelliferae 胡萝卜属 *Daucus*

野胡萝卜 *Daucus carota* L.

野胡萝卜

药材名

南鹤虱（药用部位：果实）、鹤虱风（药用部位：地上部分。别名：野萝卜、山萝卜）、野胡萝卜根（药用部位：根。别名：鹤虱风根）。

形态特征

二年生草本，高 15 ~ 120cm。茎单生，全体被白色粗硬毛。基生叶薄膜质，长圆形，2 ~ 3 回羽状全裂，末回裂片线形或披针形，长 2 ~ 15mm，宽 0.5 ~ 4mm，先端尖锐，有小尖头，光滑或被糙硬毛；叶柄长 3 ~ 12cm；茎生叶近无柄，有叶鞘，末回裂片小或细长。复伞形花序，花序梗长 10 ~ 55cm，被糙硬毛；总苞有多数苞片，呈叶状，羽状分裂，少有不裂，裂片线形，长 3 ~ 30mm；伞辐多数，长 2 ~ 7.5cm，结果时外缘的伞辐向内弯曲；小总苞片 5 ~ 7，线形，不分裂或 2 ~ 3 裂，边缘膜质，被纤毛；花通常白色，有时带淡红色；花柄不等长，长 3 ~ 10mm。果实圆卵形，长 3 ~ 4mm，宽 2mm，棱上被白色刺毛。花期 5 ~ 7 月。

| 生境分布 | 生于山坡路旁、旷野或田间。分布于重庆长寿、北碚、黔江、丰都、万州、垫江、綦江、南岸、大足、忠县、巫山、秀山、江津、奉节、彭水、酉阳、合川、涪陵、潼南、石柱、云阳、永川、九龙坡、璧山、铜梁、巫溪、南川、开州、武隆、城口、梁平、沙坪坝、荣昌等地。

| 资源情况 | 野生资源丰富。药材主要来源于野生，亦有少量栽培。

| 采收加工 | 南鹤虱：秋季果实成熟时割取果枝，晒干，打下果实，除去杂质。

鹤虱风：6 ~ 7 月开花时采收，除去泥土、杂质，洗净，鲜用或晒干。

野胡萝卜根：春季未开花前采挖，除去茎叶，洗净，晒干或鲜用。

| 药材性状 | 南鹤虱：本品为双悬果，呈椭圆形，多裂为分果，分果长 3 ~ 4mm，宽 1.5 ~ 2mm。表面淡绿棕色或棕黄色，先端有花柱残基，基部钝圆，背面隆起，具 4 条窄翅状次棱，翅上密生 1 列黄白色钩刺，刺长约 1.5mm，次棱间的凹下处有不明显的主棱，其上散生短柔毛，接合面平坦，有 3 条脉纹，上具柔毛。种仁类白色，有油性。体轻。搓碎时有特异香气，味微辛、苦。

| 功能主治 | 南鹤虱：苦、辛，平；有小毒。归脾、胃经。杀虫消积。用于蛔虫、蛲虫、绦虫病，虫积腹痛，小儿疳积。

鹤虱风：苦、微甘，寒；有小毒。杀虫健脾，利湿解毒。用于虫积，疳积，脘腹胀满，水肿，黄疸，烟毒，疮疹湿痒，斑秃。

野胡萝卜根：甘、微辛，凉。归脾、胃、肝经。健脾化滞，凉肝止血，清热解毒。用于脾虚食少，腹泻，惊风，逆血，血淋，咽喉肿痛。

| 用法用量 | 南鹤虱：内服煎汤，3 ~ 9g。

鹤虱风：内服煎汤，6 ~ 15g。外用适量，煎汤洗；或研末调敷。

野胡萝卜根：内服煎汤，15 ~ 30g。外用适量，捣汁涂。

| 附　　注 | 本种以种子繁殖。在播种前 7 ~ 10 天整地起垄，做成高 15cm、宽 50cm 的垄，采用双行栽培，播种后覆膜。野胡萝卜种植前进行种子处理，将种子表面的茸毛搓去。可以直播和催芽播种。

伞形科 Umbelliferae 胡萝卜属 *Daucus*

胡萝卜 *Daucus carota* L. var. *sativa* Hoffm.

| 药 材 名 | 胡萝卜（药用部位：根。别名：胡芦菔、红芦菔、丁香萝卜）、胡萝卜子（药用部位：果实）、胡萝卜叶（药用部位：基生叶。别名：胡萝卜英、胡萝卜缨子）。

| 形态特征 | 本种与原变种野胡萝卜的区别在于根肉质，长圆锥形，粗肥，呈红色或黄色。

| 生境分布 | 栽培于菜园。重庆各地均有分布。

| 资源情况 | 栽培资源较丰富。药材主要来源于栽培。

| 采收加工 | 胡萝卜：冬季采挖根部，除去茎叶，须根，洗净。

胡萝卜

胡萝卜子：夏季果实成熟时采收，摘取果枝，打下果实，除净杂质，晒干。

胡萝卜叶：冬季或春季采收，连根挖出，削取带根头部的叶，洗净，鲜用或晒干。

| 药材性状 | 胡萝卜：本品肉质，长圆锥形，粗肥，呈红色或黄色。

| 功能主治 | 胡萝卜：甘、辛，平。归脾、肝、肺经。健脾和中，滋肝明目，化痰止咳，清热解毒。用于脾虚食少，体虚乏力，脘腹痛，泻痢，视物昏花，雀目，咳喘，百日咳，咽喉肿痛，麻疹，水痘，疖肿，烫火伤，痔漏。

胡萝卜子：苦、辛，温。燥湿散寒，利水杀虫。用于久痢，久泻，虫积，水肿，宫冷腹痛。

胡萝卜叶：辛、甘，平。理气止痛，利水。用于脘腹痛，浮肿，小便不通，淋痛。

| 用法用量 | 胡萝卜：内服煎汤，30 ~ 120g；或生食；或捣汁；或煮食。外用适量，煮熟捣敷；或切片，烧热敷。

胡萝卜子：内服煎汤，3 ~ 9g；或入丸、散。

胡萝卜叶：内服煎汤，30 ~ 60g；或切碎，蒸熟食。

| 附　　注 | 本种喜冷凉气候，较耐寒，不耐热，发芽适宜温度为 20 ~ 25℃，生长适宜温度为昼 18 ~ 23℃、夜 13 ~ 18℃。在土层深厚、疏松、肥力好的土壤栽培利于其生长（最好是砂质土）。

伞形科 Umbelliferae 马蹄芹属 *Dickinsia*

马蹄芹 *Dickinsia hydrocotyloides* Franch.

马蹄芹

药材名

大苞芹（药用部位：带根全草。别名：大天胡荽、双叉草、山荷叶）。

形态特征

一年生草本。根茎短，须根细长。茎直立，高 20 ~ 46cm，无节，光滑。基生叶圆形或肾形，长 2 ~ 5cm，宽 5 ~ 11cm，先端稍凹入，基部深心形，边缘有圆锯齿，齿的先端常微凹，很少有小尖头，齿缘或齿间有时疏生不明显的小刺毛、无毛或在脉上被短粗伏毛，掌状脉 7 ~ 11，中部以上分歧；叶柄长 8 ~ 25cm，无毛。总苞片 2，着生于茎先端，叶状，对生，长 2 ~ 3cm，宽 5 ~ 6cm，无柄；花序梗 3 ~ 6，生于两叶状苞片之间，不等长，长 1.5 ~ 3cm，通常两侧较短，中间与总苞片近等长或稍超出；伞形花序有花 9 ~ 40，花梗幼时软弱，果实成熟时粗壮，长 0.6 ~ 1.1cm，花梗基部有阔线形或披针形的小总苞片；花瓣白色或草绿色，卵形，长 1.2 ~ 1.4mm，宽 1 ~ 1.1mm；花柱短，长约 0.3mm，向外反曲。果实背腹扁压，近四棱形，长 3 ~ 3.5mm，宽 2.2 ~ 2.8mm，背面有主棱 5，边缘扩展成翅状。花果期 4 ~ 10 月。

| 生境分布 | 生于海拔 1500 ~ 2200m 的阴湿林下或水沟边。分布于重庆万州、南川、巫山、武隆等地。

| 资源情况 | 野生资源一般。药材主要来源于野生。

| 采收加工 | 夏、秋季采收，洗净，晒干或鲜用。

| 功能主治 | 辛、苦，凉。祛风清热，燥湿止痒。用于感冒，头痛，麻疹，斑疹，湿疹，皮肤瘙痒。

| 用法用量 | 内服煎汤，9 ~ 15g。外用适量，捣敷；或研末撒；或煎汤洗。

伞形科 Umbelliferae 独活属 *Heracleum*

独活 *Heracleum hemsleyanum* Diels

| 药 材 名 | 牛尾独活（药用部位：根）。

| 形态特征 | 多年生草本，高达 1 ~ 1.5m。根圆锥形，分枝，淡黄色。茎单一，圆筒形，中空，有纵沟纹和沟槽。叶膜质，茎下部叶 1 ~ 2 回羽状分裂，有裂片 3 ~ 5，被稀疏刺毛，尤以叶脉处较多，先端裂片广卵形，3 分裂，长 8 ~ 13cm，两侧小叶较小，近卵圆形，3 浅裂，边缘有楔形锯齿和短凸尖；茎上部叶卵形，3 浅裂至 3 深裂，长 3 ~ 8cm，宽 8 ~ 10cm，边缘有不整齐锯齿。复伞形花序顶生和侧生；花序梗长 22 ~ 30cm，近光滑；总苞少数，长披针形，长 1 ~ 2cm，宽约 1mm；伞辐 16 ~ 18，不等长，长 2 ~ 7cm，有稀疏柔毛；小总苞片 5 ~ 8，线状披针形，长 2 ~ 3.5cm，宽 1 ~ 2mm，被柔毛；每小伞形花序有花约 20，花柄细长；萼齿不显；花瓣白色，二型；花

独活

柱基短圆锥形，花柱较短，柱头头状。果实近圆形，长 6 ~ 7mm，背棱和中棱丝线状，侧棱有翅；背部每棱槽中有油管 1，棒状，棕色，长为分生果长度的一半或稍超过，合生面有油管 2。花期 5 ~ 7 月，果期 8 ~ 9 月。

| 生境分布 | 生于山坡阴湿的灌丛林下。分布于重庆黔江、丰都、城口、石柱、奉节、涪陵、南川、武隆、开州、巫溪、巫山等地。

| 资源情况 | 野生资源较丰富。药材主要来源于野生，亦有少量栽培。

| 采收加工 | 初春苗刚发芽或秋末茎叶枯萎时采挖，除去须根及泥沙，晒干。

| 药材性状 | 本品呈长圆柱形，少有分枝，长 15 ~ 30cm，直径 0.6 ~ 3cm。根头单一或有数个分叉，先端有茎叶鞘残基。表面灰黄色，有不规则纵沟纹，皮孔细小，稀疏排列。质硬脆，断面皮部黄白色，多裂隙，有众多棕黄色油点，木部黄白色，形成层环棕色。气微香，味稍甘而辛辣。

| 功能主治 | 辛、苦，微温。归肺、肝经。祛风除湿，通痹止痛。用于风寒湿痹，腰膝疼痛，少阴伏风头痛。

| 用法用量 | 内服煎汤，3 ~ 9g。

| 附　　注 | 本种喜凉爽湿润气候。宜在海拔较高、气温较低、湿度较大的山区栽培，在低暖平坝、丘陵亦可生长，但难越夏。以土层深厚、肥沃疏松、富含腐殖质的砂壤土栽种较好，不宜在瘠薄、黏重的土地上栽培。

伞形科 Umbelliferae 天胡荽属 *Hydrocotyle*

中华天胡荽 *Hydrocotyle chinensis* (Dunn) Craib

| 药 材 名 | 大铜钱菜（药用部位：全草。别名：中华天胡荽、地弹花、铜钱草）。

| 形态特征 | 多年生匍匐草本，直立部分高 8 ~ 37cm。除托叶、苞片、花柄无毛外，其余均被疏或密而反曲的柔毛，毛白色或紫色，有时在叶背被具紫色疣基的毛；茎节着土后易生须根。叶片薄，圆肾形，表面深绿色，背面淡绿色，掌状 5 ~ 7 浅裂；裂片阔卵形或近三角形，边缘有不规则锐锯齿或钝齿，基部心形；叶柄长 4 ~ 23cm；托叶膜质，卵圆形或阔卵形。伞形花序单生节上，腋生或与叶对生，花序梗通常长过叶柄；小伞形花序有花 25 ~ 50，花柄长 2 ~ 7mm；小总苞片膜质，卵状披针形；花在蕾期草绿色，开放后白色；花瓣膜质，先端短尖，有淡黄色至紫褐色腺点。果实近圆形，基部心形或截形，两侧扁压，黄色或紫红色。花果期 5 ~ 11 月。

中华天胡荽

| 生境分布 | 生于海拔 1060 ~ 2790m 的河沟边或阴湿的路旁草地。分布于重庆黔江、潼南、长寿、奉节、城口、开州、巫山等地。

| 资源情况 | 野生资源一般。药材主要来源于野生，亦有少量栽培。

| 采收加工 | 夏、秋季采收，洗净，鲜用或晒干。

| 药材性状 | 本品多皱缩，不规则形，茎细小而弯曲，茎节着生多数须根。叶片薄，多皱缩，完整者呈圆肾形，长 2.5 ~ 7cm，宽 3 ~ 8cm；表面绿褐色，掌状 5 ~ 7 浅裂；裂片阔卵形或近三角形，边缘有不规则的锐锯齿或钝齿，基部心形，叶柄长 4 ~ 23cm。茎、叶均被疏或密而反曲的柔毛。气微，味淡。

| 功能主治 | 辛、微苦，平。理气止痛，利湿解毒。用于脘腹痛，肝炎，黄疸，小便不利，湿疹。

| 用法用量 | 内服煎汤，3 ~ 9g。外用适量，捣敷。

| 附　　注 | （1）在 FOC 中，本种的拉丁学名被修订为 *Hydrocotyle hookeri* (C. B. Clarke) Craib subsp. *chinensis* (Dunn ex R. H. Shan et S. L. Liou) M. F. Watson et M. L. Sheh。

（2）本种喜温暖潮湿环境，栽培以半日照或遮阴处为佳，忌阳光直射，栽培土不拘，以疏松、排水良好的栽培土为佳，或用水直接栽培，最适水温 22 ~ 28℃，耐阴，耐湿，稍耐旱，适应性强，生性强健，种植容易，繁殖迅速，水陆皆可。以播种法或分株扦插法繁殖为主，多在每年 3 ~ 5 月进行，栽培容易，保持栽培土湿润，1 ~ 2 周即可发根，亦可采用播种法进行育苗。

伞形科 Umbelliferae 天胡荽属 *Hydrocotyle*

红马蹄草 *Hydrocotyle nepalensis* Hook.

| 药 材 名 | 红马蹄草（药用部位：全草。别名：八角金钱、大叶止血草、水钱草）。

| 形态特征 | 多年生草本，高 5 ~ 45cm。茎匍匐，有斜上分枝，节上生根。叶片膜质至硬膜质，圆形或肾形，长 2 ~ 5cm，宽 3.5 ~ 9cm，边缘通常 5 ~ 7 浅裂，裂片有钝锯齿，基部心形；掌状脉 7 ~ 9，疏生短硬毛；叶柄长 4 ~ 27cm，上部密被柔毛，下部无毛或被毛；托叶膜质，先端钝圆或有浅裂，长 1 ~ 2mm。伞形花序数个簇生茎端叶腋，花序梗短于叶柄，长 0.5 ~ 2.5cm，被柔毛；小伞形花序有花 20 ~ 60，常密集成球形的头状花序；花柄极短，长 0.5 ~ 1.5mm，很少无柄或超过 2mm，花柄基部有膜质、卵形或倒卵形的小总苞片；无萼齿；花瓣卵形，白色或乳白色，有时有紫红色斑点；花柱幼时内卷，花

红马蹄草

后向外反曲，基部隆起。果实长 1 ~ 1.2mm，宽 1.5 ~ 1.8mm，基部心形，两侧扁压，光滑或有紫色斑点，成熟后常呈黄褐色或紫黑色，中棱和背棱显著。花果期 5 ~ 11 月。

| 生境分布 | 生于山坡、路旁、阴湿地、水沟或溪边草丛中。分布于重庆黔江、大足、巫山、彭水、秀山、丰都、万州、铜梁、云阳、巫溪、城口、綦江、武隆、北碚、垫江、江津、石柱、合川、荣昌、沙坪坝等地。

| 资源情况 | 野生资源丰富。药材主要来源于野生，亦有少量栽培。

| 采收加工 | 夏、秋季采收，洗净，鲜用或晒干。

| 药材性状 | 本品多皱缩成团，展开后长 15 ~ 30cm，茎纤细、柔软而弯曲，有分枝，被疏毛，节上生根。单叶互生，叶柄基部有叶鞘，被毛；叶多皱缩，完整叶呈圆肾形，掌状 5 ~ 7 浅裂，裂片先端钝，基部心形，边缘有缺齿，具掌状脉，两面被紫色短硬毛。质脆。气微，味淡。

| 功能主治 | 苦，寒。清热利湿，化瘀止血，解毒。用于感冒，咳嗽，痰中带血，痢疾，泄泻，痛经，月经不调，跌仆伤肿，外伤出血，痈疮肿毒。

| 用法用量 | 内服煎汤，6 ~ 15g；或泡酒。外用适量，捣敷；或煎汤洗。

| 附　　注 | （1）本种喜温暖潮湿环境，栽培以半日照或遮阴处为佳，忌阳光直射，栽培土不拘，以疏松、排水良好的栽培土为佳，或用水直接栽培，最适水温 22 ~ 28℃。以分株法或扦插法繁殖为主，多在每年 3 ~ 5 月进行，保持栽培土湿润，1 ~ 2 周即可发根，亦可采用播种法进行育苗。

（2）本种叶片较薄，栅栏组织不发达，海绵组织与栅栏组织厚度之比较大，对弱光环境的适应能力和利用弱光的能力较强。同时，红马蹄草扦插繁殖迅速，成活率较高，以荫蔽潮湿的生长环境为佳。

伞形科 Umbelliferae 天胡荽属 *Hydrocotyle*

天胡荽 *Hydrocotyle sibthorpioides* Lam.

| **药 材 名** | 天胡荽（药用部位：全草）。

| **形态特征** | 多年生草本，有气味。茎细长而匍匐，平铺地上成片，节上生根。叶片膜质至草质，圆形或肾圆形，长 0.5 ~ 1.5cm，宽 0.8 ~ 2.5cm，基部心形，两耳有时相接，不分裂或 5 ~ 7 裂，裂片阔倒卵形，边缘有钝齿，表面光滑，背面脉上疏被粗伏毛，有时两面光滑或密被柔毛；叶柄长 0.7 ~ 9cm，无毛或先端被毛；托叶略呈半圆形，薄膜质，全缘或稍有浅裂。伞形花序与叶对生，单生节上；花序梗纤细，长 0.5 ~ 3.5cm，短于叶柄 1 ~ 3.5 倍；小总苞片卵形至卵状披针形，长 1 ~ 1.5mm，膜质，有黄色透明腺点，背部有 1 不明显的脉；小伞形花序有花 5 ~ 18，花无柄或有极短的柄；花瓣卵形，长约 1.2mm，绿白色，有腺点；花丝与花瓣同长或稍超出，花药卵形；花柱长

天胡荽

0.6 ~ 1mm。果实略呈心形，长 1 ~ 1.4mm，宽 1.2 ~ 2mm，两侧扁压，中棱在果实成熟时极为隆起，幼时表面草黄色，成熟时有紫色斑点。花果期 4 ~ 9 月。

| 生境分布 | 生于湿润的草地、河沟边、林下。重庆各地均有分布。

| 资源情况 | 野生资源丰富。药材主要来源于野生，亦有少量栽培。

| 采收加工 | 夏、秋季采收，洗净，鲜用或晒干。

| 药材性状 | 本品皱缩成团。根呈细圆柱形，外表面淡黄色或灰黄色。茎细长、弯曲，黄绿色或淡棕色，节处残留细根或根痕。叶多皱缩或破碎，完整者展平后呈圆形或近肾形，掌状 5 ~ 7 浅裂或裂至叶片中部，淡绿色，叶柄扭曲状。可见伞形花序及双悬果。气香，味淡。

| 功能主治 | 微苦、辛，凉。归脾、胆、肾经。清热利湿，解毒消肿。用于黄疸，痢疾，水肿，淋证，目翳，喉肿，痈肿疮毒，带状疱疹，跌打损伤。

| 用法用量 | 内服煎汤，9 ~ 15g。外用适量，捣敷患处。

| 附　　注 | 本种喜温暖潮湿环境，栽培以半日照或遮阴处为佳，忌阳光直射，以疏松、排水良好的栽培土为佳，或用水直接栽培，最适水温 22 ~ 28℃，耐阴，耐湿，适应性强，生性强健，种植容易，繁殖迅速，水陆皆可。

伞形科 Umbelliferae 天胡荽属 *Hydrocotyle*

肾叶天胡荽 *Hydrocotyle wilfordi* Maximowicz

| 药 材 名 | 毛叶天胡荽（药用部位：全株。别名：钻地风、水雷公根、冰大海）。

| 形态特征 | 多年生草本。茎直立或匍匐，高 15 ~ 45cm，有分枝，节上生根。叶片膜质至草质，圆形或肾圆形，长 1.5 ~ 3.5cm，宽 2 ~ 7cm，边缘不明显 7 裂，裂片通常有钝圆齿 3，基部心形，或弯缺处开展成锐角，两面光滑或在背面脉上被极疏的短刺毛；叶柄长 3 ~ 19cm，上部被柔毛，下部光滑或被疏毛，托叶膜质，圆形。花序梗纤细，单生枝条上部，与叶对生，长过叶柄或等长；有时因嫩枝未延长，常有 2 ~ 3 花序簇生节上，小伞形花序有多数花；花无柄或有极短的柄，密集成头状；小总苞片膜质，细小，具紫色斑点；花瓣卵形，白色至淡黄色。果实长 1.2 ~ 1.8mm，宽 1.5 ~ 2.1mm，基部心形，两侧扁压，中棱明显隆起，幼时草绿色，成熟时紫褐色或黄褐色，

肾叶天胡荽

有紫色斑点。花果期 5 ~ 9 月。

| 生境分布 | 生于山坡林下、路旁或山谷溪边石缝中。分布于重庆南川、綦江、忠县、丰都、黔江、酉阳等地。

| 资源情况 | 野生资源稀少。药材主要来源于野生。

| 采收加工 | 夏、秋季采收，洗净，鲜用或晒干。

| 药材性状 | 本品多缠绕成团，茎纤细、长而弯曲，无毛。单叶互生，叶多皱缩，完整者呈圆肾形，直径 1.5 ~ 6cm，有裂片 5 ~ 7，基部深心形，稍张开或相接近，两面无毛或少有毛，叶柄长 2.5 ~ 19cm，有短硬毛。气微，味淡、苦。

| 功能主治 | 苦，微寒。清热解毒，利湿。用于赤白痢疾，黄疸，小便淋痛，疮肿，鼻炎，耳痛，口疮。

| 用法用量 | 内服煎汤，6 ~ 15g。外用适量，捣敷；或绞汁涂。

伞形科 Umbelliferae 天胡荽属 *Hydrocotyle*

鄂西天胡荽 *Hydrocotyle wilsonii* Diels ex Wolff

| 药材名 | 鄂西天胡荽（药用部位：全草）。

| 形态特征 | 多年生匍匐草本。匍匐茎淡黄色，光滑，无毛，节上着生须根，有残存膜质卵形托叶。茎直立或基部平卧上升，细弱，不分枝，高10 ~ 45cm，密被短柔毛，有时下部无毛。叶片革质，圆肾形或心状肾形，长 2 ~ 4cm，宽 3.5 ~ 7cm，5 ~ 7 深裂，裂口达叶片的1/2 ~ 3/5 处，成锐角；中间裂片宽卵形或倒卵形，中部与基部等阔或较阔，中部以上两边具 1 浅裂，先端短尖；两侧裂片倒卵形，有时在一侧或两侧再有 1 浅裂，最外裂片较中间裂片稍短；裂片边缘有复锯齿，两面均被粗伏毛；叶柄长 4 ~ 12cm，被柔毛；托叶膜质，有紫色斑点。花序梗纤细，单生茎的上部，与叶对生，长于叶柄；苞片膜质，细小，密生于花柄基部；小伞形花序有多数花，花较疏

鄂西天胡荽

生；花柄长 2 ~ 4.5mm，光滑；花瓣卵形，膜质，有紫红色斑点；花柱幼时内卷，果实成熟时极向外反曲。果实幼时近圆球形，紫红色，成熟后紫黑色，长约 1.2mm，宽 1.8mm，中棱及背棱隆起，基部浅心形或平截形。花果期 7 ~ 8 月。

| 生境分布 | 生于海拔 1250 ~ 1780m 的湿润草地或竹林下。分布于重庆酉阳、江津、巫山、奉节等地。

| 资源情况 | 野生资源稀少。药材主要来源于野生。

| 采收加工 | 全年均可采收，洗净，晒干或鲜用。

| 功能主治 | 苦，凉。清热利湿，解毒活血。用于湿热黄疸，痢疾，热淋，石淋，口疮，耳痈，跌打损伤。

| 用法用量 | 内服煎汤，6 ~ 15g。外用适量，捣敷。

伞形科 Umbelliferae 藁本属 *Ligusticum*

短片藁本 *Ligusticum brachylobum* Franch.

| 药 材 名 | 短片藁本（药用部位：根）。

| 形态特征 | 多年生草本，高 1m，全株被微毛。根分叉，根颈密被粗硬纤维状残留叶鞘。茎直立，多分枝，圆柱形，中空，具细直纵条纹。基生叶具柄，叶柄长 9 ~ 25cm，基部扩大成叶鞘，叶片三角状卵形，长 10 ~ 20cm，宽 8 ~ 18cm，3 ~ 4 回羽状全裂，末回裂片线形，长 3mm，宽 1mm；茎生叶向上渐小，常无柄。复伞形花序顶生或侧生；总苞片 2 ~ 4，叶状，长 2 ~ 3cm，多糙毛；伞辐（15 ~ ）24 ~ 33，长 2 ~ 6cm，粗糙，常向外反曲；小总苞片 10 ~ 12，线形，长 8 ~ 10mm，密被白色糙毛；萼齿 5，极显著，近钻形；花瓣白色，心形，长 1.5mm，宽 1.5mm，先端具内折小尖头；花柱基隆起，花柱 2，向下反曲。分生果长圆形，长 5mm，宽 4mm，背棱显著凸起，

短片藁本

侧棱扩成宽 1mm 的翅；背棱槽内油管 2 ~ 3，侧棱槽内油管 3，合生面油管 4；胚乳腹面平直。花期 7 ~ 8 月，果期 9 ~ 10 月。

| 生境分布 | 生于海拔 1600 ~ 2500m 的林下或荒坡草地。分布于重庆忠县、石柱、武隆、南川等地。

| 资源情况 | 野生资源稀少。药材来源于野生。

| 采收加工 | 夏、秋季采挖，除去茎叶，洗净，晒干。

| 功能主治 | 甘、辛，温。祛风除湿，发表，镇痛。用于关节痛，头痛眩晕，四肢拘挛，目赤疮疡。

| 用法用量 | 内服煎汤，适量。

伞形科 Umbelliferae 藁本属 *Ligusticum*

川芎 *Ligusticum chuanxiong* Hort.

川芎

| 药 材 名 |

川芎（药用部位：根茎。别名：京芎、贯芎、抚芎）、蘼芜（药用部位：幼嫩茎叶。别名：蕲芜、薇芜、江蓠）。

| 形态特征 |

多年生草本，高 40 ~ 60cm。根茎发达，形成不规则的结节状拳形团块，具浓烈香气。茎直立，圆柱形，具纵条纹，上部多分枝，下部茎节膨大成盘状（苓子）。茎下部叶具柄，叶柄长 3 ~ 10cm，基部扩大成鞘；叶片卵状三角形，长 12 ~ 15cm，宽 10 ~ 15cm，3 ~ 4 回三出羽状全裂，羽片 4 ~ 5 对，卵状披针形，长 6 ~ 7cm，宽 5 ~ 6cm，末回裂片线状披针形至长卵形，长 2 ~ 5mm，宽 1 ~ 2mm，具小尖头；茎上部叶渐简化。复伞形花序顶生或侧生；总苞片 3 ~ 6，线形，长 0.5 ~ 2.5cm；伞辐 7 ~ 24，不等长，长 2 ~ 4cm，内侧粗糙；小总苞片 4 ~ 8，线形，长 3 ~ 5mm，粗糙；萼齿不发育；花瓣白色，倒卵形至心形，长 1.5 ~ 2mm，先端具内折小尖头；花柱基圆锥状，花柱 2，长 2 ~ 3mm，向下反曲。幼果两侧扁压，长 2 ~ 3mm，宽约 1mm；背棱槽内油管 1 ~ 5，侧棱槽内油管 2 ~ 3，合生面油管 6 ~ 8。花期 7 ~ 8 月，果期 9 ~ 10 月。

| 生境分布 | 生于气候温和的平坝地区，或栽培于耕地。分布于重庆黔江、奉节、巫山等地。

| 资源情况 | 野生资源稀少，栽培资源一般。药材来源于栽培。

| 采收加工 | 川芎：夏季茎上的节盘显著凸出并略带紫色时采挖，除去泥沙，晒后烘干，再除去须根。

藁芜：春、夏季采收幼嫩茎叶，鲜用或晒干。

| 药材性状 | 川芎：本品为不规则结节状拳形团块，直径 2 ~ 7cm。表面黄褐色或褐色，粗糙皱缩，有多数平行隆起的轮节，先端有凹陷的类圆形茎痕，下侧及轮节上有多数小瘤状根痕。质坚实，不易折断，断面黄白色或灰黄色，散有黄棕色油室，形成层呈波状环纹。气浓香，味苦、辛，稍有麻舌感，微回甘。

| 功能主治 | 川芎：辛，温。归肝、胆、心包经。活血行气，祛风止痛。用于胸痹心痛，月经不调，经闭痛经，癥瘕腹痛，胸胁刺痛，跌打肿痛，头痛，风湿痹痛。

藁芜：辛，温。归肝、胆、心经。疏风，平肝。用于风眩，惊风，风眼流泪，头风头痛。

| 用法用量 | 川芎：内服煎汤，3 ~ 9g。

藁芜：内服煎汤，3 ~ 9g；或嚼服。阴虚内热者慎服。

| 附　　注 | （1）在 FOC 中，本种的拉丁学名被修订为 *Ligusticum sinense* 'Chuanxiong'。

（2）本种喜气候温和、雨量充沛、日照充足而又较湿润的环境，但在育种培育阶段和贮藏期，则要求冷凉的气候条件。生长期 280 ~ 290 天。平坝地区宜选择土层深厚、疏松、肥沃、排水良好、有机质含量丰富、中性或微酸性的砂壤土栽培。

伞形科 Umbelliferae 藁本属 *Ligusticum*

藁本 *Ligusticum sinense* Oliv.

|药 材 名| 藁本（药用部位：根茎、根。别名：香藁本、山茝、蔚香）。

|形态特征| 多年生草本，高达 1m。根茎发达，具膨大的结节。茎直立，圆柱形，中空，具条纹。基生叶具长柄，叶柄长可达 20cm；叶片宽三角形，长 10 ~ 15cm，宽 15 ~ 18cm，2 回三出羽状全裂；第 1 回羽片长圆状卵形，长 6 ~ 10cm，宽 5 ~ 7cm，下部羽片具柄，柄长 3 ~ 5cm，基部略扩大，小羽片卵形，长约 3cm，宽约 2cm，边缘齿状浅裂，具小尖头，顶生小羽片先端渐尖至尾状；茎中部叶较大，上部叶简化。复伞形花序顶生或侧生，果时直径 6 ~ 8cm；总苞片 6 ~ 10，线形，长约 6mm；伞辐 14 ~ 30，长达 5cm，四棱形，粗糙；小总苞片 10，线形，长 3 ~ 4mm；花白色，花柄粗糙；萼齿不明显；花瓣倒卵形，先端微凹，具内折小尖头；花柱基隆起，花柱长，向下反曲。

藁本

分生果幼时宽卵形，稍两侧扁压，成熟时长圆状卵形，背腹扁压，长 4mm，宽 2 ~ 2.5mm，背棱凸起，侧棱略扩大成翅状；背棱槽内油管 1 ~ 3，侧棱槽内油管 3，合生面油管 4 ~ 6；胚乳腹面平直。花期 8 ~ 9 月，果期 10 月。

| 生境分布 | 生于海拔 1000 ~ 2700m 的林下、沟边草丛中。分布于重庆城口、忠县、云阳、南川、黔江、奉节、开州、武隆、巫溪等地。

| 资源情况 | 栽培资源较丰富。药材主要来源于栽培。

| 采收加工 | 秋季茎叶枯萎或翌年春季出苗时采挖，除去泥沙，晒干或烘干。

| 药材性状 | 本品呈不规则结节状圆柱形，稍扭曲，有分枝，长 3 ~ 10cm，直径 1 ~ 2cm。表面棕褐色或暗棕色，粗糙，有纵皱纹，上侧残留数个凹陷的圆形茎基，下侧有多数点状凸起的根痕及残根。体轻，质较硬，易折断，断面黄色或黄白色，纤维状。气浓香，味辛、苦、微麻。

| 功能主治 | 辛，温。归膀胱经。祛风，散寒，除湿，止痛。用于风寒感冒，巅顶疼痛，风湿痹痛。

| 用法用量 | 内服煎汤，3 ~ 10g。

| 附　　注 | 本种生长适应能力强，病虫害较少，喜凉爽、湿润的气候，较耐严寒，怕涝，怕高温，喜肥沃、疏松的砂壤土和腐殖质较厚的壤土。有种子或根芽繁殖 2 种方式，在北方用种子繁殖需 2 ~ 3 年收获，用根芽繁殖需 2 年收获，忌连作。

伞形科 Umbelliferae 紫伞芹属 *Melanosciadium*

紫伞芹 *Melanosciadium pimpinelloideum* de Boiss.

紫伞芹

|药 材 名|

紫伞芹（药用部位：根）。

|形态特征|

高大草本，高 0.5 ~ 2m。根粗壮，长 15 ~ 20cm，上部较粗，直径 1 ~ 2cm，表皮粗糙，有支根和须根。茎直立，直径 3 ~ 10mm。茎下部叶有长柄，长 10 ~ 20cm，基部有紫色膜质叶鞘，2 回三出分裂，1 回羽片有 2 对裂片，下面 1 对有柄，长 2 ~ 3cm，两侧的末回裂片卵形或长卵形，长 3 ~ 10cm，宽 2 ~ 6cm，基部截形，中间末回裂片菱形，长 7 ~ 15cm，宽 3 ~ 9cm，基部楔形；茎中上部叶 1 ~ 2 回三出分裂；茎上部叶 3 裂，全部裂片先端短尾状，边缘有缺刻状锯齿，表面绿色，背面灰白色，两面沿叶脉被稀疏的细刚毛。花序梗上部密被卷曲柔毛；伞辐 5 ~ 14，长不足 2cm，被稀疏或较密的柔毛；小总苞片 5 ~ 10，不等长，短于或稍长于小伞形花序，或与小伞形花序近等长，被毛；小伞形花序有花 10 ~ 20。幼果卵形，被毛，成熟果实圆球形。花果期 7 ~ 9 月。

|生境分布|

生于海拔 1100 ~ 1900m 的荫蔽潮湿竹林中

或林缘草地上。分布于重庆城口、石柱、南川、武隆、彭水、云阳等地。

|资源情况| 野生资源稀少。药材来源于野生。

|采收加工| 夏、秋季采挖，除去茎叶，洗净，晒干。

|功能主治| 祛风，散寒，止痛。

|用法用量| 内服煎汤，适量。

伞形科 Umbelliferae 水芹属 *Oenanthe*

西南水芹 *Oenanthe dielsii* de Boiss.

西南水芹

药材名

西南水芹（药用部位：全草。别名：臭蒿）。

形态特征

多年生草本，高 50 ～ 80cm，全体无毛。有短根茎，支根须状或细长纺锤形。茎直立或匍匐，下部节上生根，上部叉式分枝，开展。叶有柄，长 2 ～ 8cm，基部有较短叶鞘；叶片三角形，2 ～ 4 回羽状分裂，末回羽片条裂成短而钝的线形小裂片，长 2 ～ 12mm，宽 1 ～ 2mm。花序梗长 2 ～ 23cm，与叶对生；无总苞；伞辐 5 ～ 12，长 1 ～ 3cm；小总苞片线形，少数，较花梗短；小伞形花序有花 13 ～ 30，花梗长 2 ～ 4mm；萼齿细小卵形；花瓣白色，倒卵形，先端凹陷，有内折的小舌片；花柱基短圆锥形，花柱长 1.5 ～ 2mm。果实长圆形或近圆球形，背棱和中棱明显，侧棱较膨大，棱槽显著，分生果横剖面呈半圆形，每棱槽内油管 1，合生面油管 2。花期 6 ～ 8 月，果期 8 ～ 10 月。

生境分布

生于海拔 750 ～ 2000m 的山坡、山谷林下阴湿地或溪旁。分布于重庆秀山、南川、开州、城口、巫山、黔江等地。

| 资源情况 |

野生资源一般。药材来源于野生。

| 采收加工 |

夏季采收，洗净，晒干。

| 药材性状 |

本品多皱缩成团，全体无毛。茎呈细长圆柱形而弯曲，多分枝。完整叶为 2 ~ 4 回羽状全裂，1 回裂片有柄，卵状三角形或长圆形，长 1 ~ 2mm，宽 1mm，条裂成短披针形小裂片，叶柄长 2 ~ 6cm，有长鞘。质脆。气特殊，味微辛。

| 功能主治 |

辛、微苦，微寒。疏风清热，止痛，降压。用于风热感冒，咳嗽，麻疹，胃痛，高血压。

| 用法用量 |

内服煎汤，6 ~ 15g。

| 附　　注 |

在 FOC 中，本种被修订为线叶水芹 *Oenanthe linearis* Wall. ex DC.。

伞形科 Umbelliferae 水芹属 *Oenanthe*

细叶水芹 *Oenanthe dielsii* de Boiss. var. *stenophylla* de Boiss.

｜药 材 名｜ 细叶水芹（药用部位：全草）。

｜形态特征｜ 本种与原变种西南水芹的主要区别在于叶片有较多回的羽状分裂，末回裂片线形。花期 6 ~ 8 月，果期 8 ~ 10 月。

｜生境分布｜ 生于海拔 1500 ~ 2000m 的山谷杂木林下溪旁、水边草丛中。分布于重庆城口、万州、石柱、南川、酉阳、巫溪、巫山等地。

｜资源情况｜ 野生资源一般。药材来源于野生。

｜采收加工｜ 9 ~ 10 月采收，晒干。

｜药材性状｜ 本品多皱缩成团，茎细而弯曲。匍匐茎节处有须状根。叶皱缩，展

细叶水芹

平后基生叶三角形或三角状卵形，叶片有较多回的羽状分裂，末回裂片线形；质脆，易碎。气微香，味微辛、苦。

|功能主治| 苦，凉。清热解毒，利尿消肿。用于咽喉肿痛，风热咳嗽，肾炎水肿，高血压等。

|用法用量| 内服煎汤，适量。

|附　　注| 在FOC中，本种的拉丁学名被修订为 *Oenanthe thomsonii* C. B. Clarke subsp. *stenophylla* (H. de Boissieu) F. T. Pu。

伞形科 Umbelliferae 水芹属 *Oenanthe*

水芹 *Oenanthe javanica* (Bl.) DC.

| 药 材 名 | 水芹（药用部位：地上部分。别名：水芹菜、野芹菜、马芹）、芹花（药用部位：花）。

| 形态特征 | 多年生草本，高 15 ~ 80cm。茎直立或基部匍匐。基生叶有柄，叶柄长达 10cm，基部有叶鞘；叶片三角形，1 ~ 2 回羽状分裂，末回裂片卵形至菱状披针形，长 2 ~ 5cm，宽 1 ~ 2cm，边缘有牙齿或圆齿状锯齿；茎上部叶无柄，裂片和基生叶的裂片相似，较小。复伞形花序顶生，花序梗长 2 ~ 16cm；无总苞；伞辐 6 ~ 16，不等长，长 1 ~ 3cm，直立和展开；小总苞片 2 ~ 8，线形，长 2 ~ 4mm；小伞形花序有花超过 20，花柄长 2 ~ 4mm；萼齿线状披针形，长与花柱基相等；花瓣白色，倒卵形，长 1mm，宽 0.7mm，有 1 长而内折的小舌片；花柱基圆锥形，花柱直立或两侧分开，长 2mm。果实

水芹

近四角状椭圆形或筒状长圆形，长 2.5 ~ 3mm，宽 2mm，侧棱较背棱和中棱隆起，木栓质，分生果横剖面近五边状半圆形；每棱槽内油管 1，合生面油管 2。花期 6 ~ 7 月，果期 8 ~ 9 月。

| 生境分布 | 生于浅水低洼地或池沼、水沟旁。重庆各地均有分布。

| 资源情况 | 野生资源丰富。药材主要来源于野生，亦有少量栽培。

| 采收加工 | 水芹：9 ~ 10 月采割地上部分，洗净，除去杂质，晒干。

芹花：6 ~ 7 月花开时采收，晒干。

| 药材性状 | 水芹：本品茎呈扁圆柱形，节明显，光滑，无毛，表面绿色至棕褐色，直径 0.2 ~ 0.5cm，具纵棱，棱线 4 ~ 9；质脆，易折断，断面较平坦，呈黄绿色至棕褐色，髓部常中空。茎下端呈根茎状，节上有多数细长的须根。叶皱缩，2 ~ 3 回羽状复叶，小叶 3 ~ 5，1 ~ 2 回羽状分裂，末回裂片卵形至菱状披针形，长 2 ~ 5cm，宽 1 ~ 2cm，边缘有牙齿或圆齿状锯齿，黄绿色至棕褐色；叶柄长 7 ~ 10cm。气香特异，味苦、淡。

| 功能主治 | 水芹：甘、辛，平。归肺、胃经。清热解毒，利尿，止血。用于烦渴，浮肿，小便不利，尿血，便血，吐血，高血压。

芹花：苦，寒。清热，降压。用于脑出血。

| 用法用量 | 水芹：内服煎汤，9 ~ 12g；鲜品 30 ~ 60g，捣汁服。外用适量。

芹花：内服煎汤，3 ~ 9g。

伞形科 Umbelliferae 水芹属 *Oenanthe*

卵叶水芹 *Oenanthe rosthornii* Diels

| 药 材 名 | 卵叶水芹（药用部位：全草。别名：水芹、水川芹）。

| 形态特征 | 多年生粗壮草本，高 50 ~ 70cm。茎下部匍匐，上部直立，分枝，有棱，被柔毛。叶片广三角形或卵形，长 7 ~ 15cm，宽 8 ~ 12cm，2 回三出羽状复叶，末回裂片菱状卵形或长圆形，长 3 ~ 5cm，宽 1.5 ~ 2cm，先端长渐尖，边缘有尖锯齿，两面无毛。复伞形花序顶生和侧生，花序梗长 16 ~ 20cm；无总苞；伞辐 10 ~ 24，直立或开展；小总苞片披针形；花瓣白色，倒卵形；花柱基圆锥形，花柱直立。双悬果椭圆形或长圆形，长 3 ~ 4mm，宽约 2mm，侧棱隆起，木栓质，分生果横剖面半圆形；每棱槽内油管 1，合生面油管 2。花期 8 ~ 9 月，果期 10 ~ 11 月。

卵叶水芹

| 生境分布 | 生于海拔 1400 ~ 2500m 的山谷林下水沟旁草丛中。分布于重庆黔江、酉阳、秀山、南川、彭水等地。

| 资源情况 | 野生资源稀少。药材来源于野生。

| 采收加工 | 夏、秋季采集，洗净，鲜用或晒干。

| 药材性状 | 本品多皱缩成团。茎多分枝，有柔毛。叶多皱缩，完整者呈卵形至矩圆形，长 3 ~ 15cm，宽 5 ~ 12cm，2 回三出羽状复叶，小叶菱状卵形或长圆卵形，长 4 ~ 5cm，宽 1.5 ~ 2cm，先端渐尖或尾尖，边缘有尖锯齿，两面无毛，叶柄长 5 ~ 14cm。气香，味淡。

| 功能主治 | 补气益血，止血，利尿。用于气虚血亏，头目眩晕，水肿，外伤出血。

| 用法用量 | 内服煎汤，10 ~ 20g；或捣汁。外用适量，捣敷。

| 附　　注 | 在 FOC 中，本种的拉丁学名被修订为 *Oenanthe javanica* (Bl.) DC. subsp. *rosthornii* (Diels) F. T. Pu。

伞形科 Umbelliferae 水芹属 *Oenanthe*

中华水芹 *Oenanthe sinensis* Dunn

| 药 材 名 | 中华水芹（药用部位：全草）。

| 形态特征 | 多年生草本，高 30 ~ 60cm，光滑，无毛。茎直立，基部匍匐，节上生根，上部不分枝或有短枝。叶有柄，叶柄长 5 ~ 10cm，逐渐窄狭成叶鞘，广卵形，微抱茎；叶片 1 ~ 2 回羽状分裂，茎下部叶末回裂片楔状披针形或线状披针形，长 1 ~ 3cm，宽 2 ~ 10mm，边缘羽状半裂或全缘，长 1 ~ 3cm，宽 2 ~ 10mm；茎上部叶末回裂片通常线形，长 1 ~ 4cm，宽 1 ~ 2mm。复伞形花序顶生与腋生，花序梗长 4 ~ 7.5cm，通常与叶对生；无总苞；伞辐 4 ~ 9，不等长，长 1.5 ~ 2cm；小总苞片线形，多数，长 4 ~ 5mm，宽 0.5mm，长与花柄相等；小伞形花序有花超过 10，花柄长 3 ~ 5mm；萼齿三角形或披针状卵形，长约 0.5mm；花瓣白色，倒卵形，先端有内折的

中华水芹

小舌片；花柱基圆锥形，花柱直立，长 3mm。果实圆筒状长圆形，长 3mm，宽 1.5 ~ 2mm，侧棱略较中棱和背棱为厚；棱槽窄狭，有油管 1，合生面油管 2。花期 6 ~ 7 月，果期 8 月。

| 生境分布 | 生于水田、沼地或山坡路旁湿地。分布于重庆城口、秀山、北碚、彭水等地。

| 资源情况 | 野生资源稀少。药材来源于野生。

| 采收加工 | 9 ~ 10 月采割，晒干。

| 功能主治 | 辛，凉。清热解毒，利尿消肿，止血，降压。用于咽喉肿痛，风热咳嗽，肾炎水肿，高血压。

| 用法用量 | 内服煎汤，适量。

| 附　　注 | 在 FOC 中，本种被修订为线叶水芹 *Oenanthe linearis* Wall. ex DC.。

伞形科 Umbelliferae 香根芹属 *Osmorhiza*

香根芹 *Osmorhiza aristata* (Thunb.) Makino et Yabe Bot.

| 药 材 名 | 香根芹根（药用部位：根）、香根芹果（药用部位：果实）。

| 形态特征 | 多年生草本，高 25 ~ 70cm。主根圆锥形，长 2 ~ 5cm，有香气。茎圆柱形，有分枝，草绿色或稍带紫红色，嫩时被毛，老后光滑。基生叶阔三角形或近圆形，通常 2 ~ 3 回羽状分裂或二回三出羽状复叶，羽片 2 ~ 4 对，下部第 2 回羽片卵状长圆形或三角状卵形，长 2 ~ 7cm，宽 1.5 ~ 3.5cm，边缘有缺刻，羽状浅裂至羽状深裂，有短柄，末回裂片卵形、长卵形至卵状披针形，长 1 ~ 3cm，宽 0.5 ~ 2cm，先端钝或渐尖，边缘有粗锯齿，缺刻或羽状浅裂，表面深绿色，背面淡绿色，两面被白色粗硬毛，有时仅在脉上被毛；叶柄长 5 ~ 26cm，基部有膜质叶鞘；茎生叶分裂形状如基生叶。复伞形花序顶生或腋生，花序梗上升而开展，长 4 ~ 22cm；总苞片 1 ~ 4，

香根芹

钻形至阔线形，长 0.5 ~ 1.2cm，膜质，早落；伞辐 3 ~ 5，长 3 ~ 8cm；小总苞片 4 ~ 5，线形、披针形至卵状披针形，长 2 ~ 5mm，宽 1 ~ 1.5mm，背面或边缘被毛，通常反折；小伞形花序有孕育花 1 ~ 6，不孕花花柄丝状，短小；花瓣倒卵圆形，长约 1.2mm，宽 1mm，先端有内曲的小舌片；花丝短于花瓣，花药卵圆形；花柱基圆锥形，花柱略长于花柱基；子房被白色扁平的软毛。果实线形或棍棒状，长 1 ~ 2.2cm，宽 2 ~ 2.5mm，基部尾状尖，果棱被刺毛，基部刺毛较密；分生果横剖面圆五角形，胚乳腹面内凹。花果期 5 ~ 7 月。

| 生境分布 | 生于海拔 250 ~ 1120m 的山坡林下、溪边或路旁草丛中。分布于重庆南川、合川、开州、江津、丰都等地。

| 资源情况 | 野生资源稀少。药材来源于野生。

| 采收加工 | 香根芹根：夏季采挖，除去茎叶，洗净，晒干。

香根芹果：6 ~ 7 月果实成熟后采收，晒干。

| 功能主治 | 香根芹根：健脾消食，养肝明目。用于消化不良，夜盲症。

香根芹果：辛、苦，温。驱虫，利尿，止痢。用于蛔虫病，蛲虫病，慢性痢疾，肾炎水肿。

| 用法用量 | 香根芹根：内服煎汤，15 ~ 30g。

香根芹果：内服煎汤，3 ~ 9g；或研末。

伞形科 Umbelliferae 当归属 *Angelica*

紫花前胡 *Angelica decursiva* (Miq.) Franch. et Sav.

紫花前胡

|药材名|

紫花前胡（药用部位：根）。

|形态特征|

多年生草本。根圆锥形，有少数分枝，直径 1 ~ 2cm，外表面棕黄色至棕褐色，有强烈气味。茎高 1 ~ 2m，直立，单一，中空，光滑，常为紫色，无毛，有纵沟纹。根生叶和茎生叶有长柄，叶柄长 13 ~ 36cm，基部膨大成圆形的紫色叶鞘，抱茎，外面无毛；叶片三角形至卵圆形，坚纸质，长 10 ~ 25cm，1 回 3 全裂或 1 ~ 2 回羽状分裂；第 1 回裂片的小叶柄翅状延长，侧裂片和先端裂片的基部联合，沿叶轴呈翅状延长，翅边缘有锯齿；末回裂片卵形或长圆状披针形，长 5 ~ 15cm，宽 2 ~ 5cm，先端锐尖，边缘有白色软骨质锯齿，齿端有尖头，表面深绿色，背面绿白色，主脉常带紫色，表面脉上被短糙毛，背面无毛；茎上部叶简化成囊状膨大的紫色叶鞘。复伞形花序顶生和侧生，花序梗长 3 ~ 8cm，被柔毛；伞辐 10 ~ 22，长 2 ~ 4cm；总苞片 1 ~ 3，卵圆形，阔鞘状，宿存，反折，紫色；小总苞片 3 ~ 8，线形至披针形，绿色或紫色，无毛；伞辐及花柄被毛；花深紫色，萼齿明显，线状锥形或三角状锥形，花瓣倒卵形或椭圆状披针形，先端通常不内折成凹头状，花药暗紫色。果实长圆形至卵状圆形，长 4 ~ 7mm，宽 3 ~ 5mm，无毛，背棱线形隆起，尖锐，侧棱有较厚的狭翅，与果体近等宽；棱槽内油管 1 ~ 3，合生面油管 4 ~ 6，胚乳腹面稍凹入。花期 8 ~ 9 月，果期 9 ~ 11 月。

| **生境分布** | 生于山坡林缘、溪沟边或杂木林、灌丛中。分布于重庆丰都、酉阳、巫山、开州等地。

| **资源情况** | 野生资源一般。药材主要来源于野生，亦有少量栽培。

| **采收加工** | 秋、冬季地上部分枯萎时采挖，除去须根，晒干。

| **药材性状** | 本品多呈不规则圆柱形、圆锥形或纺锤形，主根较细，有少数支根，长 3 ~ 15cm，直径 0.8 ~ 1.7cm。表面棕色至黑棕色，根头部偶有残留茎基和膜状叶鞘残基，有浅直细纵皱纹，可见灰白色横向皮孔样突起和点状须根痕。质硬，断面类白色，皮部较窄，散有少数黄色油点。气芳香，味微苦、辛。

| **功能主治** | 苦、辛，微寒。归肺经。降气化痰，散风清热。用于痰热喘满，咳痰黄稠，风热咳嗽痰多。

| **用法用量** | 内服煎汤，3 ~ 9g，或入丸、散。

| **附　　注** | 本种喜冷凉湿润气候，耐旱，耐寒，适应性较强，在山地及平原均可生长。以肥沃、深厚的腐殖质壤土栽培最好，用种子和分根繁殖。

伞形科 Umbelliferae 前胡属 *Peucedanum*

南川前胡 *Peucedanum dissolutum* (Diels) Wolff

南川前胡

|药 材 名|

南川前胡（药用部位：根）。

|形态特征|

多年生草本，高 50 ~ 80cm。根颈粗壮，上端存留多数枯鞘纤维，直径 1 ~ 2.5cm，长 3 ~ 6cm，多横向皱纹凸起，表皮粗糙，常带暗紫色，比根部颜色深；根长圆锥形，不分叉或有少数分枝，表皮灰棕色或微带紫色。茎粗状，圆柱形，下部条棱明显凸起，呈浅沟状，略带紫色，髓部充实，自下部开始分枝。基生叶多数，具长柄，叶柄长 8 ~ 24cm，基部有披针形叶鞘；叶片三角形，3 回羽状分裂，长 9 ~ 20cm，宽 7 ~ 14cm，有 1 回羽片 4 ~ 6 对，2 回羽片 2 ~ 3 对，末回裂片卵形、倒卵形或线形，先端钝或急尖，基部楔形或近圆形，边缘具 1 ~ 3 齿或全缘，下表面稍带粉绿色，网状细脉明显，两面无毛，或于上表面叶脉基部被短毛；茎上部叶与基生叶形状相同，但无柄，仅有膜质边缘的叶鞘，叶片较小，2 回羽状分裂。复伞形花序多分枝，无总苞片或仅 1，线形或卵形，全缘或分裂；伞辐 10 ~ 25，长 3 ~ 6cm，不等长或近等长，被短毛；小总苞片 8 ~ 14，长卵形或线形，大小不等，比花柄短或近等

长；小伞形花序有花超过 20，花柄被短毛；花瓣倒心形，小舌片内曲，白色；萼齿显著，卵形；花柱细长，弯曲，花柱基圆锥形。果实长卵形，背部扁压，无毛，长 6.5 ~ 8mm，宽 3.5 ~ 4.2mm，背棱线形凸起，侧棱呈翅状；棱槽内油管 1 ~ 3，合生面油管 4 ~ 6；胚乳腹面平直或稍内凹。花期 6 ~ 7 月，果期 8 ~ 9 月。

｜生境分布｜ 生于海拔 1100 ~ 2200m 的山坡上流水的石缝中、林边路旁湿润的砾石地或草丛中。分布于重庆石柱、武隆、黔江、彭水、酉阳、南川等地。

｜资源情况｜ 野生资源稀少。药材主要来源于野生。

｜采收加工｜ 9 ~ 10 月地上部分枯萎时采挖，晒干或烘干。

｜功能主治｜ 散风清热，降气化痰。用于感冒，咳嗽，痰喘，胸闷，风湿痹痛，小儿惊风。

｜用法用量｜ 内服煎汤，3 ~ 9g；或研末；或浸酒。

伞形科 Umbelliferae 前胡属 *Peucedanum*

华中前胡 *Peucedanum medicum* Dunn

| 药 材 名 | 华中前胡（药用部位：根）。

| 形态特征 | 多年生草本，高 0.5 ~ 2m。根颈长，圆柱形，直径 1 ~ 1.2cm，有明显环状叶痕，表皮灰棕色略带紫色；根圆柱形，下部常有 3 ~ 5 分叉，表皮粗糙，有不规则纵沟纹。茎圆柱形，多细条纹，光滑，无毛。叶具长柄，基部有宽阔叶鞘；叶片广三角状卵形，长 14 ~ 40cm，宽 7 ~ 20cm，2 ~ 3 回三出分裂或 2 回羽状分裂，第 1 回羽片 3 ~ 4 对，下面 1 对具长柄，羽片 3 全裂，两侧裂片斜卵形，长 2 ~ 5cm，宽 1.5 ~ 5cm，中间裂片卵状菱形，3 浅裂或深裂，较两侧裂片长，略带革质，上表面绿色，有光泽，下表面粉绿色，边缘具粗大锯齿，齿端有小尖头；网状脉明显，尤以背面较凸起，主脉上被短毛。伞形花序很大，直径 7 ~ 15cm，中央花序有大

华中前胡

至 20cm；伞辐 15 ~ 30 或更多，不等长；总苞大早脱落；小总苞片多数，线状披针形，比花柄短；小伞形花序有花 10 ~ 30，伞辐及花柄均被短柔毛；花瓣白色；花柱基圆锥形。果实椭圆形，背部扁压，长 6 ~ 7mm，宽 3 ~ 4mm，褐色或灰褐色，中棱和背棱线形凸起，侧棱呈狭翅状；每棱槽内油管 3，合生面油管 8 ~ 10。花期 7 ~ 9 月，果期 10 ~ 11 月。

| 生境分布 | 生于海拔 700 ~ 2000m 的山坡草丛中或湿润的岩石上。分布于重庆大足、城口、酉阳、武隆、开州、巫溪、巫山、奉节、南川等地。

| 资源情况 | 野生资源一般。药材来源于野生。

| 采收加工 | 9 ~ 10 月地上部分枯萎时采挖，晒干或烘干。

| 功能主治 | 辛、微苦，温。散寒，祛风除湿。用于风寒感冒，风湿痛，小儿惊风。

| 用法用量 | 内服煎汤，3 ~ 9g；或研末；或浸酒。

伞形科 Umbelliferae 前胡属 *Peucedanum*

前胡 *Peucedanum praeruptorum* Dunn

| 药材名 | 前胡（药用部位：根）。

| 形态特征 | 多年生草本，高 0.6 ~ 1m。根颈粗壮，直径 1 ~ 1.5cm，灰褐色，存留多数越年枯鞘纤维；根圆锥形，末端细瘦，常分叉。茎圆柱形，下部无毛，上部分枝多被短毛，髓部充实。基生叶具长柄，叶柄长 5 ~ 15cm，基部有卵状披针形叶鞘；叶片宽卵形或三角状卵形，2 ~ 3 回三出分裂，第 1 回羽片具柄，柄长 3.5 ~ 6cm，末回裂片菱状倒卵形，先端渐尖，基部楔形至截形，无柄或具短柄，边缘具不整齐 3 ~ 4 粗或圆锯齿，有时下部锯齿呈浅裂或深裂状，长 1.5 ~ 6cm，宽 1.2 ~ 4cm，下表面叶脉明显凸起，两面无毛，或有时在下表面叶脉上以及边缘被稀疏短毛；茎下部叶具短柄，叶片形状与茎生叶相似；茎上部叶无柄，叶鞘稍宽，边缘膜质，叶片三出分裂，裂片

前胡

狭窄，基部楔形，中间 1 枚基部下延。复伞形花序多数，顶生或侧生，伞形花序直径 3.5 ~ 9cm；花序梗上端多短毛；总苞片无或 1 至数片，线形；伞辐 6 ~ 15，不等长，长 0.5 ~ 4.5cm，内侧被短毛；小总苞片 8 ~ 12，卵状披针形，在同一小伞形花序上，宽度和大小常有差异，比花柄长，与果柄近等长，被短糙毛；小伞形花序有花 15 ~ 20；花瓣卵形，小舌片内曲，白色；萼齿不显著；花柱短，弯曲，花柱基圆锥形。果实卵圆形，背部扁压，长约 4mm，宽 3mm，棕色，被稀疏短毛，背棱线形稍凸起，侧棱呈翅状，比果体窄，稍厚；棱槽内油管 3 ~ 5，合生面油管 6 ~ 10；胚乳腹面平直。花期 8 ~ 9 月，果期 10 ~ 11 月。

| 生境分布 | 生于海拔 250 ~ 2000m 的山坡林缘、路旁或半阴性的山坡草丛中。分布于重庆巫山、城口、奉节、石柱、酉阳、巫溪、万州、涪陵、黔江、武隆、荣昌等地。

| 资源情况 | 栽培资源较丰富。药材主要来源于栽培。

| 采收加工 | 冬季至翌年春季茎叶枯萎或未抽花茎时采挖，除去须根，洗净，晒干或低温干燥。

| 药材性状 | 本品呈不规则圆柱形、圆锥形或纺锤形，稍扭曲，下部常有分枝，长 3 ~ 15cm，直径 1 ~ 2cm。表面黑褐色或灰黄色，根头部多有茎痕及纤维状叶鞘残基，上端有密集的细环纹，下部有纵沟、纵皱纹及横向皮孔样突起。质较柔软，干者质硬，可折断，断面不整齐，淡黄白色，皮部散有多数棕黄色油点，形成层环棕色，射线放射状。气芳香，味微苦、辛。

| 功能主治 | 苦、辛，微寒。归肺经。散风清热，降气化痰。用于风热咳嗽痰多，痰热喘满，咳痰黄稠。

| 用法用量 | 内服煎汤，3 ~ 9g。

| 附　　注 | 本种喜冷凉湿润气候，耐旱，耐寒。适应性较强，在山地及平原均可生长。以肥沃、深厚的腐殖质壤土栽培为最好。

伞形科 Umbelliferae 前胡属 *Peucedanum*

武隆前胡 *Peucedanum wulongense* Shan et Sheh

| 药 材 名 | 武隆前胡（药用部位：根）。

| 形态特征 | 多年生草本，高约 1m。根颈粗壮，直径 0.7 ~ 1.2cm，表皮灰褐色，粗糙，有横向环状皱纹，先端存留枯鞘纤维；根圆锥形，下端有少数分叉或不分叉，末端细瘦，稍木质化。茎单一，圆锥形，基部直径 3.5 ~ 8mm，有纵长细条纹轻微凸起，平滑，无毛，下部不分枝，中部以上多分枝，分枝细长。基生叶多数，具长柄，叶柄长 17 ~ 33cm，基部具卵状披针形叶鞘，边缘白色膜质，光滑，无毛；叶片广三角状卵形，长 16 ~ 25cm，宽 12 ~ 22cm，2 ~ 3 回羽状分裂，具 1 回羽片 3 ~ 4 对，下部羽片柄较长，柄长 2.5 ~ 4.5cm，先端 1 对羽片近无柄，具 2 回羽片 2 ~ 3 对，下部者具短柄，先端 1 对无柄，末回裂片线形，不分裂或呈倒卵状披针形，基部楔形，先端 1 ~ 2

武隆前胡

浅裂或深裂，裂片钝齿状或稍尖锐，先端有小尖头，长1.5 ~ 4.5cm，宽0.4 ~ 1.4cm，两面平滑无毛，叶脉稍凸起，纸质；茎上部叶短小，具短柄或无柄，仅有披针形叶鞘，叶片2 ~ 3全裂，末回裂片线形或倒披针形，狭窄，长1 ~ 2cm，宽3 ~ 5mm，无毛。复伞形花序顶生和侧生，伞形花序直径1 ~ 8cm，生于茎先端者最大，花序梗先端被短毛；通常无总苞，有时有2 ~ 3，线形，长5 ~ 7mm，宽0.5mm；伞辐8 ~ 13，不等长，略呈四棱形，被稀疏短毛；小总苞片8 ~ 12，卵状披针形，通常比花柄长，有时稍短；花瓣长圆形，小舌片狭长内折，白色；花柱粗短，稍叉开，花柱基扁圆形，萼齿不显著；子房无毛。果实长圆形，长3 ~ 4mm，宽2.5 ~ 3mm，背部扁压，果棱稍凸起，无毛；棱槽内油管2 ~ 3，合生面油管4；胚乳腹面平直。花期8 ~ 9月，果期10月。

| 生境分布 | 生于海拔580m左右的江边小山坡。分布于重庆武隆、彭水、南川等地。

| 资源情况 | 野生资源稀少。药材主要来源于野生。

| 采收加工 | 秋、冬季采挖，除去地上茎及泥土，晒干。

| 功能主治 | 散风清热，降气化痰。用于外感风热，肺热痰瘀，咳喘痰多，痰黄稠黏，呕逆食少，胸膈满闷。

| 用法用量 | 内服煎汤，适量。

伞形科 Umbelliferae 茴芹属 *Pimpinella*

异叶茴芹 *Pimpinella diversifolia* DC.

| 药 材 名 | 鹅脚板（药用部位：全草。别名：骚羊古、山当归、白花草）。

| 形态特征 | 多年生草本，高 0.3 ~ 2m。通常为须根，稀为圆锥形根。茎直立，有条纹，被柔毛，中上部分枝。叶异形，基生叶有长柄，连叶鞘长 2 ~ 13cm；叶片三出分裂，裂片卵圆形，两侧裂片基部偏斜，先端裂片基部心形或楔形，长 1.5 ~ 4cm，宽 1 ~ 3cm，稀不分裂或羽状分裂，纸质；茎中、下部叶片三出分裂或羽状分裂；茎上部叶较小，有短柄或无柄，具叶鞘，叶片羽状分裂或 3 裂，裂片披针形，全部裂片边缘有锯齿。通常无总苞片，稀 1 ~ 5，披针形；伞辐 6 ~ 15（~ 30），长 1 ~ 4cm；小总苞片 1 ~ 8，短于花柄；小伞形花序有花 6 ~ 20，花柄不等长；无萼齿；花瓣倒卵形，白色，基部楔形，先端凹陷，小舌片内折，背面被毛；花柱基圆锥形，花柱长为花柱

异叶茴芹

基的 2 ~ 3 倍，幼果期直立，以后向两侧弯曲。幼果卵形，被毛，成熟果实卵球形，基部心形，近无毛，果棱线形；每棱槽内油管 2 ~ 3，合生面油管 4 ~ 6；胚乳腹面平直。花果期 5 ~ 10 月。

| 生境分布 | 生于山坡草丛中、沟边或林下。分布于重庆长寿、潼南、城口、石柱、丰都、忠县、开州等地。

| 资源情况 | 野生资源一般。药材来源于野生。

| 采收加工 | 夏、秋季采收，除去杂质，晒干或鲜用。

| 功能主治 | 辛、苦、微甘，微温。散风宣肺，理气止痛，消积健脾，活血通经，除湿解毒。用于感冒，咳嗽，百日咳，肺痨，肺痈，头痛，牙痛，胸胁痛，胃气痛，腹胀痛，缩阴冷痛，风湿关节痛，劳伤，骨伤，消化不良，食积，疳积，黄疸，痢疾，月经不调，痛经，经闭，乳肿，目翳，咽肿，痄腮，瘰疬，疮肿，跌打损伤，湿疹，皮肤瘙痒，蛇虫伤。

| 用法用量 | 内服煎汤，6 ~ 15g；或研末；或泡酒；或绞汁。外用适量，捣敷；或煎汤洗；或绞汁涂。